EDITH STEINS WERKE

I

EDITH STEINS WERKE

HERAUSGEGEBEN VON

Dr. L. GELBER
ARCHIVISTE DES ARCHIVES-HUSSERL
A LOUVAIN

P. FR. ROMAEUS LEUVEN O.C.D.
LECT. THEOL. MYST. ET PHIL.
PROV. HOLLANDIAE

BAND I
3. Auflage

UITGEVERIJ "DE MAAS & WALER" - DRUTEN
HOGESTRAAT 55-57
1983

KREUZESWISSENSCHAFT

STUDIE ÜBER
JOANNES A CRUCE

VON

Dr. EDITH STEIN
UNBESCHUHTE KARMELITIN

UITGEVERIJ "DE MAAS & WALER"
DRUTEN
1983

VERLAG HERDER
FREIBURG - BASEL - WIEN
1983

IMPRIMI POTEST

servatis de iure servandis
Fr. Romaeus a S. Ter.
Vic. Prov. O. C. D.
Geleen, die 15 nov. 1953

DEM KIRCHENLEHRER DER MYSTIK UND
VATER DER KARMELITEN

JOHANNES VOM KREUZ

ZUM 400. JAHRESTAGE SEINER GEBURT
1542 - 1942

VON

TERESIA BENEDICTA A CRUCE

UNBESCHUHTE KARMELITIN

(EDITH STEIN)

GELEITWORT

Der Kreuzesstamm trägt in ewiger Blüte immer wieder neue Früchte. Denn das Kreuz Christi ist kraft seiner Wirksamkeit mehr als ein Zeichen: es ist Wahrzeichen. Es versinnbildlicht „die bräutliche Vereinigung der Seele mit Gott, dem Ziel, für das sie geschaffen ist, erkauft durch das Kreuz, vollzogen am Kreuz und für alle Ewigkeit mit dem Kreuz besiegelt".

So ist die *Kreuzeswissenschaft* zu verstehen, die E. *Stein,* die ehemalige Schülerin und Assistentin des Schöpfers der Phänomenologie, E. *Husserl,* als letztes Vermächtnis hinterließ. Dem Vorbild des hl. *Johannes* folgend, nimmt auch sie das Kreuz auf, in dessen Zeichen sie die innere Gesetzmäßigkeit und höhere Bestimmung ihres eigenen Lebens erkennt. Und im Studium der Werke des hl. Vaters gelangt sie zur Konzeption des Begriffes *Kreuzeswissenschaft* in der zweifachen Bedeutung als Theologie des Kreuzes und als Kreuzesschule, d.h. Leben im Wahrzeichen des Kreuzes.

Das ganze Werk dient der Herausarbeitung dieser Idee, das dadurch eine tiefgehende Deutung der Kreuzeslehre, ein persönliches Bekenntnis und eine moderne Darstellung des hl. Johannes vom Kreuz wurde. Eine tiefgehende Deutung, da E. Stein, dem mächtigen religiösen Drang ihrer Seele gehorchend, den vom hl. Johannes beschriebenen Weg selbst gegangen ist; da sie unter dem Schleier der Karmelitin mit der Sprache des Ordensvaters vertraut wurde; da sie selbst eine große Denkerin ist, zugleich psychologische und pädagogische Erfahrung besitzt. Ein persönliches Bekenntnis, da hier nicht die Stimme der Ordenstradition spricht, sondern die eines Karmelkindes, das von *seinem* Standpunkt aus das Leben und die Lehre seines Vaters zu erklären versucht. Schwester Benedicta fügt an einer Stelle des Werkes selbst hinzu: „Es muß darum geprüft werden, ob es mit seiner Lehre im Einklang steht, ja sogar geeignet ist, diese Lehre noch klarer hervortreten zu lassen". Eine moderne Darstellung, da E. Stein auf der Höhe eigenen phänomenologischen Forschens die Gestalt des hl. Johannes vom Kreuz in einer von modernen Menschen gewollten Form zeichnet.

Im Sinne und im Dienste der Lehre müssen wir in der Steinschen Deutung des Wirkens und der Werke des hl. Johannes eine erneute Bestätigung der Ordenslehre erkennen, unabhängig von ihren Abweichungen von der traditionellen Auslegung. Sie widerspiegelt in makelloser Klarheit und Überzeugungskraft die Grundpfeiler der Karmelitanischen Idee: die Kreuzeslehre ist eine Realität.

Liebe und restlose Einstellung der Seele auf Gott ist das Eingangstor zu aller Mystik; die Wertlosigkeit der Welt muß für uns sinnengebundene Menschen daher immer wieder betont werden. Der Glaube dient nicht bloß als Vorbereitung zur Aufnahme der Kreuzesbotschaft; er hat Anteil an der Kreuztragung und Kreuzigung, und er findet seine Vollendung in der vollkommenen Liebesvereinigung mit Gott.

Möge das Wort des Kreuzes, das Schwester *Teresia Benedicta a Cruce* spricht, für uns alle das Samenkorn werden, das hundertfältig Ertrag bringt [1].

P. FR. Romaeus Leuven O.C.D.
Provincialis Prov. Hollandiae

---

[1] Siehe im Nachwort den biographischen Abriß, die historisch-archivalische Verantwortung dieser Herausgabe und nähere Ausführungen über Entstehung, Aufbau und Zielstellung des Werkes. Auch befindet sich an dieser Stelle eine Skizze der Steinschen Persönlichkeit im Lichte der Kreuzeswissenschaft.

INHALT

IX

Inhalt

Inhalt

VORWORT

Auf den folgenden Blättern wird der Versuch gemacht, Johannes vom Kreuz in der Einheit seines Wesens zu fassen, wie sie sich in seinem Leben und in seinen Werken ausspricht, — von einem Gesichtspunkt aus, der es möglich macht, diese Einheit in den Blick zu bekommen. Es wird also keine Lebensbeschreibung gegeben und keine allseitig auswertende Darstellung der Lehre. Aber die Tatsachen des Lebens und der Inhalt der Schriften müssen herangezogen werden, um durch sie zu jener Einheit vorzudringen. Die Zeugnisse kommen ausführlich zum Wort, aber nachdem sie gesprochen haben, wird eine Deutung versucht, und in diesen Deutungsversuchen macht sich geltend, was die Verfasserin in einem lebenslangen Bemühen von den Gesetzen geistigen Seins und Lebens erfaßt zu haben glaubt. Das gilt vor allem für die Ausführungen über *Geist, Glauben* und *Beschauung*, die an verschiedenen Stellen eingeschaltet sind, besonders in dem Abschnitt: *Die Seele im Reich des Geistes und der Geister.* Was dort über *Ich, Freiheit* und *Person* gesagt ist, stammt nicht aus den Schriften des hl. Vaters Johannes. Es lassen sich bei ihm wohl gewisse Ansatzpunkte dafür aufweisen. Ausführungen darüber lagen seiner leitenden Absicht fern und auch seiner Denkweise. Die Herausarbeitung einer Philosophie der Person, wie sie an den genannten Stellen angedeutet wird, hat sich ja erst die neuzeitliche Philosophie zur Aufgabe gestellt.

Für die Beibringung der Zeugnisse leisteten gute Führerdienste die Bücher unseres P. Bruno de Jesu Maria, *Saint Jean de la Croix,* Paris 1929, und *Vie d'Amour de Saint Jean de la Croix,* Paris 1936, sowie Jean Baruzi, *Saint Jean de la Croix et le Problème de l'Expérience Mystique,* Paris 1931. Baruzi hat reiche Anregungen geboten. Im Verhältnis dazu ist wenig von ihm angeführt, weil es nicht möglich ist, sich ohne kritische Auseinandersetzung auf seine Ausfüh-

1

rungen zu stützen. Eine solche Auseinandersetzung lag aber ganz außerhalb des Rahmens der gestellten Aufgabe. Wer Baruzi kennt, wird die Spuren seines Einflusses entdecken und auch die Ansatzpunkte für eine Kritik. Zu seinen unbestreitbaren Verdiensten gehört der unermüdliche Eifer, mit dem er sich für die Erschließung der Quellen und ihre angemessene Auswertung eingesetzt hat; zu den fraglichen Punkten seine Auffassung, daß von den beiden handschriftlichen Fassungen, in denen uns der *Geistliche Gesang* und die *Lebendige Liebesflamme* vorliegen, die spätere — für die *Liebesflamme* möglicherweise, für den *Gesang* mit größter Wahrscheinlichkeit — als apokryph anzusehen sei, und daß wir vom *Aufstieg* und der *Dunklen Nacht*, bei denen die Überlieferung einheitlich ist, vermutlich nur die apokryphe und verstümmelte Fassung hätten. (Vgl. dazu in dem genannten Werk das I. Buch: *Les Textes*, S. 3 ff. und die Einleitungen zu den einzelnen Werken in der neuesten spanischen Ausgabe der Schriften: *Obras de San Juan de la Cruz Doctor de la Iglesia,* editadas y anotadas por el P. SILVERIO DE SANTA TERESIA C. D., Burgos 1929 ff.)

EINLEITUNG : SINN UND ENTSTEHUNGSGRUNDLAGEN DER KREUZESWISSENSCHAFT

Im September oder Oktober 1568 hielt der junge Karmelit *Johannes de Yepez*, mit dem Ordensnamen bisher *Johannes vom hl. Matthias*, Einzug in dem armseligen Häuschen von Durvelo, in dem er als Grund- und Eckstein die teresianische Reform beginnen sollte. Am 28. November verpflichtete er sich mit zwei Gefährten zur Beobachtung der ursprünglichen Regel und nahm den Adelstitel *vom Kreuz* an. Das war das Sinnbild dessen, was er suchte, als er sein Heimatkloster verließ und sich damit öffentlich von dessen gemilderter Observanz lossagte; was er dort schon angestrebt hatte, indem er mit persönlicher Erlaubnis nach der ursprünglichen Regel lebte. Es war zugleich darin ein wesentliches Kennzeichen der Reform ausgesprochen: Nachfolge Christi auf dem Wege des Kreuzes, Anteil am Kreuz Christi sollte das Leben der Unbeschuhten Karmeliten sein.

Wie eben bemerkt wurde, war Johannes damals kein Neuling in der Kreuzeswissenschaft. Der Adelstitel im Orden deutet an, daß Gott die Seele im Zeichen eines besonderen Geheimnisses mit sich verbinden will. Johannes zeigte durch seine Namensänderung, daß über seinem Leben als Wahrzeichen das Kreuz stand. Wenn wir von *Kreuzeswissenschaft* sprechen, so ist das nicht im üblichen Sinn von *Wissenschaft* zu verstehen: sie ist keine bloße Theorie, d.h. kein reiner Zusammenhang von — wirklich oder vermeintlich — wahren Sätzen, kein in gesetzmäßigen Denkschritten aufgeführtes ideales Gebäude. Sie ist wohlerkannte Wahrheit — eine Theologie des Kreuzes —, aber lebendige, wirkliche und wirksame Wahrheit: einem Samenkorn gleich wird sie in die Seele gesenkt, schlägt darin Wurzeln und wächst, gibt der Seele ein bestimmtes Gepräge und bestimmt sie in ihrem Tun und Lassen, sodaß sie aus diesem Tun und Lassen hervorstrahlt und erkennbar wird. In diesem Sinn spricht man von einer Wissenschaft der Heiligen und sprechen wir von

3

Kreuzeswissenschaft. Dieser lebendigen Form und Kraft im tiefsten Innern entspringt auch die Lebensauffassung, das Gottes- und Weltbild des Menschen, und so kann sie Ausdruck finden in einem Gedankenbilde, einer Theorie. Einen solchen Niederschlag haben wir in der Lehre unseres hl. Vaters Johannes vor uns. In seinen Schriften und in seinem Leben wollen wir nach dem suchen, was ihre Einheit und Eigenart bestimmt. Zuvor fragen wir, wie überhaupt eine Wissenschaft in dem soeben umschriebenen Sinne sich bilden kann.

Es gibt natürlich erkennbare Zeichen, die darauf hinweisen, daß die menschliche Natur, wie sie tatsächlich ist, sich in einem Zustand der Entartung befindet. Dazu gehört die Unfähigkeit, Tatbestände entsprechend ihrem wahren Wert innerlich aufzunehmen und zu beantworten. Diese Unfähigkeit kann in einem angeborenen Stumpfsinn (wörtlich verstanden) begründet sein oder in einer allgemeinen Abstumpfung, die sich im Laufe des Lebens herausgebildet hat; schließlich in einer Abstumpfung bestimmten Eindrücken gegenüber infolge häufiger Wiederholung. Was oft gehört wurde, was altbekannt ist, dat „läßt uns kalt". Dazu kommt überdies noch vielfach ein übermäßiges inneres Inanspruchgenommensein durch eigenpersönliche Belange, das für anderes unzugänglich macht. Wir empfinden unsere eigene innere Unbeweglichkeit als unsachgemäß und leiden darunter. Daß sie einem psychologischen Gesetz entspricht, hilft uns nicht darüber hinweg. Wir fühlen uns andererseits beglückt, wenn wir uns durch die Erfahrung überzeugen, daß wir noch zu tiefer, echter Freude fähig sind; und auch der tiefe, echte Schmerz ist uns wie eine Gnade im Verhältnis zur Starrheit des Nichtempfindenkönnens. Die Abgestumpftheit ist uns besonders schmerzlich auf religiösem Gebiet. Viele Gläubige fühlen sich bedrückt dadurch, daß die Tatsachen der Heilsgeschichte durchaus nicht (oder nicht mehr) den Eindruck auf sie machen, der ihnen gebührt, und sich in ihrem Leben nicht, wie sie sollten, als formende Kraft auswirken. Das Beispiel der Heiligen zeigt ihnen, wie es eigentlich sein müßte: wo wahrhaft lebendiger Glaube ist, da sind die Glaubenslehren und die „Großtaten" Gottes der Inhalt des Lebens, alles andere tritt dagegen zurück und wird von ihnen aus gestaltet. Das ist *heilige Sachlichkeit*: die ursprüngliche innere Empfänglichkeit der aus dem Heiligen Geist wiedergeborenen Seele; was an sie herantritt, das nimmt sie in der angemessenen Weise und in der entsprechenden Tiefe auf; und es findet in ihr eine durch keine verkehrten Hemmungen und Erstarrungen behinderte, lebendige, bewegliche und formungsbereite Kraft, die sich durch das Aufgenommene leicht und freudig prägen und leiten läßt. Nimmt die

Kraft einer heiligen Seele in dieser Weise die Glaubenswahrheiten auf, so wird sie zur *Wissenschaft der Heiligen.* Wird das Geheimnis vom Kreuz ihre *innere Form,* dann wird sie zur *Kreuzeswissenschaft.*

Eine gewisse Verwandtschaft mit der *heiligen Sachlichkeit* hat die Sachlichkeit des Kindes, das noch mit ungeschwächter Kraft und Lebendigkeit und mit hemmungsfreier Unbefangenheit Eindrücke empfängt und beantwortet. Allerdings wird natürlicherweise die Antwort keineswegs immer die vernunftgemäße sein. Dazu mangelt noch die Reife der Einsicht. Außerdem fehlt es, sobald die Erkenntnis in Tätigkeit tritt, auch nicht an inneren und äußeren Quellen des Irrtums und der Täuschung, die in verkehrte Bahnen lenken. Entsprechende Umwelteinflüsse können vorbeugend wirken. Die Kindesseele ist weich und bildsam. Was in sie eindringt, kann leicht fürs ganze Leben formgebend sein. Wenn die Tatsachen der Heilsgeschichte schon in früher Kindheit und in geeigneter Form an die Seele herantreten, so kann dadurch leicht die Grundlage für ein heiliges Leben gelegt werden. Bisweilen treffen wir auch auf eine frühe außerordentliche Gnadenerwählung, sodaß kindliche und heilige Sachlichkeit sich verbinden. So wird von der hl. *Brigitta* berichtet, sie habe im Alter von 10 Jahren zum erstenmal vom Leiden und Sterben Jesu gehört; in der Nacht darauf sei ihr der Heiland am Kreuz erschienen; seitdem habe sie niemals das Leiden des Herrn betrachten können, ohne Tränen zu vergießen.

Bei Johannes ist noch ein drittes in Betracht zu ziehen: er war eine Künstlernatur. Unter den verschiedenen Handwerken und Künsten, in denen sich der Knabe versuchte, waren die des Bildschnitzers und Malers. Wir haben aus späterer Zeit noch Zeichnungen von ihm. (Allgemein bekannt ist eine Skizze des Aufstieges zum Berge Karmel.) Er hat als Prior in Granada den Musterbau eines beschaulichen Klosters geschaffen. Und er war ebensosehr Dichter wie bildender Künstler. Es war ihm Bedürfnis, in Liedern auszusprechen, was in seiner Seele geschah. Seine mystischen Schriften sind nur nachträgliche Erklärungen des unmittelbaren dichterischen Ausdruckes. So haben wir bei ihm auch noch mit der eigentümlichen Sachlichkeit des Künstlers zu rechnen. In der ungebrochenen Kraft der Eindrucksfähigkeit ist der Künstler dem Kinde und dem Heiligen verwandt. Aber — im Gegensatz zur *heiligen* Sachlichkeit — ist es eine Eindrucksfähigkeit, die die Welt im Licht eines bestimmten Wertbereiches — und leicht auf Kosten anderer — sieht. Dem entspricht eine eigentümliche Art des antwortenden Verhaltens. Es ist dem Künstler eigen, daß das, was ihn innerlich berührt, sich in

5

ihm zum Bild gestaltet und auch von ihm nach außen gestaltet zu werden verlangt. Bild ist hier nicht auf den Bereich des Anschaulichen und der bildenden Kunst beschränkt; es ist jegliches künstlerische Gebilde darunter zu verstehen, auch das dichterische und musikalische. Es ist zugleich Bild, in dem etwas zur Darstellung kommt, und Gebilde als ein Gebildetes und in sich Geschlossenes, zu einer eigenen kleinen Welt gerundetes. Jedes echte Kunstwerk ist überdies Sinnbild, gleichgültig ob es das nach der Absicht des Künstlers sein soll oder nicht, ob er Naturalist oder Symbolist ist. Sinnbild, d.h. es ist aus der unendlichen Fülle des Sinnes, in die jede menschliche Erkenntnis vorstößt, etwas darin erfaßt und ausgesprochen und spricht daraus; und zwar so, daß die gesamte Sinnfülle, die für alle menschliche Erkenntnis unerschöpflich ist, geheimnisvoll darin anklingt. So verstanden ist alle echte Kunst Offenbarung und alles künstlerische Schaffen heiliger Dienst. Dennoch bleibt es wahr, daß in der künstlerischen Veranlagung eine Gefahr liegt, und nicht nur dann, wenn der Künstler für die Heiligkeit seiner Aufgabe kein Verständnis hat. Es ist die Gefahr, daß er es beim Gestalten des Bildes bewenden läßt, als ob es für ihn keine anderen Forderungen gäbe. Was gemeint ist, läßt sich gerade am Beispiel des Kreuzbildes besonders deutlich zeigen. Es wird kaum einen gläubigen Künstler geben, der sich nicht gedrängt fühlte, einen Christus am Kreuz oder den Kreuztragenden zu gestalten. Aber der Gekreuzigte verlangt auch vom Künstler mehr als ein solches Bild. Er fordert von ihm wie von jedem Menschen die Nachfolge: daß er sich selbst zum Bild des Kreuztragenden und Gekreuzigten gestalte und gestalten lasse. Das Gestalten nach außen kann ein Hindernis für die Selbstgestaltung sein, muß es aber durchaus nicht sein; es kann sogar der Selbstgestaltung dienen, weil das innere Bild selbst erst mit der Gestaltung des äußeren völlig ausgeformt und innerlich angeeignet wird; damit wird es, wenn kein Hindernis in den Weg tritt, zur inneren Form, die zur Auswirkung im Tun, d.h. auf den Weg der Nachfolge drängt. Ja, auch das äußere Bild, das selbstgeschaffene, kann immer erneut als Ansporn zur Selbstgestaltung in seinem Sinne dienen. Wir haben allen Grund anzunehmen, daß es bei Johannes so gewesen ist: daß sich bei ihm kindliche, künstlerische und heilige Sachlichkeit verbanden und der Kreuzesbotschaft den günstigsten Boden bereiteten, um sie zur Kreuzeswissenschaft heranwachsen zu lassen. Daß die Künstlernatur sich schon im Kindesalter offenbarte, ist schon erwähnt worden. Es fehlt auch nicht an Zeugnissen, die für eine frühe Auserwählung zur Heiligkeit sprechen. Seine Mutter hat später den Unbeschuhten Karmelitinnen von Medina del Campo erzählt, ihr Sohn habe sich als Kind wie ein Engel betragen. Diese fromme Mutter hat ihm eine innige Liebe zur Gottesmutter eingeprägt, und es wird uns aus guten Quellen berichtet, daß der Knabe zweimal durch Marias persönliches Eingreifen vom Tode des Ertrinkens gerettet wurde. Auch sonst weist alles, was wir aus seiner Kindheit und Jugend wissen, darauf hin, daß er von den ersten Lebensjahren an ein Kind der Gnade war.

I. KREUZESBOTSCHAFT

§ 1. FRÜHE BEGEGNUNGEN MIT DEM KREUZ

Wir fragen nun, wie die Saat der Kreuzesbotschaft in diese fruchtbare Erde gesenkt wurde. Wir haben kein Zeugnis darüber, wann und wie Johannes das Bild des Gekreuzigten zum erstenmal in sich aufgenommen hat. Es ist wahrscheinlich, daß die tiefgläubige Mutter ihn schon als kleines Kind in seiner Vaterstadt Fontiveros in ihre Pfarrkirche mitgenommen hat. Da war der Heiland am Kreuz zu sehen, das Gesicht vom Schmerz entstellt, echte Haare an den Wangen herabhängend bis auf die striemenbedeckten Schultern [1]. Und wenn die junge Witwe, die soviel Not und Leid zu tragen hatte, ihren Kindern von der himmlischen Mutter sprach, dann hat sie sie gewiß auch zum schmerzhaften Mutter am Kreuz geführt. Wir dürfen wohl auch mit aller Ehrfurcht vor den Geheimnissen der Gnadenführung die Vermutung aussprechen, daß Maria selbst ihren Schützling frühzeitig in der Kreuzeswissenschaft unterwiesen haben wird. Wer könnte so gut darin unterrichtet sein und so durchdrungen von ihrem Wert die die weiseste Jungfrau?

Dem Kreuzbild ist Johannes jedenfalls auch in den Werkstätten begegnet, in denen er arbeitete. Vielleicht hat er sich damals schon selbst daran gewagt, Kreuze zu schnitzen, wie er es später gern tat. Wenn wir für all das auf Vermutungen angewiesen sind, so finden wir doch eine gute Stütze für die Annahme einer frühen Begegnung mit dem Kreuz in der sicher bezeugten Tatsache einer früh hervortretenden Liebe zu Buße und Abtötung. Schon der Neunjährige verschmäht sein Bett und macht sich ein Reisiglager zurecht. Einige Jahre später gönnt er sich auf diesem harten Lager nur noch wenige Stunden Ruhe, weil er einen Teil der Nacht zum Studium verwendet. Als kleiner Schüler erbettelt er Almosen für seine noch ärmeren

---

[1] Vgl. P. Bruno De Jesu Maria O.C.D., *St Jean de la Croix*, Paris 1929, S. 4 f.

Kameraden, später für die Armen des Hospitals. Er widmet sich nach so vielen mißglückten Versuchen in andern Berufen dem schweren Krankendienst und harrt mit ganzer Hingabe darin aus. Nach der Aussage seines Bruders *Francisco* war es ein Pockenlazarett, in dem er zu pflegen hatte (*al hospital de las bubas*)[2]. Es ist aber auch die Vermutung ausgesprochen worden, daß in diesem Haus syphilitische Kranke untergebracht waren[3]. Ob dies zutrifft oder nicht — sicher hat der Knabe bei seinen Patienten nicht nur körperliche Krankheit, sondern auch seelisches und sittliches Elend kennen gelernt, und die treue Pflichterfüllung wird von dem reinen, tief und zart empfindenden Herzen oft schmerzlichste Überwindung gefordert haben. Was gab ihm die Kraft dazu? Gewiß nichts anderes als die Liebe zum Gekreuzigten, dem er nachfolgen wollte auf seinem harten, steilen und engen Wege. Der Wunsch, Ihn näher kennen zu lernen und sich noch besser nach Seinem Bilde zu formen, hat Johannes wohl dazu bestimmt, neben dem Krankendienst das Studium im Kolleg der Jesuiten aufzunehmen als Vorbereitung auf den Priesterberuf. Um besser der Kreuzesbotschaft lauschen zu können, wird er das Angebot der einträglichen Kaplanstelle an seinem Hospital ausgeschlagen und dafür die Armut des Ordens erwählt haben[4]. Derselbe Wunsch ließ ihn bei der gemilderten Observanz der damaligen Karmeliten keine Ruhe finden und führte ihn der Reform zu.

§ 2. DIE BOTSCHAFT DER HEILIGEN SCHRIFT

Vielleicht ist schon der Jesuitenzögling zur Beschäftigung mit der Heiligen Schrift angeleitet worden. Auch früher bereits sind ihm sicher in Predigt, Unterricht und Liturgie die Worte des Herrn — und darunter die Worte vom Kreuz — entgegengetreten. Bei den Karmeliten gehörte die tägliche Unterweisung in der Heiligen Schrift zur Tagesordnung. Als dann der junge Ordensmann zum Studium nach Salamanca geschickt wurde, bildete das Eindringen in die hl. Texte unter der Leitung geschulter Exegeten einen wesentlichen Teil seiner Pflichtarbeit. Aus späterer Zeit wissen wir, daß er ganz in und mit der Heiligen Schrift gelebt hat. Sie gehörte zu den wenigen Büchern, die er immer in seiner Zelle hatte. Aus seinen eigenen Wer-

---

[2] P. Bruno a. a. O. S. 10 u. 377.

[3] Vgl. J. Baruzi, *St Jean de la Croix et le Problème de l'Expérience Mystique*, Paris 1931, S. 77 f.

[4] a. a. O. S. 91.

ken sind die Schriftworte nicht wegzudenken. Sie sind ihm zum natürlichen Ausdruck seiner inneren Erfahrung geworden und kamen ihm beim Schreiben unwillkürlich in die Feder. Sein Sekretär und Vertrauter in den letzten Jahren, P. JOHANNES EVANGELISTA, erzählt, daß Johannes vom Kreuz die Heilige Schrift kaum noch aufzuschlagen brauchte, weil er sie fast auswendig wußte [1]. So dürfen wir damit rechnen, daß die Kreuzesbotschaft des göttlichen Wortes sein ganzes Leben hindurch immer aufs neue in seinem Herzen gewirkt hat. Diese vielleicht wichtigste Quelle seiner Kreuzeswissenschaft erschöpfend zu behandeln ist ganz unmöglich. Denn wir müssen voraussetzen, daß die *ganze* Heilige Schrift, das Alte wie das Neue Testament sein tägliches Brot waren. Die Schriftzitate in seinen Werken sind so zahlreich, daß es nicht angeht, sie alle durchzusprechen. Andererseits wäre es töricht, sich auf sie zu beschränken und anzunehmen, daß andere Worte, die sich nirgends bei ihm angeführt finden, in ihm nicht auch lebendig wirksam gewesen wären. Es bleibt uns nichts übrig, als an verschiedenen Gruppen von Beispielen zu zeigen, wie wir uns das Eindringen der Kreuzesbotschaft etwa zu denken haben.

Der Heiland selbst hat bei verschiedenen Gelegenheiten und in verschiedenem Sinn vom Kreuz gesprochen: wenn Er Sein Leiden und Seinen Tod voraussagt [2], dann hat Er in wörtlichem Sinn das Holz der Schmach vor Augen, an dem Er Sein Leben enden wird. Wenn Er aber sagt: „. . . . Wer sein Kreuz nicht auf sich nimmt und mir nicht nachfolgt, ist meiner nicht wert"[3] oder: „Wenn mir jemand folgen will, verleugne er sich selbst und nehme sein Kreuz und folge mir"[4], dann ist das Kreuz das Sinnbild alles dessen, was schwer und drückend ist und der Natur so zuwider, daß es wie ein Gang zum Tode ist, wenn man es auf sich nimmt. Und diese Bürde soll der Jünger Jesu *täglich* auf sich nehmen [5]. Die Todesankündigung stellte das Bild des Gekreuzigten vor die Jünger hin und stellt es noch heute vor jeden hin, der das Evangelium liest oder hört. Darin liegt eine stillschweigende Aufforderung zu einer entsprechenden Antwort. Die Aufrufe zur Nachfolge auf dem Kreuzweg des Lebens geben die entsprechende Antwort an die Hand und geben zugleich Einblick in den Sinn des Kreuzestodes; denn an die einladenden Worte schließt unmittelbar die Mahnung an: „Wer sein

---

[1] P. BRUNO a. a. O. S. 269.
[2] Matth. 20, 19; 26, 2.
[3] Matth. 10, 38.
[4] Matth. 16, 24; vgl. Marc. 8, 34; Luc. 9, 23; 14, 27.
[5] Luc. 9, 23.

Leben retten will, wird es verlieren; aber wer sein Leben um meinetwillen verliert, wird es retten" [6]. Christus gibt Sein Leben hin, um den Menschen den Zugang zum ewigen Leben zu eröffnen. Doch um das ewige Leben zu gewinnen, müssen auch sie das irdische Leben preisgeben. Sie müssen mit Christus sterben, um mit Ihm aufzuerstehen: den lebenslänglichen Tod des Leidens und der täglichen Selbstverleugnung, gegebenenfalls auch den blutigen Tod des Glaubenszeugen für die Botschaft Christi.

Das Bild des Leidenden und Gekreuzigten, das in den Worten des Herrn vorausdeutend entworfen wird, malen die Passionsberichte der Evangelien breit und ausführlich. Ein reines und weiches Kinderherz und die Phantasie eines Künstlers — es ist kaum anders denkbar, als daß diese Bilder sich unauslöschlich eingeprägt haben. Wir müssen auch damit rechnen, daß der Knabe dem großen Gottesdienst der Karwoche beigewohnt, sogar als Meßdiener daran mitgewirkt hat. Am Palmsonntag und an den Kartagen läßt ja die kirchliche Liturgie alljährlich die letzten Lebenstage Jesu, Seinen Tod und Seine Grabesruhe in dramatischer Lebendigkeit vor den Gläubigen erstehen — in erschütternden Worten und Melodien, die unwiderstehlich zum Miterleben hinreißen. Wenn schon kaltherzige, sogar ungläubige und ins Weltleben verstrickte Menschen dabei nicht gleichgültig bleiben können, wie muß die Wirkung auf den jugendlichen Heiligen gewesen sein, von dem wir aus späterer Zeit wissen, daß er kaum über geistliche Dinge sprechen konnte, ohne in Ekstase zu geraten; den das Anhören eines Liedes in Entzückung versetzte!

Beim eigenen Schriftstudium kamen dann zu den Evangelienberichten die Weissagungen des Alten Testaments hinzu, vor allem wohl die Darstellung des leidenden Gottesknechtes bei Isaias, auf die der junge Ordensmann schon durch die Lesungen des Breviers in den Kartagen hingewiesen werden mußte. Hier waren nicht nur neue Schilderungen des Leidens von schonungsloser Realistik zu finden, sondern es bot sich der große welt- und heilsgeschichtliche Hintergrund des Dramas von Golgotha dar: Gott, der allmächtige Schöpfer und Weltenherr, der die Völker zusammenschmettert wie Tongeschirr, und zugleich der Vater, der mit treuester Sorgfalt Sein auserwähltes Volk umgibt; der zärtlich und eifersüchtig Liebende, der „Seine Braut Israel" durch die Jahrhunderte hindurch umwirbt und immer wieder verschmäht und zurückgewiesen wird,

[6] Luc. 9, 24; vgl. Matth. 10, 39; Luc. 17, 33; Joan. 12, 25.

12

wie es Johannes in seinem *Hirtenlied* besungen hat [7]. Propheten und Evangelien in wechselseitiger Ergänzung zeichnen das Bild des Messias, der im Gehorsam gegen den Vater kommt, um die Braut zurückzugewinnen, der ihr Joch auf sich nimmt, um sie davon zu befreien, ja den Tod nicht scheut, um für sie das Leben zu gewinnen. Das klingt wieder in den *Romanzen* [8]. Wenn darin das bräutliche Verhältnis von Israel auf die ganze Menschheit ausgedehnt ist, so entspricht das den Ankündigungen des Gottesreiches bei den Propheten wie in den Evangelien.

Noch etwas anderes mußte in den prophetischen Büchern für Johannes bedeutsam sein: das Verhältnis, in dem der Prophet selbst zu seinem Gott und Herrn steht; die Berufung und Aussonderung eine Menschen, auf den der Allmächtige Seine Hand legt. Ein Verhältnis, das diesen Menschen zum Freund und Vertrauten Gottes macht, zum Mitwisser und Verkünder der ewigen Ratschlüsse; das andererseits von ihm restlose Übergabe und unbegrenzte Bereitschaft fordert, ihn herausnimmt aus der Gemeinschaft der natürlich denkenden Menschen und ihn für sie zu einem Zeichen des Widerspruchs macht. Darauf wies nicht nur die Heilige Schrift unmittelbar hin, sondern auch ihre Deutung in der Überlieferung des Ordens. Im Karmel lebte — auch unter der gemilderten Regel — die Erinnerung an den Propheten *Elias* fort, den „Führer und Vater der Karmeliten" [9]. Die *Institutio primorum monachorum* [10] stellte ihn den jungen Ordensleuten als Muster des beschaulichen Lebens vor Augen. Der Prophet, den Gott auffordert, hinauszugehen in die Wüste, sich in dem Bache *Karith* zu verbergen, dem Jordan gegenüber, vom Wasser des Baches zu trinken und sich von der Speise zu nähren, die Gott ihm senden werde [11], das ist das Vorbild all derer, die sich in die Einsamkeit zurückziehen, der Sünde und allen sinnlichen Genüssen, ja allen irdischen Dingen entsagen (so ist „dem Jordan gegenüber" zu verstehen) und sich in der Got-

---

[7] *Edición Critica*, Toledo 1914, Bd. 3 S. 173 f. Das Hirtenlied ist die Klage der verschmähten Heilandsliebe. Daß Johannes als Braut das Volk Israel denkt, soll nicht behauptet werden. Die Beziehung auf die einzelne Seele liegt ebenso nahe.

[8] a. a. O. Bd. III S. 174 ff.

[9] S. *Propheta Dei Elias Ord. Carmelitarum Dux et Pater*, Inschrift des Heiligen auf der Statue in der Vatikanbasilika.

[10] Nach unsern Chronisten war das Original griechisch geschrieben. Überliefert ist die lateinische Übersetzung des Patriarchen AYMERICH VON ANTIOCHIEN (herausgegeben in Salamanca 1599). Eine französische Übersetzung brachte die Zeitschrift *La Voix de Notre Dame du Mont Carmel*, Bd. I/II, 1932/33.

[11] 3 Reg., 17, 2-3.

tesliebe bergen (*Karith* wird als *caritas* gedeutet); der Strom der
göttlichen Gnade wird sie mit Wonne tränken, und die Lehre der
Väter wird ihnen feste Speise für ihre Seele bieten: das Brot des
Reueschmerzes und der Buße, das Fleisch der wahren Demut. Fand
Johannes hier nicht den Schlüssel zu dem, was Gott in seiner eigenen
Seele wirkte? Wohl gehen Gottes Heilspläne auf die ganze Menschheit und um ihretwillen auf Sein auserwähltes Volk. Aber dabei ist
es Ihm um jede einzelne Seele zu tun. Jede einzelne wird von Ihm
gleich einer Braut mit zärtlicher Liebe umworben, mit väterlicher
Treue umsorgt. Wie dieses göttliche Liebeswerden zum Stachel wird,
der die Seele nicht mehr zur Ruhe kommen läßt, auch dafür bot
die Heilige Schrift den vollendeten Ausdruck: im *Hohenlied*. Dessen Widerhall ist der *Geistliche Gesang*. Wie darin das Kreuzmotiv
wieder und wieder angeschlagen wird, muß später ausführlich gezeigt werden.

Wenn der Dichter in den farbenglühenden Bildern des alttestamentlichen Sängers reichliche Anregung fand, so konnte der Theologe noch aus einer andern ergiebigen Quelle schöpfen. Die Seele
eins mit Christus, lebend von Seinem Leben — aber nur in der
Hingabe an den Gekreuzigten, nur wenn sie den ganzen Kreuzweg
mit Ihm gegangen ist: das ist nirgends klarer und eindringlicher
ausgesprochen als in der Botschaft des hl. *Paulus*. Er hat schon eine
ausgebildete *Kreuzeswissenschaft*, eine *Theologie des Kreuzes aus
innerster Erfahrung*.

„Christus hat mich .... gesandt ...., das Evangelium zu verkünden; doch nicht mit Wortweisheit, damit das Kreuz Christi
nicht seiner Kraft beraubt werde. Denn das Wort vom Kreuz ist
zwar denen, die verloren gehen, Torheit; denen aber, die selig werden, das ist uns, ist es Gottes Kraft". „.... Die Juden fordern
Wunderzeichen, und die Griechen suchen Weisheit; wir aber verkünden Christus den Gekreuzigten, den Juden ein Anstoß, den Heiden aber eine Torheit, den Berufenen dagegen, Juden sowohl als
Griechen, Christus Gottes Kraft und Gottes Weisheit; weil das
Törichte, das von Gott kommt, die Weisheit übertrifft; und das
Schwache, das von Gott kommt, mehr vermag als die Menschen" [12].

Das *Wort vom Kreuz* ist das Evangelium Pauli — die Botschaft,
die er Juden und Heiden verkündet. Es ist schlichtes Zeugnis, ohne
jeden Redeschmuck, ohne jeden Versuch, durch Vernunftgründe
zu überzeugen. Es schöpft seine ganze Kraft aus dem, *was* es verkündet. Und das ist das Kreuz Christi, d.h. der Kreuzestod Christi

---

[12] 1 Cor. 1, 17-18 u. 22-24.

und der gekreuzigte Christus selbst. Christus ist Gottes Kraft und Gottes Weisheit nicht nur als Gottgesandter, Gottes Sohn und selbst Gott, sondern als Gekreuzigter. Denn der Kreuzestod ist das von Gottes unergründlicher Weisheit ersonnene Mittel der Erlösung. Um zu zeigen, daß Menschenkraft und Menschenweisheit unfähig sind, die Erlösung zu wirken, gibt Er die erlösende Kraft dem, der nach menschlichen Maßstäben schwach und töricht erscheint; der aus sich selbst nichts sein will, sondern allein Gottes Kraft in sich wirken läßt; der sich selbst „ausgeleert" hat und „gehorsam geworden" ist „bis zum Tode am Kreuz" [13]. Die erlösende Kraft: das ist die Macht, die zum Leben zu erwecken, in denen das göttliche Leben erstorben war durch die Sünde. Diese erlösende Kraft des Kreuzes ist eingegangen in das *Wort vom Kreuz* und geht durch dieses Wort über auf alle, die es aufnehmen, die sich ihm öffnen, ohne Wunderzeichen und Gründe menschlicher Weisheit zu verlangen; in ihnen wird es zu jener lebenspendenden und -formenden Kraft, die wir Kreuzeswissenschaft nannten. Paulus selbst hat es darin zur Vollendung gebracht: „Durch das Gesetz bin ich .... dem Gesetz abgestorben, damit ich Gott lebe; ich bin mit Christus an das Kreuz geheftet. Ich lebe aber, doch nicht mehr ich lebe, sondern Christus lebt in mir. Sofern ich aber jetzt im Fleisch lebe, lebe ich im Glauben an den Sohn Gottes, der mich geliebt und sich selbst für mich dahingegeben hat" [14]. In jenen Tagen, als es Nacht war um ihn, aber licht wurde in seiner Seele, hat der Eiferer für das Gesetz erkannt, daß das Gesetz nur Lehrmeister war auf dem Wege zu Christus. Es konnte vorbereiten auf den Empfang des Lebens, aber selbst kein Leben geben. Christus hat das Joch des Gesetzes auf sich genommen, indem Er es vollkommen erfüllte und für und durch das Gesetz starb. Eben damit hat Er die vom Gesetz befreit, die von Ihm das Leben empfangen wollen. Aber sie können es nur empfangen, wenn sie ihr eigenes Leben preisgeben. Denn die auf Christus getauft sind, sind auf Seinen Tod getauft [15]. Sie tauchen unter in Sein Leben, um Glieder Seines Leibes zu werden, als solche mit Ihm zu leiden und mit Ihm zu sterben, aber auch mit Ihm aufzuerstehen zum ewigen, göttlichen Leben. Dieses Leben wird in seiner Fülle für uns erst kommen am Tage der Herrlichkeit. Wir haben aber jetzt schon — „im Fleisch" — Anteil daran, sofern wir *glauben*: glauben, daß Christus für uns gestorben ist, um uns das Leben zu geben. Dieser Glaube ist es, der uns mit Ihm eins werden läßt wie

---

[13] Phil. 2, 7-8.
[14] Gal. 2, 19-20.
[15] Rom. 6, 3 ff.

die Glieder mit dem Haupt und uns öffnet für das Zuströmen Seines Lebens. So ist der Glaube an den Gekreuzigten — der lebendige Glaube, der mit liebender Hingabe gepaart ist — für uns der Zugang zum Leben und der Anfang der künftigen Herrlichkeit; darum das Kreuz unser einziger Ruhmestitel: „Ferne sei es von mir, mich zu rühmen; außer im Kreuz unseres Herrn Jesu Christus, durch den mir die Welt gekreuzigt ist und ich der Welt" [16]. Wer sich für Christus entschieden hat, der ist für die Welt tot, und sie für ihn. Er trägt die Wundmale des Herrn an seinem Leibe [17], ist schwach und verachtet vor den Menschen, aber gerade darum stark, weil in den Schwachen Gottes Kraft mächtig ist [18]. In dieser Erkenntnis nimmt der Jünger Jesu nicht nur das Kreuz an, das auf ihn gelegt ist, sondern kreuzigt sich selbst: „Die Christus angehören, haben ihr Fleisch gekreuzigt mit seinen Lastern und Begierden" [19]. Sie haben einen unerbittlichen Kampf geführt gegen ihre Natur, damit das Leben der Sünde in ihnen ersterbe und Raum werde für das Leben des Geistes. Auf das Letzte kommt es an. Das Kreuz ist nicht Selbstzweck. Es ragt empor und weist nach oben. Doch es ist nicht nur Zeichen — es ist die starke Waffe Christi; der Hirtenstab, mit dem der göttliche David gegen den höllischen Goliath auszieht; womit Er machtvoll an das Himmelstor pocht und as aufstößt. Dann fluten die Ströme des göttlichen Lichtes heraus und umfangen alle, die im Gefolge des Gekreuzigten sind.

§ 3. DAS MESZOPFER

Mit Christus am Kreuz sterben, um mit Ihm aufzuerstehen — das wird für jeden Gläubigen und besonders für jeden Priester Wirklichkeit im hl. Meßopfer. Es ist nach der Glaubenslehre die Erneuerung des Kreuzopfers. Wer es in lebendigem Glauben darbringt oder daran teilnimmt, für den und in dem geschieht dasselbe, was auf Golgotha geschah. Johannes hat schon als Kind bei der hl. Messe gedient, ohne Zweifel auch im Orden bis zu seiner Priesterweihe. Wir wissen aus den Berichten über sein Leben, daß der bloße Anblick eines Kreuzbildes ihn in Ekstase versetzen konnte. Wie muß dann das wirklich vollzogene Opfer ihn gepackt haben — schon als dienend Teilnehmenden, erst recht später, wenn er selbst es darbrachte! Wir sind über sein erstes hl. Opfer unterrich-

[16] Gal. 6, 14.
[17] Gal. 6, 17.
[18] 2 Cor. 12, 9.
[19] Gal. 5, 24.

tet. Er feierte es im Kloster der hl. Anna in Medina del Campo, im September 1567, vielleicht in der Oktav von Maria Geburt, in Gegenwart seiner Mutter, seines ältesten Bruders Francisco und dessen Familie. Heilige Furcht hatte ihn vor der priesterlichen Würde zurückschrecken lassen, und nur der Gehorsam gegenüber den Weisungen seiner Vorgesetzten ließ ihn seine Bedenken überwinden. Nun, beim Beginn der hl. Feier, war der Gedanke an seine Unwürdigkeit wohl besonders lebendig. Es erwachte in ihm das brennende Verlangen, ganz rein zu sein, um das Allerheiligste mit makellosen Händen zu berühren. So steigt aus seinem Herzen die Bitte auf, der Herr möge ihn davor behüten, ihn jemals tödlich zu beleidigen. Er wollte den Reueschmerz fühlen für alle Fehler, in die er ohne Gottes Beistand fallen könnte, aber die Schuld nicht begehen. Bei der hl. Wandlung vernimmt er die Worte: „Ich gewähre dir, worum du mich bittest". Er ist von nun an in der Gnade befestigt und hat die Herzensreinheit eines zweijährigen Kindes [1]. Rein sein von Schuld und doch den Schmerz fühlen — ist das nicht das wahre Einssein mit dem makellosen Lamm, das die Sünden der Welt auf sich nahm, ist es nicht Gethsemani und Golgotha?

Die Empfänglichkeit für die Größe der hl. Opferhandlung hat bei Johannes sicher niemals nachgelassen. Wir wissen, daß er in Baëza einmal in Verzückung vom Altar ging, ohne die hl. Messe zu beenden. Eine Anwesende rief, Engel müßten kommen, um diese hl. Messe zu beenden, da dieser heilige Pater sich nicht erinnerte, daß er sie nicht beendet habe. In Caravaca sah man ihn während der hl. Messe glänzend von Strahlen, die von der hl. Hostie ausgingen. Er selbst gestand in einer vertraulichen Mitteilung, daß er manchmal tagelang auf das hl. Meßopfer verzichtete, weil seine Natur zu schwach war, die Überfülle himmlischen Trostes zu ertraben [2]. Besonders gern hat er die Messe von der Hl. Dreifaltigkeit gelesen. Es besteht ja der engste Zusammenhang zwischen diesem erhabensten Geheimnis und dem hl. Opfer, das nach dem Ratschluß der drei göttlichen Personen eingesetzt ist, zu ihrer Ehre geschieht und den Zugang zu ihrem ewig strömenden Leben erschließt. Welche Fülle von Erleuchtungen dem Heiligen im Laufe seines Priesterlebens am Altar zuteil geworden sind, das ahnen wir nicht. Jedenfalls ist das Wachstum in der Wissenschaft des Kreuzes, die fortschreitende geheimnisvolle Umgestaltung in den Gekreuzigten zum großen Teil im Dienst des Altars geschehen.

---

[1] Vgl. P. Bruno a. a. O. S. 54 f. und die *Vida* des P. Gerardo de San Juan de la Cruz in der *E. Cr.* I 36 f.

[2] P. Bruno a. a. O. S. 225.

§ 4. KREUZVISIONEN

In Wort und Bild und liturgischer Feier klopft die Kreuzesbotschaft an das Herz jedes Menschen, der im christlichen Kulturkreis lebt, besonders eindringlich an das Herz des Priesters. Es ist nur nicht jeder fähig und bereit, sie so sachgemäß aufzunehmen und zu beantworten wie Johannes vom Kreuz. Sie ist an ihn aber überdies, auch abgesehen von den besonderen Gnaden beim hl. Meßopfer, in einer außerordentlichen Form ergangen. Der Gekreuzigte ist ihm wiederholt in Visionen erschienen. Über zwei solcher Visionen sind wir genau unterrichtet. Johannes hat in seiner Lehre Visionen, Ansprachen und Offenbarungen als unwesentliches Beiwerk des mystischen Lebens behandelt. Er hat vor all dem immer wieder gewarnt, weil man dabei der Gefahr der Täuschung ausgesetzt ist und jedenfalls auf dem Weg der Vereinigung aufgehalten wird, wenn man auf solche Dinge Werte legt. Überdies war er sehr zurückhaltend mit Mitteilungen über sein Leben, das äußere wie das innere. Wenn er von diesen beiden Visionen gesprochen hat, so kommt ihnen jedenfalls eine besondere Bedeutung zu. Auf beide folgte in seinem Leben ein Sturm von Verfolgungen und Leiden. Es ist darum naheliegend, sie als Vorboten aufzufassen.

Die erste Erscheinung wurde ihm in Avila, im Kloster der Menschwerdung zuteil, wohin ihn die hl. Mutter *Teresia* als Beichtvater der Nonnen gerufen hatte. Als er eines Tages ganz in die Beschauung des Kreuzesleidens versunken war, zeigte sich ihm der Gekreuzigte, den leiblichen Augen sichtbar, mit Wunden bedeckt, blutüberströmt. So deutlich war die Erscheinung, daß er sie in einer Federzeichnung festhalten konnte, sobald er wieder zu sich kam. Das kleine vergilbte Blättchen wurde bis in unsere Tage im Kloster der Menschwerdung verwahrt [1]. Die Zeichnung macht einen sehr *modernen* Eindruck. Das Kreuz und der Körper sind in starker Verkürzung dargestellt, wie von der Seite gesehen; der Leib in starker Bewegung, weit vom Kreuz gelöst, an den Händen hängend (die Hände, von mächtigen, auffallend hervorragenden Nägeln durchbohrt, sind besonders ausdrucksvoll); der Kopf ist vornübergeworfen, sodaß die Gesichtszüge nicht zu unterscheiden sind, dagegen sieht man den Nacken und oberen Teil des Rückens, die mit Striemen bedeckt sind. Der Heilige hat das Blättchen der Schwester *Anna Maria von Jesus* geschenkt und ihr sein Geheimnis anvertraut.

---

[1] Wir hoffen, daß es auch in der jüngsten Kirchenverfolgung erhalten geblieben ist. Eine gute Reproduktion ist in dem Buch von P. BRUNO, S. 136. Dort sind auch die Quellenangaben für die Berichte zu finden.

(Das ist wohl verständlich, da der Herr selbst dieser Seele etwas von Seinen innersten Geheimnissen mitgeteilt hatte: die Gnade, die ihm bei seiner ersten hl. Messe gewährt wurde.) Wir wissen nicht, ob der Heiland Worte gesprochen hat, als Er sich so tief vom Kreuz herabbeugte. Aber sicherlich hat ein Austausch von Herz zu Herz stattgefunden. Es war in der Zeit, ehe der Kampf der *Beschuhten* gegen die Reform einsetzte, dessen Opfer Johannes mehr als alle anderen werden sollte.

Die zweite Erscheinung, gegen Ende seines Lebens, fand in Segovia statt. Er hatte seinen geliebten Bruder *Francisco* dorthin gerufen. Diesem verdanken wir den Bericht: „.... Als ich 2 oder 3 Tage da war, bat ich ihn, mich abreisen zu lassen. Er sagte mir, ich sollte noch einige Tage länger bleiben, er wüßte nicht, wann wir uns wiedersehen würden. Und dies war das letztemal, daß ich ihn sah. Eines Abends nach dem Abendessen nahm er mich bei der Hand und führte mich in den Garten, und als wir allein waren, sagte er zu mir: ,Ich will dir etwas anvertrauen, was mir mit unserm Herrn begegnet ist. Wir hatten im Kloster ein Kruzifix [2], und eines Tages, als ich mich davor befand, schien es mir, daß es passender in der Kirche angebracht würde. Er war mein Wunsch, daß es nicht nur von den Mönchen, sondern auch von denen draußen geehrt würde. Und ich machte das, wie mir der Gedanke gekommen war. Nachdem ich es in der Kirche, so passend ich konnte, angebracht hatte, stand ich eines Tages im Gebet davor — da sprach Er zu mir: Bruder Johannes, bitte mich um das, was ich dir für den Dienst gewähren soll, den du mir erwiesen hast! Und ich meinerseits sagte Ihm: Herr, was ich von Dir haben möchte, das sind Leiden, die ich für Dich zu ertragen hätte, und daß ich verachtet und geringgeschätzt würde' "[3].

---

[2] P. BRUNO gibt an, es sei ein kreuztragender Jesus gewesen, auf Leder gemalt (*Vie d'Amour de Saint Jean de la Croix*, Paris 1936, S. 238). Er hat dieses Bild in dem Buch *Saint Jean de la Croix* (S. 336) veröffentlicht. Sollte aber der Heilige wirklich für ein solches Bild den Ausdruck *crucifijo* gebraucht haben?

[3] *Thomas Perez de Molina* hat die Aussage Franciscos, der nicht schreiben konnte, nach seinem Diktat niedergeschrieben. Nach seiner Erinnerung lauteten die Worte: „Herr, daß alle meine Ehre angreifen und nichts von mir halten möchti um Deiner Liebe willen" (Vgl. *Vie d'Amour*, S. 239). Wir haben den ganzen Bericht möglichst wortgetreu wiedergegeben, um ihm nichts von seiner rührenden Schlichtheit zu nehmen und das innige Verhältnis der beiden Brüder daraus hervorleuchten zu lassen. Sie waren das ganze Leben hindurch aufs engste verbunden. Im Anfang der Reform hatte Johannes seine Mutter und den Bruder mit seiner Frau nach Durvelo gerufen, um den Haushalt zu versorgen. Die Mutter kochte, die Schwägerin wusch, der Bruder kehrte die Zellen. Das mag auf den ersten Blick überraschen bei einem Heiligen, der so streng die Loslösung von

Als Johannes diesen Wunsch aussprach, waren seine Lebensverhältnisse so, daß sich die Erfüllung schon aus natürlichen Bedingungen leicht ergeben konnte. An der Spitze des reformierten Karmels stand als Provinzial *Nikolas Doria*, der Heißsporn und Eiferer, der Teresias Werk nach seinen Ideen umformen wollte. Johannes verteidigte mit Entschiedenheit das Erbe der hl. Mutter und die Opfer des Fanatismus: P. *Hieronymus Gratian* und die Karmelitinnen. Am 30. Mei 1591 wurde das Kapitel der Unbeschuhten in Madrid eröffnet. Vor der Abreise dorthin verabschiedete sich der Heilige von den Karmelitinnen von Segovia. Die Priorin. *Maria von der Menschwerdung*, rief lebhaft erregt: „Vater, wer weiß, ob Euer Hochwürden nicht als Provinzial dieser Provinz daraus hervorgehen werden". „Man wird mich in die Ecke werfen wie einen alten Lappen, wie einen alten Küchenlumpen", war die Antwort. Und so geschah es in der Tat. Er erhielt kein Amt mehr und wurde in die Einsamkeit von la Peñuela geschickt. Dorthin folgten ihm Berichte über Bedrängnisse der Karmelitinnen. Man verhörte sie, um Material gegen Johannes zusammenzutragen. Man suchte Gründe, um ihn aus dem Orden auszustoßen. Nicht lange danach zwingt ihn die letzte Krankheit, la Peñuela zu verlassen, wo keine ärztliche Hilfe zu haben ist. So gelangt er an die letzte Station seines Kreuzwegs: Ubeda. Bedeckt mit eiternden Wunden, findet er hier im Prior, P. *Francisco Crysostomo*, einen erbitterten Gegner, der seinem Verlangen nach entwürdigender Behandlung vollauf Genüge tut. Die Höhe von Golgotha ist erreicht.

§ 5. DIE BOTSCHAFT DES KREUZES

Es ist noch ein drittes Zeugnis dafür vorhanden, daß Johannes von Kreuzbildern ungewöhnliche Einwirkungen empfing[1]. Und wahrscheinlich ist es noch viel öfter geschehen, als es uns bezeugt ist. Wir fassen alle diese Einwirkungen als Botschaften auf, die zum Tragen des Kreuzes ermunterten und darauf vorbereiteten. Doch auch

---

allen Geschöpfen fordert. Aber es liegt gewiß kein Widerspruch darin. Wenn Johannes so handelte, dann konnte er es sich wohl leisten: er empfand das Zusammensein mit seinen Lieben nicht als Hindernis im beschaulichen Leben. Ihre Beziehungen waren vermutlich schon von den Kindertagen an so sehr ins Übernatürliche erhoben, daß sie keine Fessel mehr bedeuteten. Und wo die Nächsten dem Blut nach auch die Nächsten im Geist sind, da ergibt sich eine Leichtigkeit des Verstehens, die wie ein Vorgeschmack der himmlischen Seligkeit ist. So erklären sich auch die vertraulichen Mitteilungen.

[1] Vgl. P. BRUNO, *St Jean*, S. 329.

alles das, was wir sinnbildlich unter dem Namen *Kreuz* zusammenfassen, alle Lasten und Leiden des Lebens, müssen mit zur Kreuzesbotschaft gerechnet werden, weil daraus die tiefste Kreuzeswissenschaft zu gewinnen ist. Der Heilige hat Leid und Neid schon von den
ersten Kinderjahren an kennen gelernt. Der frühe Tod des Vaters,
der Kampf der Mutter um das tägliche Brot für ihre Kinder, seine
eigenen immer wieder scheiternden Bemühungen, etwas zum Unter-
halt der Familie beizutragen — all das muß in dem zarten Kinder-
herzen tiefen Eindruck gemacht haben, aber es ist uns nichts darüber aufgezeichnet. Ebenso wenig wissen wir über die seelische Auswirkung der Krisen in den ersten Ordensjahren.

Über die spätere Zeit liegen Berichte vor, die etwas mehr Einblick
in das innere Leben gewähren. Eines Abends kam Johannes in Avila
zur Zeit des Angelusläutens nach dem Beichthören aus der Kloster-
kirche und betrat den kleinen Pfad nach dem Häuschen, das er
mit seinem Gefährten P. *Germanus* bewohnte. Da stürzte sich plötzlich ein Mann auf ihn und bearbeitete ihn so mit Stockschlägen,
daß er zu Boden stürzte. (Das war die Rache eines Liebhabers, dem
er seine Beute entrissen hatte.)

Als Johannes dieses Abenteuer erzählte, fügte er hinzu, er habe
in seinem ganzen Leben noch nicht so süßen Trost empfungen: er
war behandelt worden wie der Heiland selbst und hatte die Süßigkeit des Kreuzes erfahren.

Überreiche Gelegenheit dazu bot die Zeit der Gefangenschaft in
Toledo. Der Heilige hatte die Reform in Durvelo begonnen, war
mit der heranwachsenden klösterlichen Gemeinde nach Mancera
übergesiedelt, hatte dann im Noviziat zu Pastrana gewirkt und
schießlich das erste Ordenskolleg zu Alcala geleitet. 1572 berief
ihn die hl. Mutter nach Avila, um ihr bei einer schweren Aufgabe
beizustehen. Sie hatte den Auftrag erhalten, als Priorin ins Kloster
der Menschwerdung zurückzukehren, aus dem sie hervorgegangen
war; sie sollte unter Beibehaltung der gemilderten Regel die Miß-
stände, die dort eingerissen waren, beseitigen und die große Kommunität zu einem wahrhaft geistlichen Leben führen. Dazu schien
es ihr unerläßlich, für gute Beichtväter zu sorgen. Sie konnte keinen
geeigneteren finden als Johannes, dessen große Erfahrung im inneren Leben sie kannte. Von 1572-1577 wirkte er hier mit reichstem
Ertrag für die Seelen. Während er so in aller Stille tätig war, hatte
das Reformwerk draußen große Fortschritte gemacht. Die hl. Mutter reiste von einer Klosterstiftung zur anderen. Auch neue Män-
nerklöster der Reform waren entstanden. Glänzende Persönlichkeiten
waren in den Orden eingetreten und hatten die äußere Leitung

übernommen, vor allem P. *Hieronymus Gratian* und P. *Ambrosius Marianus*. Nicht ohne ihre Schuld fühlten sich die *Beschuhten*, die Väter der gemilderten Regel, beeinträchtigt und organisierten einen heftigen Abwehrkampf. Warum die Verfolgung sich auch gegen Johannes richtete, dessen Wirksamkeit eine rein geistliche war, ja gegen ihn mit besonderer Heftigkeit, das ist hier nicht zun untersuchen. In der Nacht von 3./4. Dezember 1577 drangen einige Beschuhte mit ihren Helfershelfern in die Wohnung der beiden Klosterbeichtväter ein und führten sie gefangen fort. Seitdem war Johannes verschollen. Die hl. Mutter erfuhr wohl, daß der Prior *Maldonado* ihn fortgeführt hatte. Aber wohin er gekommen war, das wurde erst 9 Monate später, nach seiner Befreiung bekannt. Mit verbundenen Augen hatte man ihn durch eine einsame Vorstadt in das Kloster U. L. Frau zu Toledo gebracht, das bedeutendste Karmelitenkloster der gemilderten Regel in Kastilien. Er wurde verhört, und da er sich weigerte, die Reform preiszugeben, als Rebell behandelt. Sein Gefängnis war ein enger Raum, etwa 10 Fuß lang und 6 Fuß breit; „in dem er, so klein er auch an Gestalt ist, kaum aufrecht stehen konnte", schrieb Teresia später [2]. Diese Zelle hatte weder Fenster noch Luftöffnung außer eine Spalte hoch oben an der Wand. Der Gefangene mußte, „um das Brevier beten zu können, auf das Armen-Sünder-Stühlchen steigen und warten, bis der Sonnenstrahl auf die Wand zurückfiel" [3]. Die Tür war mit einem Vorlegeschloß gesichert. Als im März 1578 die Nachricht kam, daß P. *Germanus* entflohen sei, wurde auch noch der Saal vor der Gefangenenzelle abgeschlossen. Anfangs jeden Abend, später dreimal in der Woche, schließlich nur noch manchmal am Freitag wurde der Gefangene ins Refektorium geführt, um am Boden sitzend seine Mahlzeit — Brot und Wasser — zu nehmen. Im Refektorium erhielt er auch die Disziplin. Er kniete, bis zum Gürtel entblößt, mit geneigtem Haupt; alle zogen an ihm vorbei und schlugen ihn mit der Rute. Und da er alles „mit Geduld und Liebe" ertrug, nannte man ihn „Duckmäuser". Dabei erwies er sich „unbeweglich wie ein Stein", wenn man ihn zum Abfall von der Reform aufforderte, ihm als Lockspeise ein Priorat anbot. Dann öffnete er die schweigsamen Lippen und versicherte, daß er nicht zurückkehren werde, „koste es ihn auch das Leben". Die junge Novizen, die Zeugen der Schmähungen und Mißhandlungen waren, weinten vor Mitleid und sagten

---

[2] 230. Brief vom August 1578 an P. HIERONYMUS GRATIAN, Ausgabe d. Schriften, Bd. V², Regensburg 1914, S. 294.

[3] HIERONYMUS VOM HL. JOSEPH, *Historia del V. P. Juan de la Cruz*, Madrid 1641, lib. III cap. VII.

angesichts seiner schweigenden Geduld: „Das ist ein Heiliger"[4]. Seine Tunik wurde bei den Geißelungen mit Blut getränkt — er mußte sie so wieder anziehen und sie während der 9 Monate seiner Haft behalten. Man kann sich denken, was er in den glühend heißen Sommermonaten davon zu leiden hatte. Das Essen, das man ihm brachte, verursachte ihm solche Beschwerden, daß er meinte, man wolle ihn dadurch töten. Er machte bei jedem Bissen einen Liebesakt, um der Versuchung zur Verleumdung zu entgehen.

Wir wissen, wie eng er mit den nächsten Angehörigen verbunden war. Mit ganzem Herzen war er auch dem Reformwerk ergeben, der hl. Mutter und den andern, die in dieser großen Aufgabe mit ihm eins waren, die ihr Leben gleich ihm — zum größten Teil unter seiner persönlichen Leitung — dem Ideal des ursprünglichen Karmels geweiht hatten. Er hat später, als die Pflicht ihn jahrelang in Andalusien festhielt, seinem Heimweh nach Kastilien und dem vertrauten Kreis offenen Ausdruck gegeben: „Seitdem mich jener Walfisch verschlungen und an diesen fernen Hafen ausgespieen hat, wurde mir nie mehr die Freude zuteil, Sie zu sehen, noch auch die Heiligen, die dort leben"[5]. Nun war er so von ihnen allen getrennt, daß er keine Nachricht geben konnte all die Monate lang. „Bisweilen betrübte ich mich bei dem Gedanken, man würde von mir sagen, ich hätte dem Begonnenen den Rücken gekehrt, und ich empfand den Schmerz der hl. Mutter"[6].

Doch es gab noch viel schmerzlichere Entbehrungen. Am 14. August 1578 kam der Prior *Maldonado* mit zwei Ordensleuten in seinen Kerker. Der Gefangene war so schwach, daß er sich kaum rühren konnte. Er sah nicht auf, in der Meinung, sein Kerkermeister sei eingetreten. Der Prior stieß ihn mit dem Fuß an und fragte ihn, warum er in seiner Gegenwart nicht aufstehe. Als er um Verzeihung bat und versicherte, er habe nicht gewußt, wer da war, fragte P. Maldonado: „Woran dachten Sie, daß Sie so versunken waren?" „Ich dachte, daß morgen das Fest U. L. Frau ist und daß es mir ein großer Trost wäre, wenn ich die hl. Messe lesen könnte"[7]. Wie

---

[4] Vgl. die Quellenangaben bei P. Bruno, St Jean, S. 407 ff.

[5] Brief an *Katharina von Jesus* aus Baëza, vom 6. VII. 1581, E. Cr. III 79. Die hl. Mutter verwandte sich auch für ihn bei P. *Gratian* um seine Rückberufung nach Kastilien zu bewirken (362. Brief aus Palencia, vom 23. oder 24. März 1581 an P. *Hieronymus Gracian*. In der neuen deutschen Ausgabe der Schriften, Bd. IV, München 1939, S. 374).

[6] So vertraute er später der ehrw. *Anna vom hl. Albertus* an. (P. Bruno, St Jean, S. 174)

[7] Es wurde ihm schroff abgeschlagen, aber U. L. Frau kam ihm unmittelbar danach persönlich zu Hilfe. (Vgl. a. a. O. S. 183 ff.)

muß er es in den neun langen Monaten entbehrt haben, daß er niemals das hl. Opfer feiern durfte! Das Fronleichnamsfest, an dem er sonst stundenlang in Anbetung vor dem Allerheiligsten kniete, mußte er ohne hl. Messe und Kommunion verbringen.

Wehrlos ausgeliefert sein an die Bosheit erbitterter Feinde, gepeinigt an Leib und Seele, abgeschnitten von allem menschlichen Trost und auch von den Kraftquellen des kirchlich-sakramentalen Lebens — konnte es noch eine härtere Kreuzesschule geben? Und doch war das noch nicht das tiefste Leiden. All das konnte ihn ja nicht von dem dreifaltigen Urquell trennen, dessen er im Glauben gewiß war[8]. Sein Geist war nicht in den Kerker eingeschlossen, er konnte sich zu jenem ewig-fließenden Quell erheben, sich in seine unergründliche Tiefe versenken, in die Flut, die alles Geschaffene erfüllt, auch das eigene Herz. Keine menschliche Macht konnte ihn von seinem Gott trennen — aber Gott selbst konnte sich ihm entziehen. Und diese dunkelste Nacht hat der Gefangene hier im Kerker erfahren.

A donde te escondiste,   Wo hast Du Dich verborgen,
Amado, y me dejaste con gemido?   Geliebter, der zurückließ mich in Tränen?

Dieser Schmerzensruf der Seele ist im Kerker zu Toledo erklungen[9].

Wir haben kein Zeugnis darüber, wann Johannes zuerst die Süßigkeit der Gottesnähe kennen gelernt hat. Aber alles weist darauf hin, daß das mystische Gebetleben bei ihm sehr früh begonnen haben muß. Um frei zu sein für Gott, hatte er sich von seinen Lieben getrennt, dann die Studienlaufbahn aufgegeben und sein Heimatkloster verlassen. Andere Seelen freizumachen für Gott und auf den Weg der Vereinigung zu führen, das war sein Amt in Avila, dem galt seine ganze Wirksamkeit im Orden. Für dieses Ideal der Reform ertrug er die Leiden der Kerkerhaft. Freudig nahm er alle Kränkungen und Mißhandlungen hin um seines geliebten Herrn willen. Und nun schien das süße Licht im Herzen zu erlöschen — Gott ließ ihn allein. Das war das tiefste Leiden, dem kein irdisches Leid sich vergleichen konnte. Und doch war es Sein Beweis der auserwählenden Liebe. Es schien zum Tode zu führen und war doch der Weg zum Leben.

---

[8] Vgl. das Gedicht *Wohl kenn' den Urquell ich* .... (*Que bien sé yo la fonte* ....), E. Cr. III 172 f. P. GERARDO (a. a. O. S. 142) nimmt an, daß dieses Gedicht — mit Ausnahme einiger Strophen, die später hinzugefügt wurden — im Kerker entstanden ist.

[9] Vgl. die Einleitung zum *Geistlichen Gesang* (*Cantico Espiritual*) in E. Cr. II 137 ff., die Strophen des Gesanges ib. S. 161 ff. u. III 158 ff.; in diesem Buch Teil II, § 3, 2a.

Kein Menschenherz ist je in eine so dunkle Nacht eingegangen wie der Gottmensch in Gethsemani und auf Golgotha. In das unergründliche Geheimnis der Gottverlassenheit des sterbenden Gottmenschen vermag kein forschender Menschengeist einzudringen. Aber Jesus kann auserwählten Seelen etwas von dieser äußersten Bitterkeit zu kosten geben. Es sind seine treuesten Freunde, denen er es als letzte Probe ihrer Liebe zumutet. Wenn sie nicht davor zurückschrecken, sondern sich willig hineinziehen lassen in die Dunkle Nacht, dann wird sie ihnen zum Führer:

> O Nacht, die Führer war?
> O Nacht, viel liebenswerter als die Morgenröte!
> O Nacht, die du verbunden
> Die Liebste dem Geliebten,
> In den Geliebten die Geliebte umgewandelt! [10]

Das ist die große Kreuzeserfahrung von Toledo: äußerste Verlassenheit und eben in dieser Verlassenheit die Vereinigung mit dem Gekreuzigten. So ist es vielleicht zu verstehen, daß die Aussagen über die Zeit seiner Gefangenschaft widersprechend klingen [11]: wenn berichtet wird, er habe selten oder nie Tröstungen empfunden, Leib und Seele hätten gelitten; und auf der andern Seite: eine einzige der Gnaden, die ihm Gott dort erwies, sei durch viele Kerkerjahre nicht zu bezahlen. Es wird später ausführlich darzustellen sein, wie die Seele gerade durch die Erfahrung der eigenen Nichtigkeit und Ohnmacht in der Dunklen Nacht zu wahrer Selbsterkenntnis und zur Erleuchtung über Gottes unermeßliche Größe und Heiligkeit kommt, wie sie dadurch geläutert, mit Tugenden geschmückt und für die Vereinigung zubereitet wird. Das sind gewiß kostbare Gnaden, die durch nichts zu teuer erkauft werden können, und wir würden es schon um ihretwillen verstehen, daß Johannes nach seiner Flucht aus dem Kerker bei den Karmelitinnen von Toledo von seinen Peinigern wie von großen Wohltätern sprach. Wenn er aber bei dieser Gelegenheit versicherte, er habe nie eine solche Fülle von übernatürlichem Licht und Trost genossen wie in der Gefangenschaft, so müssen wir doch annehmen, daß er hier über die Leidensgnaden hinausgelangt ist. Auch die Strophen der *Dunklen Nacht* und des *Geistlichen Gesanges*, die im Kerker entstanden sind, legen Zeugnis ab von beseligender Vereinigung. Kreuz und Nacht sind der Weg zum himmlischen Licht: das ist die frohe Botschaft vom Kreuz.

---

[10] *Gesang von der Dunklen Nacht* (E. Cr. III 157 f.), Str. 5.
[11] Vgl. P. Bruno, *St Jean*, S. 179.

§ 6. INHALT DER KREUZESBOTSCHAFT

Wir haben erwogen, auf welchen Wegen die Kreuzesbotschaft zu Johannes gedrungen sein mag. Die folgenden Teile wollen zeigen, wie sich diese Botschaft in Lehre und Leben des Heiligen ausgewirkt hat. Dazu ist es notwendig, den Inhalt der Botschaft — in einem vorläufigen knappen Umriß — klar vor Augen zu haben. Wir stellen ihn hier so hin, wie wir ihn bei dem Meister der Kreuzeswissenschaft selbst finden:

„‚Wie eng ist die Pforte und schmal der Weg, der zum Leben führt, und nur wenige finden ihn' (Matth. 7, 14). Bei dieser Stelle darf durchaus nicht übersehen werden, welches Gewicht und welche Betonung auf das Wörtchen *wie* gelegt ist. Es soll uns wohl sagen: wahrhaftig, er ist sehr schmal, schmäler als ihr glaubt .... Dieser Weg auf den hohen Berg der Vollkommenheit läßt sich nur von solchen Wanderern beschreiten, die keine Last tragen, welche sie abwärts ziehen würde .... Und weil dabei nur Gott allein das Ziel ist, das man suchen und erwerben soll, darf man auch nur Gott allein suchen und erwerben .... Weil nun der Herr uns diesen Weg weisen wollte, trug Er uns .... jene wunderbare Lehre vor, die unbegreiflicherweise von den geistlichen Seelen um so weniger befolgt wird, je notwendiger sie ihnen ist.... ‚Wer mein Jünger sein will, verleugne sich selbst, nehme sein Kreuz auf sich und folge mir. Denn wer sein Leben retten will, wird es verlieren, wer aber sein Leben um meinetwillen .... verliert, wird es retten' (Marc. 8, 34 f.). O könnte doch einer den Inhalt dieser erhabenen Lehre .... so recht erklären und probieren und auskosten!.... Beraubung aller Süßigkeit in Gott .... Trockenheit, Ekel und Mühsal .... ist das rein geistige Kreuz, ist die Blöße der Armut im Geiste Christi .... Der rechte Geist sucht in Gott eher das Unschmackhafte als das Angenehme; er ist mehr zum Leiden als zum Trost geneigt, mehr zum Verzicht auf alle Güter um Gottes willen als zu ihrem Besitz; ihm ist Trockenheit und Trübsal lieber als süßer Verkehr, da er weiß, daß hierin die Nachfolge Christi und die Selbstverleugnung besteht, während das andere weiter nichts ist als sich selbst in Gott suchen .... Gott in Gott suchen heißt, ... um Christi willen bereit sein, von seiten Gottes und der Welt gerade das Unschmackhafte zu wählen". Die Entsagung nach dem Willen des Heilands „muß ein Absterben und Vernichten alles dessen sein, was der Wille in zeitlicher, natürlicher und geistiger Beziehung hochhält". Wer aber in dieser Weise das Kreuz trägt, wird erfahren, daß es ein „süßes Joch" und eine „leichte Bürde" ist (Matth. 11, 30), denn er wird „in allen

Dingen große Erleichterung und Süßigkeit finden". „Erst wenn die Seele in tiefster Erniedrigung förmlich zu nichts geworden ist, kommt ihre geistige Vereinigung mit Gott zustande .... Diese besteht .... einzig in einem Kreuzestod bei lebendigem Leibe, im Sinnlichen wie im Geistigen, äußerlich wie innerlich"[1]. Das kann nicht anders sein, weil nach Gottes wunderbarem Heilsplan Christus die Seele „durch dieselben Mittel erlöst und mit sich vermählt, wodurch die menschliche Natur verdorben und zugrunde gerichtet wurde. Wie nämlich im Paradies durch den Genuß der verbotenen Frucht die menschliche Natur zerstört und dem Verderben preisgegeben wurde, so wird sie unter dem Baum des Kreuzes von Ihm erlöst und wiederhergestellt[2]. Wenn sie Sein Leben teilen will, muß sie mit Ihm durch den Kreuzestod hindurchgehen: gleich Ihm die eigene Natur kreuzigen durch ein Leben der Abtötung und Selbstverleugnung und sich ausliefern zur Kreuzigung in Leiden und Tod, wie Gott sie fügen oder zulassen will. Je vollkommener diese aktive und passive Kreuzigung sein wird, desto inniger wird die Vereinigung mit dem Gekreuzigten sein und desto reichlicher der Anteil am göttlichen Leben.

Damit sind die Hauptmotive der *Kreuzeswissenschaft* angeschlagen. Sie werden uns immer wieder entgegenklingen, wenn wir dem Lehrwort des Heiligen lauschen und seinem Lebensweg nachgehen. Es soll gezeigt werden, daß sie die tiefsten bewegenden Kräfte sind, wodurch dieses Leben und Lebenswerk geformt ist.

---

[1] *Aufstieg zum Berge Karmel*, B. II Kap. 6, *E. Cr.* I 120 ff.
[2] *Geistlicher Gesang*, Erklärung zu Str. 23, *E. Cr.* II 282.

II. KREUZESLEHRE

Will man die.Lehre des hl. Johannes vom Kreuz von ihren seelischen Wurzeln her zu verstehen suchen, so muß man sich über die
Eigenart, ja Einzigartigkeit seiner Schriften, ihre Entstehung und
ihre Schicksale Rechenschaft geben.

Da die hl. Kirche den Heiligen zum Kirchenlehrer erhoben hat,
ist heute jeder an ihn gewiesen, der sich im Rahmen der katholischen Glaubenslehre über die Fragen der Mystik Aufschluß verschaffen will. Und weit über die katholische Kirche hinaus ist er als
einer der führenden Geister, der zuverlässigsten Wegweiser anerkannt, an denen niemand vorbeigehen kann, der ernstlich in das
geheimnisvolle Reich des inneren Lebens vordringen möchte. Und
doch hat Johannes vom Kreuz keine systematische Darstellung der
Mystik gegeben. Seine Absicht beim Schreiben war keine theoreti-
sche, obwohl er genügend Theoretiker war, um sich manchmal
durch die rein sachlichen Zusammenhänge weiter fortreißen zu
lassen, als es seiner ursprünglichen Zielstellung entsprach. Was er
eigentlich wollte, war: „bei der Hand führen" (wie es der *Areopagit*
von sich sagt) [1], durch die Schriften seine Arbeit als Seelenführer
ergänzen. Es ist uns keineswegs alles erhalten, was er geschrieben
hat. Alles, was vor seiner Verhaftung entstanden war, ist durch ihn
selbst oder durch andere vernichtet worden. Auch die zweite Verfolgung (innerhalb der Reform) hat uns noch vieles geraubt, z.B.
wertvolle Aufzeichnungen, die von den Karmelitinnen nach seinen
mündlichen Belehrungen gemacht wurden. Von seinen Briefen ist
gleichfalls nur ein kleiner Bruchteil erhalten. Und von den vier
großen Abhandlungen, die uns geblieben sind — *Aufstieg zum
Berge Karmel, Dunkle Nacht, Geistlicher Gesang, Lebendige Liebesflamme* —, sind *Aufstieg* und *Nacht* in unvollendeter Form auf

---

[1] *De divinis nominibus*, Kap. II § 2, Migne, *P. Gr.* III 640.

uns gekommen [2]. Trotz dieser Lücken und mancher durch sie bedingten unlösbaren Fragen sind in dem, was uns als unschätzbares Vermächtnis unseres heiligen Vaters erhalten ist, die leitenden Gedanken so klar, daß auf unsere Frage wohl eine Antwort zu erhoffen ist.

Für die erhaltenen Schriften ist der eigentliche Ursprung in der Zeit der Gefangenschaft in Toledo zu suchen. Innerste Erfahrung ist der Quell, dem sie entspringen. Seligkeit und Qual eines von Gott heimgesuchten und verwundeten Herzens finden ihren ersten Ausdruck im lyrischen Bekenntnis: die ersten 30 Strophen des *Geistlichen Gesanges* sind im Kerker entstanden, vielleicht auch das Gedicht von der *Dunklen Nacht,* das sowohl der danach benannten Schrift als dem *Aufstieg* zu Grunde liegt [3]. Johannes brachte sie aus dem Kerker mit (ob nur im Gedächtnis bewahrt oder in einem Heft aufgezeichnet — darüber liegen verschiedene Zeugnisse vor) und machte vertraute Seelen damit bekannt. Der Bitte geistlicher Söhne und Töchter haben wir die erklärenden Abhandlungen zu danken. In ihnen wird die Erfahrung aus der Sprache des Dichters in die des philosophisch und theologisch geschulten Denkers übersetzt, aber doch mit sehr sparsamem Gebrauch scholastischer Fachausdrücke und reichlicher Verwendung lebensnaher Bilder. Es wird ferner die Erfahrungsgrundlage verbreitert: das Selbsterlebte wird ergänzt durch das, was dem Meister in der Seelenführung aus tiefem Einblick in das Innenleben anderer Menschen bekannt ist. Das schützt ihn vor Einseitigkeit und falschen Verallgemeinerungen. Er rechnet immer mit der großen Mannigfaltigkeit möglicher Wege und der zarten und leicht beweglichen Anpassung der Gnadenführung an die besonderen Bedingungen der einzelnen Seele. Eine immer fließende Quelle der Belehrung über die Gesetze des inneren Lebens ist ihm schließlich die Heilige Schrift. Er findet in ihr die sichere Bestätigung dessen, was ihm aus innerster Erfahrung bekannt ist. Andererseits öffnet ihm die eigene Erfahrung die Augen für die mystische Bedeutung der heiligen Bücher. Die kühnen Bildersprache der Psalmen, die Parabeln des Herrn, selbst die geschichtlichen Erzählungen des Alten Testaments — alles wird ihm durchsichtig und gibt ihm immer reichlicheren und tieferen Einblick in das Eine, worauf es ihm ankommt: *den Weg der Seele zu Gott und Gottes Wirken in der Seele.*

---

[2] Auf die Streitfrage ob sie niemals vollendet oder nachträglich verstümmelt wurden, gehen wir hier nicht ein.

[3] Auch noch andere Gedichte stammen aus der Gefangenschaft, aber es kommt uns vorläufig nur auf die an, die Ausgangspunkt für die Abhandlungen waren.

Gott hat die Menschenseelen für sich erschaffen. Er will sie mit sich selbst vereinigen und ihnen die unermeßliche Fülle und unfaßbare Seligkeit Seines eigenen, göttlichen Lebens schenken: schon in diesem Leben. Das ist das *Ziel*, worauf Er sie hinlenkt und dem sie selbst mit all ihren Kräften zustreben sollen. Aber der Weg dahin ist eng und steil und mühsam. Die meisten bleiben auf der Strecke. Wenige gelangen über die ersten Anfänge hinaus, eine verschwindend kleine Anzahl ans Ziel. Daran sind die Gefahren des Weges schuld — Gefahren von seiten der Welt, des bösen Feindes und der eigenen Natur, aber auch Unkenntnis und Mangel an geeigneter Führung. Die Seelen verstehen nicht, was in ihnen vorgeht, und selten findet sich jemand, der ihnen dafür die Augen öffnen könnte. Ihnen bietet sich Johannes als kundiger Führer an. Er hat Erbarmen mit den Irrenden, und es ist ihm leid um Gottes Werk, das an solchen Hindernissen scheitert. Er will und kann helfen, denn er kennt in dem geheimnisvollen Reich des inneren Lebens alle Wege und Stege. Es ist ihm gar nicht möglich, alles zu sagen, was er darüber weiß; er muß sich beständig Zügel anlegen, um nicht über das hinauszugehen, was die Aufgabe erfordert.

Der Heilige hat seine Werke nicht für jedermann geschrieben. Er will gewiß niemanden ausschließen. Aber er weiß, daß er nur bei einem bestimmten Kreis von Menschen auf Verständnis rechnen kann: bei denen, die schon eine gewisse Erfahrung im inneren Leben haben. In erster Linie denkt er an die Karmeliten und Karmelitinnen, deren eigentlichster Beruf das innerliche Gebet ist. Aber er weiß, daß Gottes Gnade nicht an Ordenskleid und Klostermauern gebunden ist. Einer seiner geistlichen Töchter „in der Welt" verdanken wir ja die Schrift über die *Lebendige Liebesflamme*. Für beschauliche Seelen also schreibt er, und an einem ganz bestimmten Punkt ihres Weges will er sie an die Hand nehmen: an einem Scheideweg, wo die meisten ratlos stehen bleiben und nicht weiter wissen. Auf dem Weg, den sie bisher gegangen sind, treten ihnen unübersteigbare Hindernisse entgegen. Der neue Weg aber, der sich vor ihnen auftut, führt durch undurchdringliches Dunkel — wer hat den Mut, sich da hinein zu wagen? Der Scheideweg, um den es sich handelt, ist der von *Betrachtung* und *Beschauung* (*Meditation* und *Kontemplation*). Man hat bisher, vielleicht nach ignatianischer Methode, in den Betrachtungsstunden die seelischen Kräfte geübt — Sinne, Einbildungskraft, Gedächtnis, Verstand, Willen. Aber nun versagen sie den Dienst. Alle Bemühungen sind umsonst. Die geistlichen Übungen, sonst eine Quelle innerer Freude, werden zur Qual, unerträglich öde und fruchtlos. Es besteht aber auch keine Neigung, sich mit weltlichen Dingen abzugeben. Am liebsten möchte die Seele ganz still verweilen, ohne sich zu rühren, alle Kräfte ruhen lassen. Aber das scheint ihr als Müßiggang und Zeitvergeudung. So etwa sieht es in der Seele aus, wenn Gott sie in die *Dunkle Nacht* einführen will. Nach gewöhnlichem christlichen Sprachgebrauch wird man einen solchen Zustand „ein Kreuz" nennen. Es war auch früher schon die Rede davon, daß *Kreuz* und *Nacht* etwas miteinander zu tun haben. Aber mit der unbestimmten Feststellung einer gewissen Sinnesverwandtschaft ist uns nicht geholfen. Es wird an manchen Stellen in den Schriften des hl. Vaters Johannes mit solcher Entschiedenheit von der Bedeutung des Kreuzes gesprochen, daß dadurch unsere Auffassung seines Lebens und seiner Lehre als einer Kreuzeswissenschaft wohl gerechtfertigt wäre. Aber es sind verhältnismäßig wenige Stellen. Das *beherrschende Symbol* in seinen Gedichten wie in seinen Abhandlungen ist *nicht das Kreuz*, sondern *die Nacht*: in *Aufstieg* und *Nacht* steht es durchaus im Mittelpunkt, im *Gesang* und in der *Liebesflamme* (die vorwiegend den Zustand jenseits der Nacht behandeln) klingt es noch nach[4]. Darum ist es nötig, sich über das Verhältnis von Kreuz und Nacht genau Rechenschaft zu geben, wenn man sich über die Bedeutung des Kreuzes bei Johannes Aufschluß verschaffen will.

§ 1. KREUZ UND NACHT (NACHT DER SINNE)

1. Unterschied im Symbolcharakter: Wahrzeichen und kosmischer Ausdruck

Es ist zunächst zu fragen, ob Kreuz und Nacht in gleichem Sinne *Symbol* sind. Dieses Wort wird ja in vielfacher Bedeutung gebraucht. Es wird manchmal in einem sehr weiten Sinne genommen, sodaß man darunter alles Sinnenfällige versteht, wodurch etwas Geistiges bezeichnet wird, oder alles aus natürlicher Erfahrung Bekannte, wodurch auf etwas Unbekanntes, vielleicht sogar in natürlicher Erkenntnis Unerfahrbares hingewiesen wird. In diesem weiten Sinne können Kreuz wie Nacht Symbol genannt werden. Aber schon, wenn wir den Unterschied von *Zeichen* und *Bild* berücksichtigen, wird ein Gegensatz sichtbar. Das Bild — als *Abbild* verstanden — weist auf das Abgebildete durch eine innere Ähnlichkeit hin; wer

---

[4] Nicht minder bedeutsam ist das Brautsymbol, aber es kommt an dieser Stelle nicht in Frage. Bei der Behandlung des *Geistlichen Gesanges* wird es ausführlich zur Sprache kommen.

es sieht, der wird dadurch unmittelbar auf das Urbild hingelenkt, das er darin wiedererkennt oder daraus kennen lernt. Zwischen Zeichen und Bezeichnetem bedarf es keiner inhaltlichen Übereinstimmung. Ihre Beziehung ist durch eine willkürliche Setzung gestiftet, über diese Setzung muß man unterrichtet sein, um das Zeichen zu verstehen. Das Kreuz ist offenbar kein Bild im eigentlichen Sinn. (Wenn man es ein Sinnbild nennt, so besagt das nicht viel mehr als Symbol in der soeben umschriebenen weiten Bedeutung: ein Anschauliches, das auf einen über das Anschauliche hinausliegenden Sinn hinweist.) Zwischen Kreuz und Leiden besteht keine unmittelbar faßliche Ähnlichkeit, aber auch kein rein willkürlich festgesetztes Zeichenverhältnis. Dem Kreuz ist seine Bedeutung durch seine Geschichte zugewachsen. Es ist kein bloßer *Naturgegenstand*, sondern ein *Werkzeug*, von Menschenhand zu einem ganz bestimmten Zweck verfertigt und gebraucht. Als Werkzeug hat es in der Geschichte eine Rolle von unvergleichlicher Tragweite gespielt. Von dieser Rolle weiß jeder etwas, der im christlichen Kulturkreis lebt. Darum führt das Kreuz durch seine anschauliche Gestalt unmittelbar hinein in die Sinnfülle, die damit verwoben ist. Es ist also ein Zeichen, aber eines, dem seine Bedeutung nicht künstlich angeheftet ist, sondern wahrhaft zukommt auf Grund seiner Wirksamkeit und seiner Geschichte. Seine sichtbare Gestalt weist auf den Sinnzusammenhang hin, in dem es steht. Dem werden wir gerecht, wenn wir es ein *Wahrzeichen* nennen.

Die *Nacht* dagegen ist etwas *Naturhaftes*: das Gegenspiel des Lichtes, uns und alle Dinge einhüllend. Sie ist kein *Gegenstand* im eigentlichen Wortsinn: sie steht uns nicht gegenüber und steht auch nicht auf sich selbst. Sie ist auch kein *Bild*, sofern man darunter eine sichtbare Gestalt versteht. Sie ist unsichtbar und gestaltlos. Und doch nehmen wir sie wahr, ja sie ist uns viel näher als alle Dinge und Gestalten, ist mit unserem Sein viel enger verbunden. Wie das Licht die Dinge mit ihren sichtbaren Eigenschaften hervortreten läßt, so *verschlingt* sie die Nacht und droht auch uns zu verschlingen. Was in ihr versinkt, das ist nicht einfach nichts: es bleibt bestehen, aber unbestimmt, unsichtbar und gestaltlos wie die Nacht selbst oder schattenhaft und gespenstisch und darum bedrohlich. Dabei ist unser eigenes Sein nicht nur durch die in der Nacht verborgenen Gefahren von außen bedroht, sondern durch die Nacht selbst innerlich betroffen. Sie nimmt uns den Gebrauch der Sinne, hemmt unsere Bewegungen, lähmt unsere Kräfte, bannt uns in Einsamkeit, macht uns selbst schattenhaft und gespenstisch. Sie ist wie ein Vorgeschmack des Todes. Und all das hat nicht nur vitale sondern auch seelisch-geistige Bedeutung. Die kosmische Nacht wirkt auf uns ähnlich wie das, was in übertragenem Sinne *Nacht* genannt wird. Oder umgekehrt: was in uns ähnliche Wirkungen hervorbringt wie die kosmische Nacht, das wird in übertragenem Sinn *Nacht* genannt. Ehe wir dieses Was zu fassen suchen, müssen wir uns aber klar machen, daß schon die kosmische Nacht ein doppeltes Gesicht hat. Der dunklen und unheimlichen Nacht steht die mondbeglänzte Zaubernacht gegenüber, die von mildem, sanftem Licht durchflutete. Sie verschlingt die Dinge nicht, sondern läßt ihr nächtliches Antlitz aufleuchten. Alles Harte, Scharfe und Grelle ist hier gedämpft und gelindert, es offenbaren sich Wesenszüge, die bei hellem Tageslicht niemals zum Vorschein kommen. Es lassen sich auch Stimmen vernehmen, die der Tageslärm übertäubt. Und nicht nur die lichtvolle, auch die dunkle Nacht hat eigene Werte. Sie macht dem Hasten und Lärmen des Tages ein Ende, sie bringt Ruhe und Frieden. All das wirkt sich auch im Seelisch-Geistigen aus. Es gibt eine nächtliche, milde Klarheit des Geistes, in der er, von dem Frohndienst der Tagesgeschäfte frei, gelöst und gesammelt zugleich, in die tiefen Zusammenhänge seines eigenen Wesens und Lebens, der Welt und Überwelt hineingezogen wird. Und es gibt ein tiefes dankbares Ruhen im Frieden der Nacht. An all das muß man denken, wenn man die Nachtsymbolik des hl. Johannes vom Kreuz verstehen will. Aus den Zeugnissen über sein Leben und aus seinen Gedichten wissen wir, daß er überaus empfänglich war für die kosmische Nacht mit all ihren Tönungen. Er hat ganze Nächte am Fenster mit dem Blick auf die weite Landschaft oder im Freien zugebracht. Und er findet Worte für die Nacht, die von keinem andern Sänger der Nacht übertroffen werden (*Geistlicher Gesang*, Str. 15) [1]. Die Seele vergleicht den Geliebten:

La noche sosegada   [aurora, Der stillen Nacht, der schönen,
En par de los levantes de la Die schon das neue Morgenlicht durchdringet,
La música callada,   Musik mit leisen Tönen
La soledad sonora,   Und Einsamkeit, die klinget,   [beschwinget.
La cena, que recrea y enamora. Erquickend Nachtmahl, das die Lieb'

Wenn der Denker Johannes in seinen Abhandlungen von der Nacht spricht, so steht dahinter die ganze Fülle dessen, was das

---

[1] *E. Cr.* III 160 f.

Wort für den Dichter und Menschen bedeutet. Wir haben es, sofern es symbolischer Ausdruck ist, in einigen Zügen wiederzugeben gesucht, ohne es damit zu erschöpfen. Nun müssen wir uns bemühen, das zu fassen, was auf solche Weise symbolisch ausgedrückt werden soll. Johannes hat es ausführlich behandelt, und wir werden darauf zurückkommen müssen. Vorläufig gilt es nur einen ersten Einblick zu gewinnen, um die Eigentümlichkeit des vorliegenden Symbolverhältnisses sichtbar zu machen. Die *mystische Nacht* ist nicht kosmisch zu verstehen. Sie dringt nicht von außen auf uns ein, sondern hat ihren Ursprung im Innern der Seele und befällt auch nur diese eine Seele, in der sie aufsteigt. Doch die Wirkungen, die sie im Innern hervorbringt, sind denen der kosmischen Nacht vergleichbar: sie bedingt ein Versinken der äußeren Welt, mag sie auch draußen in hellem Tageslicht ausgebreitet liegen. Sie versetzt die Seele in Einsamkeit, Öde und Leere, unterbindet die Tätigkeit ihrer Kräfte, ängstigt sie durch drohende Schrecken, die sie in sich birgt. Doch auch hier gibt es ein *nächtliches Licht,* das eine neue Welt tief im Innern erschließt und die Welt draußen gleichsam von innen her erhellt, sodaß sie uns als eine völlig veränderte wiedergeschenkt wird.

Wir versuchen nun, über das *Verhältnis von kosmischer und mystischer Nacht* Klarheit zu gewinnen, soweit es auf Grund dieser ersten einführenden Erwägungen möglich ist. Offenbar handelt es sich hier um keine Zeichenbeziehung, nichts von außen und willkürlich Festgesetztes, auch um keinen ursächlich und geschichtlich erwachsenen Zusammenhang wie beim Wahrzeichen. Es liegt eine weitgehende *inhaltliche Übereinstimmung* vor, die es erlaubt, hier und dort denselben Namen zu gebrauchen. Wenn man vom *Bild* der Nacht spricht, so will man damit wohl sagen, daß der Name in erster Linie der kosmischen Nacht zukommen und von da auf die mystische Nacht übertragen sei, um durch ein Allbekanntes und Vertrautes mit etwas Unbekanntem und schwer Zugänglichem bekannt zu machen, das ihm ähnlich ist. Es kann aber von keinem *Abbildverhältnis* die Rede sein: es ist ja nicht eines dem andern nachgebildet. Eher ist an das Verhältnis *symbolischen Ausdrucks* zu denken, wie es allgemein zwischen *Sinnenfälligem* und *Geistigem* besteht: wie Gesichtsbildung und Mienenspiel Ausdruck seelischer Eigenart und seelischen Lebens sind, wie sich in der Natur Geistiges und sogar Göttliches offenbaren. Es ist eine ursprüngliche Gemeinsamkeit vorhanden und eine sachliche Zusammengehörigkeit, die das Sinnenfällige geeignet macht, Geistiges erkenntnismäßig zu erschließen. Vom Bildverhältnis bleibt nur die Ähnlichkeit — eine Ähnlichkeit allerdings, bei der das beiderseits „Gleiche" nicht eigentlich faßbar ist, sondern nur durch gewisse übereinstimmende Züge angedeutet werden kann. Unterscheidend gegenüber dem Bildverhältnis ist nicht nur die mangelnde Abbildlichkeit, sondern auch der Umstand, daß wir es nicht mit Gebilden zu tun haben, mit fest umrissenen Gestalten. Darin liegt auch ein Gegensatz zum mimischen Ausdruck: einer ganz bestimmten Veränderung des Gesichts, die der Künstler mit Stift oder Pinsel nachzeichnen kann, entspricht ein ebenso bestimmter seelischer Vorgang. Die Nacht aber, die kosmische wie die mystische, ist etwas Gestaltloses und etwas Umfassendes, was sich in der Fülle seines Sinnes nur andeuten, aber nicht ausschöpfen läßt. Eine ganze Weltsicht und Daseinsverfassung ist darin beschlossen. Eben darin besteht das Gemeinsame: in der Tatsache und der Eigenart dieser Weltsicht und Daseinsverfassung. Ein Unfaßbares hier und ein Unfaßbares dort und doch soweit deutlich, daß eines mit dem andern in Deckung gebracht und als Zugang zum andern verwendet werden kann, nicht in willkürlicher Wahl und planmäßiger Vergleichung, sondern in *symbolischer Erfahrung*, die auf *Urzusammenhänge* stößt und dadurch für begrifflich Unsagbares einen notwendigen *bildhaften Ausdruck* findet.

Wir sind jetzt imstande, den Unterschied im Symbolcharakter von *Kreuz* und *Nacht* kurz zusammenzufassen: das *Kreuz* ist das *Wahrzeichen* alles dessen was mit dem Kreuz Christi in ursächlichem und geschichtlichem Zusammenhang steht. *Nacht* ist der notwendige *kosmische Ausdruck* der mystischen Weltsicht des hl. Johannes vom Kreuz. Das Überwiegen des Nacht-Symbols ist ein Zeichen dafür, daß in den Schriften des heiligen Kirchenlehrers nicht der Theologe, sondern der Dichter und Mystiker das Wort führte, wenn auch der Theologe Gedanken und Ausdruck gewissenhaft überwachte.

2. Das Lied von der Dunklen Nacht

Es gilt nun, die mystische Nacht zu erforschen, um in ihr den Widerhall der Botschaft vom Kreuz zu vernehmen. Wir werden dabei am besten das *Lied von der Dunklen Nacht* zum Ausgangspunkt wählen: es liegt ja den beiden großen Traktaten zugrunde, die sich mit der mystischen Nacht beschäftigen [2].

---

[2] Text der *E. Cr.* III 157. Die Übersetzung ist mit Hilfe der verschiedenen Übertragungen in der deutschen Ausgabe des Theatinerverlages und einer wortgetreuen flämischen (Cyriel VERSCHAEVE, *Schoonheid en Christendom*, Brügge 1938, S. 57 f.) dem Urtext möglichst genau angepaßt.

Das Lied von der Dunklen Nacht

NOCHE OSCURA	DUNKLE NACHT

I

En una noche oscura,
Con ansias en amores inflamada,
Oh dichosa ventura!
Salí sin ser notada,
Estando ya mi casa sosegada.

In einer dunklen Nacht,
Da Liebessehnen zehrend mich entflammte,
O glückliches Geschick!
Entwich ich unbemerkt,
Als schon mein Haus in tiefer Ruhe lag.

II

A oscuras, y segura
Por la secreta escala disfrazada,
Oh dichosa ventura!
A oscuras, y en celada,
Estando ya mi casa sosegada.

Im Dunkel wohl geborgen,
Vermummt und auf geheimer Leiter,
O glückliches Geschick!
Im Dunkel und verborgen,
Da schon mein Haus in tiefer Ruhe lag.

III

En la noche dichosa
En secreto, que nadi me veía,
Ni yo miraba cosa,
Sin otra luz, ni guía,
Sino la que en el corazón ardía.

In dieser Nacht voll Glück,
In Heimlichkeit, da niemand mich erblickte,
Da ich auch nichts gewahrte,
Und ohne Licht noch Führer
Als jenes, das in meinem Herzen brannte.

IV

Aquesta me guiaba
Más cierto que la luz de mediodía,
A donde me esperaba,
Quien yo bien me sabía,
En parte, donde nadie parecía.

Und dieses führte mich
Weit sicherer als das Licht des hellen Tages
Dahin, wo meiner harrte
Er, der mir wohlbekannt,
Abseits, da, wo uns niemand scheiden konnte.

V

Oh noche, que guiaste, [rada,
Oh noche amable más que el albo-
Oh noche, que juntaste
Amado con amada, [mada!
Amado en el Amado transfor-

O Nacht, die Führer war!
O Nacht, viel liebenswerter als die Morgenröte!
O Nacht, die du verbunden
Die Liebste dem Geliebten,
In den Geliebten die Geliebte umgewandelt!

VI

En mi pecho florido, [daba,	An meiner blüh'nden Brust,
Que entero para él sólo se guar-	Die sich für ihn allein bewahrte,
Allí quedó dormido,	Entschlief er sanft,
Y yo la regalaba,	Ich streichelte ihn sacht,
Y el ventalle de cedros aire daba.	Und Kühlung gab des Zedernfächers Wehen.

VII

El aire de el almena	Als leicht der Morgenwind
Cuando ya sus cabellos esparcía,	Die Haare spielend ihm begann zu lüften,
Con su mano serena	Mit seiner linden Hand
En mi cuello hería,	Umfing er meinen Nacken,
Y todos mis sentidos suspendía.	Und alle meine Sinne mir entschwanden.

VIII

Quedéme, y olvidéme,	In Stille und Vergessen
El rostro recliné sobre el Amado,	Das Haupt auf den Geliebten hin ich lehnte,
Cesó todo y dejéme,	Entsunken alles mir,
Dejando mi cuidado	Verschwunden war die Angst,
Entre les azucenas olvidado.	Begraben unter Lilien im Vergessen.

3. Dunkle Nacht der Sinne

a) Einführung in den Sinn der Nacht

Das dichterische Bild ist vollkommen durchgeführt, kein lehrhaftes Wort durchbricht es. Dafür geben die beiden erklärenden Traktate, *Aufstieg* und *Dunkle Nacht,* den Schlüssel zum Verständnis.

Die Seele, die das Lied singt, hat die Nacht durchschritten, sie ist am Ziel angelangt, in die Vereinigung mit dem göttlichen Geliebten eingegangen. Darum ist es ein Preislied auf die Nacht, die Weg zu seligem Glück geworden ist. Der Jubelruf: o glückliches Geschick! klingt wiederholt auf. Aber Dunkelheit und Angst sind nicht vergessen. Es ist noch möglich, sich rückblickend hineinzuversetzen.

Das Haus, das die Braut verlassen hat, ist der sinnliche Teil der Seele [3]. Es ist in Ruhe, weil alle Gelüste darin zum Schweigen gebracht sind. Die Seele konnte sich aus ihnen zurückziehen, weil Gott

---

[3] *Aufstieg,* B. I Kap. 1, *E. Cr.* I 36.

sie selbst davon freimachte. Aus eigener Kraft hätte sie es nicht vermocht. Mit dieser kurzen Erklärung ist schon der bedeutsame Unterschied zwischen *aktiver* und *passiver Nacht* gekennzeichnet, der später noch ausführlich behandelt wird, und das wechselseitige Verhältnis beider. Um frei zu werden von der Fesselung durch ihre sinnliche Natur, muß die Seele mit aller Kranftanspannung darauf hinarbeiten, aber Gott muß ihr mit Seiner Wirksamkeit zu Hilfe kommen, ja zuvorkommen: Gottes Tun regt das ihre an und vollendet es.

Die *Loslösung* wird als eine *Nacht* bezeichnet, die die Seele durchschreiten muß. Sie ist es in dreifachem Sinn: im Hinblick auf den *Ausgangspunkt*, den *Weg* und das *Ziel*. Ausgangspunkt ist das Verlangen nach den Dingen dieser Welt, dem die Seele entsagen muß. Diese Entsagung versetzt sie aber in Dunkelheit und wie ins Nichts. Darum wird sie *Nacht* genannt. Die Welt, die wir mit den Sinnen wahrnehmen, ist ja natürlicherweise der feste Grund, der uns trägt, das Haus, in dem wir uns heimisch fühlen, das uns nährt und mit allem Nötigen versorgt, Quelle unserer Freuden und Genüsse. Wird sie uns genommen oder werden wir genötigt, uns aus ihr zurückzuziehen, so ist es wahrlich, als wäre uns der Boden unter den Füßen weggezogen und als würde es Nacht rings um uns her; als müßten wir selbst versinken und vergehen. Aber dem ist nicht so. In der Tat werden wir auf einen sicheren *Weg* gestellt, allerdings auf einen dunklen Weg, einen in Nacht gehüllten: den Weg des *Glaubens*. Es ist ein *Weg*, denn er führt zum Ziel der Vereinigung. Aber es ist ein *nächtlicher Weg*, denn im Vergleich mit der klaren Einsicht des natürlichen Verstandes ist der Glaube eine *dunkle Erkenntnis*: er macht uns mit etwas bekannt, aber wir bekommen es nicht zu sehen. Darum muß gesagt werden, daß auch das *Ziel*, zu dem wir auf dem Weg des Glaubens gelangen, Nacht ist: *Gott* bleibt auf Erden auch in der seligen Vereinigung für uns verhüllt. Unser Geistesauge ist Seinem überhellen Licht nicht angepaßt und schaut wie in nächtliches Dunkel. Wie aber die kosmische Nacht nicht ihrer ganzen Dauer nach gleich dunkel ist, so hat auch die mystische Nacht ihre Zeitabschnitte und entsprechenden Grade. Das Versinken der Sinnenwelt ist wie das Hereinbrechen der Nacht, wobei noch ein *Dämmerlicht* von der Tageshelligkeit zurückbleibt. Der Glaube dagegen ist *mitternächtliches Dunkel*, weil hier nicht nur die Sinnestätigkeit ausgeschaltet ist, sondern auch die natürliche Verstandeserkenntnis. Wenn aber die Seele Gott findet, dann bricht in ihre Nacht gleichsam schon die *Morgendämmerung* des neuen Tages der Ewigkeit herein.

Eine gewisse Berührung zwischen Nacht und Kreuz ließe sich wohl schon auf Grund dieses kurzen Überblicks herausstellen; das Verhältnis wird aber noch deutlicher werden, wenn wir die Phasen der Nacht nun im einzelnen betrachten.

b) Aktives Eingehen in die Nacht als Kreuzesnachfolge

Der Ausgangspunkt oder der erste Abschnitt wird von dem Heiligen *dunkle Nacht der Sinne* genannt [4]. Das, worauf es hier eigentlich ankommt, ist die *Ertötung der Freude am Verlangen nach allen Dingen.* Es kann sich ja nicht darum handeln, nicht mehr mit den Sinnen wahrzunehmen. Sie sind die Fenster, durch die in die Kerkerfinsternis unseres leibgebundenen Lebens das Licht der Erkenntnis fällt; und die können wir nicht entbehren, solange wir leben. Aber wir müssen lernen zu sehen und zu hören usw., als sähen und hörten wir nicht. Die Grundeinstellung zur sinnenfälligen Welt muß eine andere werden. Diese Grundeinstellung ist beim natürlichen Menschen durchschnittlich durchaus keine reine Erkenntnishaltung — er steht vielmehr in der Welt als Begehrender und als Mann der Tat. Tausendfach ist er mit ihr verknüpft, weil sie ihm bietet, was sein Verlangen stillt, ihn zu Taten anregt und selbst der Stoff seiner Taten ist. Im allgemeinen läßt er sich in seinem Tun und Treiben von Trieben und Begierden leiten, in Nahrung und Kleidung, Arbeit und Ruhe, Spiel und Erholung, im Verkehr mit andern. Er fühlt sich glücklich und zufrieden, wenn er auf keine außerordentlichen Hindernisse stößt. Keine außerordentlichen — denn daß ein hemmungsloses Ausleben in dieser Welt nicht möglich ist, das ist ihm normalerweise von Jugend an so vertraut, daß es ihm zur zweiten Natur geworden ist. Er weiß durch Erziehung und Erfahrung, daß ungehemmte Triebbefriedigung der eigenen Natur verderblich ist, und wird schon durch die gesunde Vernunft zu einer gewissen freiwiligen Einschränkung und Regelung geführt. In gleicher Richtung wirkt die Rücksicht auf andere, die sich im natürlichen Gemeinschaftsleben als unabweisliche Forderung aufdrängt, das natürliche Recht und das natürliche Sittengesetz. Durch alle das wird aber das natürliche Recht der Triebe nicht angetastet, es wird nur mit andern Rechten in Ausgleich gebracht. Mit dem Einsetzen der *Dunklen Nacht* dagegen beginnt etwas ganz Neues: das ganze behagliche Zuhausesein in der Welt,

---

[4] Sie wird behandelt im I. Band des *Aufstiegs zum Berge Karmel* und im I. Teil der *Dunklen Nacht,* der *Die dunkle Nacht der Sinne* überschrieben ist.

das Erfülltsein von den Genüssen, die sie bietet, das Verlangen nach
diesen Genüssen und das selbstverständliche Jasagen zu diesem Verlangen — all das, was für den natürlichen Menschen das helle Ta-
gesleben bedeutet —, das ist in Gottes Augen *Finsternis* [5] und unvereinbar mit dem göttlichen Licht. Es wuß mit allen Wurzeln
heraus, wenn für Gott Raum werden soll in der Seele. Dieser Forderung entsprechen, heißt mit der eigenen Natur auf der ganzen Linie
den Kampf aufnehmen, *sein Kreuz auf sich nehmen* und *sich zur
Kreuzigung ausliefern*. Der heilige Vater Johannes führt in diesem
Zusammenhang das Wort des Herrn an: „Wer nicht allem entsagt,
was er (mit dem Verlangen) besitzt, kann mein Jünger nicht sein"
(Luc. 14, 33). Daß die Herrschaft des Verlangens in der Seele wahrhaft Finsternis ist, wird ausführlich nachgewiesen: die Gelüste er-
müden und quälen die Seele, verdunkeln, beflecken und schwächen
sie; und sie rauben ihr den Geist Gottes, von dem sie sich durch die
Hingabe an den tierischen Geist abwendet. Den Kampf dagegen
aufnehmen oder sein Kreuz auf sich nehmen, das heißt *aktiv in
die dunkle Nacht eingehen*. Der Heilige gibt dafür einige kurze
und bündige Weisungen, von denen er selbst sagt: „Wer sich . . . .
allen Ernstes darin schulen will, der wird keine anderen mehr brauchen, da er in ihnen alle hat". Sie lauten:

„1) Trage immerfort das Verlangen, Christus in allen Dingen nachzuahmen und dein Leben dem Seinen gleichförmig
zu machen. Darum mußt du es betrachten, damit du es nach-
ahmen und in allem dich so verhalten kannst, wie Er sich verhalten würde.

2) Damit du das ja gut fertig bringest, mußt du auf jeden
Genuß verzichten, der sich deinen Sinnen bietet, und ihn fern
von dir halten, wenn er nicht einzig zur Ehre und Verherrlichung Gottes gereicht.

Und zwar sollst du das tun aus Liebe zu Jesus, der in Seinem Leben keine andere Freude und kein Verlangen kannte
als den Willen Seines Vaters zu vollziehen. Dies nannte er Seine
Speise und Nahrung. Wenn sich dir z.B. ein Vergnügen bietet
im Anhören von Dingen, die nicht zum Dienste Gottes beitragen, dann sollst du daran weder Freude haben noch sie anhören wollen . . . . Ebenso übe Entsagung in Bezug auf alle deine
Sinne, sofern du ihre Eindrücke gut abweisen kannst. Denn

---

[5] Diese *Finsternis*, in der Sünde begründet, ist durchaus unterschieden von
der *Dunkelheit*, die in Gott ihren Ursprung hat und zur Aufhebung der Finsternis führt.

wofern du dies nicht kannst, genügt es, daß du wenigstens keine Freude daran hast, wenn diese Dinge an dich herantreten. Sorge desgleichen dafür, wie du deine Sinne abtötest und unberührt bewahrst von jener Lust. Dann werden sie gleichsam im Dunkeln sein und du wirst so in kurzer Zeit große Fortschritte machen.

Als durchgreifende Mittel zur Abtötung und harmonischen Ordnung der vier natürlichen Leidenschaften: Freude, Hoffnung, Furcht und Schmerz mögen folgende Leitsätze dienen. Denn wo diese Leidenschaften beruhigt und wohlgeordnet sind, da können die obengenannten Güter und viele andere gedeihen. Darum sind diese Leitsätze auch von großem Wert und die Wurzel großer Tugenden. Trage Sorge dafür, daß deine Neigung stets gerichtet sei:

—Nicht auf das Leichtere, sondern auf das Schwierige,
—Nicht auf das Angenehmere, sondern auf das Unangenehmere,
—Nicht auf die Ruhe, sondern auf die Mühe,
—Nicht auf das Mehr, sondern auf das Weniger,
—Nicht auf das, was dir mehr Freude, sondern was dir Unfreude bringt,
—Nicht auf das, was dir Trost, sondern vielmehr auf das, was dir Mißtrost bereitet,
—Nicht auf das Höhere und Wertvollere, sondern auf das Niedrige und Unscheinbare,
—Nicht auf das, was etwas sein will, sondern auf das, was nichts sein will.
—Nicht das Bessere in den Dingen suchen, sondern das Schlechtere. Verlange um Christi willen einzugehen in völlige Entblößung und Freiheit und Armut von allem, was es in der Welt gibt. Diese Werke sollst du von Herzen umfangen und dich bemühen, den Willen darin aufgehen zu lassen .... Wird das Gesagte recht gehandhabt, so genügt es, um eingehen zu können in die Nacht der Sinne...."[6]

Daß dieses aktive Eingehen in die dunkle Nacht der Sinne gleichbedeutend ist mit bereitwilligem Aufnehmen des Kreuzes und beharrlichem Kreuztragen, bedarf keiner Erläuterung mehr. Aber am Kreuztragen allein stirbt man nicht. Und um die Nacht völlig zu durchschreiten, muß der Mensch der Sünde sterben. Er kann

---

[6] *Aufstieg*, B I Kap. 13, *E. Cr.* I 87 ff.

sich zur Kreuzigung ausliefern, aber er kann sich nicht selbst kreuzigen. Darum muß das, was die aktive Nacht begonnen hat, durch die *passive Nacht* vollendet werden, d. h. durch Gott selbst. „Soviel sich auch die Seele bemüht, sie vermag doch nicht durch eigene Anstrengung sich so wirksam zu reinigen, daß sie auch nur im geringsten zur vollkommenen Liebesvereinigung mit Gott fähig ist, wenn Er sie nicht in Seine Hand nimmt und in jenem dunklen Feuer reinigt...." [7]

c) Passive Nacht als Gekreuzigtwerden

Es ist früher erwähnt worden, daß das aktive Eintreten der Seele in die dunkle Nacht ihr nur möglich ist, weil Gottes Gnade ihr zuvorkommt, sie zieht und auf dem ganzen Wege stützt. Aber diese zuvorkommende und helfende Gnade hat bei den Anfängern noch nicht den Charakter der *Dunklen Nacht*. Sie werden vielmehr von Gott behandelt wie kleine Kinder von einer zärtlichen Mutter, die sie auf ihren Armen trägt und mit süßer Milch nährt: es wird ihnen bei allen geistlichen Übungen — bei Gebet, Betrachtung und Abtötungen — reichlich Freude und Trost zuteil. Diese Freude wird bei ihnen zum Beweggrund, sich den geistlichen Übungen hinzugeben. Sie merken nicht, welche Unvollkommenheit darin liegt und wieviele Fehler sie bei ihren Tugendübungen begehen. Der Heilige zeigt an lebendigen Beispielen, daß sich bei den Anfängern alle 7 Hauptsünden, auf geistliches Gebiet übertragen, finden: *geistliche Hoffart*, die sich etwas auf ihre Gnaden und Tugenden zugute tut, auf andere herabsieht und lieber belehrt als Belehrung annimmt; *geistliche Habsucht*, die nicht genug bekommen kann an Büchern, Kreuzen, Rosenkränzen usw. [8] Um von all diesen Mängeln frei zu werden, müssen wir von der Milch der Tröstungen entwöhnt und mit kräftiger Kost ernährt werden. „Haben sie sich eine Zeit lang auf dem Wege der Tugend geübt, in der Betrachtung und in dem Gebet sich treu erwiesen und durch die Süßigkeit und den Genuß, den sie dabei gefunden, sich von der Anhänglichkeit und Liebe zu den Dingen dieser Welt freigemacht, haben sie sich endlich einige geistige Kraft in Gott erworben, wodurch sie das Gelüsten nach den Geschöpfen bezähmen und um Gottes willen einige Beschwerden und Trockenheiten ertragen können, ohne sich

---

[7] *Dunkle Nacht, Die Nacht der Sinne* § 4, E. Cr. II 13.
[8] a. a. O. § 2 ff., E. Cr. II 8 f.

nach jener besseren Zeit zurückzusehnen, wo sie an den geistlichen
Übungen mehr Wohlgeschmack und Genuß empfanden ...., dann
verdunkelt ihnen Gott all dieses Licht, verschließt ihnen die Tür
und verstopft ihnen die Quelle des süßen Wassers des Geistes, aus
der sie bisher immer, und so oft es ihnen beliebte, getrunken hatten .... Jetzt .... versetzt Er sie in Dunkelheit, sodaß sie nicht
wissen, wohin sie sich mit ihrer Einbildungskraft und ihren Gedanken wenden sollen" [9]. Alle frommen Übungen erscheinen ihnen nun
geschmacklos, ja widerwärtig. Daß es sich dabei nicht um die Folge
von Sünden und Unvollkommenheiten handelt, sondern um die
reinigende Trockenheit der dunklen Nacht, sieht man an drei Kennzeichen:

1) daß die Seele auch an den Geschöpfen keinen Geschmack
findet;

2) daß sie „mit peinlicher Angst und Sorge an Gott denkt
und glaubt, sie diene Ihm nicht recht und es gehe rückwärts,
weil sie keine Freude an göttlichen Dingen wahrnimmt" [10].
Denn darum würde sie sich keine Sorge machen, wenn ihre
Trockenheit in Lauheit begründet wäre. In der reinigenden
Trockenheit dagegen herrscht immer das Verlangen, Gott zu
dienen. Und der Geist erstarkt, während der sinnliche Teil aus
Mangel an Genuß sich schlaff und kraftlos fühlt. „Gott über-
trägt die Güter und Kräfte des sinnlichen Teils auf den Geist,
und da die Sinnlichkeit und die natürliche Kraft für diese keine
Empfänglichkeit haben, darum leiden sie Entbehrung, bleiben
trocken und leer. Denn der sinnliche Teil des Menschen hat
keine Befähigung für das, was des Geistes ist. Wenn daher der
Geist Erquickung findet, fühlt das Fleisch Widerwillen und
zeigt sich schlaff zum Handeln. Der Geist, der zur selben Zeit
Nahrung empfängt, wird weit kräftiger, wachsamer und um-
sichtiger als vorher, um es im Dienst Gottes an nichts fehlen
zu lassen" [11]. Weil er aber an geistige Süßigkeit noch nicht ge-
wöhnt ist, empfindet er zunächst nichts davon, sondern nur
Trockenheit und Mißfallen;

3) erkennt man die reinigende Trockenheit daran, „daß
die Seele nicht mehr betrachten und nachsinnen und trotz aller
Anstrengung den inneren Sinn der Einbildungskraft nicht mehr
gebrauchen kann .... Gott teilt sich in diesem Stande der

---

[9] a. a. O. § 9, *E. Cr.* II 26 f.
[10] a. a. O. § 10 (Kap. 9), *E. Cr.* II 28.
[11] a. a. O. II 29.

Seele nicht mehr durch die Sinne mit, wie Er es vorher mittels des forschenden Nachdenkens tat...., sondern Er hat jetzt begonnen, sich mittels des reinen Geistes mitzuteilen, wobei ein Aufeinanderfolgen von Gedanken nicht mehr stattfindet, nämlich mittels des Aktes der einfachen Beschauung, zu der weder die inneren noch die äußeren Sinne des sinnlichen Menschen eine Befähigung haben". Diese dunkle und für den sinnlichen Mensch trockene Beschauung ist „etwas Verborgenes und auch für den, der sie besitzt, geheimnisvoll...."[12] Gewöhnlich verleiht sie „der Seele eine Neigung und ein Verlangen nach Einsamkeit und Ruhe, ohne daß sie an etwas Bestimmtes denken könnte noch auch wollte"[13]. Würden die Seelen sich nun ruhig verhalten, „so würden sie gar bald in dieser Ruhe und in diesem Vergessen aller Dinge jene überaus köstliche innere Erquickung empfinden. Diese Erquickung ist nämlich so zart, daß sie die Seele gewöhnlich nicht fühlt, wenn sie ein übermäßiges Verlangen danach trägt oder in besonderer Weise um deren Genuß besorgt ist.... Sie gleicht der Luft, die sogleich entschwindet, wenn man sie mit der Hand erfassen will .... Gott behandelt die Seele in diesem Stande in der Weise und führt sie auf einem so eigenartigen Wege, daß sie das Werk Gottes, ... wenn sie aus eigener Kraft und Fähigkeit wirken will, eher hindert als fördert". Der Friede, den Gott ihr durch die Trokkenheit des sinnlichen Menschen schenken will, ist „geistig und überaus köstlich" und „Sein Wirken ruhig, zart, still, befriedigend und friedevoll, von den früheren Genüssen, die mehr fühlbar und sinnlich warnehmbar waren, durchaus verschieden"[14]. So ist es zu verstehen, daß nur das Sterben des sinnlichen Menschen gespürt wird und nicht der Anbruch eines neuen Lebens, der sich darunter verbirgt.

Es ist keine Übertreibung, wenn wir die Leiden der Seelen in diesem Zustand ein Gekreuzigtwerden nennen. In ihrer Unfähigkeit, ihre Kräfte zu gebrauchen, sind sie wie festgenagelt. Und zu der Trockenheit kommt die Qual der Furcht, sie seien auf einem Irrweg. „Sie leben in dem Glauben, alle geistlichen Güter verloren zu haben und von Gott verlassen zu sein". Sie mühen sich ab, auf die frühere Weise tätig zu sein, können aber damit nichts ausrichten und stören nur den Frieden, den Gott in ihnen wirkt. Sie sollten

---

[12] a. a. O. II 31.
[13] a. a. O. II 30.
[14] a. a. O. § 10 (Kap. 9), E. Cr. II 31.

jetzt gar nichts anders tun als die „Geduld bewahren und im Gebet ausharren, ohne irgend eine Tätigkeit; es wird hier von ihnen allein gefordert, daß sie ihre Seele frei und unbehindert von allen Erkenntnissen und Gedanken und in Ruhe bewahren, ohne sich darum zu kümmern, was man denken und betrachten soll; es genügt, wenn sie in einem ruhigen und liebenden Aufmerken auf Gott verharren und jede Besorgnis, jede Tätigkeit und jedes übermäßige Verlangen, Gott wahrzunehmen und zu kosten, ausschließen". Statt dessen mühen sie sich ohne sachkundige Führung vergeblich ab, quälen sich vielleicht noch mit dem Gedanken, daß sie mit dem Gebet nur Zeit verlieren und es lieber aufgeben sollten. Würden sie sich der dunklen Beschauung ruhig überlassen, dann würden sie bald spüren, was der 2. Vers des Nachtliedes sagt: das *Aufflammen der Liebe.* „Denn die Beschauung ist nichts anderes als ein geheimnisvolles fried- und liebevolles Einströmen Gottes, welches, wenn man es nicht hindert, die Seele mit dem Geist der Liebe entflammt" [15]. Anfangs wird diese Entflammung der Liebe gewöhnlich gar nicht wahrgenommen. Die Seele fühlt vielmehr nur Trockenheit und Leere, schmerzliche Angst und Besorgnis. Und wenn sie etwas davon spürt, so ist es ein peinvoller Sehnsuchtsdrang nach Gott, eine schmerzende Liebeswunde. Erst später wird sie erkennen, daß Gott sie durch die Nacht der Sinne reinigen und die Sinne dem Geist unterwerfen wollte. Dann wird sie ausrufen: O glückliches Geschick! Und es wird ihr klar werden, welchen Gewinn das „unbemerkte Entweichen" für sie bedeutete: es hat sie befreit von der Knechtschaft, in der die Sinne sie hielten, ihre Neigung nach und nach losgelöst von allen Geschöpfen und den ewigen Gütern zugewendet. Die *Nacht der Sinne* war für sie *die enge Pforte* (Matth. 7, 14), die zum Leben führte. Nun soll sie auf dem *schmalen Weg* durch die *Nacht des Geistes* wandeln. So weit gelangen freilich nur wenige, doch schon die Vorteile aus der ersten Nacht sind überaus groß: es wird der Seele *Selbsterkenntnis* verliehen; sie kommt zur Einsicht in ihr eigenes Elend, findet nichts Gutes mehr an sich und lernt dadurch, mit größerer Ehrfurcht Gott gegenüberzutreten. Ja, erst jetzt geht ihr die *Größe und Erhabenheit* Gottes auf. Gerade die Freiheit von allen sinnlichen Stützen ermöglicht es ihr, Erleuchtungen zu empfangen und für die Wahrheit zugänglich zu werden. Darunm heißt es im Psalm: „Im wüsten, unwegsamen und wasserlosen Lande erscheine ich vor Dir im Heiligtum, um Deine Herrlichkeit zu schauen" (Ps. 62, 3). Der Sänger gibt damit

---

[15] a. a. O. § 11 Kap. 10), E. Cr. II 33 f.

zu verstehen, „daß nicht die geistigen Freuden und zahlreichen Genüsse .... die Voraussetzung und das Mittel zur Erkenntnis der Herrlichkeit Gottes waren, sondern Trockenheit und Entblößung des sinnlichen Menschen...." [16] Unter „unwegsames Land" aber versteht Johannes die Unfähigkeit, durch diskursives Denken sich einen Begriff von Gott zu machen oder durch nachforschendes Denken mit Hilfe der Einbildungskraft voranzukommen.

In der Trockenheit und Leere wird die Seele auch *demütig*. Die frühere Hoffart schwindet, wenn man in sich nichts mehr findet, was Anlaß geben könnte, auf andere herabzusehen; vielmehr erscheinen einem die andern nun viel vollkommener, es erwacht Liebe und Hochschätzung für sie im Herzen. Man hat auch jetzt zuviel mit dem eigenen Elend zu tun, um auf andere zu achten. Durch ihre Hilflosigkeit wird die Seele auch *unterwürfig* und *gehorsam*; sie sehnt sich nach Belehrung, um auf den rechten Weg zu gelangen. Gründliche Heilung erfährt die geistliche Habsucht: wenn man an keinerlei Übungen mehr Geschmack findet, wird man sehr mäßig und tut, was man tut, rein um Gottes willen, ohne eigene Befriedigung darin zu suchen. So geht es mit allen Unvollkommenheiten. Mit ihnen entschwindet dann auch alle Verwirrung und Unruhe. Statt dessen zieht ein tiefer *Friede* ein und eine *ständige Erinnerung an Gott*. Ihm zu mißfallen ist die einzige Sorge, die noch bleibt. Die dunkle Nacht wird zur Schule in allen *Tugenden*: sie übt in *Ergebung* und *Geduld*, wenn man im geistlichen Leben treu ist, ohne Trost und Erquickung zu finden. Die Seele gelangt zu einer *lauteren Gottesliebe*, indem sie nur noch um Gottes willen handelt. Das Ausharren in allen Widerwärtigkeiten gibt ihr Kraft und *Starkmut*. Die vollkommene Reinigung von allen sinnlichen Neigungen und Gelüsten führt zur *Freiheit des Geistes*, in der die zwölf Früchte des Geistes reifen. Sie gibt Geborgenheit gegenüber den drei Feinden: Teufel, Welt und Fleisch, die gegen den Geist nichts ausrichten können: ihnen ist die Seele „unbemerkt entwichen". Und nun, da die Leidenschaften zur Ruhe gebracht sind, die Sinnlichkeit durch die Trockenheit eingeschläfert, „liegt das Haus in tiefer Ruhe".

Die Seele ist entschlüpft und auf den Weg des Geistes gelangt, den Weg der Fortschreitenden oder den Erleuchtungsweg, auf dem Gott sie selbst, ohne ihre eigene Tätigkeit, unterrichten will. Sie befindet sich jetzt in einem Übergangszustand. Die Beschauung verleht ihr reine geistige Freuden, an denen auch die gereinigten

---

[16] a. a. O. § 2 (Kap. 12), *E. Cr.* II 42.

Sinne Anteil gewinnen. Sie kehrt aber zeitweise noch zur Betrachtung zurück. Und auch die Freuden wechseln mit schmerzlichen Heimsuchungen. Vor dem Eintritt in die Nacht des Geistes kommen zur Trockenheit und Leere noch schwere und schmerzliche Prüfungen durch peinliche Versuchungen: der Geist der Unlauterkeit und der Gotteslästerung bemächtigt sich ihrer Einbildungskraft, und ein *Geist des Schwindels* stürzt sie in tausend Skrupeln, in Verwirrung und Ratlosigkeit. Durch diese Stürme sollen die Seelen erprobt und gestählt werden. Es werden aber nicht alle gleich schwer geprüft. Viele gelangen über diesen Übergangszustand überhaupt nicht hinaus. Doch die ans Ziel gelangen sollen, müssen viel ertragen. Je höher der Grad der Liebesvereinigung ist, zu dem Gott sie emporführen will, um so gründlicher und langdauernder pflegt die Reinigung zu sein. Denn auch den Fortgeschrittenen haften noch viele gewohnheitsmäßige Unvollkommenheiten an, von denen sie durch die Nacht des Geistes befreit werden müssen. Mit dem Geist zusammen werden auch die Sinne erst völlig gereinigt werden. Denn in ihm haben die Unvollkommenheiten ihre Wurzeln [17].

Die Darstellung des Reinigungsweges zeigt deutlich, daß diese Nacht nicht ohne Licht ist, wenn ihm auch die Augen der Seele noch nicht angepaßt sind und es nicht wahrnemen können. In den verhältnismäßig kurzen Ausführungen, die Johannes der Nacht der Sinne widmet, werden die wertvollen Früchte der Nacht stark hervorgehoben. Aber das steht nicht im Gegensatz zur Kreuzesbotschaft. Es wurde ja schon früher daran erinnert, daß der Heiland an die Ankündigung Seines Leidens und Sterbens am Kreuz die frohe Botschaft von der Auferstehung schloß. Nach der Liturgie der Kirche geht es *per passionem et crucem ad resurrectionis gloriam*. Mit dem Tod des Sinnenmenschen hält das Erstehen des Geistesmenschen Schritt. Aber diese wunderbare neue Geburt ist bisher nur angedeutet worden. Johannes hat sich in der Darstellung der ersten Nacht kurz gefaßt, weil er Eile hat, zur *Nacht des Geistes* zu gelangen. Sie ist sein Hauptgegenstand. Darum ist es besser, das Verhältnis von Tod und Auferstehung erst nach der Dunklen Nacht des Geistes zu behandeln.

---

[17] Vgl. *Die Nacht des Geistes*, § 3 (Kap. 3), E. Cr. II 55.

§ 2. GEIST UND GLAUBEN. TOD UND AUFERSTEHUNG (NACHT DES GEISTES)

Einleitung: Entwicklung der Fragen

Die *Nacht des Geistes* ist von Johannes als der *schmale Weg* bezeichnet worden. Zuvor aber war als *Weg* der *Glaube* genannt worden, und seine Dunkelheit hieß *mitternächtlich*. Der Glaube muß demnach in der Geistesnacht eine beherrschende Rolle spielen. Um darüber Klarheit zu gewinnen, wird man sich Rechenschaft geben müssen, was der Heilige unter *Geist* und unter *Glauben* versteht. Das ist kein leichte Aufgabe. Hinter allem, was er schreibt, steht eine *Ontologie des Geistes*. Aber es liegt uns keine Abhandlung darüber vor, vielleicht hat er selbst sich nicht einmal bemüht, für sich als Theorie zur Abhebung zu bringen, was an habituellem Wissen in ihm lebte und seine gelegentlichen Äußerungen bestimmte. Noch weniger wird er sich vermutlich gefragt haben, aus welchen Quellen sein Wissen stammte. Es war für sein Ziel nicht von Belang, darüber Klarheit zu haben. Und auch uns würde die Verfolgung dieser geistesgeschichtlich bedeutsamen Frage weit von unserm Wege abführen. An den *sachlichen* Fragen jedoch — was Johannes unter *Geist* und *Glauben* verstand — dürfen wir nicht vorbeigehen. Sie müssen aber beantwortet werden auf Grund dessen, was uns über die Nacht des Geistes gesagt wird. Eine gewisse Schwierigkeit liegt darin, daß die dunkle Nacht doppelt behandelt ist — in *Aufstieg* und *Nacht* — und daß beide Teile unvollendet sind.

1. Entblößung der geistigen Kräfte in der aktiven Nacht

a) Die Nacht des Glaubens als Weg zur Vereinigung

Die zweite Nacht ist dunkler als die erste, weil diese den niederen, sinnlichen Teil im Menschen angeht und darum mehr äußerlich ist. Die Nacht des Glaubens dagegen erfaßt den höheren, vernünftigen Teil, ist also innerlich und raubt der Seele das Licht der Vernunft oder macht sie blind.

„Die Theologen nennen den Glauben eine sichere, aber dunkle, dauernde Haltung (*habitus*) der Seele"; dunkel, weil „sie der Seele die von Gott selbst geoffenbarten Wahrheiten zum Glauben vorlegt, Wahrheiten, die über jedes natürliche Licht erhaben sind und allen menschlichen Verstand ohne jedes Verhältnis überragen. Daher kommt es, daß dies überhelle Licht, das der Seele im Glauben zuteil wird, für sie dunkle Finsternis ist, denn das Größere beraubt und überwindet des Geringere". „So verschlingt und überwindet das Licht des Glaubens durch seine übergroße Stärke das Licht unseres Verstandes, das sich ja von sich aus nur auf natürliche Erkenntnis erstreckt" [1]. Es kann indessen für Übernatürliches aufnahmefähig werden, wenn Gott es zu übernatürlicher Erkenntnis erheben will. Aus sich selbst vermag der Verstand nur natürliche Erkenntnis zu gewinnen auf dem für ihn natürlichen Wege: mit Hilfe der Sinne, die ihm einen Gegenstand darbieten. „Dann muß er die Vorstellungen und Eindrücke von den Dingen festhalten, entweder so, wie sie in sich sind, oder in Gleichnissen" [2]. Spricht man einem Menschen von etwas, was er niemals gesehen hat, und kennt er auch nichts Ähnliches, was ihm auf die Spur helfen kann, so wird er wohl den Namen auffassen können, aber niemals ein Bild von der Sache gewinnen: z.B. der Blindgeborene von der Farbe. Ähnlich verhält es sich für uns mit dem Glauben: er berichtet uns von Dingen, von denen wir nie etwas gesehen oder gehört haben; wir kennen auch nichts, was ihnen ähnlich wäre. Wir können bloß annehmen, was uns gesagt wird, indem wir das Licht unserer natürlichen Erkenntnis ausschalten. Wir haben nur dem zuzustimmen, was wir hören, ohne daß es uns durch einen Sinn nahegebracht würde. Darum ist der Glaube für die Seele völlig dunkle Nacht. Aber gerade dadurch bringt er ihr Licht: ein Wissen von vollkommener Gewißheit, das jede andere Kenntnis und Wissenschaft übertrifft, sodaß man nur in vollkommener Beschauung zur richtigen Vorstellung vom Glauben gelangen kann. Darum heißt es: *Si non credideritis, non intelligetis* („Wenn ihr nicht glaubt, werdet ihr nicht zur Einsicht kommen". Is. 7, 3) [3].

Aus dem letzten ist nicht nur klar geworden, daß der Glaube eine dunkle Nacht ist, sondern auch daß er ein *Weg* ist: der Weg zu dem Ziel, dem die Seele zustrebt, zur Vereinigung mit Gott. Denn er allein gibt Kenntnis von Gott. Und wie sollte man zur Vereinigung mit Gott gelangen, ohne Ihn zu kennen? Um aber vom Glauben ans Ziel geführt werden zu können, muß sich die Seele in der rechten Weise verhalten. Sie muß nach eigener Wahl und in eigener Kraft in die Glaubensnacht eingehen. Nachdem sie in der Nacht der Sinne allem Verlangen nach den Geschöpfen entsagt hat, muß sie jetzt, um zu Gott zu gelangen, ihren natürlichen Kräften, den Sinnen und auch dem Verstand, absterben. Denn um die übernatürliche

---

[1] *Aufstieg*, B. II Kap. 2, *E. Cr.* I 102.
[2] Vgl. *Aufstieg*, B. II Kap. 2, *E. Cr.* I 103.
[3] a. a. O. I 104.

Umgestaltung zu erreichen, muß sie das Natürliche unter sich zurücklassen. Ja, sie muß sich selbst von allen übernatürlichen Gütern entäußern, wenn Gott ihr welche schenkt. Sie muß sich von allem losmachen, was in den Bereich ihrer Fassungskraft fällt. „Und sie muß wie ein Blinder im Dunkeln bleiben, sich auf den dunklen Glauben stützen und ihn zur Leuchte und zum Führer wählen und sich auf nichts von dem stützen, was sie versteht oder genießt oder empfindet oder sich vorstellt. Denn das alles ist Finsternis, die sie in die Irre führt oder aufhält. Der Glaube dagegen ist über allem solchen Verstehen, Genießen, Empfinden und Vorstellen" [4]. All dem gegenüber muß die Seele völlig blind werden und bleiben, um das zu erlangen, was der Glaube lehrt. Denn wer noch nicht ganz blind ist, läßt sich nicht willig vom Blindenführer leiten, sondern vertraut noch auf das, was er selbst sieht. „So ist es auch mit der Seele. Wenn sie sich auf das verläßt, was sie selber von Gott weiß oder genießt oder empfindet . . . ., so kann sie auf diesem Wege gar leicht irregehen oder stehenbleiben, weil sie sich nicht ganz blind dem Glauben überläßt, der doch ihr wahrer Führer ist". Um zur Vereinigung mit Gott zu gelangen, muß man „einfach an das Dasein Gottes glauben, das keine Sache des Verstandes noch des Willens oder des Vorstellungsvermögens oder sonst eines Sinnes ist; denn in diesem Leben kann man nicht erfassen, wie Gott ist. Mag man hier auch noch so erhabene Eindrücke von Gott haben oder Ihn erkennen und genießen, so bleibt das doch in unendlichem Abstand von dem, was Gott wirklich ist, und von dem reinen Besitz Gottes". Will die Seele danach streben, „mit Ihm in diesem Leben vollkommen eins zu werden durch die Gnade, mit dem sie im anderen durch die Glorie so vereint sein soll, wie es nach St. *Paulus* kein Auge gesehen, kein Ohr gehört und keines Menschen Herz erfaßt hat" (1 Cor. 2, 9; Is. 64, 4), dann muß sie „soweit möglich, völlig unempfindlich werden für alles, was durch das Auge eindringen, was sie mit dem Ohr vernehmen, mit der Phantasie sich vorstellen und mit dem Herzen erfassen kann; mit dem Herzen wird hier die Seele bezeichnet" [5]. Stützt sie sich noch auf ihre eigenen Kräfte, so bereitet sie sich nur Schwierigkeiten und Hindernisse. Für ihr Ziel ist das Verlassen des eigenen Weges gleichbedeutend mit dem Betreten des wahren Weges. Ja, „das Streben zum Ziel und das Aufgeben seiner eigenen Art ist schon das Ankommen *an jenem Ziel,* das keine Art hat: d.i. Gott. Denn die Seele, die diesen Stand erreicht, kennt keine

---

[4] a. a. O. B II Kap. 3, *E. Cr.* I 107.
[5] a. a. O. I 108.

Arten und Weisen mehr, noch hält sie daran fest; ja sie kann nicht einmal daran festhalten", an keiner besonderen Art zu verstehen, zu verkosten, zu empfinden; „sie besitzt jetzt alle Arten zugleich, wie einer, der nichts hat und doch alles hat"[6]. Durch das Hinausgehen aus ihren natürlichen Schranken, innerlich und äußerlich, „geht sie ohne Schranken ein in das Übernatürliche, das auch keinerlei Art und Weise mehr kennt, weil es *in seinem Wesen* alle Arten besitzt". Sie muß sich emporschwingen über alles Geistige, das sie natürlicherweise erkennen und verstehen kann, auch über alles Geistige, was man in diesem Leben mit den Sinnen kosten und empfinden kann. Je mehr sie all das noch hochschätzt, desto mehr entfernt sie sich vom höchsten Gut. Schätzt sie aber alles gering im Vergleich zum höchsten Gut, so „nähert sich die Seele in der Dunkelheit mit mächtigen Schritten der Vereinigung durch das Mittel des Glaubens"[7].

Der Heilige schaltet an dieser Stelle zum besseren Verständnis eine kurze Erklärung dessen ein, was er in all diesen Ausführungen mit *Vereinigung* meint: nicht jene wesenhafte Vereinigung Gottes mit allen Dingen, wodurch sie in ihrem Sein erhalten werden, sondern eine „Vereinigung und Umgestaltung der Seele in Gott durch die Liebe"; diese besteht nicht immer wie jene andere, vielmehr nur dann, „wenn die Seele zur Ähnlichkeit in der Liebe gelangt ist". Jene Vereinigung ist natürlich, diese übernatürlich. Die übernatürliche kommt zustande, wenn der Wille der Seele und der Wille Gottes in *einen* verschmolzen sind, sodaß es nichts gibt, was dem einen in dem andern widerstreben würde. Wenn sich also die Seele „so vollständig von dem entäußert, was dem göttlichen Willen widerstreitet und sich mit Ihm gleichförmig macht, dann ist sie durch die Liebe in Gott umgestaltet. Darunter ist nicht nur jede einzelne dem göttlichen Willen entgegengesetzte Handlung zu verstehen, sondern auch jede Ihm widerstrebende Gewohnheit .... Und weil kein Geschöpf und nichts, was so ein Geschöpf leistet und vermag, an das Wesen Gottes heranreicht oder Ihm entspricht, so muß sich die Seele losmachen von jedem Geschöpf und allen seinen Werken und Fähigkeiten .... Nur so vollzieht sich die Umgestaltung in Gott". Das göttliche Licht wohnt also schon natürlicherweise in der Seele. Aber erst, wenn sie um Gottes willen sich alles dessen entledigt, was nicht Gott ist — das heißt Lieben! —, kann sie erleuchtet und in Gott umgestaltet werden. „Gott teilt ihr sodann Sein eigenes übernatürliches Sein mit, so daß sie Gott selber zu sein scheint und

---

[6] a. a. O. I 108.
[7] *Aufstieg*, B. II Kap. 3, *E. Cr.* I 108 f.

ihr eigen nennt, was Gottes ist". So weit geht die Vereinigung, „daß alles, was Gott und der Seele zu eigen ist, eins wird in dieser Mitteilung und Umgestaltung. So scheint dann die Seele mehr Gott zu sein als Seele". Sie ist Gott durch Teilnahme, behält aber trotz der Umwandlung „ihr natürliches, vom göttlichen so ganz verschiedenes Sein" [8].

b) Entblößung der geistigen Kräfte als Kreuzweg und Kreuzestod

Die Entblößung, die für diese umwandelnde Vereinigung erfordert ist, wird im *Verstand* durch den *Glauben* gewirkt, im *Gedächtnis* durch die *Hoffnung*, im *Willen* durch die *Liebe*. Vom Glauben ist schon gezeigt worden, daß er dem Verstand eine sichere, aber dunkle Erkenntnis verleiht. Er zeigt Gott als unzugängliches Licht, als unfaßlich-unendlichen, dem gegenüber alle natürlichen Kräfte versagen, und gerade dadurch führt er den Verstand auf sein ganzes Nichts zurück: er erkennt seine eigene Ohnmacht und Gottes Größe. So versetzt die Hoffnung das Gedächtnis ins Leere, da sie es mit etwas beschäftigt, was man noch nicht besitzt. „Denn wie kann einer erhoffen, was er schon erfüllt sieht?" (Rom. 8, 24). Sie lehrt uns, alles von Gott zu erhoffen und nichts von uns selbst und andern Geschöpfen; von Ihm eine Seligkeit ohne Ende zu erwarten und eben darum in diesem Leben auf jeden Genuß und Besitz zu verzichten. Die Liebe schließlich macht den Willen frei von allen Dingen, da sie es zur Pflicht macht, Gott über alles zu lieben. Das ist aber nur möglich, wenn das Verlangen nach allem Geschöpflichen aufgehoben ist. Dieser Weg der vollständigen Entäußerung ist schon früher als der *schmale Weg* gedeutet worden, den nur wenige finden (Matth. 7, 14). Der Weg, der auf den hohen Berg der Vollkommenheit führt und nur von denen beschritten werden kann, die von keiner Last abwärts gezogen werden. Der *Kreuzweg*, zu dem der Herr seine Jünger einladet: „Wer mein Jünger werden will, verleugne sich selbst, nehme sein Kreuz auf sich und folge mir. Denn wer sein Leben retten will, wird es verlieren; wer aber sein Leben um meinetwillen .... verliert, wird es retten" (Marc. 8, 34 f.). Was hier verlangt wird, ist nicht bloß ein wenig Zurückgezogenheit und eine gewisse Verbesserung in dieser oder jener Hinsicht; ein wenig Verlängerung des Gebetes und ein wenig Abtötung; dabei Genuß

---

[8] a. a. O. B. II Kap. 4, E. Cr. I 113 f.

von Tröstungen und geistigen Gefühlen. Die sich damit begnügen wollen, schrecken „wie vor dem Tod selber" zurück, „sobald ihnen etwas von jener gediegenen Vollkommenheit begegnet, wie sie in der Beraubung aller Süßigkeit in Gott, in Trockenheit, Ekel und Mühsal besteht. Dies ist das reine geistige Kreuz, die Blöße der Armut im Geiste Christi". Das andere ist „nichts weiter als sich selbst in Gott suchen . . . ., der direkte Gegensatz zur Liebe. Sich selber in Gott suchen heißt nur die Gaben und Ergötzungen in Gott suchen . . . . Gott in Ihm suchen heißt nicht bloß auf beides aus Liebe zu Gott verzichten, sondern um Christi willen freudig bereit sein, von seiten Gottes und der Welt gerade das Unschmackhafteste zu wählen: und das ist Liebe zu Gott" [9]. Seine Seele hassen — und eben dadurch bewahren — heißt um Christi willen allem entsagen, was der „Wille nur immer begehren und kosten kann, und nur das für sich behalten, was mehr nach dem Kreuze schmeckt . . . ." Mit dem Herrn den Kelch trinken (Matth. 20, 21) bedeutet der Natur absterben — dem Sinnlichen wie dem Geistigen nach. Nur so kann man auf dem schmalen Weg aufsteigen. „Denn hier gibt es nur Entsagung . . . . und Kreuz. Dies ist der Stab, auf den man sich stützt und durch den man sich das Vorwärtskommen sehr erleichtert. Darum sagt der Herr beim hl. Matthäus: ‚Mein Joch ist süß und meine Bürde leicht' (Matth. 11, 30). Diese Bürde aber ist das Kreuz. Sobald sich nämlich der Mensch dazu entschließt, das Kreuz auf sich zu nehmen, d.h. . . . . in allem um Gottes willen nur Mühsal zu suchen und freudig auf sich zu nehmen, wird er auch tatsächlich in allen Dingen große Erleichterung und Süßigkeit finden und in dieser völligen Losschälung von allem, ohne noch etwas zu verlangen, seinen Weg wandeln. Sowie er hingegen selbstsüchtig an etwas hängt, mag das nun etwas Göttliches oder Irdisches sein, ist er schon nicht mehr von allem entblößt und entäußert. Darum kann er auch nicht auf diesem schmalen Pfade Fuß fassen und vorwärtskommen". Die geistlichen Seelen sollen einsehen, „daß dieser Weg zu Gott nicht in vielen Betrachtungen oder in bestimmten Übungen noch in wonnigen Gefühlen besteht . . . ., sondern in dem einen Notwendigen . . . ., sich selbst innerlich wie äußerlich allen Ernstes zu verleugnen, um Christi willen zum Leiden bereit zu sein, sich in jeder Hinsicht abzusterben. Wer sich . . . . hierin schult, der wird darin alles und mehr als jenes wirken und finden. Läßt man es dagegen an dieser Übung fehlen . . . ., so sind alle andern Tugendübungen nichts weiter als Wasserschößlinge, die zu keinem Fort-

---

[9] a. a. O. B. II Kap. 6, *E. Cr.* I 122.

schritt verhelfen, mögen auch solche Seelen noch so erhabene Betrachtungen anstellen und engelgleichen Verkehr mit Gott pflegen". Christus ist unser Weg. Alles kommt darauf an, zu verstehen, wie wir nach dem Vorbild Christi wandeln sollen. „Zum ersten: Es ist unbestritten, daß Er starb: geistig verstanden während Seines ganzen Lebens für alles Sinnliche, und natürlich verstanden bei Seinem Tod. Er hatte ja, wie Er selber sagt, im Leben nichts, wo Er Sein Haupt hinlegen konnte' (Matth. 8, 20). Im Tode hatte Er noch weniger. Zum zweiten: Es ist sicher, daß Er im Augenblick des Todes in Seinem Innersten völlig verlassen, ja wie vernichtet war, da Ihn der Vater ohne jeden Trost und ohne jede Erleichterung, also in äußerster Trockenheit ließ. Darum mußte Er am Kreuz ausrufen: ‚Mein Gott, mein Gott, warum hast Du mich verlassen?' (Matth. 27, 46). Dies war wohl die größte Verlassenheit, die Er mit den Sinnen in Seinem Leben auszuhalten hatte. Aber gerade damals vollbrachte Er auch ein größeres Werk als während Seines ganzen Lebens mit all den Zeichen und Wundern . . . .: die gnadenvolle Versöhnung und Vereinigung des Menschengeschlechtes mit Gott. Und das geschah in dem Augenblick, als der Herr in allem am meisten vernichtet war. . . .: in der Achtung der Menschen, denn als sie Ihn am Kreuze sterben sahen, verspotteten sie Ihn; der Natur nach, denn sie wurde durch den Tod völlig zunichte; in der Hilfe und dem Trost von seiten des Vaters, denn in jenem Zeitpunkt ließ Er Ihn ja ganz ohne Hilfe, damit Er völlig entäußert und gleichsam vernichtet, wie aufgelöst in Nichts, die Schuld tilge und den Menschen mit Gott vereine . . . . Daraus möge eine wahrhaft geistliche Seele das Geheimnis von Christus als der Tür und dem Weg zur Vereinigung mit Gott verstehen lernen und so einsehen, daß sie sich um so inniger mit Gott vereint und ein um so größeres Werk vollbringt, je mehr sie sich um Gottes willen im Sinnlichen wie Geistigen selber vernichtet. Und wenn sie in tiefster Erniedrigung zur Auflösung in Nichts gelangt, dann kommt die geistige Vereinigung der Seele mit Gott zustande, die höchste Stufe, welche die Seele hienieden erreichen kann. Diese besteht also nicht in geistigen Erquickungen und Wonnen und Empfindungen, sondern in einem Kreuzestod bei lebendigem Leibe, im Sinnlichen wie im Geistigen, äußerlich wie innerlich"[10].

---

[10] a. a. O. B. II Kap. 6, E. Cr. I 123 ff.

c) Untauglichkeit alles Geschaffenen als Mittel zur Vereinigung.
Unzulänglichkeit natürlicher und übernatürlicher
Erkenntnis

Man spürt hier den Herzschlag unseres heiligen Vaters. Er spricht
von der großen Wahrheit, die er erkannt hat, die zu künden seine
Sendung ist: unser Ziel ist die Vereinigung mit Gott, unser Weg
der gekreuzigte Christus, das Einswerden mit Ihm im Gekreuzigtwerden. Das einzig entsprechende Mittel dazu ist der Glaube. Das
soll nun bewiesen werden, indem gezeigt wird, daß kein anderes
wirkliches oder gedachtes Ding dazu taugen kann. Jedes Mittel muß
seinem Zweck entsprechen. Mittel zur Vereinigung mit Gott kann
nur sein, „was mit Gott in Verbindung bringt und die größte
Gleichförmigkeit mit Gott hat". Das kann man von keinem geschaffenen Wesen sagen. Wohl stehen alle in einer gewissen Beziehung zu Gott und tragen eine gewisse Spur Gottes an sich. „Doch
von Gott zu den Geschöpfen hin gibt es keine Beziehung, keine
Wesensähnlichkeit. Denn der Abstand zwischen Seinem göttlichen
Sein und dem ihren ist unendlich. Darum ist es auch unmöglich, daß
der Verstand durch Vermittlung der Geschöpfe, mögen es himmlische oder irdische sein, vollkommen in Gott eindringen kann...."
Selbst Engel und Heilige sind so fern vom göttlichen Wesen, daß
der Verstand durch sie nicht vollkommen an Gott heranreichen
kann. Und das gilt von allem, „was die Phantasie ersinnen und der
Verstand in diesem Leben zu erfassen vermag"[11]. Die natürliche
Welt faßt er nur durch die Formen und Bilder, die die Sinne wahrnehmen. Und die führen auf dem Wege zu Gott nicht voran. Und
auch, was ihm von der übernatürlichen Welt hier zugänglich ist,
kann ihm zu keiner genauen Kenntnis Gottes verhelfen. Der Verstand kann sich also mit seiner Einsicht keinen angemessenen Begriff
von Gott bilden, das Gedächtnis mit seiner Phantasie keine Formen
und Bilder schaffen, die Gott wiedergeben könnten, der Wille keine
Lust und Wonne kosten gleich jener, die Gott selber ist. Darum
muß man, um zu Gott zu gelangen, „vielmehr dahin trachten....,
nicht zu verstehen, als verstehen zu wollen;.... eher blind werden
und sich in Finsternis versetzen ...., als die Augen öffnen ...."
Darum nennt der *Areopagit* die Beschauung *mystische Theologie*,
d.h. geheime Gottesweisheit und einen *Strahl der Finsternis*[12].
Das Dunkel, das zu Gott führt, ist, wie wir schon wissen, der

---

[11] *Aufstieg*, B. II Kap. 7, E. Cr. I 128 ff.
[12] *Mystische Theologie*, I 1; *Aufstieg*, B. II Kap. 7, E. Cr. I 130.

Glaube. Er ist das einzige Mittel, dat zur Vereinigung führt, denn er stellt uns Gott vor Augen, wie Er ist: als unendlichen, als dreieinen. Der Glaube gleicht Gott darin, daß beide den Verstand blenden und ihm als Finsternis erscheinen. „Darum ist die Seele um so inniger mit Gott vereint, je mehr sie vom Glauben erfüllt ist". Seine Dunkelheit deutet die Heilige Schrift an durch das Bild der *Wolke*, in die sich Gott in den alttestamentlichen Offenbarungen hüllte: vor Moses auf dem Berge [13]; im salomonischen Tempel [14]. In diesem Dunkel ist das Licht der Wahrheit verborgen. Es wird unverhüllt aufstrahlen, wenn einst mit dem Leben der Glaube enden wird" [15]. Vorläufig aber sind wir ganz auf ihn angewiesen. Was er uns gibt — die *Beschauung* —, ist eine *dunkle* und *allgemeine Erkenntnis*; sie steht im Gegensatz nicht nur zur natürlichen Verstandestätigkeit, sondern auch zu den verschiedenen Weisen, wie dem Verstand gesonderte und deutlich erfaßbare *übernatürliche Erkenntnisse* zuteil werden können: *Gesichte, Offenbarungen, Ansprachen* und *geistige Empfindungen.* Es können sich den leiblichen Augen Gestalten aus der andern Welt, Engel oder Heilige, zeigen oder auch ein außergewöhnlicher Lichtglanz. Man kann ungewöhnliche Worte hören, liebliche Wohlgerüche wahrnehmen, sinnlichen Wohlgeschmack kosten oder mit dem Tastsinn starke Wonnegefühle empfinden. All das soll man abweisen, ohne zu untersuchen, ob es in sich gut oder böse sei. Es entspricht Gott mehr, sich dem Geist mitzuteilen als den Sinnen, und die Seele findet darin größere Sicherheit und gelangt zu größerem Fortschritt, während mit der sinnlichen Gegebenheit in der Regel große Gefahr verbunden ist. Die Sinne meinen dann über geistige Dinge urteilen zu können, während sie doch darin so unwissend sind wie ein Lasttier in Sachen der Vernunft. Auf diesem Gebiet kann auch der Teufel leicht seine Künste üben, weil er auf das Körperliche Einfluß hat. Und auch wenn die Gestalten von Gott stammen, sind sie um so weniger förderlich für den Geist, je mehr sie äußerlich in Erscheinung treten, sie regen weniger den Geist des Gebetes an und erwecken den Anschein, als komme ihnen größere Bedeutung zu und sie könnten besser führen als der Glaube. Sie verführen auch die Seele zu einer hohen Meinung von sich selbst. Darum bedient sich der Teufel ihrer so gern, um den Seelen zu schaden. Aus all diesen Gründen ist es stets das Beste, solche Gebilde abzuweisen. Stammen sie von Gott, so geht der Seele dabei nichts verloren; wohl darum, weil jede Mitteilung, die von Gott kommt,

---

[13] Ex. 19, 9; 16 u. 24, 15 f.
[14] 3 Reg. 8, 12.
[15] *Aufstieg,* B. II Kap. 8, E. Cr. I 133.

„schon im gleichen Augenblick, in dem sie auftritt oder wahrgenommen wird, im Geist ihre erste Wirkung hervorbringt, ohne der
Seele auch nur Zeit zu lassen zur Überlegung, ob sie will oder
nicht". Und im Gegensatz zu teuflischen Visionen, die „dem Willen
die ersten Anregungen geben, ohne ihn weiter zu bringen, wenn er
nicht selber will", dringen die göttlichen „zutiefst in die Seele ein,
regen den Willen zur Liebe an und tun so ihre Wirkung, der die
Seele nicht widerstehen kann, wenn sie es auch will". Trotz dieser
heilsamen Wirkungen darf die Seele nach solchen Erscheinungen
durchaus kein Verlangen haben: 1) weil sie dem Glauben Eintrag
tun, der über alles sinnlich Wahrnehmbare erhaben ist, und so die
Seele vom einzigen Mittel zur Vereinigung mit Gott ablenken;
2) halten sie den Geist auf und hindern ihn, sich zum Unsichtbaren
zu erheben; 3) lassen sie die Seele nicht zur wahren Entsagung und
Entblößung des Geistes gelangen; 4) wird sie durch das Haften am
Sinnenfälligen weniger empfänglich für den Geist der Andacht;
5) gehen ihr die Gnaden verloren, die Gott ihr spenden will, wenn
sie selbstsüchtig nach den Visionen hascht; 6) öffnet das Verlangen
danach dem Teufel Tür und Tor, sie mit ähnlichen Erscheinungen
zu hintergehen. Lebt die Seele jedoch im Verzicht und ist sie solchen
Erscheinungen „abgeneigt, dann läßt der Teufel von ihr, weil er
sieht, daß er ihr nicht schaden kann. Gott dagegen gießt Seine
Gnaden in zuvorkommender Liebe über jene demütige und selbst-
lose Seele aus und erhebt sie über vieles, wie es jenem Knecht geschah,
der in wenigem getreu war (Matth. 25, 21)..... Erweist sich die Seele
immer treu und zurückhaltend, dann wird der Herr nicht ruhen,
bis Er sie von Stufe zu Stufe zur göttlichen Vereinigung und Umgestaltung geführt hat"[16].

Ebenso wie die Wahrnehmungen der äußeren Sinne, sind auch die
Gebilde der *inneren Sinne, Einbildungskraft* und *Phantasie,* abzuweisen. Die eine sucht Bilder zu vergegenwärtigen, die andere gestaltet das Vergegenwärtigte. Beide sind von Bedeutung für die
Betrachtung, die ein *Nachdenken* im Anschluß an solche Bilder ist.
(Man kann sich z.B. Christus am Kreuz oder an der Geißelsäule vorstellen oder Gott auf dem Thron der Herrlichkeit.) All diese Gebilde sind so wenig wie die Gegenstände der äußeren Sinne als
nächste Mittel zur Vereinigung mit Gott tauglich, weil „die Einbildungskraft nichts schaffen oder vorstellen kann, als was in den
Erfahrungskreis der äußeren Sinne gelangt ist ....; wenn es hoch-
kommt, kann sie den gesehenen, gehörten, gefühlten Gegenständen

---

[16] *Aufstieg,* B. II Kap. 10, *E. Cr.* I 137 ff.

ähnliche nachbilden"; doch diese gehören keiner höheren Kategorie an als die sinnlich wahrgenommenen. „Weil nun .... alle geschaffenen Dinge in keinem Verhältnis zum göttlichen Wesen stehen", so kann nichts, was man sich nur immer ihnen Ähnliches vorstellen mag, nächstliegendes Mittel sein zur Vereinigung mit Gott. Für Anfänger mag es notwendig sein, sich Gott als großes Feuer oder Lichtglanz oder etwas Ähnliches vorzustellen, um die Seele durch das Sinnenfällige zur Liebe zu bewegen oder zu entflammen. Diese Bilder sind aber auch da nur entferntes Mittel; die Seelen müssen „in der Regel durch sie hindurchgehen, um zum Ziel und in das Gemach der geistlichen Ruhe zu gelangen". Sie dürfen aber „nur hindurchdringen und nicht dauernd darin verweilen, sonst würden sie nie ans Ziel kommen ...." [17]

Der rechte Zeitpunkt, um die Stufe der Betrachtung zu verlassen, ist dann gekommen, wenn jene drei Kennzeichen zusammentreffen, die wir schon aus der *Dunklen Nacht der Sinne* kennen [18]: wenn die Seele in der nachsinnenden Betrachtung keine Wonne und Erquickung mehr findet; wenn sie ebenso wenig geneigt ist, sich mit andern Dingen zu beschäftigen; wenn sie am liebsten ganz in Ruhe bei Gott verweilen möchte, in einer allgemeinen, liebenden Erkenntnis Gottes. Diese liebende Erkenntnis ist in der Regel die Frucht vieler vorausgehender Betrachtungen durch mühevolles Nachsinnen in Einzelerkenntnissen gewonnen, durch lange Übung zum bleibenden Zustand geworden. Doch ruft Gott in manchen Seelen diesen Zustand ohne viele vorausgehende Übung hervor, „indem Er sie mit einem Male in den Zustand der Beschauung und Liebe versetzt". Diese allgemeine liebende Erkenntnis läßt keine Unterscheidung mehr zu und geht nicht ins einzelne. „Wenn nun die Seele in solchem Zustand sich ins Gebet begibt, dann trinkt sie wie einer, der das Wasser zur Hand hat, mühelos und mit Wonne und hat nicht nötig, es erst mittels der Schöpfeimer vorausgehender Betrachtungen, Bilder und Vorstellungen zu schöpfen. Sowie sie sich zu Gott begibt, tritt sogleich jenes dunkle, liebende, befriedigende und beruhigende Erkennen in Wirksamkeit, in welchem die Seele Weisheit, Liebe und Wonne trinkt". Alle Unruhe und Pein kommt von Mißverstehen

---

[17] a. a. O. B. II Kap. 11, *E. Cr.* I 146 f.

[18] Sie werden im *Aufstieg* (B. II Kap. 11 u. 12) in etwas anderer Fassung angegeben. [Das erste Kennzeichen in der *Nacht* ist das zweite im *Aufstieg*. Das zweite Kennzeichen in der *Nacht* ist das dritte im *Aufstieg*. Das dritte Kennzeichen in der *Nacht* ist das erste im *Aufstieg*. In der *Nacht* deuten diese Kennzeichen auf die reinigende Wirkung Gottes in der Seele durch die anfangende eingegossene Beschauung hin. Anm. d. Herausgeber]

dieses Zustandes und der Rückkehr zum fruchtlos gewordenen Nachsinnen.

In der Beschauung sind die geistigen Fähigkeiten, Gedächtnis, Verstand und Willen, vereint tätig. Im Betrachten und Nachsinnen dagegen sieht Johannes vom Kreuz noch eine Betätigung der sinnlichen Fähigkeiten. Je reiner, einfacher und vollkommener, geistiger und innerlicher die allgemeine Erkenntnis ist — und das ist sie, wenn sie sich in eine ganz lautere Seele ergießt, die frei ist von anderweitigen Eindrücken und Einzelerkenntnissen —, desto freier und zarter ist sie und desto eher kann sie sich der Wahrnehmung entziehen. Die Seele befindet sich wie in einem tiefen Vergessen und lebt gleichsam zeitlos. Das Gebet dünkt ihr ganz kurz, wenn es auch stundenlang gedauert hat. Dies kurze Gebet „durchdringt die Himmel, weil eine solche Seele in himmlichem Erkennen in sich eins geworden ist" [19]. Es hinterläßt als Wirkung eine gewisse Erhebung des Gemütes zu himmlischem Erkennen und zugleich eine Entfremdung und Loslösung von allen Dingen, Formen und Bildern. Zugleich ist meist der Wille davon ergriffen: in Liebeswonne versenkt, ohne daß man recht weiß, welches der Gegenstand der Liebe ist. Die Tätigkeit der Seele in diesem Zustand besteht rein im Empfangen dessen, „was ihr in den Erleuchtungen, Offenbarungen und Eingebungen von Gott mitgeteilt wird". Es ist ein klares und lauteres Licht, das sich in sie ergießt. Nichts anderes kommt ihm gleich, und jede Hinwendung zu besonderen Gegenständen oder Erwägungen „würde .....dem feinen und einfachen geistigen Licht im Weg stehen, als schöbe man Wolken dazwischen". „.... Dieses Licht fehlt niemals in der Seele; doch wegen der geschöpflichen Formen und Hüllen, womit die Seele bedeckt und umhüllt ist, kann es sich nicht in sie ergießen. Sobald sie sich aber dieser Hindernisse und Hüllen vollständig entledigt und sich der vollen Entäußerung und Armut des Geistes hingibt, wird die Seele, selber schon lauter und rein, umgestaltet in die lautere und reine göttliche Weisheit, die der Sohn Gottes ist". Es ergießen sich in sie „die Ruhe und der Friede Gottes .... mit wunderbaren .... Erkenntnissen Gottes, die eingehüllt sind in die göttliche Liebe" [20]. In diesem erhabenen Zustand der Liebesvereinigung teilt sich Gott der Seele nicht mehr mit „unter der Hülle einer Vision der Einbildungskraft oder eines Gleichnisses noch sonst eines Bildes...., sondern .... vielmehr von Mund zu Mund.... (Num. 12, 6 ff.) ...., d.h. in der reinen, bloßen göttli-

---

[19] *Aufstieg*, B. II Kap. 12, *E. Cr.* I 154 ff.
[20] a. a. O. B. II Kap. 13, *E. Cr.* I 164 f.

chen Wesenheit; sie ist gleichsam der Mund Gottes in der Liebe und (teilt sich) der reinen und bloßen Wesenheit der Seele mit durch den Willen als dem Mund der Seele in ihrer Liebe zu Gott" [21]. Bis dahin aber ist ein weiter Weg zurückzulegen. Gott führt die Seele stufenweise zu diesem erhabenen Gipfel empor. Er paßt sich zunächst ihrer Natur an, teilt ihr anfangs „das Geistige unter mehr äußeren, handgreiflichen....Dingen mit", unterweist sie „durch Vorstellungen, Bilder und auf sinnenfälligen Wegen ...., bald durch natürliche, bald durch übernatürliche, ferner auch durch eigenen Gebrauch der Vernunft, und hebt sie so allmählich zum höchsten göttlichen Geist empor". In diesen göttlichen Erziehungsplan sind auch die Visionen der Einbildungskraft eingeordnet. Man soll aber bei ihnen nur auf das achten, „was in Gottes Absicht und Willen liegt, nämlich den Geist der Andacht. Denn zu keinem andern Zweck verleiht Er sie. Was Er aber nicht geben würde, wenn man jenes geistig fassen könnte, ohne Zuhilfenahme .... der Sinne", davon soll man absehen [22].

Im Alten Bunde war es erlaubt, ja der göttlichen Ordnung entsprechend, nach Visionen und Offenbarungen zu verlangen und sich durch sie leiten zu lassen, weil Gott auf diese Weise Glaubensgeheimnisse eröffnete und Seinen Willen kundgab. Was Er jedoch „ehedem nur stückweise zu den Propheten geredet, das hat Er nunmehr im ganzen gesprochen, indem Er uns das Ganze gab, nämlich Seinen Sohn". Früher sprach Gott, um Christus zu verheißen. Nun hat Er uns in Ihm alles gegeben und gesagt: „Ihn sollt ihr hören!...." (Matth. 17, 5). Nun noch nach Offenbarungen verlangen, wäre Mangel an Glauben. „In Ihm sind alle Schätze der Weisheit und Erkenntnis verborgen" (Col. 2, 3). „So müssen wir uns denn in allem durch die Lehre unseres Herrn Jesus Christus, der da Mensch geworden ist, leiten lassen, sowie von Seiner Kirche und ihren Dienern, nach Menschenart und in sichtbare Weise, und müssen auf diesem Wege unsere Unwissenheit und unsere geistigen Schwächen heilen lassen .... Nichts was uns auf übernatürlichem Wege kund wird, soll man glauben als allein die Lehre des Gottmenschen Jesus Christus und Seiner menschlichen Diener .... Alles andere taugt nichts, und man darf es nur dann gläubig annehmen, wenn es mit der Lehre Christi übereinstimmt". Auch im Alten Bunde war es nicht allen erlaubt, Gott zu befragen, und nicht allen gab Er Antwort, sondern nur den Priestern und Propheten. „Gott hat eben eine ganz

---

[21] a. a. O. B. II Kap. 14, E. Cr. I 168 ff.
[22] a. a. O. B. II Kap. 15, E. Cr. I 174 ff.

besondere Vorliebe dafür, daß die Menschen wiederum durch Menschen....geleitet....werden und daß der Mensch sich regieren lasse durch die natürliche Vernunft. Darum verlangt er durchgehends, daß wir den Wahrheiten, die Er uns auf übernatürlichem Wege mitteilt, keinen vollen Glauben beimessen sollen ...., solange sie nicht durch .. ..den Mund des Menschen zu uns gelangt sind. Sooft Er darum der Seele etwas mitteilt oder offenbart", flößt Er ihr „eine gewisse Neigung dazu ein, es jenen mitzuteilen, die ein Recht darauf haben". „Denn wo immer sich mehrere Menschen zusammenfinden, um sich über die Wahrheit zu besprechen, da gesellt Er sich zu ihnen und erleuchtet und festigt sie in der Wahrheit...." [23]

Zn dem, was der Verstand mit Hilfe der äußeren oder inneren Sinne wahrnimmt, kommen *rein geistige Mitteilungen*: sie bieten sich dem Verstand ohne jede Vermittlung eines äußeren oder inneren Sinnes und ohne sein eigenes Zutun „klar und bestimmt auf übernatürlichem Wege dar, in reinem Empfangen, d.h. die Seele unternimmt nicht das Mindeste und trägt ihrerseits nichts dazu bei, wenigstens nicht selbständig und wie aus Eigenem". Johannes unterscheidet *geistige Visionen, Offenbarungen, Ansprachen* und *Empfindungen*, faßt aber alle vier zusammen unter dem Namen *intellektuelle Visionen*, weil bei allen ein *geistiges Schauen* vorliegt. Im engeren Sinn heißt *Vision*, was nach Art des körperlichen Sehens geistig geschaut wird; entsprechend kann *Offenbarung* genannt werden, was nach Art eines noch nie vernommenen Lautes vom Verstand neu erfaßt wird; was nach Art des Hörens aufgenommen wird, heißt *Ansprache*, was nach Art der andern Sinne wahrgenommen wird, *geistige Empfindung*. Bei all dem spielt keine Form, kein Bild und keine Gestalt ein Rolle, es ist eine Mitteilung durch *übernatürliches Eingreifen* und übernatürliche Vermittlung. Obgleich diese Wahrnehmungen von höherer Art und viel nützlicher sind als jene, die man durch die leiblichen Sinne oder die Einbildungskraft erhält, soll man sich doch nicht damit abgeben, denn auch durch sie „verliert der Verstand an Schärfe und versperrt sich .... den Weg zur Einsamkeit und Entblößung...." [24] Die Visionen können körperliche wie unkörperliche Wesen vor das geistige Auge stellen. In einem gewissen übernatürlichen Licht kann die Seele alle körperlichen Dinge schauen, die es im Himmel und auf Erden gibt. Die unkörperlichen Wesen (Gott, Engel, Seelen) können nur im Glorienlicht geschaut werden, also nicht in diesem Leben. „Wollte sie Gott

---

[23] a. a. O. B. II Kap. 20, *E. Cr.* I 210 ff.
[24] a. a. O. B. II Kap. 21, *E. Cr.* I 223 f.

in ihrer Wesenheit einer Seele mitteilen, so müßte diese sogleich den Leib verlassen und aus diesem sterblichen Leben scheiden". Nur dann können solche Visionen ausnahmsweise jemandem zuteil werden, „wenn Gott dabei entweder die natürlichen Lebensbedingungen außer Kraft setzt oder sie aufrecht erhält, aber dabei den Geist vollständig von der Natur loslöst, wie z.B. *Paulus* bei seiner Schau des dritten Himmels dem natürlichen Leben entrückt wurde (2 Cor. 12, 2). Diese Visionen kommen aber nur äußerst selten vor und nur bei Menschen die wie *Moses, Elias* und *Paulus* „Quellen des Geistes der Kirche und des göttlichen Gesetzes sind". Nach dem gewöhnlichen Gang der Dinge können geistige Wesen hienieden „nicht hüllenlos und klar mit dem Verstande geschaut werden, wohl aber kann man sie im Innersten der Seele fühlen, in einem liebevollen Erkennen, verbunden mit wonnevollen Vereinigungen und Berührungen Gottes". Dieses „liebevolle, dunkle Erkennen — das ist der Glaube — dient in diesem Leben zur göttlichen Vereinigung, sowie das Licht der Glorie im jenseitigen Leben das Mittel zur klaren Anschauung Gottes ist" [25].

Damit ist schon etwas vorausgenommen, was erst später behandelt werden soll. Vorläufig gilt es, über die geistigen Visionen körperlicher Dinge Klarheit zu schaffen. Sie werden vom Verstand durch übernatürliches Licht innerlich geschaut, wie die Augen durch das natürliche Licht die Dinge sehen. Aber das geistige Schauen ist viel schärfer und deutlicher als das leibliche. Es ist wie das Aufleuchten eines Blitzes, der bei dunkler Nacht für einen Augenblick die Dinge klar und bestimmt hervortreten läßt. Unter der Einwirkung des geistigen Lichtes prägen sich aber die Dinge der Seele so tief ein, daß sie sie jedesmal, wenn sie ihr mit der Gnade Gottes wieder bewußt werden, genau so erkennt, wie sie sie zuerst schaute. Sie bewirken in der Seele Ruhe und Klarheit, himmlische Freude, lautere Liebe, Demut und Erhebung des Geistes zu Gott. Durch diese Wirkungen unterscheiden sie sich von den Nachäffungen, die der Teufel hervorzubringen vermag. Trotzdem soll man sich ihnen gegenüber ablehnend verhalten. Wollte die Seele sie wie Schätze in sich aufspeichern, so würden jene Eindrücke, Bilder und Personen ihr Inneres einnehmen und ein Hindernis sein auf dem Wege zu Gott durch Verzicht auf alle geschaffenen Dinge. Wohl kann die Erinnerung an solche Visionen einen gewissen Grad von Gottesliebe erreichen. Aber in viel höherem Grade vermag dies der *reine Glaube*. Wenn er durch Entblößtsein, Dunkel und geistige Armut in der

---

[25] a. a. O. B. II Kap. 22, *E. Cr.* I 225 ff.

Seele Wurzel faßt, ergießen sich zugleich *Hoffnung und Liebe* in sie — freilich eine Liebe, die sich nicht im Gefühl durch eine gewisse Zärtlichkeit kundgibt, sondern sich in der Seele offenbart durch Kraft und größeren Mut und ungekannte Herzhaftgkeit. Gott, dem Unbegreiflichen, der über allem thront, „müssen wir auf dem Wege der völligen Entsagung entgegengehen" [26].

Unter dem Namen *Offenbarungen* faßt Johannes zwei verschiedene Arten geistiger Mitteilungen zusammen: *intellektuelle Erkenntnisse*, in denen *verborgene Wahrheiten* enthüllt werden — sie können sich auf stoffliche oder geistige Dinge beziehen —, und *Offenbarungen im strengen und eigentlichen Sinne*, durch die *Geheimnisse* kundgemacht werden. Die Erkenntnisse reiner Wahrheiten sind durchaus verschieden von dem vorher besprochenen Schauen körperlicher Dinge. Es werden darin Wahrheiten über den Schöpfer oder die Geschöpfe erkannt. Damit ist eine unvergleichliche und unaussprechliche Wonne verbunden. „Denn diese Erkenntnisse haben unmittelbar Gott zum Inhalt und dringen tief ein in die eine oder andere Seiner Eigenschaften .... und jede dieser Erkenntnisse prägt sich der Seele dauernd ein. Da dies in reiner Beschauung vor sich geht, erkennt die Seele deutlich, daß es rein unmöglich ist, etwas davon in Worten auszudrücken, außer etwa in allgemein gehaltenen Begriffen.... Die sind jedoch völlig unzureichend zum vollen Verständnis dessen, was die Seele gekostet und empfunden hat". Handelt es sich um eine Erkenntnis Gottes selbst, so ist dabei nichts einzelnes zu unterscheiden. „Diese erhabenen, liebenden Erkenntnisse können nur einer Seele zuteil werden, die zu göttlicher Vereinigung gelangt ist, weil sie ja nichts anderes sind als diese Vereinigung selber", eine „Art Berührung zwischen der Seele und der Gottheit....", die „das Wesen der Seele durchdringt". Von manchen „Erkenntnissen und Berührungen, die Gott im Wesen der Seele bewirkt", reicht eine einzige hin, die Seele „nicht nur mit einemmal von allen Unvollkommenheiten zu läutern, die sie ihr ganzes Leben lang nicht hätte ablegen können, sondern sie auch dazu mit göttlichen Gnaden und Tugenden zu überhäufen". Und sie sind so voll innerster Wonne, daß eine einzige die Seele „hinlänglich entschädigt .... für alle Leiden, die sie ihr Leben lang ausgestanden hat, und wären sie auch zahllos gewesen...." Die Seele kann unmöglich durch eigene Betätigung zu solch erhabenen Erkenntnissen gelangen. Gott allein wirkt sie in ihr ohne ihr eigenes Zutun, oft wenn sie am wenigsten daran denkt oder danach verlangt. Und weil sie so plötzlich

---

[26] a. a. O. B. II Kap. 22, *E. Cr.* I 231.

und ohne ihr Zutun über die Seele kommen, darf sie sie „weder suchen noch abweisen; sie möge sie nur in Demut und Ergebung hinnehmen, dann wird Gott Sein Werk tun, wie und wann es Ihm gefällt".

Der Heilige rät also bei diesen Erkenntnissen nicht wie bei allen früher besprochenen, sie abzuweisen. Sie sind ja ein Teil der Vereinigung, zu der Er hinführen will. Um ihretwillen soll man sich alles anderen entledigen und alle Leiden „in Demut und Ergebung, ohne Rücksicht auf jegliche Vergeltung, rein aus Liebe zu Gott . . . . auf sich nehmen. Denn diese Gnaden . . . . sind nur ein Beweis ganz besonderer Liebe, welche Gott gegen eine solche Seele hegt, weil auch sie gegen Ihn ganz uneigennützig ist . . . . Gott offenbart sich der Seele, die sich Ihm überläßt und Ihn wahrhaft liebt"[27].

Sehr verschieden von diesen Erkennnissen sind die andern, die sich auf Dinge beziehen sowie auf Taten und Vorkommnisse unter den Menschen. Sie gehören zum Geist der Propheten und dem, was *Paulus* „Unterscheidung der Geister" nennt (1 Cor. 12, 10). Sie prägen sich der Seele tief ein und erwecken eine unerschütterliche Überzeugung von ihrer Wahrheit. Dennoch muß sie ihr Urteil dem des geistlichen Führers unterwerfen, weil der Weg des Glaubens sicherer zur Vereinigung mit Gott führt als der des Verstehens. So gelangen manche Menschen auf übernatürliche Weise zur Erkenntnis der Natur und ihrer Kräfte. Bisweilen sind das nur einzelne und vorübergehende Erleuchtungen, bei weit Fortgeschrittenen aber mitunter allgemeine und dauernde Erkenntnisse. Geistliche Menschen können auch kraft übernatürlicher Erleuchtung aus oft ganz unscheinbaren äußeren Anzeichen ergründen, was im Innern anderer Menschen vor sich geht. Es wird ihnen ferner eine Kenntnis von den Taten und Geschicken Abwesender verliehen. Diese Kenntnisse werden empfangen ohne eigenes Zutun. Es kann sein, daß man, ohne im mindesten daran zu denken, ein ganz klares Verständnis dessen gewinnt, was man gerade liest oder hört, ja viel besser, als es einem der Wortlaut beibringen kann. Et kommt sogar vor, daß man Worte einer unbekannten Sprache hört und doch den Sinn vollkommen versteht. Auf diesem Gebiet hat (im Gegensatz zum vorausgehenden) der Teufel wieder weiten Spielraum. Doch auch abgesehen davon haben sie wenig Wert für das Ziel der göttlichen Vereinigung und bringen mancherlei Gefahren mit sich; darum ist es das Beste, sie von sich zu weisen, dem Seelenführer Rechenschaft zu geben und seinem Rat zu folgen. Diese Dinge werden ja der Seele nur passiv

---

[27] a. a. O. B. II Kap. 24, *E.Cr.* I 235 ff.

mitgeteilt und „haben stets nur jene Wirkung, die Gott erzielen will, ohne daß die Seele dabei ihre Tätigkeit zu entfalten braucht" [28].

Offenbarungen im engeren Sinn beziehen sich auf *Glaubensgeheimnisse*: auf das *Wesen Gottes* (Dreifaltigkeit und Einheit) sowie auf das *göttliche Wirken in der Schöpfung*. Zu der zweiten Reihe gehören die Verheißungen und Drohungen Gottes durch den Mund der Propheten, ferner das, was „Gott hin und wieder über die Welt im allgemeinen wie auch über einzelne Reiche, Provinzen, Staaten, Familien und einzelne Personen offenbart". Wenn Glaubensgeheimnisse dem Geist nahegebracht werden, so ist das, streng genommen, keine Offenbarung, da sie ja bereits offenbart sind, sondern nur eine neue Darstellung und Erklärung einer bereits offenbarten Wahrheit. Da all dies durch Worte oder Zeichen vermittelt wird, kann es leicht durch den Teufel nachgeäfft werden. Wenn darum etwas offenbar würde, was vom Glauben abwiche, dürfte man es auf keinen Fall annehmen. Und selbst bei neuer Darbietung bereits geoffenbarter Wahrheiten soll die Seele sie „nicht deshalb annehmen, weil sie ihr wieder dargeboten werden, sondern weil sie der Kirche schon hinreichend offenbart sind". Es ist für sie „viel besser, wenn sie in Sachen des Glaubens nicht so klar sehen will. Denn so bewahrt sie sich das Verdienst des Glaubens rein und ganz, und nur so gelangt sie in dieser Nacht des Verstandes zum göttlichen Licht der Vereinigung mit Gott". Die Seele tut klug daran, sich vor all diesen Mitteilungen in acht zu nehmen; „nur so kann sie in Reinheit und ohne Gefahr des Irrtums durch die Nacht des Glaubens zur göttlichen Vereinigung gelangen" [29].

Als dritte Gruppe rein geistiger Mitteilungen hatte Johannes die *Ansprachen* genannt, die ohne Vermittlung eines leiblichen Sinnes vom Verstand vernommen werden. Er gliedert sie in *sukzessive, formelle* und *substantielle*. Die ersten sind Worte und Schlußfolgerungen, die der in sich gekehrte Geist selbst bildet. Das geschieht dann, wenn er „volkommen gesammelt ist und gleichsam ganz aufgeht in einer Betrachtung". Er „eilt von Gedanken zu Gedanken, bildet Worte und Schlußfolgerungen, die genau der Sache entsprechen, und zwar zwanglos und sicher und über Dinge, die ihm bisher völlig unbekannt waren". Es kommt ihm vor, als ob ein anderer in seinem Innern ihm Antwort gebe und ihn belehre. In der Tat spricht er mit sich selbst, stellt Fragen und antwortet darauf, aber er ist dabei das Werkzeug des Heiligen Geistes, unter dessen Einwirkung

---

[28] a. a. O. B. II Kap. 24, E. Cr. I 243.
[29] a. a. O. B. II Kap. 25, E. Cr. I 245 ff.

er denkt. „Wenn nämlich der Verstand in Betrachtung versenkt ist, dann ist er in Sammlung vereint mit der Wahrheit, über die er nachdenkt; und ebenso ist der Heilige Geist mit ihm in jener Wahrheit vereint, da Er ja stets mit jeder Wahrheit ist. Daraus ergibt sich dann ein Verbindung des Verstandes mit dem Heiligen Geist durch jene Wahrheit. Es leiten sich dann in ihrem Innern nach und nach die übrigen Wahrheiten ab, die mit jener Wahrheit zusammenhängen, über die er nachdenkt, und der Heilige Geist als Lehrer tut die Tür dazu auf und läßt das Licht einströmen". Trotz dieser Erleuchtung ist man dabei nicht völlig gegen Irrtum gesichert, einmal weil das Licht so fein und geistig ist, daß der Verstand sich darin nicht ganz zurechtfindet; ferner weil er selbst die Vernunftschlüsse bildet und abirren kann. Anfangs hat er „den Faden der Wahrheit sozusagen fest in der Hand; dann fügt er jedoch sogleich von dem Seinen hinzu: die Gewandtheit oder Unbeholfenheit seiner geringen Einsicht...." Es kann sogar sein, daß ein von Natur aus sehr lebhafter und scharfer Verstand ohne jede übernatürliche Hilfe zu ähnlicher Geistestätigkeit gelangt und dann meint, von Gott erleuchtet zu sein. Zu diesen Gefahren kommt noch die andere, daß die Seele denkt, es sei ihr durch diese vermeintlichen göttlichen Ansprachen etwas Großes widerfahren, und sich von dem Abgrund des Glaubens wegreißen läßt. So soll man sich davor hüten, auch wenn der Verstand sie der Erleuchtung des Heiligen Geistes verdankt. Der Verstand wird nämlich je nach dem Grade seiner Sammlung vom Heiligen Geiste erleuchtet. Aber nirgendwo erlangt er größere Sammlung als im Glauben. „Je reiner und vollendeter eine Seele im Glauben wandelt, um so reicher ist das Maß der eingegossenen Liebe, und nach dem Maß der Liebe erleuchtet sie der Heilige Geist und teilt ihr Seine Gaben mit". Das Licht, das sie im Glauben empfängt, verhält sich zu dem, was ihr durch jene Beleuchtung einzelner Wahrheiten zuteil wird, wie feinstes Gold zu gewöhnlichem Metall und wie ein Ozean zu einem Wassertropfen. „Denn durch den Verstand erhältst du die Einsicht in eine, zwei oder drei Wahrheiten; im Lichte des Glaubens aber empfängst du die ganze göttliche Weisheit auf einmal, nämlich den Sohn Gottes selber, der sich der Seele im Glauben mitteilt". Diese Fülle wird beeinträchtigt, wenn man sich um jene übernatürlichen Mitteilungen bemüht. Man soll vielmehr in aller Lauterkeit und Einfalt des Herzens „den Willen auf die Liebe Gottes einstellen....", ihn „in der Kraft demütiger Liebe fest begründen und wahre Tugend üben", d.h. „dem Sohn Gottes in Seinem Leben und Leiden nachfolgen und in allem sich abtöten. Denn das allein ist der Weg zu allen geistigen

Gnaden, nicht aber eine Menge innerer Ansprachen". Diese können nicht nur durch die Tätigkeit der eigenen Natur, sondern auch durch die Einflüsterungen des Teufels hervorgebracht werden. Allerdings hinterlassen sie je nach ihrem Ursprung verschiedene Wirkungen in der Seele, aber es ist doch nur bei großer Erfahrung im innern Leben möglich, sie mit Sicherheit zu unterscheiden. Darum ist es am besten, ihnen allen keinen Wert beizulegen. Wir sollen zufrieden sein, „wenn wir nur die Geheimnisse und Wahrheiten des Glaubens kennen in jener Schlichtheit und Wahrheit, wie sie uns die Kirche vorlegt. Das reicht vollkommen hin, um unsern Willen anzufeuern...." [30]

Die *formellen Ansprachen* unterscheiden sich von den sukzessiven dadurch, daß der Geist sie empfängt, ohne selbständig mitzuwirken, auch ohne gesammelt zu sein und ohne an das gedacht zu haben, was er vernimmt. Manchmal sind sie scharf geprägt, manchmal nur wie Gedanken, durch die einem etwas mitgeteilt wird. Bisweilen ist es nur ein einziges Wort, ein andermal mehrere; es kommen auch längere Belehrungen vor. Sie hinterlassen keinen tieferen Eindruck, denn in der Regel haben sie nur den Zweck, die Seele über einen einzelnen Punkt zu belehren oder aufzuklären. Meist verleihen sie auch die Bereitwilligkeit zu dem, was sie auftragen. Es kann aber auch vorkommen, daß in der Seele ein Widerwillen gegen das besteht, was sie tun soll. Das läßt Gott vor allem dann zu, wenn es sich um wichtige Werke handelt, die ihr Auszeichnung bringen können. Für gewöhnliche und erniedrigende Dinge dagegen verleiht Er leichte Bereitschaft. Gerade umgekehrt verhält es sich, wenn die Ansprachen vom Teufel kommen. Dann ist die Seele voll Eifer für große und außerordentliche Dinge und fühlt Widerstreben gegen gewöhnliche. Doch auch hier ist schwer zu unterscheiden, was vom guten und vom bösen Geist kommt. Darum „soll die Seele an diesen formellen Ansprachen keine größere Bedeutung beimessen als den sukzessiven". Man soll auch nie sofort an die Ausführung dessen gehen, was die Ansprachen fordern, sondern sich erst mit einem erfahrenen Geistesmann besprechen und seinem Rat folgen. Findet man niemanden, der genügend Erfahrung besitzt, so ist es am besten, sich an das zu halten, was die Ansprachen Sicheres und Wesentliches besagen, sich aber dann nicht weiter darum zu kümmern und niemandem etwas davon zu erzählen [31].

Die *substantiellen Ansprachen* haben mit den formellen das ge-

---

[30] a. a. O. B. II Kap. 27, E. Cr. I 251 ff.
[31] a. a. O. B. II Kap. 28, E. Cr. I 258 ff.

mein, daß sie sich deutlich wahrnehmbar der Seele einprägen, unterscheiden sich aber von ihnen durch ihre *starke und wesentliche Wirkung*: sie bringen in der Seele das hervor, was sie sagen. Spricht der Herr zu ihr: Liebe mich!, so wird sie, wenn es substantielle Worte sind, sofort die wahre Gottesliebe besitzen und verspüren. Die Worte: Fürchte nichts! werden in einer ängstlichen Seele im gleichen Augenblick großen Mut und Frieden erwecken. Solche Ansprachen sind für die Seele „Leben und Kraft und unvergleichliches Gut. Eine einzige von ihnen wirkt in solchem Augenblick in der Seele mehr Gutes, als sie während ihres ganzen Lebens zustande gebracht hat". Sie hat dann nichts zu tun, nichts zu wünschen, nichts zu fürchten. Es ist auch gleichgültig, ob sie die Ansprachen will oder sich dagegen sträubt. Sie braucht auch nicht dafür zu sorgen, das Vernommene in die Tat umzusetzen, weil ja Gott selbst es wirkt. Die Ansprachen werden ihr ohne ihr Verlangen zuteil. Sie „soll sich nur in demütiger Ergebung ihnen überlassen. Sie braucht sich ihrer auch nicht zu erwehren; denn ihre Wirkung ist wesenhaft in der Seele: eine Fülle der göttlichen Gnade; da die Seele diese Wirkung rein empfangend erfährt, ist ihre eigene Tätigkeit im ganzen von geringer Bedeutung". Es sind auch hier keine Täuschungen durch den Verstand oder den Teufel zu befürchten, weil beide zu solchen substantiellen Wirkungen nicht fähig sind. Nur, wenn eine Seele sich in einem freien Pakt dem Teufel verschrieben hätte, könnte er ihr seine Gedanken und Worte einprägen; aber das wären schlimme Wirkungen, unmöglich könnte er den göttlichen gleichgeartete hervorbringen.

„So tragen diese substantiellen Ansprachen viel zur Vereinigung der Seele mit Gott bei. Je innerlicher sie sind, desto mehr durchdringen sie das Wesen und desto größeren Fortschritt bewirken sie" [32].

Als vierte und letzte Gattung intellektueller Wahrnehmungen wurden die *geistigen Empfindungen* genannt. Sie können zweifacher Art sein: geistige Empfindungen, die in der Neigung des Willens wurzeln; und geistige Empfindungen, die im Wesen der Seele ihren Sitz haben. Schon die ersten sind, wenn sie von Gott stammen, etwas sehr Hohes. Die zweiten vollends „überragen alle anderen und sind überreich an Segen und Nutzen". Es ist für die Seele und auch für ihren Führer ganz unergründlich, wie und warum Gott ihr solche Gnaden erweist. Sie sind von ihren Betrachtungen und ihren Werken nicht abhängig. Wohl kann man sich dadurch für solche

---

[32] a. a. O. B. II Kap. 29, *E. Cr.* I 261 ff.

Gnaden empfänglich machen, aber Gott verleiht sie, „wenn Er will und wie Er will und wozu Er es will". Manchen, die sich in vielen Werken bewährt haben, werden diese Berührungen nicht zuteil, anderen, die weit weniger gute Werke aufzuweisen haben, im höchsten Grade und in größter Fülle. Manche von diesen Berührungen sind deutlich erkennbar, gehen aber schnell vorüber, andere sind weniger bestimmt und dauern dafür länger. Von allen diesen Empfindungen — denen des Willens wie denen im Wesen der Seele — fließt dem Verstand eine gewisse Erkenntnis und Einsicht zu. Diese besteht für gewöhnlich in einem ganz erhabenen, für den Verstand äußerst wonnevollen Spüren Gottes. Doch ist es unmöglich, dieses genau zu bezeichnen, ebensowenig wie das Gefühl, dem es entspringt. Die Erkenntnisse sind mehr oder weniger erhaben und deutlich, je nach der Verschiedenartigkeit der göttlichen Berührungen, denen die Empfindungen und in der Folge die Erkenntnisse entstammen. Die Erkenntnisse wie die Empfindungen werden der Seele passiv zuteil. „Soll jede Täuschung ausgeschaltet werden und sollen sie ungehindert sich fördernd betätigen können, dann darf der Verstand mit seiner Tätigkeit sich nicht einmischen .... Denn er könnte durch sein Eingreifen sehr leicht jene zarten Erkenntnisse gänzlich zunichte machen.... Sie bestehen ja in einer wonnevollen übernatürlichen Einsicht, die dem natürlichen Verstande völlig unerreichbar ist.... Man .... soll auch kein Verlangen danach aufkommen lassen, sonst könnte der Verstand weitergehen und selber sich Erkenntnisse bilden, ja es könnte dadurch dem Teufel Tür und Tor geöffnet werden, um mit allen möglichen Trugbildern einzudringen...." Die Seele soll also „sich nur ganz stille halten, demütig und gelassen sein". Gott wird ihr jene Gnaden „mitteilen, ... wenn Er sie demütig und selbstlos findet" [33].

d) Entblößung des Gedächtnisses

Der Heilige hat sich in den wiedergegebenen Ausführungen hauptsächlich mit dem Verhältnis von Erkenntnis und Glauben zum Ziel der Vereinigung mit Gott beschäftigt. Ein weites Reich des Geistes hat sich vor uns aufgetan. Eine große Mannigfaltigkeit seelischer Vorgänge, von denen die gewöhnliche Erfahrung nichts ahnt, ist mit Meisterhand enthüllt, beschrieben und auf ihre Bedeutung im Zusammenhang des geistigen Geschehens untersucht

---

[33] a. a. O. B. II Kap. 30, *E. Cr.* I 264 ff.

worden, Es wird in unserm Zusammenhang nicht möglich sein, die Fülle von Fragen und Ausblicken, die sich von hier aus eröffnen, auch nur anzudeuten. Wir werden herausheben, was für unsere Fragestellung von Wichtigkeit ist. Zuvor aber müssen wir den Gedanken des Heiligen noch weiter folgen. Er hat im Vorausgehenden schon stark betont, daß der Weg des Glaubens durch dunkle Nacht geht und ein Kreuzweg ist. Allerdings ist auch so viel von Licht und Seligkeit die Rede gewesen, daß es manchmal scheinen mochte, als sei das Thema der Nacht und des Kreuzes verlassen. Aber soweit es sich dabei nicht um vorgreifende Darstellung des Zieles handelte — das man kennen muß, um den Weg zu verstehen —, wurde dieser ganze Reichtum an Erleuchtungen und Gnaden nur entfaltet, um zu zeigen, daß man darauf verzichten muß. Nur wer diesen Reichtum besessen hat, kann wohl ermessen, wie schmerzlich eine solche freiwillige Entblößung sein muß: wie dunkel es wird, wenn man mitten im hellen Licht die Augen schließt; wie es eine wahrhafte Kreuzigung ist, das Leben des Geistes zu unterbinden und ihm alles zu entziehen, womit er erquickt wird. Es wurde bereits erwähnt, daß von dieser Entblößung nicht der Verstand allein betroffen wird, sondern auch die andern geistigen Kräfte: Gedächtnis und Willen. Ihrer Zubereitung für die göttliche Vereinigung ist das letzte Buch des *Aufstiegs* gewidmet.

Weil „die Seele Gott mehr aus dem erkennen muß, was Er nicht ist, als aus dem, was Er ist, muß sie .... zu Ihm gelangen, indem sie auf ihre Wahrnehmungen, natürliche wie übernatürliche, ganz und gar verzichtet, statt sie zuzulassen".

Wir müssen für das Gedächtnis alle die natürlichen beengenden Schranken aus dem Wege räumen und es dann über sich erheben, d.h. über jegliche genau umschriebene Kenntnis und über jeden sinnenfälligen Besitz, empor zur „höchsten Hoffnung des unfaßbaren Gottes". Es muß also zunächst aller Kenntnisse und Bilder entkleidet werden, die es durch Vermittlung der leiblichen Sinne gewonnen hat. „Da es keine Form und kein Bild gibt, unter dem das Gedächtnis Gott erfassen könnte", muß es von allen Formen außer Gott freigemacht werden; es ist, „solange es mit Gott vereint ist, ... gleichsam formlos und bildlos, die Einbildungskraft ist nicht mehr tätig, das Gedächtnis ist vollständig versenkt ins höchste Gut in völligem Vergessen, ohne die geringste Erinnerung an irgend etwas". Diese vollkommene Ausleerung, die in der Vereinigung stattfindet, ist — wie die Vereinigung selbst — nicht allein die Frucht eigener Tätigkeit. Es geht dabei „etwas ganz Außerordentliches" vor. „Wenn Gott dem Gedächtnis solche Berührungen der Vereinigung gewährt, dann kommt es manchmal vor, daß plötzlich im Gehirn .... ein gewisser Umschwung vor sich geht. Dieser ist so stark, daß man meint, der Kopf vergehe einem ganz und gar und es schwinde einem aller Verstand und Sinn. Und dann wird.... das Gedächtnis .... von allen Kenntnissen entleert und geläutert...." Die Lahmlegung der Einbildungskraft und das Vergessen des Gedächtnisses, ist manchmal so groß, daß geraume Zeit vergeht, bis es wieder zu sich kommt und merkt, was während dieser Zeit vor sich gegangen ist" [34]. Eine solche Ausschaltung der Vermögen kommt aber nur in den Anfängen der Vereinigung vor, bei den Vollkommenen nicht mehr. Bei ihnen wird alles durch den Heiligen Geist geleitet; er mahnt sie zur rechten Zeit an das, was sie zu tun haben, und so bleiben sie bewahrt vor den Fehlern im äußeren Gehaben, die dem Übergangszustand eigen sind.

Die vollendete Läuterung also wird passiv von Gott erfahren. Was die Seele zu leisten hat, ist die Vorbereitung darauf: was immer die Sinne bieten, „davon bewahre sie nichts im Gedächtnis auf, sondern gebe es sogleich dem Vergessen anheim und bemühe sich, wenn nötig, an andere Dinge zu denken. Kein Bild der Erinnerung daran bleibe im Gedächtnis haften, so als hätten diese Dinge nie existiert. Man lasse das Gedächtnis völlig frei und unbehindert und suche es ja nicht zu irgendwelcher Betrachtung himmlischer oder irdischer Dinge zu veranlassen .... Man lasse .... diese Dinge im Vergessen versinken wie etwas, das doch nur hinderlich im Wege ist...." [35]

Eine geistliche Seele dagegen, die „Erinnerungen und natürliche Denktätigkeiten des Gedächtnisses als Weg zu Gott benützen will", wird einen dreifachen Nachteil erfahren. Von den Dingen der Welt her wird sie unter mannigfaltigen Armseligkeiten zu leiden haben, „z.B. unter Täuschungen, Unvollkommenheiten, Gelüsten, Neigung zum Kritisieren, Zeitverschwendung usw. ...." Läßt man das Gedächtnis sich mit dem beschäftigen, was man durch die Sinne wahrgenommen hat, so fällt man „auf Schritt und Tritt in Unvollkommenheiten. Davon bleibt ja stets eine gewisse Neigung bald zu Betrübnis und Furcht, bald zu Haß und vermessenem Hoffen oder zu eitler Ehrbegierde in der Seele zurück...., lauter Dinge, welche die vollkommene Reinheit der Seele und die lautere Vereinigung mit Gott verhindern.... Am besten entgeht man dem allen auf einmal, wenn man das Gedächtnis von allem freimacht". Allerdings

---

[34] a. a. O. B. III Kap. 1, E. Cr. I 271 ff.
[35] *Aufstieg*, B. III Kap. 1, E. Cr. 1 277.

auf das, „was sich einzig auf Gott bezieht und was zu jener dunklen und allgemeinen, lauteren und einfachen Kenntnis Gottes beiträgt, darauf braucht man nicht zu verzichten, sondern nur auf das, was Ihn uns bildlich oder durch Vergleich mit einem Geschöpf nahebringt". Es ist das Beste, „die Seelenkräfte zur Ruhe und zum Schweigen zu bringen, auf daß Gott zur Seele reden könne".

Dann wird „sich ein Strom des Friedens über sie ergießen .... und .... wird sie befreien von jeglicher Besorgnis und allem Argwohn, von Verwirrung und Finsternis, die in ihr die Befürchtung wachriefen, sie sei schon verloren oder nahe daran, verloren zu gehen" [36].

Weitere Nachteile kommen von seiten des Teufels. Er ist „imstande, der Seele neue Eindrücke, Kenntnisse und Gedankengänge beizubringen und mit deren Hilfe in ihr Stolz, Geiz, Neid, Zorn usw. wachzurufen, sie zu ungerechtem Haß und eitler Liebe zu verführen.... Weitaus die meisten Täuschungen und das meiste Unheil, das der Teufel der Seele zufügt, entspringen aus den Kenntnissen und Gedankenabläufen des Gedächtnisses. Wenn daher dieses Vermögen in völlige Dunkelheit des Vergessens gehüllt und seine Tätigkeit unterbunden ist, bleibt die Pforte dem schädlichen Einfluß des bösen Feindes verschlossen.... und das gereicht der Seele zu großem Segen" [37].

Der dritte Nachteil besteht darin, daß die natürlichen Inhalte des Gedächtnisses in der Seele „das sittliche Gut hindern und ihr das geistige Gut rauben" können. Das sittliche Gut „besteht in der Beruhigung der Leidenschaften und in der Zügelung der ungeordneten Begierden" sowie in dem, was dadurch möglich wird: Ruhe, Frieden und Gelassenheit der Seele und in ihrem Gefolge die sittlichen Tugenden. Alle Verwirrung aber und alle Friedensstörung in der Seele kommen durch die Inhalte des Gedächtnisses. Die in Unruhe lebende Seele aber, die keine Stütze am sittlichen Gut hat, ist auch „umempfänglich für das Geistige, das nur in einer gelassenen und friedvollen Seele seine Heimstätte findet". Legt die Seele Wert auf die Gedächtnisinhalte und wendet sie sich ihnen zu, so „kann sie unmöglich frei sein für das Unbegreifliche, d.h. für Gott". Will sie zu Gott gelangen, so muß sie „das Veränderliche und Begreifliche vertauschen mit dem Unveränderlichen und Unbegreiflichen" [38]. Dann gewinnt sie an Stelle der geschilderten Nachteile die entgegengesetzten Vorteile: Ruhe und Frieden des Geistes, Reinheit

---

[36] a. a. O. B. III Kap. 2, E. Cr. I 280.
[37] a. a. O. B. III Kap. 3, E. Cr. I 283.
[38] a. a. O. B. III Kap. 4, E. Cr. I 285 f.

des Gewissens und der Seele und damit die beste Vorbereitung „für den Empfang der menschlichen und göttlichen Weisheit und der Tugenden". Sie bleibt bewahrt vor vielen Einflüsterungen, Versuchungen und Beunruhigungen des bösen Feindes, dem jene Gedanken eine Handhabe boten. Sie wird empfänglich für die Anregungen und Einsprechungen des Heiligen Geistes [39].

Wie die natürlichen Sinneswahrnehmungen so hinterlassen auch die übernatürlichen Visionen, Offenbarungen, Ansprachen und Empfindungen einen oft sehr lebendigen Eindruck im Gedächtnis oder in der Phantasie. Auch für sie gilt der Grundsatz, daß die Seele nie über klare und bestimmte Dinge nachsinnen soll, um sie im Gedächtnis zu bewahren. „Je mehr sich die Seele auf bestimmte und klare Wahrnehmungen, ... natürlicher oder übernatürlicher Art, einläßt, desto weniger Empfänglichkeit und Fähigkeit beweist sie, um in den Abgrund des Glaubens einzudringen, der alles andere verschlingt. Denn .... keine jener Formen und Erkenntnisse .... ist Gott, noch haben sie ein Verhältnis zu Gott, sie können darum auch nicht nächstes Mittel zur Vereinigung mit Gott sein". Von ihnen allen muß man das Gedächtnis freimachen, „um sich mit Gott in vollkommener mystischer Hoffnung vereinigen zu können. Jeder Besitz ist ja der Hoffnung entgegen.... Je mehr darum das Gedächtnis in der Entsagung sich übt, desto mehr gewinnt es an Hoffnung, und je mehr die Hoffnung wächst, desto inniger vereinigt sich die Seele mit Gott. Hat sie sich ihm selbst vollkommen entäußert, dann ist auch der Besitz Gottes in der göttlichen Vereinigung vollkommen...." [40]

Die Beschäftigung mit übernatürlichen Erkenntnissen bringt der Seele fünffachen Nachteil: Sie täuscht sich erstens häufig in der Beurteilung, hält für göttliche Offenbarung, was bloßes Spiel der Phantasie ist, oder sieht göttliche Dinge für ein Blendwerk Satans an usw. Darum soll sich die Seele „jedes Urteils enthalten und selbst den Wunsch von sich weisen, das zu erkennen, was in ihr vorgeht .... So groß auch der Wert dieser Wahrnehmungen sein mag, sie vermögen doch nicht so viel zur Mehrung der Liebe beizutragen wie der geringste Akt lebendigen Glaubens und der Hoffnung, der sich in vollkommener Leere und Entäußerung von all dem vollzieht" [41].

Der zweite Nachteil ist die Gefahr, in Anmaßung und Eitelkeit zu fallen. Man meint, es müsse schon sehr weit mit einem sein, da man übernatürliche Mitteilungen empfange, und sieht mit Pharisäerhoch-

---

[39] a. a. O. B. III Kap. 5, E. Cr. I 287 f.
[40] a. a. O. B. III Kap. 6, E. Cr. I 289 f.
[41] a. a. O. B. III Kap. 7, E. Cr. I 291 f.

mut auf andere herab, die keine solchen Gunstbezeugungen erfahren. Demgegenüber muß die Seele zwei Dinge im Auge behalten:

„1) Die Tugend besteht weder in den Wahrnehmungen und Gefühlen von Gott, so erhaben sie auch sein mögen, noch in irgend etwas von dem, was man in sich empfinden kann, sondern vielmehr in dem, was man nicht in sich empfindet.... Sie besteht in der tiefen Demut und Verachtung seiner selbst und alles dessen, was man besitzt .... sowie auch in dem Verlangen, andere möchten ebenso von uns denken....

2) Man muß davon überzeugt sein, daß alle Visionen, Offenbarungen und übernatürlichen Empfindungen .... viel weniger Wert haben als der geringste Akt der Demut; denn dieser schließt in sich die Wirkungen der Liebe, die das Ihre nicht achtet und sucht, nur Böses von sich denkt, und nichts Gutes von sich, wohl aber von andern" [42].

Der dritte Nachteil kommt vom bösen Feind. „Er hat die Macht, dem Gedächtnis und der Phantasie .... trügerische Erkenntnisse und Bilder vorzuspiegeln, die dem Anschein nach wahr und gut sind...." Er erscheint der Seele als ein Engel des Lichtes. Er vermag auch bezüglich der Mitteilungen, die wirklich von Gott kommen, die sinnlichen und geistigen Gefühle ungeordnet zu erregen, die Seele dafür einzunehmen und sie so in geistige Schwelgerei zu stürzen. Sie wird blind im Genuß und achtet mehr auf sinnliche Befriedigung als auf die Liebe. Sie ist nicht mehr für die Entäußerung und Liebe zu haben, wie die göttlichen Tugenden sie fordern. Die Ursache aller dieser Übel ist darin zu suchen, „daß die Seele nicht gleich von Anfang an die Freude an solchen übernatürlichen Erscheinungen unterdrückte...." [43].

Der vierte Nachteil ist schon wiederholt erwähnt worden: daß aller Besitz des Gedächtnisses ein Hemmnis für die Vereinigung mit Gott durch die Hoffnung ist.

Schließlich können die Vorstellungen und Bilder der Einbildungskraft, die man im Gedächtnis bewahrt, dahin führen, „daß man über Gottes Wesen und Erhabenheit weniger würdig und hoch denkt, als es Seiner Unbegreiflichkeit geziemt"; nicht „so erhaben, wie es uns der Glaube lehrt, der uns sagt, daß Gott unvergleichlich und unbegreiflich sei". Die Seele kann in diesem Leben nur das klar und bestimmt aufnehmen, was unter einen Gattungs- und Art-

---

[42] a. a. O. B. III Kap. 8, E. Cr. I 293 f.
[43] a. a. O. B. III Kap. 9, E. Cr. I 295 f.

begriff fällt. Gott aber fällt unter keinen und kann darum mit keinem Geschöpf auf Erden, mit keinem Bild und keiner Erkenntnis, die für die Seelenkräfte faßbar sind, verglichen werden. „Wer darum das Gedächtnis und die übrigen Vermögen mit dem belastet, was sie fassen können, vermag Gott nicht so hoch zu achten und nicht so von Ihm zu denken, wie es sich geziemt" [44].

Diesen Nachteilen stehen im Fall der völligen Entäußerung wieder die entsprechenden Vorteile gegenüber. Zu der Ruhe und dem Frieden, die schon die Entblößung von natürlichen Wahrnehmungen bringt, kommt die Befreiung von der Sorge, ob die übernatürlichen Mitteilungen gut oder böse seien. Man „braucht auch keine Zeit und Mühe auf die Beratung mit Geistesmännern zu verwenden, um sich darüber Sicherheit zu verschaffen, ... da man auf nichts dergleichen mehr Wert legt. So kann die Zeit und Kraft der Seele .... auf eine viel bessere und heilsamere Übung verwendet werden, auf die Unterwerfung des Willens unter den göttlichen, auf das sorgfältige Streben nach Selbstentäußerung und geistige und leibliche Armut", d.h. daß man sich wahrhaft bemüht, innerlich wie äußerlich ohne jede Stütze an Tröstungen und Wahrnehmungen auszukommen. Solche Abweisung göttlicher Mitteilungen bedeutet kein „Auslöschen des Geistes". Die Seele ist aus eigener Kraft nur zu natürlicher Tätigkeit fähig. Zu übernatürlichen Werken kommt sie aus eigener Kraft nicht; dazu regt Gott allein sie an. Darum würde sie „durch ihr aktives Wirken nur das passive verhindern, das Gott durch Mitteilung des Geistes in ihr vollbringt. Die Seele würde in ihrem eigenen Wirken aufgehen, das ganz anderer Art und viel niedriger ist als das, was Gott ihr mitteilt; denn das [Wirken, das] von Gott kommt, ist passiv und übernatürlich, das der Seele aktiv und natürlich. Und dies hieße den Geist auslöschen".

„Die Fähigkeiten der Seele können ihrer Natur nach nur dann nachsinnen und wirken, wenn sie sich einer Vorstellung, einer Gestalt oder eines Bildes bedienen, und das ist nur die Schale der äußeren Erscheinung (*corteza y accidente*), worunter das wirkliche Wesen und der Geist (*sustancia y espiritu*) verborgen sind. Dieses wirkliche Wesen und der Geist vereinigen sich mit den Kräften der Seele nur dann in wahrer Erkenntnis und Liebe, wenn die Kräfte ihre Tätigkeit einstellen. Denn der Zweck und das Ziel solcher Tätigkeit ist nur, dahin zu gelangen, daß die Seele das Wesen in sich aufnimmt, das sie unter diesen Formen erkennt und liebt. Zwischen aktiver und passiver Tätigkeit besteht darum derselbe Unterschied

---

[44] a. a. O. B. III Kap. 11, *E. Cr.* I 298 f.

.... wie zwischen dem, was man tun will, und dem, was man schon getan hat; wie zwischen dem, was man zu erlangen und zu besitzen wünscht und dem, was man schon erlangt hat und besitzt". Bei den übernatürlichen Wahrnehmungen von den seelischen Vermögen aktiv Gebrauch machen, hieße darum „....vom vollzogenen Werk ablassen, um es nochmals zu tun". Die Seele muß ihre ganze Sorge darauf richten, „bei allen Wahrnehmungen, die ihr von oben kommen...., nicht auf den Buchstaben und auf die Schale zu achten, d.h. auf das, was die bedeuten oder darstellen oder zu verstehen geben; sie darf nur die göttliche Liebe ins Auge fassen und bewahren, die sie innerlich in der Seele hervorrufen. Nur um des einzigen Zweckes willen darf man sich zuweilen an irgend ein Bild oder eine Wahrnehmung erinnern, die Liebe hervorrufen, um im Geist die Beweggründe zur Liebe wirksam werden zu lassen. Bringt dann auch die Erinnerung nicht dieselbe Wirkung hervor wie die erste Mitteilung, so wird doch jedesmal .... die Liebe aufs neue angeregt und das Gemüt zu Gott erhoben, besonders wenn es eine Erinnerung an übernatürliche Bilder, Gestalten oder Empfindungen ist, die gewöhnlich wie ein Siegel der Seele eingeprägt werden, sodaß sie lange andauern und manchmal nie mehr aus der Seele schwinden". Solche Erinnerungen „rufen fast jedesmal, sooft man ihrer gedenkt, göttliche Wirkungen der Liebe, der Süßigkeit, der Erleuchtung usw. hervor...., denn dazu sind sie der Seele eingedrückt. Damit erweist Gott der Seele eine große Gnade, da diese Erinnerung für sie eine unerschöpfliche Quelle von Gütern ist". Diese Bilder „sind ganz lebendig im geistigen Gedächtnis der Seele und gleichen nicht den andern Bildern und Formen, die in der Phantasie bewahrt werden". Die Seele bedarf darum nicht der Phantasie, um sich daran zu erinnern, sondern „sieht diese Gestalten in sich selbst, wie man ein Bild in einem Spiegel sieht". Erinnert sie sich daran, um die Liebe zu erwecken, so sind sie kein Hindernis mehr „für die Liebesvereinigung im Glauben; sie darf sich aber nicht ganz vom Bild einnehmen lassen, sondern muß sich davon wieder abwenden, sobald sie zur Liebe angeregt ist...." Diese formellen Bilder sind aber sehr selten und für den, der noch keine Erfahrung darin hat, schwer von denen zu unterscheiden, die nur in der Phantasie sind. „Welcher Art sie auch immer sein mögen, es bleibt für die Seele das Beste, wenn sie nur eines dadurch zu erkennen sucht: Gott durch den Glauben in der Hoffnung" [45].

Das Gedächtnis bewahrt nicht nur Bilder, sondern auch rein

---

[45] a. a. O. B. III Kap. 12, *E. Cr.* I 300 ff.

geistige Erkenntnisse. „Hat die Seele einmal eine solche Erkenntnis in sich aufgenommen, so kann sie sich ihrer erinnern, sooft sie will", denn die Erkenntnis hinterläßt in der Seele eine Form, ein Bild oder einen Begriff geistiger Art. Es handelt sich dabei um jene früher besprochenen Erkenntnisse unerschaffener Vollkommenheiten oder geschaffener Dinge. Erinnerungen der zweiten Art kann man hervorrufen, um die Liebe zu erwecken. „Verursacht aber die Erinnerung daran keine gute Wirkung, so entferne man sie aus dem Gedächtnis. Handelt es sich aber um unerschaffene Dinge, so darf man sooft wie möglich seine Gedanken darauf richten.... Es sind das ja Berührungen und Empfindungen der Vereinigung mit Gott, zu der wir die Seele führen wollen". Man erinnert sich ihrer nicht durch eine Form oder eine Gestalt, da sie nichts dergleichen an sich haben, sondern durch ihre Wirkungen: Erleuchtung, Liebe, Wonne, geistige Erneuerung. Und sooft man ihrer gedenkt, „erneuert sich eine dieser Wirkungen" [46].

Zusammenfassend erinnert der Heilige noch einmal daran, daß es ihm nur darauf ankommt, das Gedächtnis zur Vereinigung mit Gott zu führen. Weil man nur hoffen kann, was man nicht besitzt, wird die Hoffnung um so vollkommener sein, je weniger man besitzt. „Je mehr darum die Seele das Gedächtnis von Formen und Dingen freihält, die nicht Gott sind, desto tiefer wird sie es in Gott begründen, desto besser wird sie es bewahren, um hoffen zu können, daß Gott es vollständig in Besitz nimmt". Sooft bestimmte Bilder oder Erkenntnisse sich darbieten, soll man darüber hinweggehen und sich Gott zuwenden. Nur soweit darf sich die Seele mit Erinnerungen abgeben, als es die Erfüllung ihrer Pflichten erfordert. Dann soll es aber ohne Anhänglichkeit und Freude daran geschehen, damit sie die Seele nicht völlig einnehmen [47].

e) Läuterung des Willens

„Wir hätten soviel wie nichts getan, wenn wir uns damit begnügten, den Verstand zu reinigen, um ihn in der Tugend des Glaubens zu begründen, und das Gedächtnis für die der Hoffnung, wenn wir nicht auch den Willen um der dritten Tugend, der Liebe, willen

---

[46] a. a. O. B. III Kap. 13, *E. Cr.* I 306 f.
[47] Zum thomistiscl.en Begriff der *passio* vgl. *Des hl. Thomas von Aquino Untersuchungen über die Wahrheit.* In deutscher Übertragung von Edith STEIN, E. Steins Werke, Bd. III, S. 296, Anm. 1, sowie die Stellen, die in dem zugehörigen lat.-deutschen Wörterverzeichnis unter *passio* angegeben sind (s. ebenda, Bd. IV).

läutern wollten". Alles, was dazu gehört, damit dies Vermögen durch die Gottesliebe geformt sei, ist vollkommen ausgedrückt in den Worten des *Deuteronomiums:* „Liebe den Herrn deinen Gott aus deinem ganzen Herzen, aus deiner ganzen Seele und aus allen deinen Kräften" (Deut. 6, 5). „Die Kraft der Seele besteht in ihrem Vermögen, leidend erfahrenen Zuständen (Leidenschaften) und Bestrebungen (*potencias, pasiones y apetitos*); dies alles aber ist der Herrschaft des Willens unterworfen. Wenn nun der Wille alle diese Vermögen, Zustände und Bestrebungen Gott zuwendet und sie von allem ablenkt, was nicht Gott ist, dann bewahrt er die Kraft der Seele für Gott, und so kommt er dazu, Gott aus ganzer Kraft zu lieben".

Als Haupthindernis stehen im Wege die vier *Passionen* der Seele: *Freude, Hoffnung, Schmerz* und *Furcht.* „Wenn man diese *Passionen* durch die Vernunft so auf Gott hinordnet, daß die Seele einzig an dem Freude findet, was zur Ehre und Verherrlichung Gottes unseres Herrn dient, daß ihre Hoffnung nicht anderes zum Ziel hat, daß sie über nichts Schmerz empfindet, als was Gott betrifft, und nichts fürchtet als Gott: dann ist es klar, daß die ganze Kraft und Fähigkeit der Seele für Gott bewahrt wird. Je mehr sich aber die Seele an etwas anderem erfreut, desto geringer wird ihre Freude an Gott...." Durch die Läuterung des Willens von seinen Begierden „wird der menschliche und niedere Wille vergöttlicht, d.h. eins mit dem Willen Gottes". Wenn sie nicht im Zaum gehalten werden, erzeugen die Passionen in der Seele alle Unvollkommenheiten, aber sobald sie wohlgeordnet und in Unterwürfigkeit gebracht sind, alle Tugenden. Alle vier hängen so eng zusammen, daß die Unterwerfung der einen auch die anderen gefügig macht. Umgekehrt: wo der Wille sich an etwas erfreut, ist in ihm auch der Keim zu Hoffnung, Schmerz und Furcht im Hinblick auf dieselbe Sache. Eine Passion nimmt die andern, den Willen und die ganze Seele gefangen und hindert ihren Flug „zur Freiheit und Ruhe der süßen Beschauung und Vereinigung" [48].

In der folgenden Erörterung der *Freude* wird der Grundsatz vorangestellt: „Der Wille darf sich nur an dem erfreuen, was zur Ehre und Verherrlichung Gottes dient; und wir können Gott durch nichts größere Ehre erweisen, als wenn wir Ihm in evangelischer Vollkommenheit dienen. Was außerhalb des Rahmens dieser Vollkommenheit geschieht, hat für den Menschen weder Wert noch Nutzen" [49].

---

[48] a. a. O. B. III Kap. 15, *E. Cr.* I 311 ff.
[49] a. a. O. B. III Kap. 16, *E. Cr.* I 314 f.

Später wird eine ergänzende Erklärung gegeben: „. . . . Alles, woran sich der Wille in bestimmter Weise erfreuen kann, ist etwas Süßes oder Ergötzliches, und kein süßer oder ergötzliches Ding ist Gott: da nämlich Gott für die Auffassungen (*aprehensiones*) der andern Vermögen unerreichbar ist, ist er es auch für die Begierden und Neigungen des Willens. Und da die Seele in diesem Leben Gott nicht wesenhaft zu kosten vermag, so kann keine Süßigkeit und kein Ergötzen, das man kosten kann, mag es auch noch so erhaben sein, Gott sein. Der Wille kann ja auch etwas nur in bestimmter Form kosten und begehren, sofern er es als dieses oder jenes Ding erkennt. Da nun der Wille Gott niemals gekostet hat, wie Er ist, noch Ihn durch irgendwelche Auffassung des Begehrungsvermögens erfaßt hat, so weiß er auch nicht, was Gott ist, noch was es heißt, Ihn zu genießen. . . . So ist es denn klar, daß kein bestimmtes Ding, woran der Wille sich freuen kann, Gott ist". Daraus ergibt sich die Notwendigkeit, dem Begehren jeden Genuß an natürlichen wie an übernatürlichen Dingen zu versagen, um zur Vereinigung mit Gott zu gelangen. Die Vereinigung ist nur möglich durch die Liebe. „Und da das Ergötzen, die Süßigkeit und der Genuß, die dem Willen zuteil werden können, nicht Liebe sind, so folgt, daß keines dieser Wonnegefühle für den Willen ein geignetes Mittel zur Verbindung mit Gott sein kann. Das ist vielmehr allein die *Tätigkeit* des Willens, und die ist durchaus verschieden von seinen Gefühlen. Durch seine Tätigkeit vereinigt sich der Wille mit Gott und hat Ihn zum Ziel in der Liebe; (er kommt nicht zur Vereinigung) durch die Gefühle und Auffassungen des Begehrungsvermögens, die ihren Sitz, ihr Ziel und ihren Abschluß in der Seele haben. Die Gefühle können nur als Beweggründe zur Liebe dienen. . . ., und nicht mehr". Sie führen „die Seele nicht aus sich selbst zu Gott, sondern wollen sie in sich selbst Genüge finden lassen. Die Tätigkeit des Willens dagegen besteht in der Liebe zu Gott, richtet die Seele allein auf Ihn, erhebt sich über alle Dinge und liebt Ihn über alle. Wenn darum jemand zur Liebe Gottes angeregt wird durch ein süßes Gefühl, so gehe er über dieses süße Gefühl hinaus und wende seine Liebe Gott zu, den er ja nicht gefühlsmäßig erfassen kann". Sich diesem Gefühl zuwenden hieße „seine Liebe etwas Geschöpflichem zuwenden. . . . und den Beweggrund mit dem Endpol verwechseln. Dadurch würde die Willenstätigkeit eine verkehrte. Nur in Dunkelheit und Leere von allem, was der Wille empfinden und der Verstand erkennen kann, liebt die Seele in Sicherheit und wahrhaft im Geist des Glaubens. . . ."[50] Darum „wäre es sehr töricht, wenn es einem an

---

[50] a. a. O. B. III Kap. 45, E. Cr. I 402 ff. (früher unveröffentlicht).

Süßigkeit und geistigem Ergötzen fehlt, zu denken, daß einem Gott fehle, oder wenn man solchen Genuß verspürt, daß man darum im Besitz Gottes sei; und noch törichter wäre es, wenn man diese Süßigkeit in Gott suchen und sich daran erfreuen würde, denn das hieße Gott nicht mit einem in der Leere des Glaubens begründeten Willen suchen, sondern in geistigem Genuß, der etwas Geschaffenes ist...., und so würde Gott nicht mehr rein über alle Dinge geliebt: denn das heißt die ganze Kraft des Willens auf Ihn allein richten .... Darum kann der Wille unmöglich zur Süßigkeit und dem Ergötzen der göttlichen Vereinigung gelangen, wenn das Begehren nicht leer ist von jedem besonderen Genuß. Das will der Psalm sagen: *Dilata os tuum et implebo illud* („Öffne deinen Mund, und Ich will ihn füllen". Ps. 80, 11).Das Begehren ist der Mund des Willens; und dieser Mund öffnet sich, wenn ihn nicht der Bissen irgend eines Genusses daran hindert.... Der Mund des Willens muß immer für Gott offen gehalten werden, leer von jedem Bissen des Begehrens, damit Gott ihn fülle mit der Süßigkeit Seiner Liebe....”[51]

Das wird nun für die verschiedenen Arten von Gegenständen nachgewiesen, in denen das Begehren Befriedigung suchen kann. Die Freude kann sich auf *zeitliche Güter* richten: Reichtum, Ehre, Nachkommenschaft u.dgl. Sie müssen wohl nicht notwendig zur Sünde verleiten, führen aber doch in der Regel zur Untreue gegen Gott. Man darf sich nur daran freuen, wenn man Gott besser durch sie dienen oder sicherer zum ewigen Leben gelangen kann. Weil man aber „nicht klar wissen kann, ob man Gott so besser dient, so ist es Eitelkeit, einer bestimmten Freude an diesen Dingen Raum zu geben....[52] Der *Hauptnachteil*, den die Hinneigung des Willens zu diesen Dingen mit sich bringt, ist die *Abwendung von Gott*. Sie vollzieht sich in *vier Stufen*, die zusammengefaßt sind in dem Schriftwort: „Der Liebling (Israel) ward fett und schlug aus; er ward fett und dick und breit; da verließ er Gott, seinen Schöpfer, und wich ab von Gott, seinem Heil” (Deut. 32, 15). Das Fettwerden bezeichnet eine *Abstumpfung des Verstandes* Gott gegenüber. Sobald „die geistliche Seele nur im geringsten ihre Freude in etwas sucht...., wird sie verfinstert gegenüber Gott, und es umwölkt sich die vorher ungetrübte Urteilskraft.... Vor diesem Schaden schützen weder die Heiligkeit noch das gesunde Urteil des Menschen, wenn er der Begierde und Freude an den zeitlichen Dingen Raum gibt”[53]. „Er

---

[51] a. a. O. B. III Kap. 46, *E. Cr.* I 406 (ebenfalls vorher nicht veröffentlicht).
[52] a. a. O. B. III Kap. 17, *E. Cr.* I 316 f.
[53] a. a. O. B. III Kap. 18, *E. Cr.* I 320 f.

ward fett und breit" — das ist die zweite Stufe: eine „*Erweiterung des Willens*, der sich nun mit noch größerer Freiheit den zeitlichen Gütern überläßt". Weil man anfangs die Freude nicht gezügelt hat, wird der Wille den göttlichen Dingen und heiligen Übungen entfremdet und findet keinen Geschmack mehr daran. Der Mensch unterläßt schließlich „seine gewöhnlichen täglichen Übungen, und sein ganzes Sinnen und Denken wendet sich den weltlichen Dingen zu". Nun ist nicht mehr bloß sein Verstand und seine Urteilskraft verfinstert, „sodaß er nicht mehr erkennen kann, was wahr und gerecht ist, er legt auch in großer Lauheit und Trägheit keinen Wert mehr darauf, es zu erkennen und danach zu handeln...."[54]

Die dritte Stufe besteht in der vollkommenen *Abkehr von Gott*: „Er verließ Gott, seinen Schöpfer". Die soweit gekommen sind, haben gar kein Auge mehr für das, wozu das Gesetz Gottes sie verpflichtete. „Sie vergessen und vernachlässigen die Sorge um ihr Heil vollständig und wenden ihre ganze Aufmerksamkeit weltlichen Dingen zu". Das sind die „Kinder dieser Welt", von denen der Herr sagt, „daß sie in ihren Angelegenheiten klüger und scharfsinniger zu Werke gehen als die Kinder des Lichtes" (Luc. 16, 8). Es sind die wahrhaft Habsüchtigen, die „nicht satt werden können. Ihr Hunger und Durst wächst in dem Maße, wie sie sich von der Quelle entfernen, die sie allein sättigen könnte, von Gott". Sie fallen „in tausenderlei Sünden durch die Liebe zu den zeitlichen Gütern und erleiden unermeßlichen Schaden". So gelangt man zur vierten Stufe, wo die Seele Gott vergißt, als ob Er gar nicht existierte. Diese völlige *Gottvergessenheit* rührt daher, daß „man das Herz, das sich mit seinem innersten Wesen Gott zuwenden sollte, mit seinem innersten Wesen dem Gelde zuwendet, als gäbe es keinen andern Gott". Solche Menschen erheben die zeitlichen Güter zu ihrem Götzen und opfern ihnen ihr Leben, wenn ihr Verlust droht. Ihr Götze gibt ihnen, was er hat: „Verzweiflung und Tod. Und stürzt er sie auch nicht ins äußerste Elend, in den Tod, so läßt er sie in einer beständigen peinlichen Todesangst dahinleben.... Aber auch jene, denen.... geringerer Schaden erwächst, sind sehr zu bemitleiden, denn .... sie machen sehr große Rückschritte auf dem Wege zu Gott"[55]. Wer sich dagegen von aller Anhänglichkeit an zeitliche Güter freimacht, der erlangt Großmut, Freiheit des Geistes, Klarheit des Verstandes, tiefe Ruhe und friedvolles Vertrauen auf Gott, die wahre Gottesverehrung und die echte Unterwerfung des Willens unter den gött-

---

[54] a. a. O. B. III Kap. 18, *E. Cr.* I 322.
[55] a. a. O. B. III Kap. 18, *E. Cr.* I 323 f.

lichen Willen. Man gewinnt sogar mehr Freude an den Geschöpfen in der Entäußerung: eine Freude, wie sie der Habsüchtige nie kosten wird, weil es ihm in seiner Unruhe an der nötigen Geistesfreiheit fehlt. Der Befreite erkennt die Güter in ihrem wahren natürlichen und übernatürlichen Wert. „Er kostes die Wahrheit, das Bessere und das Wesen...., jener aber, der sie nur mit den Sinnen betrachtet, das Trügerische, das Schlimmere und das Unwesentliche". „Wer sein Herz frei bewahrt, wird weder beim Gebet noch außerhalb des Gebets durch Sorgen beunruhigt. Er sammelt sich ohne Zeitverlust auf leichte Art eine Fülle geistlicher Schätze, während ein anderer, dessen Herz mit einer Schlinge gefangen an die Geschöpfe gebunden ist, sich immer hin und her windet.... Sobald also die geistliche Seele die erste Regung der Freude an einem Geschöpf in sich erwachen sieht, muß sie diese zu unterdrücken suchen...." So bewahrt man das Herz „frei für Gott, und das ist die wesentliche Vorbedingung für alle Gnaden, die Gott einem erweisen will...." Gott vergilt „den Verzicht auf eine einzige, wenn auch vorübergehende Freude aus Liebe zu Ihm und zur evangelischen Vollkommenheit schon in diesem Leben hundertfach...." Andererseits „müssen wir fürchten, daß Gott jedesmal, sooft wir eitle Freude in uns aufkommen lassen, entsprechend unserem Fehler schwere Strafe über uns verhängt...." [56]

Eine zweite Gruppe bezeichnet Johannes als *natürliche Güter*: die Vorzüge des Leibes und der Seele, z.B. Schönheit und Anmut des Körpers, klarer Verstand und gesundes Urteil. Sie sind für den, der sie besitzt, und auch für andere eine Versuchung zu Anhänglichkeit und eitler Freude. Dem zu entgehen, soll man „bedenken, daß die Schönheit und alle andern natürlichen Gaben Erde sind und wieder zu Erde werden, von der sie gekommen sind; daß Anmut und Liebenswürdigkeit Rauch und Dunst dieser Erde sind...." Man soll „sein Herz auf Gott gerichtet halten in Freude und Jubel darüber, daß sich in Gott alle Schönheit und Anmut im erhabensten, alle Geschöpfe unendlich überragenden Grade finden" [57].

Die besonderen Nachteile, die sich aus der Freude an den natürlichen Gütern ergeben, sind „Eitelkeit, Anmaßung, Stolz und Geringschätzung des Nächsten"; Erregung der Sinnlichkeit und Nachgiebigkeit dagegen; die Sucht zu Schmeicheleien und eitlen Lobeserhebungen, die auf andere einen schädlichen Einfluß ausüber; eine noch stärkere Abstumpfung des Verstandes und der Urteilskraft als bei

---

[56] a. a. O. B. III Kap. 19, *E. Cr.* I 326 ff.
[57] a. a. O. B. III Kap. 20, *E. Cr.* I 330 f.

der Freude an zeitlichen Gütern; Lauheit und Trägheit des Geistes bis zum Abscheu gegen göttlichen Dinge. Der Heilige unterstreicht besonders die Gefahren durch die Verlockung zur sinnlichen Lust: „Keine Feder kann sie beschreiben und kein Wort zum Ausdruck bringen; es bleibt immer ein dunkles und verborgenes Geheimnis, wie weit man sich in dieser Hinsicht verirren kann und welch ein Unheil aus der Freude an der natürlichen Schönheit und Anmut entsteht". „ . . . . Es wird selbst unter den Heiligen nur wenige geben, die durch den Trunk der Freude und des Wohlgefallens an natürlicher Schönheit und Anmut nicht bedrückt und verwirrt worden wären". Der Wein des Sinnengenusses umnebelt den Verstand. Nimmt man nicht sofort ein Heilmittel dagegen, „so befindet sich das Leben der Seele in Gefahr". „Sobald das Herz sich angezogen fühlt von der eitlen Freude an natürlichen Gütern, soll es sich erinnern, wie eitel es ist, sich an etwas anderem als am Dienst Gottes zu erfreuen, und wie verderblich und gefährlich jede andere Freude ist . . . .; in welches Elend die Engel gerieten, weil sie mit Freude und Wohlgefallen auf ihre Schönheit und ihre natürlichen Gaben blickten. Denn diese Freude war die Ursache ihres Sturzes in den schrecklichen Abgrund . . . . "[58]

Entsagt die Seele allen solchen Freuden, so „bereitet sie in sich selbst der Demut und der allgemeinen Liebe gegen den Nächsten eine Heimstätte". Läßt man sich „in keiner Weise von den verführerischen natürlichen Gütern, die in die Augen fallen, einnehmen, so bewahrt man die Seele frei und klar, um alle in vernünftiger und geistiger Weise zu lieben, wie Gott es verlangt . . . .; je mehr die Liebe zunimmt, desto mehr wächst auch die Gottesliebe, ebenso steigert sich mit der Gottesliebe auch die Liebe zum Nächsten". Die Entsagung bewirkt auch in der Seele „eine tiefe Ruhe, befreit sie von Zerstreuungen und gibt Eingezogenheit der Sinne, besonders der Augen". Hat man es darin zu einiger Fertigkeit gebracht, so machen unehrbare Dinge gar keinen Eindruck mehr. Man gewinnt „Reinheit an Seele und Leib, d.h. in Geist und Sinnen, und erlangt eine engelhafte Gleichförmigkeit mit Gott, sodaß Seele und Leib zu einem würdigen Tempel des Heiligen Geistes gestaltet werden". So kommt man „zur Freiheit des Geistes, einem überaus erhabenen Gut der Seele, das für den Dienst Gottes so notwendig ist. Damit überwindet die Seele die Versuchungen, erträgt mit Geduld die Beschwerden und erstarkt immer mehr in den Tugenden" [59].

---

[58] a. a. O. B. III Kap. 21, *E. Cr.* I 332 ff.
[59] a. a. O. B. III Kap. 22, *E. Cr.* I 336 ff.

Unter *sinnlichen Gütern* versteht Johannes alles, was durch die äußeren Sinne wahrgenommen oder durch die inneren Sinne erarbeitet wird. Da Gott durch keinen Sinn zu erreichen ist, „wäre es zum mindesten ein nutzloses Unterfangen", in den sinnenfälligen Gegenständen seine Freude zu suchen; der Wille könnte sich dann „nicht mit Gott beschäftigen und in Ihm allein seine Freude suchen". Hält man sich aber nicht dabei auf, sondern richtet man, sobald man an solchen Dingen einen Genuß verspürt, seine Freude auf Gott, so braucht man diese Eindrücke nicht abzuweisen; „denn es gibt Seelen, die sich durch solche sinnenfällige Gegenstände in besonderer Weise zu Gott hingezogen fühlen". Bei vielen allerdings *scheint* nur die Absicht auf Gott gerichtet zu sein, in Wahrheit „ist die Wirkung sinnliche Befriedigung, die Schwäche und Unvollkommenheit hervorruft, statt den Willen zu beleben und auf Gott hinzuwenden". Wer dagegen durch die ersten Regungen jener Freuden sofort zu Gott hingelenkt wird, der gibt sich „keine Mühe, sie zu suchen; und wenn sie vor ihn hintreten, macht der Wille sich sofort frei von ihnen, weist sie von sich und wendet sich Gott zu"[60].

Die Hingabe an sinnliche Güter bringt neben den gemeinsamen *Nachteilen,* die sie mit aller Freude am Geschaffenen teilt, noch viele andere mit sich. Die Freude an *sichtbaren Dingen* ruft „Eitelkeit der Seele hervor, Zerstreuung des Geistes, ungeordnete Begierlichkeit, Unehrbarkeit, innere und äußere Ausgelassenheit, unreine Gedanken und Regungen des Neids. Die Freude am Anhören unnützer Worte erzeugt unmittelbar Zerstreuung der Einbildungskraft, Geschwätzigkeit und Neid, vermessenes Urteilen. Unbeständigkeit im Denken und noch viele andere sehr verderbliche Nachteile. Die Freude an süßen *Wohlgerüchen* erweckt Widerwillen gegen arme Menschen, der dem Geiste Jesu Christi zuwider ist, Abneigung gegen Dienstleistungen, geringe Bereitschaft des Herzens zu niedrigen Dingen und geistige Gefühllosigkeit, wenigstens im Verhältnis zur Begierlichkeit. Die Freude an *köstlichen Gerichten* führt unmittelbar zu übermäßigem Genuß, zu Zorn, Zwietracht, Erkaltung der Liebe gegen den Nächsten und die Armen.... Es entstehen daraus Zerrüttung des Körpers, Krankheiten und schlechte Regungen; dadurch mehren sich die Reize zur Ausschweifung. Sie erzeugt unmittelbar große Stumpfheit des Geistes und verdirbt den Geschmack an geistigen Dingen.... Schließlich entsteht aus dieser Freude auch Zerstreuung der übrigen Sinne und des Herzens und Unzufriedenheit mit vielen Dingen". „Die Freude an der *Berührung*

---

[60] a. a. O. B. III Kap. 24, *E. Cr.* I 339 ff.

angenehmer Dinge .... bringt die Sinne und den Geist vollkommen in Unordnung und zerstört ihre Kraft und Lebensfrische. Daraus entwickelt sich jenes verabscheuungswürdige Laster der Weichlichkeit, ... sie nährt die Ausschweifung, macht die Seele weibisch und furchtsam, die Sinne .... stets bereit zum Sündigen und Schadenstiften. Sie erfüllt das Herz mit eitler Ausgelassenheit und führt zur Unbeherrschtheit der Zunge und Freiheit der Augen. Sie hemmt die Urteilskraft und verführt zu Torheit und geistiger Nichtigkeit; in sittlicher Hinsicht erzeugt sie Kleinmut und Unbeständigkeit, verdunkelt die Seele, schwächt das Herz und macht es furchtsam, wo nichts zu fürchten ist. Aus dieser Freude entspringt auch gar oft der Geist der Verwirrung und Unempfindlichkeit für die Stimme des Gewissens und des Geistes. Dadurch wird der Verstand sehr geschwächt und gerät in eine Verfassung, in der er weder guten Rat annehmen noch geben kann und unempfänglich wird für die geistigen und sittlichen Güter, unnütz wie ein zerbrochenes Gefäß" [61]. Alle diese Nachteile richten aber mehr oder weniger Schaden an je nach der Leidenschaftlichkeit der Freude und der Empfänglichkeit der verschiedenen Naturen.

„Staunenswert sind die *Vorteile*, die die Seele aus dem Verzicht auf diese Freuden gewinnt....: sie erstarkt im Kampf gegen die Zerstreuungen .... und sammelt sich wieder in Gott. Der Geist bewahrt sich sorgsam und die erworbenen Tugenden nehmen zu und blühen von neuem auf". Sodann vollzieht sich eine *erhabene Umgestaltung*: „Wir können in Wahrheit sagen, daß das Sinnliche zum Geistigen wird, das Tierische zum Vernünftigen, daß der Mensch der Engelsnatur ähnlich wird, das Irdische und Menschliche zu Göttlichem und Himmlischem". Dem Willen wird auch schon in diesem Leben die hundertfache Vergeltung zuteil, die der Heiland verheißen hat (Matth. 19, 29). Er tauscht für die sinnliche Freude geistige ein und bleibt stets mit Gott verbunden. Wie bei den Stammeltern im Paradies dienen nun alle Sinneseindrücke zur Mehrung der Beschauung. Schließlich werden im Glorienleben zum Lohn für die Entsagung „die leiblichen Gaben, wie Beweglichkeit und Klarheit, weit erhabener sein als bei denen, die den sinnlichen Freuden nicht entsagt haben; überdies wird die wesentliche Vermehrung der Glorie, die dem Grade der Liebe entspricht...., in der Seele für jede augenblickliche und vorübergehende Freude, der sie entsagt hat, ... eine unermeßliche, ewige Herrlichkeit wirken (2 Cor. 4, 17)" [62].

---

[61] a. a. O. B. III Kap. 24, *E. Cr.* I 343 f.
[62] a. a. O. B. III Kap. 25, *E. Cr.* I 346 ff.

Im Gegensatz zu den äußeren, natürlichen und sinnlichen Gütern haben die *sittlichen* schon *in sich* einen *Wert*, der erfreut; darüber hinaus als *Mittel* und Werkzeug zu Gütern, die sie dem Menschen verschaffen. Die *Tugenden* verdienen um ihrer selbst willen Wertschätzung und Liebe; sie bringen überdies zeitliche Vorteile. Darum „kann der Mensch — menschlicherweise gesprochen — sich an ihrem Besitz freuen und sie üben um dessentwillen, was sie an sich sind, wie um des Guten willen, das sie ihm menschlich und zeitlich eintragen". Das taten die Fürsten und Weisen des Altertums. Sie schätzten und übten die Tugenden und Gott lohnte es ihnen mit zeitlichem Segen, da sie „wegen ihres Unglaubens keinen ewigen Lohn empfangen konnten". Der Christ aber, obwohl er sich in dieser ersten Weise der sittlichen Güter und der guten Werke erfreuen muß, die er in der Zeit vollbringt, weil sie ihm die erwähnten zeitlichen Güter verschaffen, darf doch nicht dabei stehen bleiben.... Weil er im Besitz des Glaubenslichtes auf das ewige Leben hofft und weil ohne dies für ihn nichts, weder hier noch dort, einen Wert hat, soll er vielmehr einzig und wesentlich in der zweiten Weise sich des Besitzes und der Ausübung der sittlichen Güter erfreuen, nämlich indem er seine Werke aus Liebe zu Gott vollbringt und dadurch das ewige Leben gewinnt. So soll er sein Auge immer allein darauf richten und sich daran freuen, Gott zu dienen und zu ehren durch ein gutes Leben und Übung der Tugenden. Ohne diese Absicht hat die Tugend vor Gott keinen Wert, wie wir an den zehn Jungfrauen des Evangeliums sehen...." (Matth. 25, 1 ff.). „Der Christ darf nicht daran seine Freude finden, daß er gute Werke verrichtet und ein gutes Leben führt, sondern daß er das mit Ausschluß jeder andern Absicht allein aus Liebe zu Gott tut"[63].

Aus der verkehrten Freude an den eigenen guten Werken erwachsen Pharisäerhochmut und Prahlerei, Geringschätzung anderer, Verlangen nach menschlichem Lob, und dadurch verscherzt man den ewigen Lohn. Selbstgefällige Freude am eigenen Werk ist Ungerechtigkeit und Verleugnung Gottes, dar der Urheber eines jeden guten Werkes ist. Solche Seelen kommen in der Vollkommenheit nicht voran. Wenn sie in ihren Übungen keine Befriedigung mehr finden, weil Gott ihnen das trockene Brot der Starken reicht, werden sie mutlos und sind nicht imstande, es zu essen: sie „verlieren die Beharrlichkeit, in der die Süßigkeit des Geistes und der innere Trost beruht". Sie verfallen gewöhnlich auch der Täuschung, die Übungen und Werke, die ihnen gefallen, für besser zu halten als

---

[63] a. a. O. B. III Kap. 26, *E. Cr.* I 350 ff.

jene, die ihnen mißfallen. Gott aber gefallen meist, besonders bei fortgeschrittenen Seelen, die Werke weit besser, die mehr Selbstüberwindung fordern. — Schließlich macht die eitle Freude am eigenen Werk „unempfänglich für guten Rat und vernünftige Belehrung" über das, was man tun sollte. „Solche Seelen werden aber sehr schlaff in der Liebe zu Gott und dem Nächsten, denn die Eigenliebe auf Grund ihrer Werke läßt sie in der Liebe erkalten"[64].

Entsagt man der eitlen Freude, so bleibt man bewahrt „vor vielen Versuchungen und Täuschungen des bösen Feindes, die in der Freude an solchen Werken verborgen liegen...." Die eitle Freude allein ist schon Täuschung. Dazu kommt als zweiter Vorteil, „daß die Seele bei ihren Handlungen mit mehr Überlegung und Gewissenhaftigkeit zu Werke geht". Denn die leidenschaftliche Freude beeinträchtigt den Einfluß der Vernunft und macht die Seele unbeständig in ihren Vorsätzen und Handlungen. Sie richtet sich dann nur nach ihrem veränderlichen Geschmack und läßt die wichtigsten Werke unvollendet, wenn der Reiz geschwunden ist. Verzichtet dagegen der Wille auf die natürliche Befriedigung, dann kann er ausharren und ans Ziel gelangen. So gelangt man auch zur Armut des Geistes, die der Heiland selig preist. Man wird sanftmütig, mild und klug in seinem ganzen Betragen, handelt nicht mit Ungestüm und Hast, weiß nichts von Anmaßung. So macht der Verzicht auf die eitle Freude „angenehm vor Gott und den Menschen, befreit die Seele von der Habsucht, von der geistigen Genußsucht und Trägheit, vom geistigen Neid und zahllosen anderen Lastern"[65].

Als fünfte Gruppe behandelt Johannes die *übernatürlichen Güter*, d.h. „alle Gaben und Gnaden Gottes, die unsere natürliche Fähigkeit und Kraft übersteigen und .... *dona gratis data* genannt werden, z.B. die Weisheit und Wissenschaft, die Salomon empfing, und die Gnaden, von denen Paulus spricht....: ‚Der Glaube, die Gabe, Kranke zu heilen, die Wunderkraft, die Gabe der Weissagung, die Kenntnis und Unterscheidung der Geister, die Sprachengabe und die Gabe der Sprachenauslegung' (1 Cor. 12, 9-10)". Ihre Wirksamkeit bezieht sich „auf das Heil der Menschen, und zu diesem Zweck.... sind sie von Gott verliehen". (Dagegen zielen die *geistigen Gaben*, die später behandelt werden, auf den Verkehr zwischen Gott und der Seele.) Die übernatürlichen Gaben haben als *zeitliche Wirkung* die Heilung von Krankheiten, Erteilung des Augenlichtes an Blinde, Totenerweckungen u.dgl., als *geistige Wirkung* die Er-

---

[64] a. a. O. B. III Kap. 27, *E. Cr.* I 353 ff.
[65] a. a. O. B. III Kap. 28, *E. Cr.* I 357 f.

kenntnis und Verherrlichung Gottes durch den, der sie wirkt, oder durch die Zeugen, vor deren Augen sie geschehen. Um der zeitlichen Wirkung willen soll man an den übernatürlichen Werken kein Wohlgefallen haben, denn so sind sie kein Mittel zur Vereinigung mit Gott. Man kann sie „vollbringen, ohne die heiligmachende Gnade und Liebe zu besitzen"; Gott kann sie so verleihen (wie es bei Balaam und Salomon geschah); sie können aber auch durch Mitwirkung Satans oder geheimer Naturkräfte vollbracht werden. *Paulus* hat es gelehrt, daß all diese Gnadengaben ohne die Liebe nichts sind (1 Cor. 13, 1-2). Dann wird Christus vielen, die für ihre Wundertaten den ewigen Lohn verlangen, die Antwort geben: „Hinweg von mir, ihr Übeltäter!" (Matth. 7, 23). Daher soll man sich nur an dem geistigen Gewinn dieser Gaben freuen, d.h. daran, daß man „Gott dient in wahrer Liebe, in der die Frucht des ewigen Lebens ist" [66].

Eitle Freude an den übernatürlichen Dingen führt die Seele dazu, „daß sie andere irreführt und selbst irregeführt wird", im Glaubensleben rückwärts geht und eitler Ruhmsucht oder anderer Eitelkeit zum Opfer fällt. Die Irrtümer kommen daher, daß man nur durch hohe Einsicht und göttliche Erleuchtung erkennen kann, ob solche Werke „echt oder unecht sind und wie und wann man sie vollbringen soll"; dieser Erkenntnis steht aber die Hochschätzung der Werke im Wege: das Wohlgefallen trübt das Urteil, und die Leidenschaft treibt dazu an, sich die Freude möglichst bald zu verschaffen, ohne die rechte Zeit abzuwarten. Gott gibt zwar mit solchen Gaben und Gnaden zugleich die nötige Erleuchtung und Anregung, um zu erkennen, wie und wann man sich ihrer bedienen soll. Die Menschen aber in ihrer Unvollkommenheit achten nicht auf den göttlichen Willen und halten sich nicht daran, wie und wann der Herr die Werke vollbracht haben will. So wird ein ungerechter und verkehrter Gebrauch der von Gott verliehenen Gaben möglich. Darüber hinaus kommt es auch durch die eitle Freude an Wunderwerken dazu, daß man sie mit Kräften vollbringt, die nicht von Gott stammen. „Merkt nämlich der böse Feind, daß man für solche Dinge eingenommen ist, so eröffnet er ihnen ein freies Feld, bietet ihnen reichlichen Stoff und drängt sich in vielfacher Weise ein". „Wer also eine solche Gabe oder übernatürliche Gnade empfängt, der möge das leidenschaftliche Verlangen und die Freude daran unterdrücken, wenn er sich ihrer bedient.... Denn Gott, der sie auf übernatürlichem Wege zum Wohl der Kirche und ihrer Kinder verleiht, gibt auch auf übernatürliche Weise die Anregung, sich ihrer zu bedienen, wann und

---

[66] a. a. O. B. III Kap. 29, *E. Cr.* I 359 ff.

wie es zweckdienlich ist. . . .; denn Er will. . . ., daß der Mensch auf die göttliche Anregung und das göttliche Wirken in seinem Herzen achte, da jedes Werk in seiner Kraft vollbracht werden muß".

Der Rückgang im Glauben infolge solcher Werke betrifft in erster Linie den Nächsten. Wer ein Wunder wirken will, ohne daß Zeit und Umstände es erfordern, begeht eine schwere Sünde, weil er Gott versucht. Mißlingt der Versuch, so kann das den Glauben in den Herzen schwächen und in Mißachtung bringen. Man kann aber auch in sich selbst Schaden erleiden am Verdienst des Glaubens. „Denn . . . . je mehr Zeichen und äußere Beweise man für eine Sache hat, desto geringer ist das Verdienst des Glaubens". — Alles deutet darauf hin, daß es Gott nicht liebt, sich durch Wunder zu offenbaren. Wenn Er es tut, so geschieht es nur, „um jemand zum Glauben zu führen oder aus andern Absichten, die sich auf Seine und Seiner Heiligen Verherrlichung beziehen". „Darum verlieren jene viel an Verdienst des Glaubens, die ein besonderes Wohlgefallen an diesen übernatürlichen Werken finden" [67].

Die Seele, die auf solche Freuden verzichtet, verherrlicht Gott und erhebt sich über sich selbst. Es ist eine Erhöhung Gottes in der Seele, wenn „das Herz . . . . sich losreißt von allem, was nicht Gott ist. . . ." Zugleich aber ist auch die Seele erhoben, wenn sie sich Gott allein zuwendet. Er offenbart ihr Seine Erhabenheit und Größe und gibt ihr kund, was Er in sich ist. „Wird Gott schon in Wahrheit dadurch erhöht, daß man seine Freude keinem Geschöpf zuwendet, so noch mehr durch die Nichtbeachtung dieser . . . . wunderbaren Dinge. . . ." Gott wird ferner um so mehr erhöht, je mehr man Ihm vertraut und ohne Zeichen und Wunder dient. „Denn dann glaubt der Mensch mehr von Gott, als ihm Zeichen und Wunder dartun können". Dafür gelangt die Seele zu einem viel reineren Glauben. Gott gieß ihn ihr in reichlichster Fülle ein und vermehrt auch Hoffnung und Liebe. So genießt sie „die erhabenste göttliche Erkenntnis durch die dunkle und entblößte Haltung des Glaubens; die höchste Wonne der Liebe durch die göttliche Liebe, worin der Wille an nichts mehr Freude findes als allein am lebendigen Gott; Befriedigung im Willen(?) [68] durch die Hoffnung. Dies alles ist ein

---

[67] a. a. O. B. III Kap. 30, E. Cr. I 362 ff.

[68] So steht im Text, man sollte aber eher erwarten: im *Gedächtnis*, als dem Vermögen, das der Hoffnung entspricht.

⟨*Befriedigung im Willen* ist nach thomistischer Auffassung richtig; s. *Sum. Theol.* II, q 2 a 18 c.: Spes est in appetitu superiori, qui dicitur voluntas, sicut in subjecto".⟩

bewunderungswürdiger Gewinn, der unmittelbar und wesentlich zur volkommenen Vereinigung der Seele mit Gott führt" [69].

Mehr als alle andern führen zur Vereinigung mit Gott die *geistigen Güter*: das sind „jene, die anregen und behilflich sind zu göttlichen Dingen, zum Verkehr der Seele mit Gott und bei den Mitteilungen Gottes an die Seele". Es können *angenehme* oder *mühevolle* Güter sein, und es kann sich dabei um *klar und bestimmt* erkannte Dinge handeln oder um *unklare und dunkle.* Der Heilige will hier nur von den angenehmen reden, die klare und bestimmte Dinge zum Gegenstand haben. (Die andern stellt er für später zurück [70].) Es gilt allen Eindrücken gegenüber für den Willen dieselbe Regel des Verhaltens wie für den Verstand und das Gedächtnis, da diese nichts aufnehmen oder abweisen können, ohne daß der Wille dabei beteiligt wäre. Wovon sie gereinigt werden müssen, daraus darf auch der Wille keine Freude schöpfen [71].

Die Güter, die dem Willen eine *klar bewußte Freude* zu geben vermögen, können *anregend* oder *ermunternd, leitend* oder *vollendet* sein. Zu den anregenden gehören die Bilder und Statuen der Heiligen, Oratorien und Zeremonien. „Die Bilder und Statuen . . . . können Anlaß sein zu großer Eitelkeit und eitler Freude", wenn die Menschen „mehr auf die Seltenheit und den künstlerischen Wert des Bildes sehen als auf das, was es darstellt". Dann sind es nur die Sinne, die sich davon einnehmen „lassen und daran ergötzen, während die Liebe und die Befriedigung des Willens nicht auf ihre Rechnung kommen". Man geht soweit, mit Kleidern, die dem Zeitgeist entsprechen, die Heiligen zu schmücken, „denen so etwas zum Abscheu war und auch jetzt noch ist". Man richtet die Andacht auf den „Schmuck der Puppe" und hängt daran wie an einem Götzenbild. Manche Leute können „sich nie genug Bilder verschaffen, und sie müssen diese oder jene Form . . . . haben, um die Sinne zu befriedigen, während die Andacht des Herzens zu kurz kommt. . . ." Bei rechtem Gebrauch aber sind die Bilder „von großer Bedeutung für den Gottesdienst und notwendig, um den Willen zur Andacht zu stimmen". Zu diesem Zweck und zur Verehrung der Heiligen hat die Kirche ihren Gebrauch gutgeheißen. „Deshalb soll man jenen den Vorzug geben, die das getreue und lebendige Bild wiedergeben und den Willen mehr zur Andacht anregen". „Der Fromme richtet seine Andacht vor allem auf das Unsichtbare; er begnügt sich mit einer geringen Zahl von Bildern", bevorzugt „jene, die

---

[69] a. a. O. B. III Kap. 31, *E. Cr.* I 367 f.
[70] a. a. O. B. III Kap. 32, *E. Cr.* I 369 f.
[71] a. a. O. B. III Kap. 33, *E. Cr.* I 371.

mehr das Göttliche als das Menschliche zum Ausdruck bringen, und paßt sich im Schmuck der Bilder dem Göttlichen nach der Sinnesart der Heiligen der vergangenen Zeit und nicht nach der Mode der jetzigen an". Eine solche Person „hängt nicht an den Bildern, deren sie sich bedient, und ist nicht betrübt, wenn man sie ihr wegnimmt. Sie sucht das lebendige Bild, Christus den Gekreuzigten, in sich . . . . und erträgt es gern, wenn man ihr alle übrigen wegnimmt, ... selbst wenn sie für sie Hilfsmittel . . . . waren, sich leichter zu Gott zu erheben. Die Beraubung trübt ihren Frieden nicht". Über das, was dem Geist zur Erhebung des Herzens zu Gott dient, ... muß man hinwegsehen, und es darf den Sinnen nicht zum Reiz dienen; denn wenn ich mich mit Wohlgefallen den Anregungsmitteln hingebe, so muß mir das, was mir in meiner Unvollkommenheit als Stütze dient, zum Hindernis werden . . . . geradeso wie die Anhänglichkeit und Zuneigung zu einer andern Sache".

Noch ärger als der Mißbrauch des Bildes ist die Unvollkommenheit, „mit der man sich gewöhnlich der Rosenkränze bedient. Man findet wenige, die in dieser Beziehung keine Schwäche zeigen. Man hat mehr Vorliebe für diese Form als für eine andere, für diese Farbe und dieses Metall als für jenes. . . . Erhört denn Gott das Gebet eher, wenn man mit diesem oder jenem Rosenkranz betet? Es kommt doch nur darauf an, daß man mit einfältigem und aufrichtigem Herzen betet, daß man nichts anders im Auge hat als Gott zu gefallen. . . ." [72]

Groß ist auch der Unverstand der Menschen, „die auf ein Bild mehr Vertrauen setzen als auf ein anderes und meinen, Gott erhöre ihr Gebet eher durch Verehrung des einen als des anderen, obwohl beide das gleiche darstellen. . . . Denn Gott sieht doch nur auf den Glauben und die Herzensreinheit des Beters". Gewährt Er bisweilen durch ein Bild mehr Gnaden als durch das andere, so beruht das darauf, „daß die Gläubigen durch das eine mehr zur Andacht gestimmt werden als durch das andere. Wäre ihre Andacht zu dem einen Bilde ebenso groß wie zu dem andern (und auch ohne das eine wie das andere), dann würden sie dieselben Gnaden von Gott empfangen". Wenn durch Wundertaten vor einem Bilde die eingeschlafene Andacht wieder erwacht, wenn die Gläubigen davor entflammt und zu beharrlichem Gebet angeregt werden — „das sind die Bedingungen, um von Gott Erhörung und Gewährung der Bitten zu erlangen —, so läßt sich Gott, gerührt durch das Gebet und die Liebe der Gläubigen, herbei, sich fortgesetzt desselben Bildes zu bedie-

---

[72] a. a. O. B. III Kap. 34, *E. Cr.* I 372 ff.

nen, um Seine Gnaden zu gewähren und Wunder zu wirken...."
„Die Erfahrung zeigt uns, daß Gott manche Gnaden und Wunder
gewöhnlich an Statuen knüpft, die nicht besonders schön geschnitzt
sind...., damit die Gläubigen nichts davon .... der künstlerischen
Form zuschreiben. Gar oft pflegt unser Herr diese Gnaden zu erweisen durch Bilder, die an einsam und ferngelegenen Orten verehrt
werden, weil durch den Weg zu ihnen die Liebe wächst...., dann
weil man sich vom Geräusch der Welt entfernt, um zu beten, wie
der Herr es tat". „Darum unternimmt man Wallfahrten am besten
ohne große Gesellschaft. Geht man mit vielen zusammen, so kommt
man „gewöhnlich zerstreuter zurück, als man fortgegangen ist".
„.... Wo Andacht und Glaube sich finden, da genügt jedes Bild;
wo sie fehlen genügt keines. Welches Bild war wohl so lebendig wie
unser Heiland auf Erden, und doch zogen jene, die nicht an Ihn
glaubten, keinen Nutzen daraus, wenn sie mit Ihm umgingen und
Seine Wunderwerke sahen" [73]. Doch selbst da, wo Andacht vorhanden ist, können sich aus dem Gebrauch der Bilder Gefahren ergeben.
Der böse Feind benutzt sie gern, um unvorsichtige Seelen in seine
Gewalt zu bringen, z.B. durch übernatürliche Erscheinungen, die er
vortäuscht (daß Bilder anfangen, sich zu bewegen, Zeichen zu geben u.dgl.). Um allen Schädigungen zu entgehen, soll man in den
Bildern „nur einen Beweggrund zur Liebe suchen und zur Freude
.... an dem Lebendigen, das sie darstellen". Mag ein Bild „sinnliche
oder geistige Andacht erwecken oder selbst übernatürliche Zeichen
.... geben", die Seele „soll auf diese Nebensächlichkeiten nicht achten...., sondern dem Bilde nur jene Verehrung erweisen, die dem
Sinn der Kirche entspricht. Und dann erhebe sie ihr Gemüt zu dem,
was es darstellt und richte die ganze Kraft und Freude des Willens
auf Gott in frommem, innerlichem Gebet...." [74]
Die Anhänglichkeit an Bilder oder schön geschmückte Oratorien
ist vielleicht noch gefährlicher als die an weltliche Dinge, weil man
sich dabei sicher fühlt und keine Verfehlung fürchtet. Es gibt Menschen, die auf den Schmuck ihrer Beträume die ganze Zeit verwenden, „die sie im Gebet zu Gott und in innerer Sammlung zubringen
sollten.... Diese Befriedigung ihrer Wünsche .... bringt sie jeden Augenblick in Unruhe, besonders wenn man ihnen diese Dinge
nehmen will" [75]. Für Anfänger ist es wohl „nützlich und heilsam,
eine gewisse sinnliche Freude und sinnliches Wohlgefallen an Bildern, Oratorien und anderen sichtbaren frommen Dingen zu fin-

---

[73] a. a. O. B. III Kap. 35, E. Cr. I 376 f.
[74] a. a. O. B. III Kap. 36, E. Cr. I 379 f.
[75] a. a. O. B. III Kap. 37, E. Cr. I 381 ff.

den". Das hilft dazu, ihnen den Geschmack an weltlichen Dingen zu nehmen. Dagegen kennt der reine Geist „nur die innere Sammlung und den geistigen Verkehr mit Gott". Wohl soll man an einem geziemenden Ort beten; Kirchen und stille Plätze besitzen die rechte Weihe zum Gebet; doch muß man, um Gott „im Geist und in der Wahrheit anzubeten" (Joan. IV, 23-24), keinen Ort wählen, der den Sinnen schmeichelt. Vielmehr „scheint . . . . ein einsamer, rauher Ort am geeignetsten zu sein, damit sich der Geist mit ganzer Kraft und geraden Weges zu Gott erheben kann und nicht gehindert und gehemmt wird durch sichtbare Dinge. . . . Darum wählte der Heiland zum Beten gewöhnlich einsame Orte und solche, die den Sinnen nicht viel Nahrung boten (um uns ein Beispiel zu geben), aber die Seele zu Gott erhoben: so die Berge, die sich von der Erde erheben, gewöhnlich kahl sind und den Sinnen keine Anregung bieten" [76].

Dreierlei Örtlichkeiten benützte Gott, um den Willen zur Andacht anzuregen: *stimmungsvolle Landschaftsbilder,* die durch ihre Bodengestaltung, ihren Baumwuchs, ihre stille Einsamkeit naturgemäß das Andachtsgefühl wecken. Man soll sich aber „. . . . an solchen Orten so benehmen, als wäre man nicht dort, wenn man innerlich bei Gott sein will". Sodann gewährt Gott manchen Menschen an bestimmten Orten, mögen sie einsam sein oder nicht, besondere geistige Gunstbezeugungen. Dadurch erwacht in ihnen eine Anhänglichkeit an jenen Ort und die Sehnsucht, sich wieder dorthin zu begeben. Darin ist nichts Ungeordnetes zu sehen, wenn es ohne selbstsüchtiges Begehren geschieht. Denn Gott ist zwar an keinen Ort gebunden, aber es scheint, daß Er von diesem Menschen gerade dort gepriesen werden soll, wo Er sie begnadigt hat; dort wird die Seele eindringlicher an ihre Dankespflicht erinnert, und die Erinnerung gibt mächtige Anregung zur Andacht. Schließlich gibt es „Orte, die Gott in besonderer Weise auserwählt, damit Ihm dort durch Anrufung Seines Namens gedient werde. Ein solcher war der Berg Sinai, wo Er Moses das Gesetz gab (Ex. 22, 2) . . . . In gleicher Weise der Berg Horeb, zu dem Gott Elias gehen ließ, um sich ihm dort zu offenbaren (3 Reg. 19, 8) . . . . Den Grund, warum Gott diese Orte vor anderen zu Seinem Lobe auserwählte, weiß Er selber. Was uns betrifft, so genügt es zu wissen, daß alles zu unserem geistlichen Fortschritt geschieht und daß Gott uns dort und überall, wo wir Ihn mit vollkommenem Glauben anrufen, erhört. Und wenn wir zu Ihm flehen an Orten, die Seinem besonderen Dienst geweiht sind, so haben wir um so mehr Aussicht erhört zu werden,

---

[76] a. a. O. B. III Kap. 38, *E. Cr.* I 384 f.

weil sie die Kirche eigens zu diesem Zwecke bestimmt und geweiht hat"[77].

Die bisher genannten Verirrungen „sind vielleicht noch einigermaßen erträglich und einer unschuldigen Begeisterung zuzuschreiben". Aber ganz unleidlich ist das grenzenlose Vertrauen vieler „auf allerlei Förmlichkeiten, die Menschen von geringer Einsicht und mangelnder Einfalt des Glaubens ausgedacht haben". Sie schreiben bestimmten Übungen solche Kraft zu, daß sie meinen, „es sei alles nutzlos und Gott erhöre sie nicht, wenn auch nur ein Pünktchen fehle oder wenn sie zu weit gingen. Sie setzen mehr Vertrauen auf diese Übungen als auf den lebendigen Geist des Gebets: eine große Verunehrung und Beleidigung Gottes! So soll eine Messe mit so und so viel Kerzen gelesen werden mit nicht mehr und nicht weniger; ein ganz bestimmter Priester soll sie lesen, genau zu dieser Stunde, weder früher noch später.... Und fehlt etwas davon, so ist alles umsonst.... Noch schlimmer und unerträglicher ist es, wenn andere den Anspruch erheben, eine Wirkung ihres Gebetes in sich zu verspüren oder zu erlangen, um was sie bitten, oder auch die Versicherung zu bekommen, daß die Erhörung eine unmittelbare Folge ihres abergläubischen Gebetes sei"[78]. „Solche Personen sollen wohl bedenken, daß ihr Vertrauen auf Gott um so geringer ist, je mehr sie den eitlen äußeren Förmlichkeiten zuschreiben. Und darum erlangen sie auch nicht von Gott, um was sie Ihn bitten. Gar manchen liegt die Erfüllung ihrer Wünsche weit mehr am Herzen als die Verherrlichung Gottes...." „Weit wichtiger wäre es, wenn sie ihre Kraft wichtigeren Dingen zuwenden würden, etwa der vollkommenen Reinigung ihres Gewissens oder dem Verständnis dessen, was ihnen zum Heil dient.... Denn so lautet die Verheißung des Herrn im Evangelium: ‚Suchet zuerst das Reich Gottes und seine Gerechtigkeit, und alles übrige wird euch hinzugegeben werden' (Matth. 6, 33). Diese Bitte um das ewige Heil gefällt Gott am meisten, und es gibt kein besseres Mittel, die Erfüllung der Wünsche unseres Herzens zu erlangen, als die ganze Kraft unseres Gebetes auf das zu richten, was Gott am meisten wohlgefällig ist. Denn da wird Er uns nicht bloß das geben, um was wir Ihn bitten, das ewige Heil, sondern auch alles, was Er für uns als gut und zuträglich erkennt.... ‚Nahe ist der Herr allen, die Ihn anrufen; die Ihn anrufen in Wahrheit' (Ps. 144, 18). In Wahrheit aber rufen Ihn jene an, die Ihn um die höchsten, wahren Güter bitten, wie es die Angelegenheiten des Heils

---

[77] a. a. O. B. III Kap. 41, *E. Cr.* I 390 ff.
[78] a. a. O. B. III Kap. 41, *E. Cr.* I 393 f.

sind.... So muß man die Kräfte des Willens und seine Freude in den Gebeten auf Gott richten und darf sich nicht auf selbsterfundene Gebräuche stützen....; man führe keine neuen Gebräuche ein, als verstünde man die Sache besser als der Heilige Geist und Seine Kirche. Wenn Gott ein so einfältiges Gebet nicht erhört, so sollen jene nicht glauben, daß Er sie erhören werde, mögen sie auch noch so viele Erfindungen machen". Wir werden von Gott alles erlangen, was immer wir begehren, „wenn wir mit dem übereinstimmen, was Ihm entspricht; wenn wir aber unsere persönlichen Interessen verfolgen, dann ist es zwecklos, uns an Ihn zu wenden". „....Als die Jünger den Herrn baten: ‚Herr, lehre uns beten', da belehrte Er sie gewiß über alles, was notwendig ist, um vom Ewigen Vater erhört zu werden.... Er lehrte sie nur die sieben Bitten des Vaterunsers, in denen all unsere geistigen und leiblichen Bedürfnisse enthalten sind, und sprach weiter nichts von verschiedenen anderen Gebetsformeln und Zeremonien. Im Gegenteil, Er legte ihnen ans Herz, beim Gebet nicht viele Worte zu machen, da unser Vater im Himmel wohl wisse, was wir bedürfen (Matth. 6, 7-8). Nur eines schärfte Er uns mit besonderem Nachdruck ein: daß wir beharrlich sein sollen beim Gebet...." Für die äußere Verrichtung gab Er nur zwei Anweisungen: „....wenn du beten willst, geh in dein Kämmerlein, schließ die Tür und bete zu deinem Vater im Verborgenen" (Matth. 6, 6). Ferner sollen wir uns „an einsame Orte zurückziehen, wie Er es tat, und zur besten und ruhigsten Zeit: bei Nacht". Von bestimmten Zeiten und Tagen, Zeremonien und Redewendungen sagt Er nichts [79].

Johannes spricht schließlich noch von den *Predigern*, die uns bestimmen können, dem Herrn zu dienen. Um dem Volk nützen zu können und nicht selbst ein Opfer eitler Selbstgefälligkeit zu werden, muß der Prediger „vor Augen haben, daß das Predigen eine Geistesarbeit ist und kein bloßes Gerede". Für die Wirkung der Predigt ist auch eine gewisse Empfänglichkeit der Hörer vorausgesetzt, aber das Wichtigste ist die richtige Verfassung des Predigers. Wenn er nicht vom wahren Geist durchdrungen ist, wird die erhabenste Lehre und der vollkommenste Stil nichts nützen. Je vorbildlicher sein Leben ist, desto mehr Nutzen wird er stiften, wenn auch sein Stil armselig und sein Vortrag einfach ist. Ein schöner Stil, eine erhabene Lehre und ein guter Vortrag reißen mächtig hin, wenn daraus der Geist der Frömmigkeit spricht. „Aber ohne diesen Geist finden nur die Sinne und der Verstand daran Geschmack und Be-

---

[79] a. a. O. B. III Kap. 43, *E. Cr.* I 395 ff.

friedigung, der Wille dagegen wird wenig oder gar nicht erwärmt und belebt.... Die klingenden Worte allein haben keine Kraft, einen Toten aus seinem Grabe zu erwecken". Der Heilige will einen guten Stil, erhabene Beredsamkeit und gut gewählte Worte durchaus nicht herabsetzen. All das „ist für den Prediger wie für jeden Geschäftsmann von großer Bedeutung, denn das rechte Wort und der gute Stil können gefallen und verdorbene Sachen wieder aufrichten und herstellen, während schlecht gewählte Ausdrücke die besten Sachen zugrunde richten und verderben können...." [80]

2. Wechselseitige Aufhellung von Geist und Glauben

a) Rückblick und Ausblick

Hier bricht der *Aufstieg zum Berge Karmel* plötzlich ab [81]. Ob das Werk nie vollendet wurde oder ob nur kein abgeschlossenes Manuskript auf uns gekommen ist, wissen wir nicht. Die Abhandlung über die Freude ist nicht zu Ende geführt, die andern Leidenschaften sind gar nicht behandelt. Die angekündigten Teile über die passive Reinigung kommen in der *Dunklen Nacht* zur Ausführung. Es ist ferner in der Darstellung auffallend, daß sie nur in den Anfängen unmittelbare Auslegung des vorangestellten Gedichtes ist, sich aber allmählich mehr und mehr davon entfernt und dem sachlichen Zusammenhang der angeschnittenen Fragen folgt. Auch darin bietet die *Dunkle Nacht* eine Ergänzung. In den letzten Teilen dieses Werkes bilden die Verse wirklich den Leitfaden. Allerdings bricht die Erklärung beim 1. Vers der 3. Strophe ebenso plötzlich ab wie der *Aufstieg* mitten in der Behandlung der Freude. Das Bruchstückhafte und in mancher Hinsicht Unausgeglichene dieser Schriften läßt sich wohl verstehen aus den Umständen und der Art, wie sie entstanden. Johannes schrieb sie nicht als Künstler, der ein allseitig ausgewogenes und gerundetes Ganzes formen wollte. Er wollte auch nicht als Theologe ein System der Mystik [82] schaffen oder als

---

[80] a. a. O. B. III Kap. 44, *E. Cr.* I 399 ff.

[81] In einigen Handschriften folgen noch die beiden Bruchstücke die in *E. Cr.* I als Kap. 45 und 46 zum erstenmal abgedruckt sind. Wir haben ihren Inhalt an früherer Stelle verwendet, wo es sachlich angemessen war (am Anfang des vorausgehenden Abschnittes über die Läuterung des Willens).

[82] Als einen kleinen Leitfaden der Mystik (als theologische Disziplin verstanden) können wir die *Abhandlung über die dunkle positive und negative Gotteserkenntnis bezeichnen.* P. GERARDO hat sie zum erstenmal in den Werken des Heiligen abgedruckt (*E. Cr.* III 287 ff.) und in der Einleitung dazu (S. 271 ff.) einige

Philosoph und Psychologe eine fertig ausgebaute Affektenlehre. Er schrieb als Vater und Lehrer für seine geistlichen Söhne und Töchter. Er wollte ihrer Bitte um Erklärung seiner geistlichen Gesänge nachkommen, besann sich auf die innere Erfahrung, die sich auf solche Weise Ausdruck verschafft hatte, wollte die Bilder in die Sprache des begrifflichen Denkens übersetzen und merkte wohl erst bei der Arbeit, welche vorbereitenden Erwägungen nötig waren, wieviel auf Schritt und Tritt herbeigeholt werden mußte, um das Verständnis zu erschließen. So konnte er auf manchen Seitenwegen weiter geführt werden, als es seine ursprüngliche Absicht war; aber niemals verlor er den leitenden Zweck aus dem Auge, stets hielt er die lebhafte Geistesbewegung mit fester Hand im Zügel und wehrte der andrängenden Gedankenfülle. Es ist auch zu bedenken, daß er seine Abhandlungen gerade in den Jahren schrieb, in denen er am meisten mit Ämtern und äußeren Geschäften überladen war. Sicherlich blieb ihm nicht die Muße zu ruhigem Komponieren und nachträglichem Überprüfen und Vergleichen. Es wäre auch sehr wohr denkbar, daß er nach längerer Unterhaltung den Faden nicht mehr da aufgriff, wo er ihm entglitten war, sondern statt dessen das zweite Werk an die Seite des ersten stellte. Es mußte an all das noch einmal erinnert werden, um in der rechten Weise die Auswertung der vorausgeschickten Darlegungen des Heiligen in Angriff nehmen zu können.

Wir haben wiedergegeben, was Johannes im *Aufstieg* über das Eingehen in die Nacht des Geistes sagt, um daraus Klarheit zu gewinnen über das, was er unter *Geist* und *Glauben* versteht. Denn der Glaube ist der Weg durch die Nacht zum Ziel der Vereinigung mit Gott, in ihm vollzieht sich die schmerzvolle Neugeburt des Geistes, seine Umgestaltung vom natürlichen zum übernatürlichen Sein. Die Ausführungen über Geist und Glauben beleuchten einander wechselseitig. Der Glaube verlangt den Verzicht auf die natürliche Geistestätigkeit. In diesem Verzicht besteht die aktive Nacht des Glaubens, die eigentätige Kreuzesnachfolge. Um diesen Verzicht und damit den Glauben verständlich zu machen, muß die natürliche

---

Gründe angegeben, die für und gegen die Echtheit dieser Schrift geltend gemacht worden sind. Meines Erachtens sprechen *gegen* die Echtheit noch eine Reihe von *inneren* Gründen, die P. Gerado nicht angibt. Ich kann daher nicht annehmen, daß die Schrift von dem Heiligen selbst stammt, und nur mit großer Vorsicht davon Gebrauch machen. Der Verfasser hat jedenfalls die Schriften des hl. Vaters sehr genau gekannt; er gibt scharfe und klare Zusammenfassungen, aber - wie mir scheint - im ganzen mit einer gewissen Verlagerung der Schwerpunktes zum rein Natürlichen und Aktiven hin und wohl ohne eigene Erfahrung in den höchsten, rein passiven Gebetsweisen, um die es dem Heiligen vor allem zu tun ist.

Geistestätigkeit erörtert werden. Andererseits etweist der Glaube durch sein eigenes Dasein die Möglichkeit eines über das Natürliche erhabenen geistigen Seins und Tätigseins, und so führt die Erläuterung dessen, was er ist, zu einer neuen Sicht des Geistes. Daraus wird es verständlich, daß an verschiedenen Stellen in verschiedener Weise vom Geist gesprochen werden muß. Dem oberflächlichen Blick mag das als Widerspruch und Unausgeglichenheit erscheinen. In Wahrheit ist es sachliche Notwendigkeit. Denn sofern geistiges Sein Leben und Wandlung ist, läßt sich seine Erkenntnis nicht in starre Definitionen einfangen, sondern muß selbst fortschreitende Bewegung sein und sich einen fließenden Ausdruck suchen. Das gilt auch vom Glauben. Er ist ja selbst geistiges Sein und darum Bewegung: ein Aufstieg in immer unfaßlichere Höhe und Abstieg in immer abgründigere Tiefe. Darum muß die Erkenntnis versuchen, seiner durch mannigfachen Ausdruck habhaft zu werden, soweit sie ihn überhaupt zu fassen vermag.

b) Natürliche Geistestätigkeit. Die Seele, ihre Teile und Kräfte

An erster Stelle ist also die natürliche Geistestätigkeit zu klären. Sie ergibt sich aus dem Gesamtbau des seelisch-geistigen Seins. Dieses sucht Johannes zu fassen mit den überlieferten Begriffen der scholastischen Psychologie, die ihm jedenfalls von seiner Studienzeit in Salamanca her geläufig waren. Die Seele ist ein Wirkliches mit mannigfachen Kräften: niederen und höheren oder sinnlichen und geistigen. Im niederen wie im höheren *Teil* gliedern sich die Kräfte in erkennende und strebende. (Das ist bei Johannes nicht ausgesprochen, ist aber für seine Darstellung vorausgesetzt.) Die *Sinne* sind leibliche Organe, doch zugleich die *Fenster* der Seele, durch die sie Kenntnis von der Außenwelt gewinnt. Die *Sinnlichkeit* ist also dem Leib und der Seele gemeinsam, die leibliche Seite wird aber von Johannes verhältnismäßig wenig berücksichtigt. Zur Sinnlichkeit gehört außer den Eindrücken, die eine Kenntnis der sinnenfälligen Welt vermitteln, das Genießen und Begehren, das durch die Sinneseindrücke in der Seele hervorgerufen wird. Wie schon früher hervorgehoben wurde, hat es die *Nacht der Sinne* in erster Linie mit der Sinnlichkeit in dieser zweiten Bedeutung zu tun: vom Verlangen oder Begehren nach sinnlichem Genuß soll die Seele in der ersten Nacht sich befreien, bzw. gereinigt werden. Diese Beschränkung ist durchaus berechtigt, weil Genießen und Begehren schon auf der Stufe eines rein sinnlichen Seelenlebens möglich ist (also auch beim

Tier). Erkenntnis dagegen, selbst in der niederen Form der sinnlichen Wahrnehmung, ist nicht ohne Geistestätigkeit möglich. Dazu kommt noch, daß das, was die Seele recht eigentlich „einnimmt", das Begehren und Genießen ist.

Sinnliche Erkenntnis ist nicht ohne Geistestätigkeit möglich: darin deutet sich der enge Zusammenhang von *höherem* und *niederem* seelischen Sein an. Es sind keine übereinandergebauten Stockwerke. Die Rede vom höheren und niederen Teil ist nur ein räumliches Bild für etwas, was ganz unräumliches Sein hat. Johannes sagt ausdrücklich, daß man bei „der Seele als Geist weder von hoch noch von tief.... sprechen kann wie.... bei den ausgedehnten Körpern...." [83] Sinnliches und geistiges Tun sind im natürlichen Bereich eng miteinander verflochten. Wie die *Fenster der Sinne* zu keiner Erkenntnis der sinnenfälligen Welt führen, wenn der Geist nicht durch sie hinausguckt, so bedarf er andererseits dieser Fenster, um in die Welt hineinzuschauen. Anders ausgedrückt: die Sinne liefern ihm den Stoff, an dem er sich betätigt. Übereinstimmend mit *Augustinus* [84] und abweichend vom hl. *Thomas* setzt Johannes als dritte geistige Kraft neben Verstand und Willen das Gedächtnis an. Darin ist kein tiefgehender sachlicher Gegensatz zu sehen, da es sich ja dort um keine wirkliche Teilung der Seele handelt, sondern um verschiedene Betätigungsweisen und um Bereitstellung der *einen* seelischen Kraft in dieser und jener Richtung. Es lassen sich für beide Einteilungen gute Gründe anführen. Ohne die ursprüngliche Leistung des Gedächtnisses — das *Behalten* — wäre weder ein sinnlicher Eindruck noch eine geistige Tätigkeit möglich.

Denn beides baut sich in einem zeitlichen Nacheinander auf, und dafür ist erforderlich, daß die jeweiligen Augenblicksinhalte (grob gesprochen) nicht versinken, sondern bewahrt bleiben. Für die eigentliche Verstandestätigkeit (Vergleichen, Verallgemeinern, Folgern usw.) läßt sich zeigen, daß dafür auch die andern Leistungen des Gedächtnisses — Wiedererinnerungen und freie Abwandlung durch die Phantasie — nötig sind. Das kann aber hier nicht weiter verfolgt werden. Es wurde nur angedeutet, weil daraus verständlich wird, daß man beim Gedächtnis sinnliche und geistige Leistungen unterscheiden und es in den andern Vermögen einbeschlossen denken kann [85]. Auf der andern Seite sind seine Leistungen keine

---

[83] *Lebendige Liebesflamme*, Erklärung zu Strophe 1, Vers 3. *Obras* IV 12, 114.
[84] *De Trinitate* XII 4 und 7.
[85] *Thomas* rechnet das Gedächtnis im eigentlichen Sinne zur Sinnlichkeit, weil es das Vergangene *als* Vergangenes erkennt, also vom Gegenwärtigen unterscheidet: das sei Sache der Sinnlichkeit. Weil aber der Verstand nicht nur Gegenwärtiges

eingentlichen Erkenntnisleistungen, sondern nur Hilfsmittel dafür. (Entsprechendes läßt sich für das Verhältnis von Gedächtnis und Willen nachweisen.) Daraus ergibt sich die Berechtigung, das Gedächtnis als ein besonderes Vermögen anzusehen. Bei Augustinus war jedenfalls entscheidend für die Dreiteilung außerdem die Rücksicht auf die trinitarische Gestaltung des Geistes, bei Johannes das Wechselverhältnis der drei geistigen Kräfte und der drei theologischen Tugenden. Damit rühren wir an den entscheidenen Punkt in seiner Geisteslehre.

c) Übernatürliche Erhebung des Geistes. Glaube und Glaubensleben

In seiner natürlichen Tätigkeit ist der Geist an die Sinne gebunden. Er nimmt das auf, was sie ihm darbieten, bewahrt das Wahrgenommene, ruft es bei Gelegenheit wieder vor seinen Blick, faßt es mit anderm zusammen, wandelt es ab und gelangt durch Vergleichen, Verallgemeinern, Folgern usw. zu seinen begrifflichen Erkenntnissen, zu Urteilen und Schlußfolgerungen, den eigentlichen Verstandesleistungen. Ebenso betätigt sich der Wille natürlicherweise an dem, was durch die Sinne dargeboten wird, findet darin seine Freude, sucht es in seinen Besitz zu bringen, empfindet Schmerz über den Verlust, erhofft den Besitz und fürchtet den Verlust. Aber der Geist hat nicht darin seine Bestimmung, die geschaffenen Dinge zu erkennen, und sich an ihnen zu freuen. Es ist eine Verkehrung seines ursprünglichen und eigentlichen Seins, daß er darin befangen ist. Er muß aus diesem Befangensein gelöst und erhoben werden zu dem wahren Sein, zu dem er geschaffen ist. Sein Blick muß auf den Schöpfer hingelenkt werden. Ihm soll er sich mit allen seinen Kräften hingeben. Das wird erreicht durch eine stufenweise fortschreitende *Erziehungsarbeit* und *Entziehungsarbeit*. Gott gibt die Anregung dazu und vollendet sie, aber sie erfordert die Mitwirkung des Menschen durch eigenes geistiges Tun. *Entzogen* werden muß dem Geist alles, womit er sich natürlicherweise beschäftigt. *Erzogen* werden muß er dazu, Gott zu erkennen und sich an Ihm allein zu freuen. Das geschieht zunächst dadurch, daß den natürlichen Kräften etwas dargeboten wird, was sie stärker anzieht und mehr befriedigt als das, was sie natürlicherweise erkennen und genießen. Der *Glaube*

---

erkennt, sondern auch, *daß* er sie erkennt, und so, daß er diese Erkenntnis schon früher besessen hat, kann man das Gedächtnis auch zum geistigen Teil der Seele rechnen (*Quaestiones disputatae de veritate*, q 10 a 2 c., Edith Steins Werke, Bd. III).

weist den Verstand auf den Schöpfer hin, der alle Dinge ins Dasein gerufen hat und selbst unendlich größer, erhabener und liebenswürdiger ist als sie alle. Er unterrichtet ihn über die Eigenschaften Gottes und über alles, was Er für den Menschen getan hat und was der Mensch Ihm schuldig ist. Was bezeichnet in diesem Zusammenhang der Glaube? Angenscheinlich *das, was* uns zu glauben vorgestellt wird, den Inbegriff aller offenbarten, durch die Kirche verkündeten Wahrheiten: *fides, quae creditur.* Wenn der Verstand das annimmt, was ihm vorgestellt wird, ohne daß er es kraft eigener Einsicht erkennen könnte, dann tut er den ersten Schritt hinein in die dunkle Nacht des Glaubens. Dies ist aber nun die *fides, quae creditur,* ein lebendiges Tun des Geistes und eine entsprechende *dauernde Haltung* (*habitus* oder *Tugend des Glaubens*): die Überzeugung, daß Gott ist (*credere Deum*), und die überzeugte Annahme dessen, was Gott durch die Kirche lehrt (*credere Deo*) [86]. Mit diesem Glaubensleben erhebt sich der Geist über sein natürliches Tun, aber er löst sich doch noch keineswegs davon los. Die natürlichen Geisteskräfte erhalten vielmehr in der neuen Welt, die der Galube ihnen erschließt, eine Fülle von neuem Stoff zur Betätigung. Diese Betätigung, in der sich der Geist den Glaubensinhalt innerlich zu eigen macht, ist die *Betrachtung.* Hier stellt sich die Einbildungkraft die Ereignisse der Heilsgeschichte bildhaft vor Augen, sucht sie mit allen Sinnen auszuschöpfen, erwägt mit dem Verstand ihre allgemeine Bedeutung und die Forderungen, die sie an die eigene Person stellen; dadurch wird dann der Wille zur Liebe und zu Entschlüssen für die Lebensgestaltung im Geist des Glaubens angeregt. Johannes kennt auch noch eine höhere Form der Betrachtung [87]: ein von Natur aus lebhafter und reich veranlagter Geist dringt mit dem Verstand tief in die Glaubenswahrheiten ein, durchdenkt sie im Zwiegespräch mit sich selbst nach allen Seiten, entwickelt sie in ihre gedanklichen Folgerungen und entdeckt ihre inneren Zusammenhänge. Noch lebendiger, leichter und fruchtbarer wird diese Tätigkeit, wenn der Heilige Geist den Menschengeist beflügelt und emporträgt. Er fühlt sich dann so sehr in der Hand einer höheren Macht und von ihr erleuchtet, daß es ihm scheint, als sei er gar nicht mehr selbst tätig, sondern empfange Belehrung durch göttliche Offenbarung.

Was der Geist auf diese oder jene Weise betrachtend erarbeitet hat,

---

[86] Ich folge hier zur Aufhellung der Mannigfaltigkeit, die in dem Wort *Glauben* befaßt ist, den Unterscheidungen, die der hl. Thomas in den *Quaestiones disputatae de veritate bespricht* (q 14 a 7 ad 7, Edith Steins Werke, Bd. IV).

[87] Vgl. *Aufstieg,* B. II Kap. 27, *E. Cr.* I 251 ff.

das wird sein dauernder Besitz. Und das ist mehr als ein Schatz von aufgespeicherten Wahrheiten, die bei Bedarf wieder aus dem Gedächtnis hervorgeholt werden können. Der Geist — und das besagt, sachgemäß weit gefaßt, nicht nur Verstand, sondern auch *Herz* — ist durch die dauernde Beschäftigung mit Gott vertraut geworden, er kennt Ihn und liebt Ihn. Diese Kenntnis und Liebe sind ein Bestandteil seines Seins geworden, etwa wie das Verhältnis zu einem Menschen, mit dem man seit langer Zeit zusammenlebt und innig vertraut ist. Solche Menschen brauchen nicht mehr Auskunft übereinander einzuholen und übereinander nachzudenken, um sich wechselseitig zu ergründen und von ihrer Liebenswürdigkeit zu überzeugen. Es bedarf zwischen ihnen auch kaum noch der Worte. Wohl bringt jedes neue Zusammensein ein neues Wachwerden und eine Steigerung der Liebe, vielleicht auch noch ein Kennenlernen von neuen Einzelzügen, aber das geschieht wie von selbst, man braucht sich nicht darum zu bemühen. So etwa ist auch der Verkehr einer Seele mit Gott nach langer Übung im geistlichen Leben. Sie braucht nicht mehr zu betrachten, um Gott kennen und lieben zu lernen. Der Weg liegt weit hinter ihr, sie ruht am Ziel. Sobald sie sich ins Gebet begibt, ist sie bei Gott und verweilt in liebender Hingabe in Seiner Gegenwart. Ihr Schweigen ist Ihm lieber als viele Worte. Das ist es, was man heute *erworbene Beschauung* nennt. (Johannes vom Kreuz gebraucht den Namen nicht, kennt aber die Sache wohl [88].) Es ist die Frucht eigener Tätigkeit, die freilich angeregt und getragen ist von vielfacher Gnadenhilfe. Gnade ist es, wenn uns die Glaubensbotschaft, Gottes offenbarte Wahrheit, erreicht. Gnade ist es, die uns die Kraft schenkt, die Glaubensbotschaft anzunehmen — wenn wir dies auch dann in freier Entscheidung vollziehen müssen — und damit *gläubig* zu werden. Ohne Gnadenbeistand ist kein Gebet und keine Betrachtung möglich. Und doch ist das alles Sache unserer Freiheit und vollzieht sich mit Hilfe unserer eigenen Kräfte. Es hängt auch von uns ab, ob wir uns ins Gebet begeben, ob und wie lange wir in der *erworbenen Beschauung* verweilen. Betrachten wir nun diese *Beschauung* in sich selbst, die ruhige, liebende Hingabe an Gott, so können wir auch sie als eine *Form des Glaubens*, der *fides qua creditur*, in Anspruch nehmen: nicht als das *credere Deum* (obwohl der Glaube an Gottes Dasein dafür vorausgesetzt und darin eingeschlossen ist), auch nicht als das *credere Deo* (obwohl es der Niederschlag alles

---

[88] Vgl. *Aufstieg*, B. II Kap. 12, E. Cr. I 154 ff. Die *kurze Abhandlung über die dunkle bejahende und verneinende Gotteserkenntnis....*, E. Cr. III 287 ff., spricht von *natürlicher Beschauung*. (NB. Diese kleine Schrift wird nicht allgemein als echt anerkannt, wie früher erwähnt wurde.)

dessen ist, was wir als von Gott offenbarte Wahrheit gläubig angenommen haben), sondern als *credere in Deum*, in Gott hineinglauben, sich gläubig in Ihn hineinbegeben.

Das ist das Höchste, was im Glaubensleben kraft eigener Tätigkeit erreichbar ist, wenn auf Grund davon als sachgemäße Folgerung auch die Hingabe des eigenen Willens in den göttlichen, die Regelung alles Tuns und Lassens nach dem göttlichen Willen vollzogen wird. Es ist auch bereits eine weitgehende Erhebung des Geistes über die natürlichen Seinsbedingungen hinaus. Die Glaubenswahrheiten bringen uns zwar Gott zunächst durch Bilder und Gleichnisse und durch Begriffe nahe, die von den geschaffenen Dingen hergenommen sind. Aber darüber hinaus lehren sie uns, daß Gott über alles Geschaffene hinausgeht und über alles Fassen und Begreifen ist. Darum müssen wir alle Geschöpfe hinter uns lassen und alle unsere Kräfte, mit denen wir die Geschöpfe fassen und begreifen, um uns im Glauben zu Gott, dem Unfaßlichen und Unbegreiflichen, zu erheben *. Dazu sind weder die Sinne fähig noch der Verstand, wenn wir darunter die Fähigkeit zu begrifflichem Denken verstehen. In der gläubigen Hingabe an den unbegreiflichen Gott sind wir reiner Geist, gelöst auch von allen Bildern und Begriffen — eben darum im Dunkeln, weil die Welt unserer Tagesansicht sich aus Bildern und Begriffen aufbaut, *gelöst* auch aus dem Mechanismus einer Manigfaltigkeit verschiedener Kräfte, *geeint* und *einfach* in einem Leben, das Erkennen, Eingedenksein und Lieben in einem ist. Wir stehen damit erst an der Schwelle des mystischen Lebens, am Eingang zu der Umformung, die durch die Nacht des Geistes erreicht werden soll. Aber wir sind bis zu dem gelangt, was bei der Aufhebung der Kräfte unangetastet bleibt. Es muß ja etwas bleiben, wenn erst nach Aufhebung der Kräfte die Vereinigung mit Gott und die Umformung in Gott möglich sein soll. Und dieses Etwas, jenseits von Sinnlichkeit und sinnlich-gebundenem Verstand, muß erst der *Geist im eigentlichen Sinne sein*. Johannes spricht in diesem Zusammenhang auch vom *Wesen der Seele*. Die Seele ist ihrem Wesen nach Geist und ist ihrem innersten Wesen nach empfänglich für alles Geistige, für Gott, den reinen Geist, und alles, was Er geschaffen hat und was seinem innersten Wesen nach auch geistig ist. Aber sie ist eingesenkt in die Leiblichkeit und hat die leibgebundenen Sinne als Aufnahmeorgane für das, was stofflich ist. Im Zustand des Falls sind diese dienenden Organe zu herrschenden geworden. Der Geist

---

* Es wird hier allein die negative Beschauung dargelegt, auf die der hl. Johannes vom Kreuz im besonderen eingeht, nicht aber der Weg zur affirmativen Beschauung. Anm. d. Herausgeber.

muß erst auf ihrer Umklammerung befreit werden, um die Kraft zu rein geistigem Leben und Tun und zur Herrschaft über die Sinne zurückzuerlangen. Wir haben das Wirken des Glaubens in diesem Befreiungsprozeß bis zu einem gewissen Punkt verfolgt: wie er den Geist auf Gott hinlenkt und schließlich zu einem rein geistigen Verkehr mit Gott emporführt. Er muß aber zu dieser Beschäftigung mit Gott noch etwas anderes hinzukommen: die Abwendung von allem, was nicht Gott ist. Das ist die Hauptarbeit, die in der aktiven Nacht des Geistes geleistet wird.

d) Außerordentliche Gnadenmitteilungen und Loslösung davon

Es war davon die Rede, daß der Glaube die seelischen Kräfte anzieht und zur Beschäftigung mit Gott und göttlichen Dingen anregt. Aber damit ist noch lange keine Loslösung von der geschaffenen Welt erreicht. Auch Menschen, die sich ernstlich zu einem geistlichen Leben entschließen und beharrlich dabei bleiben, widmen doch nur einen kleineren oder größeren Teil des Tages dem Gebet und der Betrachtung. Im übrig stehen sie mit beiden Füßen auf dem Boden der geschaffenen Welt. Sie bemühen sich, diese Welt erkenntnismäßig zu durchdringen und ihrer Herrschaft zu unterwerfen, zeitliche Güter zu erwerben und sich an ihnen zu freuen. Sie erliegen noch dem bestrickenden Zauber der natürlichen Güter und sind noch nicht unzugänglich für das, was die Sinne befriedigt, wenn sie sich auch vielleicht unter dem Einfluß ihres Gebetslebens in dieser Richtung schon weitgehend Schranken auferlegen. So ist ihr Verstand mit den Dingen dieser Welt beschäftigt und verbraucht darin seine Kraft, die Einbildungskraft ist davon erfüllt, der Wille dadurch bestimmt in seinen Bestrebungen, daran gebunden mit seinen Leidenschaften. All das wirkt hemmend auch in sein Gebetsleben hinein und würde es schließlich ganz zunichts machen, wenn Gott der Seele nicht mit besonderem Gnadenbeistand zu Hilfe käme. Das geschieht aber, und zwar nicht nur durch die Glaubensbotschaft, sondern durch außerordentliche Mitteilungen, die geeignet sind, die Reize der natürlichen Welt zu überbieten und unwirksam zu machen. Es werden den Sinnen und der Einbildungskraft Bilder dargeboten, die alles Irdische übertreffen. Der Verstand wird durch übernatürliche Erleuchtung zu Einsichten erhoben, die er sich mit seiner eigenen Erkenntnisarbeit niemals verschaffen könnte. Das Herz wird erfüllt mit himmlischem Trost, neben dem alle Freuden und Genüsse der Welt verblassen. Auf diese Weise wird die Seele bereit gemacht, sich mit allen ihren Kräften von den irdischen Gütern abzuwenden und zu den himmlischen zu erheben.

Aber damit ist erst die halbe Arbeit getan. Man würde niemals ans Ziel, zur Vereinigung mit Gott, gelangen, wenn man bei den übernatürlichen Mitteilungen stillstehen und in ihrem Genuß ruhen wollte. Denn Visionen, Offenbarungen und süße Empfindungen sind nicht Gott selbst und führen auch nicht zu Ihm — von jenen höchsten, rein geistigen *Berührungen* abgesehen, in denen sich Gott selbst dem Wesen der Seele mitteilt und eben damit die Vereinigung vollzieht. So muß die Seele sich auch von allem Überirdischen, von den Geschenken Gottes, wieder losmachen, um statt der Gaben den Geber zu gewinnen. Was aber wird sie bestimmen, so große Güter freiwillig preiszugeben? Darauf arbeitet wiederum der Glaube hin, der sie lehrt, daß Gott nichts von all dem ist, was sie fassen und begreifen kann, und sie einladet zu seinem dunklen Weg, der allein zum Ziel führt[89]. Aber er würde damit wenig ausrichten, wenn er sich nur mit belehrenden Worten an den Verstand wendete. Die mächtige Wirklichkeit der natürlichen Welt und der übernatürlichen Gnadengeschenke muß durch eine noch mächtigere Wirklichkeit aus den Angeln gehoben werden. Das geschieht in der *passiven Nacht*. Ohne sie — so betont Johannes immer wieder — würde die aktive niemals ans Ziel kommen. Die starke Hand des lebendigen Gottes muß selbst eingreifen, um die Seele aus den Schlingen alles Geschaffenen zu befreien und an sich zu ziehen. Dieses Eingreifen ist die *dunkle, mystische Beschauung*, verbunden mit der *Entziehung* alles dessen, was bisher Licht, Halt und Trost gegeben hat.

3. Tod und Auferstehung

a) Passive Nacht des Geistes

Glaube, dunkle Beschauung, Entblößung

Wir wissen schon aus der *Nacht der Sinne*, daß ein Zeitpunkt kommt, in dem der Seele der Geschmack an allen geistlichen Übungen ebenso wie an allen irdischen Dingen genommen wird. Sie wird völlig in Dunkelheit und Leere versetzt. Es bleibt ihr gar nichts anderes mehr, woran sie sich halten könnte, als der Glaube. Der Glaube stellt ihr Christus vor Augen: den Armen, Erniedrigten,

---

[89] *Aufstieg*, B. II Kap. 3, *E. Cr.* I 106 ff.

Gekreuzigten, am Kreuz selbst vom göttlichen Vater Verlassenen. In Seiner Armut und Verlassenheit findet sie die ihre wieder. Trokkenheit, Ekel und Mühsal sind das „rein geistige Kreuz", das ihr gereicht wird. Nimmt sie es an, so erfährt sie, daß es ein sanftes Joch und eine leichte Last ist. Es wird ihr zum Stab, der sie schnell bergauf führt. Wenn sie erkennt, daß Christus in der äußersten Erniedrigung und Vernichtung am Kreuz das Größte gewirkt hat, die Versöhnung und Vereinigung der Menschheit mit Gott, dann erwacht in ihr das Verständnis dafür, daß auch für sie das Vernichtetwerden, der „Kreuzestod bei lebendigem Leibe, im Sinnlichen wie im Geistigen"[90], zur Vereinigung mit Gott führt. Wie Jesus in seiner Todesverlassenheit sich in die Hände des unsichtbaren und unbegreiflichen Gottes übergab, so wird sie sich hineinbegeben in das mitternächtliche Dunkel des Glaubens, der der einzige Weg zu dem unbegreiflichen Gott ist. So wird ihr die mystische Beschauung zuteil, der „Strahl der Finsternis"[91], die geheimnisvolle Gottesweisheit, die dunkle und allgemeine Erkenntnis: sie allein entspricht dem unfaßlichen Gott, der den Verstand blendet und ihm als Finsternis erscheint. Sie strömt in die Seele ein und kann es umso lauterer, je freier die Seele von allen anderen Eindrücken ist. Sie ist etwas viel Reineres, Zarteres, Geistigeres und Innerlicheres als alles, was der Erkenntnis aus dem natürlichen Geistesleben bekannt ist, auch hinausgehoben über die Zeitlichkeit, ein wahrer Anfang des ewigen Lebens in uns. Es ist kein bloßes Annehmen der gehörten Glaubensbotschaft, kein bloßes Sichzuwenden zu Gott, den man nur vom Hörensagen kennt, sondern ein inneres *Berührtwerden* und ein *Erfahren* Gottes, das die Kraft hat, von allen geschaffenen Dingen loszulösen und emporzuheben und zugleich in eine Liebe zu versenken, die ihren Gegenstand nicht kennt. Ob dieses dunkle, liebende Erkennen, worin die Seele in ihrem Innersten von Gott berührt wird — von „Mund zu Mund", von Wesenheit zu Wesenheit —, noch zum Glauben gerechnet werden kann, wollen wir jetzt nicht entscheiden[92]. Es ist die Hingabe der Seele durch den Willen (als ihren Mund) an das liebende Entgegenkommen des immer noch verborgenen Gottes: Liebe, die nicht Gefühl, sondern Tat- und Opferbereitschaft ist, Hineinstellen des eigenen Willens in den göttlichen Willen, um von Ihm allein geleitet zu werden. Wenn nun der Seele

---

[90] *Aufstieg*, B. II Kap. 6, *E. Cr.* I 123 ff.

[91] Dionysius Areopagita, *Mystica Theologia*, I 1.

[92] Johannes spricht über das Verhältnis von Glauben und Beschauung an verschiedenen Stellen in verschiedenen Ausdrücken. Wir werden darauf am Ende dieses Paragraphen noch einmal zurückkommen.

auch wieder einzelne, bestimmte Erleuchtungen, Offenbarungen und Tröstungen zuteilwerden — wie es in der meist sehr langen Zeit der Geistesnacht doch öfters geschieht —, so wird die sich jetzt bereit finden, nicht dabei zu verweilen. Sie wird es Gott überlassen, das in ihr zu wirken, was Er mit diesen übernatürlichen Mitteilungen beabsichtigt, wird aber selbst in der Dunkelheit des Glaubens bleiben, weil sie es nicht nur *gelernt*, sondern *erfahren* hat, daß all dies nicht Gott ist und ihr Gott nicht gibt, daß sie aber im Glauben alles hat, was ihr nötig ist: Christus selbst, der die ewige Weisheit ist, und in Ihm den unbegreiflichen Gott. Sie wird zu diesem Verzicht und zum Ausharren im Glauben umso eher bereit sein, je gründlicher sie durch die dunkle Nacht schon geläutert ist.

Daß die Seele auch nach langer Übung im geistlichen Leben noch voller Unvollkommenheiten ist und tiefgehender Reinigung bedarf, um für die Vereinigung tauglich zu werden, ist ja wiederholt betont worden. Es wurde auch gezeigt, daß diese Unvollkommenheiten mit übernatürlichen Mitteilungen aller Art sehr wohl zusammenbestehen können, ja daß in der noch nicht völlig geläuterten Seele die göttlichen Gnadengeschenke selbst Anlaß zur Unvollkommenheit werden können, besonders zu Stolz, Eitelkeit und geistiger Genußsucht. All die Schwächen heilt Gott durch die *Entblößung*, die sich in der dunklen Nacht vollzieht, „indem Er den Verstand der Finsternis ausliefert, den Willen der Trockenheit, das Gedächtnis der Leere und die Neigungen der Seele äußerster Betrübnis, Bitterkeit und Bedrängnis...." [93] Hier erfahren Geist und Sinne zusammen die letzte Reinigung, nachdem in der ersten Nacht die Sinne durch Umgestaltung und Zügelung der Gelüste und durch den Verkehr mit Gott soweit erstarkt sind, um die Beschwerden dieser tiefgehenden zweiten Reinigung ertragen zu können. Auch diese Reinigung ist das Werk der dunklen Beschauung.

Bisher haben wir die Beschauung hauptsächlich auf den Gewinn hin betrachtet, den sie der Seele bringt, indem sie die geistigen Kräfte auf Gott hinlenkt und zur Loslösung von allem Geschaffenen führt. Dieser Gewinn wurde schon in den Ausführungen des *Aufstiegs* über die aktive Nacht des Geistes klar. Er wird noch einmal kurz zusammengefaßt in der neuen Deutung, die der Heilige der Eingangsstrophe des Nacht-Gesangs zu Beginn der *Abhandlung über die dunkle Nacht des Geistes* gibt: „In Armut und Verlassenheit, da meiner Seele alle Inhalte mangelten, d. h. in der Finsternis meines Verstandes, in der Bedrängnis meines Willens, in der Be-

---

[93] *Dunkle Nacht, Nacht des Geistes,* § 3 Kap. 3, E. Cr. II 56.

trübnis und Beängstigung meines Gedächtnisses habe ich mich in der Dunkelheit dem reinen Glauben, dieser dunklen Nacht für die genannten natürlichen Kräfte, überlassen. Während mein Wille allein von Schmerz, Betrübnis und Sehnsucht nach der Liebe Gottes erfüllt war, ging ich von mir selbst aus, d.h. von meiner niedrigen Erkenntnisweise, von meiner schwachen Liebe und von meiner dürftigen und spärlichen Art, Gott zu genießen, ohne daß die Sinnlichkeit oder der böse Feind mich daran hinderten. Das war ein großes Glück.... für mich. Denn sobald ich die Vermögen, die Leidenschaften, Begierden und Neigungen meiner Seele, wodurch ich so gering von Gott dachte und so spärlichen Genuß in Ihm fand zunichte gemacht und beschwichtigt hatte, entwich ich meinem dürftigen, menschlichen Verkehr und Wirken und ging zu einem Verkehr und Wirken mit Gott über, d.h. mein Verstand ging aus sich und wurde aus einem menschlichen und natürlichen ein göttlicher. Er vereinigte sich mit Gott.... und ist nun nicht mehr durch eigene, natürliche Kraft tätig, sondern durch die göttliche Weisheit, mit der er sich vereinigte. Auch mein Wille ging von sich aus und wurde ein göttlicher. Vereint mit der göttliche Liebe liebt er nicht mehr in niedriger Weise mit seiner natürlichen Kraft, sondern in der Kraft und Reinheit des Heiligen Geistes.... In ganz gleicher Weise hat sich auch das Gedächtnis ganz umgewandelt und hingewendet zu Vorstellungen des ewigen Lebens.... Alle Kräfte und Neigungen der Seele werden mittels dieser Nacht und Reinigung des alten Menschen ganz und gar erneuert (und genießen) göttliche Harmonie und Freuden" [94].

Die *Reinigung* aber ist nicht nur *Nacht*, sondern auch *Pein und Qual*, und zwar aus zwei Ursachen: „Die erste ist die Erhabenheit der göttlichen Weisheit, welche die Fassungskraft der Seele übersteigt: auf diese Weise ist sie Finsternis. Die zweite ist die Niedrigkeit und Unreinheit der Seele; so ist sie peinlich, schmerzlich und dunkel" [95]. Durch das außerordentliche, übernatürliche Licht „wird die natürliche Erkenntniskraft der Seele überwältigt und ausgelöscht". So kommt es, daß Gott, „wenn Er diesen hellglänzenden Strahl Seiner geheimnisvollen Weisheit in die noch nicht umgewandelte Seele einströmen läßt, dunkle Finsternis im Verstand verursacht". Die Pein und Qual der Seele rührt daher, daß die „göttliche eingegossene Beschauung ein Fülle von äußerst erhabener Vollkommenheit in sich begreift; die noch nicht gereinigte Seele

---

[94] *Dunkle Nacht, Die dunkle Nacht des Geistes,* Str. 1 § 3 Kap. 4, *E. Cr.* II 57 f.

[95] a. a. O. § 3 Kap. 5, *E. Cr.* II 59.

aber, die sie auffängt, gerät in ein Meer schrecklichsten Elends, weil Entgegengesetztes in einem Subjekt nicht bestehen kann...." Darum fühlt sie sich gerade in diesem hellen Licht „so unrein und elend, daß es ihr scheint, als sei Gott gegen sie und sie .... Gott entgegen; sie glaubt von Gott wirklich verstoßen zu sein". Sie wird gequält von der Furcht, sie werde nie Gottes würdig werden und habe all ihre Gnadenschätze eingebüßt. Denn jenes göttliche und dunkle Licht offenbart ihr ganz deutlich das ganze Sündenelend, und die Seele „sieht klar ein, daß sie aus sich nichts anders haben könne" [96].

Auf andere Weise wird die Seele gepeinigt auf Grund ihrer natürlichen, sittlichen und geistigen Schwäche. Wenn „die göttliche Beschauung sie mit einiger Stärke erfaßt, um sie zu kräftigen und zu beherrschen, leidet sie in ihrer Schwäche derart, daß sie beinahe verzweifeln möchte. Besonders manchmal, wenn die Beschauung sie mit außerordentlicher Gewalt erfaßt, leiden Sinne und Geist, als ob sie von einer ungeheuren, dunklen Last zu Boden geworfen würden"; sis wünschen den Tod herbei als eine Erleichterung und Begünstigung. Staunenswert ist es, „daß die Seele so schwach und unrein ist und infolgedessen die an sich freundliche und liebevolle Hand so schwer und feindlich empfindet, da diese sie doch nicht drücken und ihr eine Last auferlegen will, sondern nur aus Barmherzigkeit sie berühren, ... nicht um sie zu züchtigen, sondern um ihr Gnade zu erweisen" [97]. Wenn die beiden Extreme, die von Gott kommende Beschauung und die Seele selbst, in Verbindung kommen, „zermürbt und vernichtet Gott die geistige Substanz der Seele und hüllt sie in eine so tiefe und schwarze Finsternis ein, daß sie sich .... der Vernichtung und Auflösung durch einen schrecklichen Geistestod preisgegeben glaubt...." Was aber die betrübte Seele hier am schmerzlichsten empfindet, „ist der Gedanke, Gott habe sie allem Anschein nach verstoßen und als verabscheuungswürdiges Geschöpf in die Finsternis gestürzt.... Sie fühlt.... Todesschatten, Todesseufzer und Schmerzen der Hölle.... Es ist dies das Gefühl, ohne Gott zu sein, von Gott in Seinem großen Unwillen und Zorn verworfen zu sein, ... und noch dazu die furchtbare Angst, daß es allem Anschein nach immer so bleiben werde". Schließlich kommt noch der Seele durch die Erhabenheit und Größe der dunklen Beschauung ihre tiefste Armut und ihr äußerstes Elend fühlbar zum Bewußtsein. Sie fühlt eine tiefe Leere und Armut an zeitlichen,

---

[96] a. a. O. E. Cr. II 60.
[97] a. a. O. § 1 Kap. 5, E. Cr. II 61.

natürlichen und geistigen Gütern und sieht sich hineinversetzt in die entgegengesetzten Übel, „ins Elend ihrer Unvollkommenheiten, in Trockenheit, in völlige Ohnmacht, sich mit ihren Seelenkräften etwas vorzustellen, und in finstere Verlassenheit des Geistes.... Es ist ihr zumute, wie wenn man sie aufhängen und in der Luft halten würde, ohne daß sie zu atmen vermag. Aber Gott reinigt die Seele auch noch dadurch, daß Er in ihr alle Neigungen und gewohnheits-mäßigen Unvollkommenheiten .... zunichtemacht, aufhebt und zerstört, wie das Feuer Rost und Schimmel am Metall verzehrt. Da sich diese tief im Wesen der Seele eingewurzelt haben, so hat sie gewöhnlich außer der natürlichen und geistigen Armut und Entblö-ßung auch noch große Beschwerden zu leiden, Vernichtung und innere Qualen...." Um den Rost ihrer Neigungen zu entfernen und auszutilgen, muß sich die Seele in gewissem Sinne „erst vernichten und verzehren, da ihr diese Leidenschaften und Unvollkommenheiten gleichsam zur zweiten Natur geworden sind". Und sie „fühlt dieses gewaltsame Verzehrtwerden in ihrem eigenen Wesen, ... so daß sie vor Armseligkeit gleichsam vergeht". „Hier demütigt Gott die Seele in hohem Grade, um sie dann noch höher zu erheben". Wäre dieser Zustand dauernd, „so müßte sie in kürzester Zeit den Leib verlassen. Glücklicherweise drängen sich ihr diese Gefühle nur in kurzen Zwischenräumen mit äußerster Lebhaftigkeit auf. Aber manchmal nimmt sie ihre verwerfliche Unwürdigkeit so lebendig wahr, daß es ihr scheint, als sähe sie die Hölle .... offen vor sich. Solche Seelen gehören zu jenen, die in der Tat lebendig in die Unterwelt hinabsteigen, weil sie hier ebenso gereinigt werden wie dort.... Und so betritt die Seele, die auf diese Weise hier leidet, überhaupt nicht jenen Ort oder wird nur sehr kurze Zeit zurückbehalten, da sie sich hier in einer Stunde mehr vervollkommnet als dort in vielen" [98].

Die Leiden werden noch verschärft durch den früheren glücklichen Zustand, denn gewöhnlich haben solche Seelen „vor ihrem Eintritt in diese Nacht große Süßigkeiten in Gott gefunden und vieles in Seinem Dienst getan", nun aber sind sie diesem Gut fern und können nicht mehr dazu gelangen. Die Beschauung versetzt die Seele überdies in so große Einsamkeit und Verlassenheit, „daß sie weder an einer Belehrung noch an einem geistlichen Führer Trost und Stütze finden kann. Wenn man ihr auch die manigfachsten Trostgründe vor Augen führt...., so meint sie, andere sähen nicht, was sie sehe und fühle, oder redeten nur so, ohne Kenntnis zu ha-

---

[98] a. a. O. § 2 Kap. 6, E. Cr. II 61 ff.

ben. Und statt mit Trost wird sie mit neuem Schmerz erfüllt, da
nach ihrer Ansicht dies alles ihrem üblen Zustand nicht abhelfen
kann. Und es ist auch in der Tat so. Denn solange der Herr die
Reinigung nicht so vollzogen hat, wie es Ihm gefällt, findet sich kein
Mittel und keine Arznei, ihren Schmerz zu lindern". Das dauert so
lange, „bis sie ganz sanft, demütig, gereinigt im Geist ist und so
scharfsinnig, einfältig und fein, daß sie eins werden kann mit dem
Geist Gottes, je nach dem Grade der Liebesvereinigung den ihr Seine
Barmherzigkeit gewähren will...." Nach diesem Grade richtet sich
die Schärfe und Dauer der Reinigung. Meist dauert sie Jahre hindurch, aber mit Unterbrechungen, „in denen die dunkle Beschauung nach Gottes Anordnung nicht in reinigender, sondern erleuch-
tender und wohltuender Weise auf die Seele einwirkt. Die Seele, wie
aus einem unterirdischen Kerker und aus Fesseln entronnen, auf-
atmend in Freiheit und Zwanglosigkeit, fühlt und genießt dann die
Hinneigung zur höchsten Wonne des Friedens und der liebenden
Freundschaft mit Gott in leichter, überfließender geistiger Mitteilung". Da meint man nun, alle Beschwerden hätten für immer ein
Ende, so wie man früher glaubte, die Pein werde niemals mehr auf-
hören. Das liegt daran, daß „im Geist der gegenwärtige Besitz eines
Inhaltes von selbst den gegenwärtigen Besitz und das Empfinden
des entgegengesetzten ausschließt. Im sinnlichen Teil der Seele verhält es sich nicht so wegen der Schwäche der Aufnahmefähigkeit.
Weil aber der Geist hier noch immer nicht ganz gereinigt und geläutert ist von den Neigungen, die der niedere Teil sich zugezogen
hat, so kann er noch in seinen Schmerzen einen Wandel erfahren...,
wenn auch der Geist als Geist sich nicht ändert". Aber die Meinung,
es seien nun alle Mühseligkeiten vorüber, hat die Seele nicht oft.
„Denn solange die geistige Reinigung nicht ganz vollzogen ist, werden ihr die süßen Mitteilungen Gottes selten in solcher Fülle zuteil,
daß sie die noch zurückbleibende Wurzel (der Unvollkommenheit)
ganz bedecken; die Seele hat noch immer in ihrem Innern das Gefühl, daß ihr noch etwas fehle.... Dieses Gefühl läßt sie jene
Erquickung nicht vollkommen genießen, da sie noch immer einen
Feind in ihrem Innern wahrnimmt; zwar ist er jetzt beruhigt und
schläft, aber sie fürchtet doch, er könnte sich erheben und sein
Werk fortsetzen. Und das ist auch wirklich so: wenn die Seele ganz
sicher glaubt und nicht achtgibt, sucht er sie wieder zu verschlingen und in noch schwereres, dunkleres und schmerzlicheres Leid
hinabzustürzen als früher...." Und wieder glaubt sie, die voran-
gegangene Glückesfülle sei verloren für immer, weil der „gegenwärtige Inhalt des Geistes.... völlig zunichte macht, was ihm entge-

gengesetzt ist". Aus diesem Grunde haben auch die Seelen im Fegfeuer Zweifel, ob ihre Leiden ein Ende nehmen werden. Sie sind zwar im Besitz der göttlichen Tugenden und nehmen wahr, daß sie Gott lieben, finden aber darin keinen Trost, „weil sie nicht glauben können, daß Gott sie liebe noch daß sie dessen würdig seien. . . . Und wenn auch die Seele in dieser Reinigung wahrnimmt, daß sie Gott liebe und tausend Leben für Ihn hingeben würde. . . ., so verschafft ihr das keinen Trost, vielmehr noch größere Betrübnis. Sie liebt nämlich Gott so sehr, daß sie um sonst nichts besorgt ist. . . . Da sie sich aber so elend sieht, so kann sie nicht glauben, daß Gott sie liebe, noch daß Er Ursache habe oder haben werde, sie zu lieben; vielmehr ist sie überzeugt, daß sie mit vollem Recht nicht bloß von Ihm, sondern auch von allen Geschöpfen stets verabscheut werde, und voll Schmerz sieht sie in sich die Ursache, wodurch sie es verdient, von Dem verworfen zu werden, den sie so sehr liebt und nach dem sie so großes Verlangen trägt" [99].

Die Hemmung der Kräfte in diesem peinlichen Zustand führt auch dazu, daß die Seele nicht mehr wie früher ihr Herz und Gemüt im Gebet zu Gott erheben kann. Betet sie, „so geschieht es in solcher Trockenheit, so ohne Saft und Kraft, daß sie sich des Eindruckes nicht erwehren kann, Gott höre nicht auf sie und kümmere sich nicht um ihr Gebet. . . . Und es ist in der Tat jetzt nicht an der Zeit, mit Gott im Gebet zu reden, sondern. . . . den Mund in den Staub zu drücken. . . . und diese Läuterung mit Geduld zu ertragen. Denn Gott ist es, der hier in der Seele das Werk vollbringt; darum vermag sie nichts. . . ., weder zu beten, noch den gottesdienstlichen Handlungen mit Aufmerksamkeit beizuwohnen, noch viel weniger anderen Dingen und zeitlichen Angelegenheiten Aufmerksamkeit zu schenken; nicht nur das — sie leidet oft an so großer Geistesabwesenheit und so tiefem Vergessen, daß viele Stunden vorübergehen, ohne daß sie weiß, was sie getan oder gedacht hat, noch was sie jetzt tut oder tun will. . . ." Das liegt daran, daß auch das Gedächtnis von allen Gedanken und Erkenntnissen gereinigt werden muß. Die Geistesabwesenheit und Kälte aber kommt von der tiefen inneren Sammlung, in der die Beschauung die Seele mit allen ihren Vermögen gleichsam aufzehrt, um sie von allen Neigungen zu den Geschöpfen und allen Vorstellungen von Geschaffenem abzuziehen. Das dauert je nach dem Grade der Beschauung länger oder kürzer. Je reiner und lauterer das göttliche Licht in die Seele fällt, desto mehr verdunkelt, entleert und vernichtet es sie. „Und wenn die

---

[99] a. a. O. § 3 Kap. 7, E. Cr. II 66 ff.

Seele so entleert und im Dunkel ist, reinigt und erleuchtet sie" der göttliche Lichtstrahl der Beschauung, ohne daß sie etwas von Empfangen des göttlichen Lichtes merkt. Sie bleibt vielmehr im Dunkel, wie der Sonnenstrahl, „wenn er rein ist und keinen Gegenstand findet, an dem er abprallt, unsichtbar bleibt, auch wenn er mitten ins Zimmer sein Licht wirft. Findet aber dieses geistige Licht, vom dem die Seele durchdrungen ist, etwas, auf das er stößt, wie etwa die geistige Erkenntnis der Vollkommenheit.... oder ein Urteil darüber, sei es falsch oder wahr, so sieht man es gleich und erkennt es viel deutlicher als vor dem Eintritt in diese Dunkelheit. Und mit derselben Deutlichkeit nimmt die geistliche Seele das Licht wahr, um mit Leichtigkeit eine auftretende Unvollkommenheit zu erkennen...." „Weil .... dieses geistige Licht so einfach, rein und allgemein ist und auf keine Einzelerkenntnis .... sich erstreckt, ... kommt es, daß die Seele alles Höhere und Niedere, was sich ihr darbietet, durchdringt....: ‚Der Geist erfaßt alles, auch die Tiefen der Gottheit' (1 Cor. 2, 10) und ‚Die Weisheit.... dringt überallhin kraft ihrer Reinheit' (Sap. 7, 24), d.h. weil sie sich nicht auf eine Einzelerkenntnis und Einzelneigung einschränkt. Und das ist dem gereinigten und bezüglich aller Einzelneigungen und Einzelerkenntnisse zunichtegemachten Geist eigen, nichts Einzelnes zu genießen und zu erkennen, sondern in Leere, in Dunkel und Finsternis bleibt er, und dabei umfaßt er alles mit großer Bereitschaft...." [100]

So bezweckt die beseligende Nacht durch die Verfinsterung des Geistes nichts anderes, „als ihn bezüglich aller Dinge zu erleuchten", sie versetztz ihn „nur darum in Niedrigkeit und Elend, um ihn zu erheben und aufzurichten, ... nur darum beraubt und entleert sie ihn jedes Besitzes und jeder natürlichen Neigung, damit er nach Gottes Weise sich zum Kosten und Genießen aller irdischen und himmlischen Dinge ausdehnen kann, in allumfassender Freiheit des Geistes". Weil der natürliche Verstand das göttliche Licht nicht zu fassen vermag, muß er durch die Beschauung ins Dunkel geführt werden. „Dieses Dunkel muß solange bleiben, als es die Entfernung der seit langem eingewurzelten Geisteshaltung im Erkennen .... erfordert...." Die Zerstörung der natürlichen Erkenntniskraft ist tief, schrecklich und überaus schmerzlich. „Man fühlt sie nämlich im innersten Wesen des Geistes, und so scheint es eine das Wesen angreifende Finsternis zu sein". Auch der Wille muß gereinigt und zunichte gemacht werden, um durch die Liebesvereinigung zu jener ganz reinen, göttlichen, geistigen und erhabenen Liebe zu gelangen,

---

[100] a. a. O. § 4 Kap. 8, E. Cr. II 71 ff.

die jede natürliche Neigung und Empfindung und jedes Begehren des Willens übersteigt. „Er muß solange in Trockenheit und Bedrängnis bleiben, als es seine dauernde Haltung gegenüber den natürlichen Neigungen zu Göttlichem und Menschlichem erfordert". Auf diese Weise „muß er im Feuer der dunklen Beschauung.... bezüglich aller bösen Einflüsse ausgetrocknet, entleert und vollkommen befreit werden, damit seine Empfänglichkeit rein und lauter und sein Gaumen gereinigt und gesund werde, um die erhabenen fremdartigen Berührungen der göttlichen Liebe zu empfinden.... Die Seele muß auch.... für den Verkehr mit Gott mit einer gewissen verklärten Herrlichkeit ausgestattet werden, denn es sind darin unzählbare Schätze und Wonnen eingeschlossen, über alle Fülle hinaus, die die Seele natürlicherweise fassen kann; denn sie können in einer so schwachen und unreinen Natur nicht aufgenommen werden.... Deshalb muß die Seele erst arm und leer im Geist werden, ... um dann, entblößt vom alten Menschen, das neue beseligende Leben .... der Vereinigung mit Gott leben zu können.... Die Seele .... muß eine ganz erhabene Einsicht und wonnevolle göttliche Erkenntnis bezüglich aller göttlichen und menschlichen Dinge bekommen....; sie betrachtet die Dinge mit ganz andern Augen als früher; der Unterschied ist so groß wie zwischen dem Licht und der Gnade des Heiligen Geistes und dem sinnlichen Erkennen, zwischen Göttlichem und Menschlichem". Dafür muß auch das Gedächtnis freigemacht werden, „das Empfindungsvermögen muß viel innerlicher und mehr abgestimmt werden für das Verlassen.... aller Dinge, wobei alles ungewohnt und anders erscheint als ehedem. So zieht diese Nacht den Geist heraus aus seiner gewöhnlichen und niedrigen Denkungsweise über die Dinge, um ihn mit göttlicher Einsicht zu erfüllen; dies erscheint nun der Seele so fremdartig und so verschieden von jeder menschlichen Auffassungsweise, daß sie ganz außer sich gerät. Manchmal meint sie, verzaubert oder in Verzückung zu sein, sie staunt über die Dinge, die sie sieht oder hört; sie kommen ihr ganz fremd und ungewöhnlich vor, obwohl es dieselben sind, mit denen sie gewöhnlich zu tun hat".

„Alle diese Bedrängnisse und Reinigungen des Geistes muß die Seele durchkosten, um .... zum Leben des Geistes wiedergeboren zu werden. Und mit diesen Schmerzen gebiert sie den Geist des Heiles.... Außerdem bereitet sich die Seele mittels dieser Nacht der Beschauung auf jene Ruhe und jenen Frieden vor, der so tief und wonnevoll ist, daß er .... alle Begriffe übersteigt (Phil. 4,7). Darum muß jener frühere Frieden aus der Seele vollständig entfernt werden", der „noch voll von Unvollkommenheiten war" und darum „kein Friede, obwohl er der Seele . . . . als doppelter Friede erschien". Sie hatte sich nämlich schon den Frieden der sinnlichen und geistigen Erkenntnis erworben und sah sich mit Sinnen und Geist von der Fülle dieses Friedens umgeben. Aber er muß erst in der Seele einer Läuterung unterzogen werden. Sie muß ihn aufgeben und zerstören und die Erfüllung des Wortes erleben: „Verlassen und herausgeworfen ist aus dem Frieden meine Seele" (Thren. 3, 17). Die Seele erleidet dabei mancherlei Befürchtungen, Kämpfe und Einbildungen. Durch das Gefühl, für immer verloren zu sein, „entsteht im Innersten ihres Geistes ein so empfindlicher Schmerz und ein so tiefes Seufzen, daß es ein heftiges geistiges Aufschreien und Stöhnen verursacht; manchmal gibt es sich in Worten und Strömen von Tränen kund, wenn die dazu nötige Kraft und Stärke vorhanden ist. Diese Erleichterung wird jedoch der Seele nur selten zuteil". Wie überströmende Wasser wird „dieses Aufschreien und Schmerzgefühl der Seele so mächtig, daß es sie ganz überschwemmt und durchdringt und alle ihre innersten Neigungen und Kräfte über alles Maß mit geistigen Ängsten und Schmerzen erfüllt. Das sind die Wirkungen, welche diese Nacht durch Verhüllung aller Hoffnung auf das Licht des Tages in der Seele hervorruft". Der Wille wird gleichsam durchbohrt von diesen Schmerzen, Zweifeln und Befürchtungen, die kein Ende nehmen wollen. „Tiefgehend ist dieser Streit und Kampf, weil auch der erhoffte Friede ein ganz tiefer sein muß; und der geistige Schmerz ist innerlich fein und entblößt, weil auch die Liebe, die man sich erwerben soll, ganz innerlich und entblößt sein muß. Je innerlicher und feiner geschliffen ein Werk sein und bleiben muß, desto innerlicher, sorgfältiger und sauberer muß die Arbeit sein. . . . Weil nun die Seele im Stande der Vollkommenheit, dem sie durch diese Nacht zuwandelt, unzählige Schätze an Gaben und Tugenden besitzen und genießen soll", muß sie sich zuerst entblößt, „leer und arm an ihnen sehen und fühlen. . . .; ja sie müssen ihr so fernliegend erscheinen, daß sie gar nicht glauben kann, jemals in ihren Besitz gelangen zu können. . . ."[101]

Entbrennen in Liebe und Umgestaltung

In den Todesängsten der Geistesnacht sind die Unvollkommenheiten der Seele ausgeglüht worden, so wie Holz im Feuer von aller Feuchtigkeit befreit wird, um dann selbst im Glanz des Feuers er-

---

[101] a. a. O. § 5 Kap. 9, *E. Cr.* II 75 ff.

glühen zu können. Das Feuer, das die Seele erst rein glühte und dann entflammte, ist die Liebe. So hat sich erfüllt, was der 2. Vers des Nacht-Gesangs verkündete: daß „Liebessehnen zehrend sie entflammte". Es ist eine leidenschaftliche Liebe, zu der sie entflammt wird, aber es ist ein Entbrennen im Geist und von dem, das im sinnlichen Teil entfacht wird, so verschieden wie der geistige vom sinnlichen Teil. Es ist eine eingegossene Liebe und äußert sich mehr im Erleiden als im Handeln. Sie „hat schon etwas von der Vereinigung mit Gott an sich, und deshalb nimmt sie auch in etwas teil an deren Eigenschaften"; d.h. in der Seele sind nun „mehr Tätigkeiten Gottes als der Seele selbst, sie wohnen ihr in passiver Weise inne, die Seele gibt nur ihre Zustimmung. Aber die Wärme und Kraft, die Stimmung und Leidenschaft der Liebe oder die Entflammung . . . . verursacht allein die Liebe Gottes, die sich mit ihr vereinigt". Durch die dunkle Reinigung ist die Seele auf wunderbare Weise für die Vereinigung zubereitet worden. In diesem Zustand „muß die Seele lieben mit der ganzen Macht aller ihrer Kräfte und geistigen und sinnlichen Neigungen". Es ist eine gewaltige Liebesglut, weil „Gott alle Kräfte, Vermögen und Neigungen der Seele, die geistigen wie die sinnlichen, gefesselt hält, damit alle ihre Kräfte und Fähigkeiten in vollkommener Harmonie sich mit dieser Liebe beschäftigen und so im vollen Sinn des Wortes dem ersten Gebot Genüge leisten. . . . (5 Mos. 5, 6)". Wenn die Seele sich so von der Liebe entflammt und verwundet fühlt und doch immer noch in Finsternis und Zweifeln ist, ohne den glücklichen Besitz der Liebe, dann erwacht in ihr ein Sehnsuchtsdrang, der mit all ihren Begierden nach Gott verlangt. „. . . . In allen Dingen und Gedanken die sie in sich vorfindet, bei allen Sachen und Vorfällen, die sich ihr darbieten, wird sie in manigfacher Weise von Liebe und Sehnsucht erfüllt, leidet in ihrer Sehnsucht . . . . zu allen Zeiten und an allen Orten und findet in nichts Ruhe. . . ." „Alles wird der Seele zu enge, sie hält es bei sich selber nicht aus und findet weder im Himmel noch auf Erden eine Stätte, und sie ist von Schmerzen durchdrungen bis zur Finsternis. . . ., d.h. sie leidet Schmerzen ohne Trost, auch ohne den einer sicheren Hoffnung auf irgend ein Licht oder geistiges Gut. . . ." Ihr Sehnsuchtsdrang und ihre Pein wachsen beständig einerseits durch die geistige Finsternis, in die sie sich versetzt sieht, andererseits durch die Gottesliebe, die sie entflammt. Und doch fühlt sie mitten in dieser Qual eine Kraft in sich, die schwindet, sobald die Last der Finsternis von ihr weicht. Das kommt daher, daß diese Kraft der Seele „ohne ihr Zutun von dem dunklen Feuer der Liebe, das sie befallen hat, verzehrt wird. Wenn nun diese Liebesglut ein

Ende nimmt, schwinden auch die Finsternisse, die Kraft und Wärme der Liebe in der Seele" [102].

Die Reinigung der Seele durch dieses liebeglühende, dunkle, geistige Feuer entspricht der Reinigung der Geister im Jenseits durch ein dunkles materielles Feuer. Sie erlangt so die Reinheit des Herzens, die nichts anderes ist als die göttliche Gnade und Liebe. Es ist die göttliche Weisheit, die in der dunklen Beschauung die Seelen reinigt und erleuchtet. Es ist dieselbe Weisheit, die auch die Engel von Unwissenheit befreit. Es ist dasselbe göttliche Licht, das die Engel erleuchtet, von den höchsten stufenweise zu den niederen herabsteigend, und von den letzten schließlich auf die Menschen übergeht. Aber der Mensch muß diese liebeatmende Beschauung „in einer ihm entsprechenden Weise aufnehmen, beschränkt und schmerzlich. Denn das göttliche Licht, das den Engel erleuchtet, in Liebe verklärt und mit sanfter Ruhe erfüllte, wie es einem reinen, für einen solchen Einfluß zubereiteten Geist entspricht, erleuchtet den Menschen, weil er unrein und schwach ist, natürlicherweise so, daß es ihn .... in Finsternis, Pein und Bedrängnis führt, ebenso wie die Sonne, wenn sie auf das kranke Auge fällt, es reizt und mit Schmerz erfüllt. Dies dauert solange, bis ihn jenes Feuer der Liebe durch seine Reinigung vergeistigt und verfeinert hat, sodaß er gleich den Engeln die Eingießung jenes liebevollen Einflusses in sanfter Ruhe empfangen kann".

Das glühende Liebessehnen fühlt die Seele nicht immer und meist nicht gleich bei Beginn der Reinigung, sondern erst, wenn das göttliche Feuer sie schon einige Zeit erwärmt hat. Bisweilen wird dann der Verstand durch diese „geheimnisvolle und liebeglühende Gottesweisheit .... so wonnevoll und göttlich erleuchtet, daß der Wille, davon unterstützt, wunderbar erglüht und, ohne selbst etwas zu tun, durch dieses göttliche Feuer der Liebe in lichten Flammen entbrennt, sodaß jetzt die Seele lebendiges Feuer mit lebendiger Erkenntnis zu empfangen scheint.... Dieses gemeinsame Entbrennen der Liebe in den beiden vereinten Kräften .... ist etwas überaus Kostbares und Wonnevolles für die Seele, denn es ist sicher schon eine Berührung mit der Gottheit, ein Anfang der vollkommenen Liebesvereinigung, die sie erhofft". Es kommt aber bei diesen Gnadenmitteilungen auch vor, „daß der Wille liebt, ohne daß der Verstand zu erkennen vermag, und ebenso, daß der Verstand erkennen kann, ohne daß der Wille liebt. Da nämlich diese dunkle Nacht der Beschauung göttliches Licht und göttliche Liebe in sich begreift,

---

[102] a. a. O. Str. 1 V. 2, § 1 Kap. 11, *E. Cr.* II 84 ff.

wie das Feuer Licht und Wärme, kann es wohl sein, daß dieses liebeglühende Licht .... einmal mehr den Willen trifft und mit Liebe
entflammt, den Verstand dagegen in Dunkelheit läßt...., ein andermal den Verstand mit Liebe erfüllt...., während der Wille in
Trockenheit bleibt....: das wirkt der Herr, der sich mitteilt, wie
Er will" [103]. Er ist ja nicht an die Gesetze des natürlichen Seelenlebens
gebunden. Danach kann man allerdings „unmöglich einen Gegenstand lieben, den man nicht zuvor erkannt hat. Aber auf übernatürlichem Wege kann Gott gar wohl der Seele die Liebe eingießen und
sie vermehren, ohne ihr bestimmte Erkenntnisse zu verleihen oder sie
zu vermehren.... Das ist die Erfahrung vieler Geistesmenschen...."
Manche „sind in der Erkenntnis Gottes nicht sehr weit fortgeschrit-
ten, doch umso mehr im Willen gefördert. Statt der Wissenschaft
des Verstandes genügt ihnen der Glaube, durch den Gott die Liebe
eingießt und wachsen läßt, ohne daß die Erkenntnis zunimmt" [104].
Das Letzte darf natürlich nicht so verstanden werden, als ob der
Glaube *allgemein* nur Liebe erwecke, ohne Erkenntnis zu verleihen.
Im Gegenteil: an sich wendet er sich ja in erster Linie an den Verstand und erschließt ihm die göttliche Wahrheit. Aber einmal geschieht das in verhüllter Form, nicht in der Weise der natürlichen
Erkenntnis. Sodann braucht er nicht immer bestimmte einzelne
Wahrheiten vor Augen zu stellen. *Glauben* kann ja auch heißen: sich
dem Wirklichen zuwenden, von dem alle Glaubenswahrheiten künden: Gott; und zwar *so* zuwenden, daß man Ihn nicht im Licht irgend einer einzelnen Glaubenswahrheit betrachtet, sondern Ihm, dem
Unfaßlichen, der den Inbegriff aller Glaubenswahrheiten in sich
schließt und doch über sie alle hinaus ist, in Seiner Unfaßlichkeit,
in Dunkel und Unbestimmtheit hingegeben ist. *Erfährt* in diesem
Hingegebensein die Seele das Ergriffensein von dem dunklen und unfaßlichen Gott, dann ist es die *dunkle* Beschauung, die Gott selbst
der Seele mitteilt, als Licht und Liebe zugleich; sie ist „dunkel und
unbestimmt für den Verstand.... Und wie diese Erkenntnis die
Gott ihm eingießt, im Verstand allgemein und dunkel ist, so liebt
auch der Wille in allgemeiner Weise, ohne ein besonderes erkanntes
Einzelding zu unterscheiden".
Manchmal aber teilt sich „Gott in dieser zarten Mitteilung ....
mehr in einem Vermögen mit als im andern; .... oft ist allein die
Erkenntnis bemerkbar und nicht die Liebe, ein andermal nur die
Liebe und nicht die Erkenntnis.... Denn Gott kann auf eine

---

[103] a. a. O. § 2 Kap. 12, *E. Cr.* II 88 ff.
[104] *Geistlicher Gesang*, Erklärung zu Str. 26 V. 2, *E. Cr.* II 299.

Seelenkraft einwirken, ohne die andere zu ergreifen; und so kann Er den Willen mit einer Berührung Seiner Liebeswärme entflammen, ohne daß der Verstand etwas erkennt, so wie jemand vom Feuer erwärmt werden kann, ohne das Feuer zu sehen" [105].

Wenn aber geheimnisvolle Erkenntnis in den Verstand einströmt, dann ist die Seele „mitten in diesen Finsternissen voll Licht, ,und das Licht leuchtet in der Finsternis' (Joan. 1, 5) . . . . Dabei befinden sich die Sinne der Seele in einer so zarten und lieblichen heiteren Ruhe und Einfalt, daß es keinen Namen dafür gibt, bald in dieser, bald in jener Weise Gott empfindend".

Daß trotz der gleichzeitigen Reinigung von Verstand und Willen die Beschauung meist schon im Willen als Liebe gefühlt wird, ehe sie im Verstand als Erkenntnis zur Geltung kommt, das erklärt sich durch den Gegensatz von Liebe als leidend erfahrenem Zustand (*Passion*) und freiem Willensakt. Jene „Liebesglut ist mehr eine *Passion* der Liebe als ein freier Akt des Willens". Sie „verwundet die Seele in ihrem innersten Wesen und ruft auf diese Weise passive Gemütsbewegungen hervor. So kann man diese Entflammung eher ein Liebeerleiden als einen freien Akt des Willens nennen: denn dieser heißt Akt des Willens, sofern er frei ist. Weil aber diese Passionen und Neigungen auf den Willen zurückzuführen sind, darum schreibt man es dem Willen zu, wenn die Seele von einer Neigung ergriffen ist; und es ist auch in Wahrheit so, denn auf diese Weise läßt sich der Wille gefangennehmen und verliert seine Freiheit, sodaß ihn die ungestüme Kraft der Leidenschaft mit sich fortreißt: darum können wir sagen, diese Entflammung der Liebe sei im Willen, d.h. sie entflamme das Verlangen des Willens; und so heißt sie, wie gesagt, eher Liebeerleiden als freie Tat des Willens. Weil aber die Empfänglichkeit des Verstandes die Erkenntnis nur entblößt und passiv aufnehmen kann (und das kann nur geschehen, wenn er gereinigt ist), darum erfährt die Seele zuvor weniger oft die Berührung der Erkenntnis als des Liebeerleidens. Darum braucht dafür der Wille noch nicht so sehr von Leidenschaften gereinigt zu sein, weil ihm die Leidenschaften dazu helfen, leidenschaftliche Liebe zu empfinden.

Da nun diese Entflammung und dies Liebesverlangen schon vom Heiligen Geist herrühren, sind sie ganz verschieden von dem, was wir in der Nacht der Sinne besprochen haben". Sie werden im Geist gefühlt, wenn auch die Sinne daran Anteil haben. Dabei wird das, was man fühlt, und das, was man entbehrt, so empfunden, daß alle

---

[105] *Lebendige Liebesflamme*, Erklärung zu St. 3 V 3 § 10, *E. Cr.* II 455 f.

Pein der Sinne im Vergleich dazu nichts ist, obgleich sie weit größer ist als in der ersten, sinnlichen Nacht. „Denn das Innere erkennt
das Fehlen eines großen Gutes, das durch nichts zu heilen ist".
Schon bei Beginn dieser geistigen Nacht, „ehe noch diese Entflammung der Liebe gefühlt wird,.... verleiht Gott.... der Seele eine
so große wertschätzende Gottesliebe, daß der Gedanke, sie habe
Gott verloren und sei von Ihm verlassen, bei weitem das Ärgste ist,
was die Seele in den Bedrängnissen dieser Nacht leidet und fühlt....
Und wenn sie in dieser Lage sicher wissen könnte, daß nicht alles
verloren und zu Ende sei, daß vielmehr ihre Pein ihr zum Besten ge-
reiche.... und daß Gott ihr nicht zürne, dann würde sie alle diese
Beängstigungen für nichts achten, ja sich sogar freuen im Bewußtsein, Gott dadurch einen Dienst zu erweisen. Denn die wertschätzende Liebe Gottes .... ist so mächtig in ihr, daß sie .... mit
größter Freude vielmals für Ihn sterben würde, um Ihm zu gefallen.
Hat aber einmal die Liebesglut die Seele entzündet und sich mit der
schon in ihr wohnenden wertschätzenden Liebe Gottes verbunden,
so gewinnt sie gewöhnlich eine solche Kraft und einen solchen Mut
und wird von einem so heftigen Sehnsuchtsdrang nach Gott erfüllt,
daß sie mit der größten Kühnheit, ohne auf etwas zu achten oder
Rücksicht zu nehmen, ... in der Kraft und Trockenheit der Liebe
und des Verlangens das Äußerste und Ungewohnteste.... vollbringen würde, um den zu finden, den ihre Seele lieb hat".

Durch die Leiden der Geistesnacht „erneuert sich die Seele wie
ein Adler seine Jugend"(Ephes. 4, 24). Der menschliche Verstand, in
übernatürlicher Erleuchtung mit dem göttlichen vereint, wird ein
göttlicher; ebenso der Wille in der Vereinigung mit dem göttlichen
Willen und der göttlichen Liebe, das Gedächtnis und alle Neigungen
und Begehrungen in gottgemäßer Umwandlung und Veränderung.
„So wird die Seele jetzt schon eine Seele des Himmels,.... mehr
göttlich als menschlich". Darum kann sie im Rückblick auf die
Nacht rufen: „O glückliches Geschick!"[106]. Sie ist nun „unbemerkt
entwichen, da schon ihr Haus in tiefer Ruhe lag". Ihr Haus, das ist
die gewöhnliche Handlungsweise der Seele, ihre Wünsche und Begehrungen, alle ihre seelischen Kräfte. Sie sind das Hausgesinde, das
zur Ruhe sein mußte, um der Liebesvereinigung nicht im Wege zu
stehen. Jetzt erkennt sie, daß sie „im Dunkel wohl geborgen" war.
Aller Irrtum kommt ja der Seele „durch ihre Begierden oder durch
ihre Neigungen, ihre Überlegungen oder Erkenntnisse.... Sind nun
all diese Tätigkeiten und Regungen gehemmt , so ist es klar, daß

---

[106] *Nacht des Geistes*, § 3 Kap. 13, E. Cr. II 91 ff.

die Seele vor Verirrungen durch sie sicher ist. Dadurch befreit sie sich nicht bloß von sich selbst, sondern auch von . . . . der Welt und dem Teufel, die gegen die Seele, wenn ihre Neigungen und Tätigkeiten zur Ruhe gekommen sind, von keiner Seite und auf keine Weise mehr ihre Feindseligkeiten eröffnen können". Nun verlieren sich ihre Begierden und Vermögen nicht mehr in unnütze und gefährliche Dinge; sie fühlt sich sicher „vor eitler und falscher Freude und vielen anderen Dingen. . . .", ist also „infolge ihres Wandels im dunklen Glauben keineswegs in Gefahr verlorenzugehen, sondern. . . . erwirbt sich. . . . in diesem Stande die Tugenden". Daß die dunkle Nacht der Seele auch den Genuß guter Dinge, ja selbst übernatürlicher und göttlicher raubt, ist darin begründet, daß die ungereinigten seelischen Kräfte die übernatürlichen Dinge nur auf gewöhnliche und natürliche Weise aufnehmen können. Durch die „Entwöhnung, Reinigung und Ertötung. . . . verlieren sie jene niedrige und menschliche Wirkungsweise und Empfänglichkeit, und so werden alle diese Fähigkeiten und Begierden der Seele zubereitet und gestählt, um die göttlichen und übernatürlichen Dinge auf reine und erhabene Weise aufzunehmen, zu empfinden und zu genießen. Dies aber ist unmöglich, wenn nicht zuvor der alte Mensch stirbt. Wenn darum diese geistigen Dinge nicht als Mitteilung von oben, vom Vater der Lichter, dem menschlichen Wollen und Begehren zukommen, so kann sie der Mensch auch nicht auf göttliche und geistige Weise genießen, so sehr er auch . . . . Gott . . . . seine Kräfte zuwendet und so großen Genuß er auch an Ihm zu finden scheint. Er wird Gott nur auf menschliche und natürliche Weise kosten können wie die übrigen Dinge. Denn die Gnadengüter gehen nicht vom Menschen aus zu Gott, sondern kommen von Gott zum Menschen". So finden viele großen Genuß an Gott und geistlichen Dingen und „halten dies vielleicht für etwas Übernatürliches und Geistiges, während es doch oft nur rein natürliche und menschliche Tätigkeiten und Begierden sind". Darum darf die Seele Trockenheit und Dunkelheit als glückliche Anzeichen ansehen: als Anzeichen, daß Gott daran ist, sie von sich selbst zu befreien; Er windet ihr ihre Seelenkräfte aus den Händen. Wohl hätte sie viel damit erwerben können, aber niemals so vollendet, vollkommen und sicher damit wirken können wie nun, wo Gott sie an der Hand nimmt. Er führt sie wie einen Blinden auf dunklen Wegen, ohne daß sie weiß, wo und wohin — doch auf Wegen, die sie selbst beim glücklichsten Wandeln durch den Gebrauch ihrer eigenen Augen und Füße nie gefunden hätte. Dabei macht sie große Fortschritte, ohne es selbst zu vermuten, ja in der Meinung, verloren zu sein. Denn sie kennt den neuen

Zustand noch nicht und sieht nur, „daß sie an allem, was ihr bekannt und für sie genußbringend war, Verlust erleide". Erst rückblickend erkennt sie, daß sie „im Dunkel wohl geborgen war". Ein sicherer Weg war es auch darum, weil es ein Leidensweg war. „Denn der Weg des Leidens ist weit sicherer und gewinnbringender als der Weg der Freude und des Wirkens...., weil man im Leiden Kraft von Gott empfängt, in der Tätigkeit und im Genuß aber treten die Schwächen und Unvollkommenheiten der Seele zu Tage. Dann auch...., weil im Leiden Tugenden geübt und erworben werden, weil die Seele geläutert und weiser und vorsichtiger wird". Vor allem aber ist als Ursache der Sicherheit die dunkle Weisheit selbst zu nennen. „Die dunkle Nacht der Beschauung umfängt und verschleiert die Seele derart und bringt sie Gott so nahe, daß Er selbst sie in Seinen Schutz nimmt und von allem befreit, was nicht Gott ist. Da die Seele hier einem Heilverfahren unterzogen wird, das ihr die Gesundheit, die Gott selber ist, bringen soll, so läßt sie Seine Majestät Diät und Enthaltsamkeit bezüglich aller Dinge üben und treibt ihr das Verlangen nach allen aus". Sie ist „in Gottes Angesicht geborgen vor Menschenaufruhr" (Ps. 30, 25), d.h. sie ist durch die dunkle Beschauung „gefestigt wider alle Gelegenheiten, die ihr von seiten der Menschen unvermutet in der Weg treten können". Sicherheit gibt ihr auch „die Kraft, welche dieses dunkle und peinigende Wasser Gottes der Seele sogleich verleiht. Mag es auch dunkel sein, so ist es doch Wasser, und darum muß es die Seele erquicken und kräftigen in dem, was ihr am meisten zuträglich ist.... Da gewahrt die Seele alsbald eine feste Entschlossenheit und Entschiedenheit, ja nichts.... zu tun, was sie als Beleidigung Gottes erkennt, und nichts von dem zu unterlassen, wodurch sie Ihm dienen zu können glaubt. Denn jene dunkle Liebe senkt der Seele eine überaus wachsame Sorgfalt und ängstliche Aufmerksamkeit auf das ein, was sie für Gott tun und unterlassen soll, um Ihm wohlzugefallen.... Jetzt zielen alle Anstrengungen, Wünsche und Fähigkeiten der Seele, nachdem sie von allen andern Dingen losgelöst sind, mit ganzer Kraft und Macht auf den Dienst Gottes hin". So geht die Seele von sich selbst und allen erschaffenen Dingen aus und wandelt „im Dunkel wohl geborgen" der süßen und wonnevollen Liebesvereinigung mit Gott entgegen: „Vermummt und auf geheimer Leiter" [107].

---

[107] a. a. O. Str. 2 V. 1, § 4 Kap. 16, E. Cr. II 99 ff.

Die geheime Leiter

Die geheime Leiter ist die dunkle Beschauung: geheim als die mystische Gottesweisheit, die durch die Liebe auf geheimnisvolle Weise
eingegossen wird; wie es geschieht, weiß „weder die Seele selbst noch
sonst jemand, ja auch der böse Feind hat keine Kenntnis davon; denn
der Lehrmeister, der sie lehrt, ist selbst wesenhaft in der Seele, wohin weder der böse Feind noch das natürliche sinnliche Erkenntnis-
vermögen noch auch der Verstand dringen können". Geheim oder
verborgen ist diese Weisheit auch in ihren Wirkungen: in den Finsternissen und Bedrängnissen der Reinigung wie in der folgenden Erleuchtung. Die Seele kann sie da „weder erkennen noch erklären
noch auch beim Namen nennen". Sie hat auch „gar kein Verlangen,
ihr einen Namen zu geben, und findet .... kein Mittel, um in ge-
nügender Weise eine so erhabene Erkenntnis und eine so zarte geistige Empfindung zum Ausdruck zu bringen...., denn jene innere
Weisheit ist so einfach, allgemein und geistig, daß sie in keinen Begriff gefaßt noch als Sinnenbild dargestellt in den Verstand eingetreten ist.... Es ist gerade so, wie wenn jemand etwas noch nie
Gesehenes zu Gesicht bekommen würde und auch noch nie etwas
diesem Ähnliches erblickt hätte.... Er könnte ihm trotz aller Mühe
keinen Namen geben noch auch sagen, was es sei, wenn er es auch
mit den Sinnen wahrgenommen hätte. Um wieviel weniger wird er
sich dann über etwas aussprechen können, was er nicht durch die
Sinne in sich aufgenommen hat?" Da Gott ganz im Innern und rein
geistig zur Seele spricht, geht dies über alle Fähigkeit der äußeren
und innern Sinne hinaus und macht sie verstummen. Die Sinne verstehen diese Sprache nicht, können sie nicht mit Worten wiedergeben
und haben auch kein Verlangen, sie zu hören.

Die mystische Weisheit wird auch darum geheim genannt, „weil
sie die Eigenschaft besitzt, die Seele in sich zu verbergen,.... sie bemächtigt sich manchmal der Seele derart und zieht sie in einer Weise
in ihren verborgenen Abgrund, daß diese deutlich erkennen kann,
wie weit entfernt sie von allen Geschöpfen ist. So kommt es ihr vor,
als habe man sie in eine sehr tiefe und weite Einsamkeit versetzt,
wohin kein menschliches Wesen dringen kann, in eine unermeßliche Wüste, die nach keiner Seite hin begrenzt ist. Und diese ist ihr
umso angenehmer, wohltuender und lieblicher, je tiefer, weiter und
einsamer sie ist. Da fühlt sich die Seele umso verborgener, je mehr
sie sich erhoben sieht über jedes geschaffene Wesen. Und dieser Abgrund der Weisheit erhebt und bereichert die Seele in hohem Maße:

er schließt sie in die Adern der Wissenschaft der Liebe ein und läßt sie so erkennen, wie tief die Geschöpfe stehen im Vergleich zu dem erhabenen göttlichen Erkennen und Empfinden, und bringt sie auch zur Einsicht, wie niedrig, unzulänglich und durchaus ungeeignet alle Bezeichnungen und Worte sind, mit denen man in diesem Leben von göttlichen Dingen redet, und wie unmöglich auf natürlichem Wege .... ist, sie so zu erkennen, wie sie sind"; man kann nur durch die mystische Gottesweisheit darüber erleuchtet werden. Weil „diese Dinge menschlicherweise nicht erkannt werden, so muß man zu ihnen durch menschliches Nichterkennen und göttliches Nichtwissen gelangen; denn, mystisch gesprochen, ... es werden diese göttlichen Dinge und Vollkommenheiten nicht erkannt und verstanden, wie sie sind, wenn man sie erforschen und üben will, sondern erst, wenn man sie gefunden und geübt hat". „....Die Pfade und Fußstapfen, auf denen Gott in den Seelen wandelt, die Er zu sich führen und in der Vereinigung mit Seiner Weisheit auszeichnen will, ... sollen nicht erkannt werden" [108].

Der Nacht-Gesang nennt die dunkle Beschauung eine *Leiter*; denn „wie man auf einer Leiter emporsteigt, um die Vorräte, Schätze und andere Dinge in einer Festung im Sturm zu nehmen, so steigt die Seele mittels dieser verborgenen Beschauung, ohne zu wissen wie, empor, um die himmlischen Schätze und Güter zu erstürmen, zu erkennen und zu besitzen". Ferner: „Wie dieselben Sprossen einer Leiter zum Hinauf- und Herabsteigen dienen, ebenso erniedrigt diese verborgene Beschauung die Seele durch dieselben Gunstbezeugungen, die .... sie zu Gott emporhoben. Denn alle Gunstbezeugungen, die wirklich von Gott kommen, haben das Eigentümliche, daß sie die Seele sowohl erniedrigen als auch erhöhen". Sie ist auf diesem Wege ständigen Wechselfällen unterworfen. Auf das Wohlergehen folgen stets „sogleich wieder Stürme und Bedrängnisse, sodaß jenes Wohlergehen gleichsam nur als Vorbereitung und Stärkung für das kommende Elend gegeben zu sein scheint; so folgt auch auf das Elend und die Widerwärtigkeiten reichlicher Genuß und Wohlergehen. So kommt es der Seele vor, man habe ihr für jede Festfeier eine Vigil verordnet. Und das ist die gewöhnliche Ordnung .... im Stande der Beschauung. Man bleibt nie auf einem Standpunkt, bis man zum Stande der Ruhe gelangt, sondern steigt immer aufwärts und abwärts. Der Grund ist der: da der Stand der Vollkommenheit in vollkommener Liebe Gottes und Verachtung seiner selbst besteht, so kann er nicht ohne diese zwei Teile sein, ohne

---

[108] a. a. O. Str. 2 V. 2, § 1 Kap. 17, *E. Cr.* II 105 ff.

Erkenntnis Gottes und Selbsterkenntnis. Die Seele muß notwendiger-
weise zuerst in dem einen und dann im anderen sich üben, sie muß
bald das eine verkosten und dadurch erhöht werden und dann wieder
im andern erprobt und gedemütigt werden, bis sie zur Vollkommenheit in den Tugenden gelangt ist; nun hört das Auf- und Absteigen
auf, da sie bei Gott angekommen ist und sich mit Ihm vereint hat:
Er steht auf der Spitze der Leiter, auf Ihn stützt sich die Leiter
und an Ihn ist sie angelehnt".

Vor allem aber wird die Beschauung eine Leiter genannt, weil sie
„eine Wissenschaft der Liebe ist, ein eingegossenes liebendes Erkennen Gottes, das die Seele zugleich erleuchtet und mit Liebe entzündet, bis sie von Stufe zu Stufe emporsteigt zu Gott, ihrem Schöpfer.
Denn die Liebe allein ist es, welche die Seele einigt und vereinigt
mit Gott". Die *Sprossen* der Leiter werden (mit dem hl. *Bernard* und
dem hl. *Thomas*) nach ihren Wirkungen unterschieden; „da nämlich
diese Leiter der Liebe .... so verborgen ist, daß Gott allein sie messen und abwägen kann, so wäre es unmöglich, auf natürlichem Wege
diese Sprossen zu erkennen, wie sie in sich sind" [109].

„Die erste Sprosse macht die Seele zu ihrem Heile krank ....
Aber diese Krankheit ist nicht zum Tode, sondern zur Verherrlichung Gottes. Denn in dieser Krankheit stirbt die Seele der Sünde
und allem ab, was nicht Gott ist, durch Gott selbst.... Die zweite
Sprosse läßt die Seele ohne Unterlaß Gott suchen.... Hier auf dieser Sprosse wandelt die Seele mit so großer Sorgfalt, daß sie in allen
Dingen den Geliebten sucht, und bei allen Geschäften, die sich ihr
aufdrängen, handelt und spricht sie vom Geliebten.... Die dritte
Sprosse der Liebesleiter spornt die Seele zur Tätigkeit an und erweckt sie zu warmem Leben, sodaß sie nicht ermüdet.... Auf dieser Sprosse hält die Seele die heroischen Werke, die sie um des Geliebten willen vollbracht hat, für unbedeutend, die vielen für wenige, die lange Zeit, die sie Gott dient, für kurz infolge der Liebesglut, von der sie schon entbrannt ist.... In ihrer großen Liebe zu
Gott achtet hier die Seele die größten Betrübnisse und Schmerzen,
die sie um Gottes willen erduldet, für gering, und es wäre, wenn sie
es dürfte, ihr einziger Trost, sich tausendfach für Ihn zu vernichten.
Darum hält sie sich bei allem, was sie tut, für unnütz, und sie
meint umsonst zu leben. Daraus entspringt eine andere wunderbare

---

[109] a. a. O. § 2 Kap. 18, *E. Cr.* II 109 ff.

Wirkung, nämlich die feste Überzeugung, daß sie weit schlechter sei als alle andern Seelen....; weil die Liebe sie immer mehr zu der Einsicht bringt, was sie Gott schuldig ist, und .... weil sie die vielen Werke, die sie in diesem Stande für Gott vollbringt, als fehlerhaft und unvollkommen erkennt, werden ihr alle nur Anlaß zu Beschämung und Pein, denn sie erkennt, auf wie niedrige Weise sie für einen so hohen Herrn arbeitet.... Die vierte Sprosse .... verursacht in der Seele ein beständig andauerndes Leiden um des Geliebten willen". Die Liebe läßt ihr „alles Große und Schwere und Lästige wie nichts vorkommen.... Der Geist gewinnt hier so an Kraft, daß er das Fleisch in voller Unterwürfigkeit erhält und es für so gering achtet wie der Baum eines seiner Blätter. Die Seele sucht hier in keiner Weise Trost und Genuß, weder in Gott noch anderswo, und hat weder einen Wunsch noch ein Verlangen, sich von Gott Gnaden zu erbitten, weil sie klar einsieht, daß sie schon im Überfluß empfangen hat; ihre ganze Sorgfalt geht dahin, Gott zu gefallen und Ihm wenigstens in etwas zu dienen, wie Er es würdig ist und wie sie es Ihm schuldet für das, was sie von Ihm empfangen hat; obgleich auch das wieder auf Seine Kosten geht.... Sehr erhaben ist diese Stufe der Liebe. Da nämlich die Seele in diesem Stande beständig in aufrichtiger Liebe und mit dem Verlangen für Ihn zu leiden, zu Gott hingezogen wird, so verleiht ihr Seine Majestät sehr oft .... den Genuß eines freude- und wonnevollen Besuches im Geiste. Denn die unendliche Liebe des Wortes, Jesu Christi, kann die Ihn liebende Seele nicht leiden lassen, ohne ihr zu Hilfe zu kommen.... Die fünfte Sprosse .... verursacht in der Seele ein ungeduldiges Streben und Verlangen nach Gott. Auf dieser Stufe ist die Sehnsucht der liebenden Seele nach dem Besitz des Geliebten und nach der Vereinigung mit Ihm so heftig, daß sie jede, auch die kleinste Verzögerung für äußerst lang, lästig und beschwerlich hält und nur in dem Gedanken lebt, wie sie den Geliebten finden könne.... Auf dieser Sprosse muß die liebende Seele entweder in den Besitz des Geliebten gelangen oder sterben...." [110] „Die sechste Sprosse bewirkt, daß die Seele schnell Gott entgegeneilt und Seine Nähe oft fühlbar wahrnimmt. Ohne müde zu werden, eilt sie Ihm in der Hoffnung entgegen, denn durch die Liebe gekräftigt, kann sie in leichtem Fluge voran...." Die Behendigkeit, die der Seele hier zuteil

---

[110] a. a. O. § 3 Kap. 19, E. Cr. II 112 ff.

wird, kommt daher, daß sie sich sehr erweitert hat und daß ihre Reinigung von allen Dingen fast vollzogen ist. So gelangt sie bald zur siebenten Sprosse. Hier wird „die Seele überaus beherzt. Auf dieser Stufe läßt sich die Liebe nicht mehr vom Verstand zum Warten bestimmen; sie nimmt auch keinen Rat mehr an, sich zurückzuziehen, noch kann sie durch Beschauung zurückgehalten werden.... Solche Seelen erlangen von Gott, um was sie Ihn in ihrer Herzensfreude bitten.... Aus der Kühnheit und Freiheit, die Gott der Seele auf der siebenten Sprosse verliehen hate um mit der ganzen Kraft der Liebe ohne Furcht mit Gott zu verkehren, folgt die achte, die der Seele den Besitz des Geliebten und die Vereinigung mit Ihm verschafft....: ‚Ich habe Ihn gefunden, den meine Seele lieb hat; ich halte Ihn fest und will Ihn nicht mehr loslassen' (Cant. 4, 3)". „Auf dieser Stufe der Vereinigung wird die Sehnsucht der Seele gestillt, aber mit Unterbrechung; manche Seelen gelangen zwar für kurze Zeit zur Vereinigung, aber alsbald werden sie wieder abgezogen; denn .... könnten sie auf dieser Stufe länger verweilen, so gelangten sie schon in diesem Leben zu einer gewissen Art von Glorie.... Die neunte Sprosse .... ist .... die Stufe der Vollkommenen, die schon in süßer Liebe zu Gott entbrennen. Dieses süße und wonnevolle Entbrennen der Liebe bewirkt der Heilige Geist kraft der Vereinigung, in der sie mit Gott verbunden sind.... Die Gnadenschätze und Reichtümer Gottes, zu deren Genuß die Seele auf dieser Sprosse erhoben wird, können nicht mit Worten ausgedrückt werden. Würde man auch viele Bücher darüber schreiben, so bleibe doch das meiste noch zu sagen". Die zehnte und letzte Sprosse der verborgenen Leiter der Liebe gehört schon nicht mehr diesem Leben an. Sie „macht die Seele Gott vollkommen ähnlich kraft der klaren Anschauung Gottes, in deren Besitz sie sogleich und unmittelbar gelangt, wenn sie den Leib verläßt, nachdem sie in diesem Leben auf der neunten Sprosse angekommen war. Diese Seelen, deren Zahl nur gering ist, bleiben vom Fegfeuer verschont, da sie schon durch die Liebe vollkommen gereinigt sind. Darum heißt es bei Matthäus....: ‚Selig, die reinen Herzens sind, denn sie werden Gott anschauen' (Matth. 5, 8). Diese Anschauung ist.... die Ursache der vollkommenen Ähnlichkeit mit Gott.... Nicht weil die Seele alles so umfaßt wie Gott, denn das ist unmöglich; sondern weil alles, was die Seele ist, Gott ähnlich sein wird. Deshalb wird man sie nennen und wird sie sein: göttlich durch Teilnahme.... Auf dieser obersten Stufe der klaren Anschauung, der letzten Sprosse der Leiter, ... gibt es für die Seele wegen ihrer vollen Ähnlichkeit mit Gott nichts Verhülltes mehr.... Aber bis zu jenem Tage bleibt der Seele, wenn sie auch noch so weit vorwärts schreitet, immer noch so viel verhüllt, wie ihr von der vollen Ähnlichkeit mit Gottes Wesen mangelt. Auf diese Weise erhebt sich die Seele durch die mystische Gottesweisheit und diese geheimnisvolle Liebe über alle Dinge und über sich selbst und steigt empor zu Gott. Denn die Liebe gleicht dem Feuer, das immer nach oben züngelt mit dem Bestreben, sich in das Zentrum seiner Sphäre einzusenken" [111].

Das dreifarbige Kleid der Seele

Die Seele hat gesagt, daß sie auf der geheimen Leiter *vermummt* oder *verkleidet* entwichen sei. Sich verkleiden, d.h. sein eigenes Kleid und seine eigene Gestalt unter einer andern verbergen, das tut man, um „jemandem, den man liebt, in dieser Gestalt und in diesem Kleide seine Liebe und Zuneigung nach außen zu offenbaren und sich dadurch seine Gunst und sein Wohlgefallen zu erwerben, oder aber vor seinen Widersachern sich zu verbergen, um so sein Vorhaben besser ausführen zu können.... Die Seele nun, die .... von Liebe zu Christus, ihrem Bräutigam, entzündet ist, ... hüllt sich bei ihrem Entweichen in jene Kleidung, welche die Neigungen ihres Geistes am deutlichsten zum Ausdruck bringen kann und in denen sie ihren Widersachern .... gegenüber, dem Teufel, der Welt und dem Fleisch, am sichersten wandeln kann". Darum hat ihre Kleidung drei Hauptfarben: weiß, grün und rot als Sinnbilder der drei göttlichen Tugenden. Durch sie erwirbt sich die Seele das Wohlgefallen ihres Geliebten und wandelt darin zugleich völlig gesichert vor ihren drei Feinden. „Denn der Glaube ist ein weißes Unterkleid von so blendendem Glanz, daß er das Sehvermögen eines jeden Verstandes zunichtemacht. Wandelt also die Seele im Gewande des Glaubens, so sieht sie weder der Teufel noch wagt er, sie anzufallen...." Es gibt aber auch kein besseres Gewand als das blendend weiße des Glaubens, die Grundlage für die übrigen Tugenden, um sich das Wohlgefallen des Geliebten und die Vereinigung mit Ihm zu erwerben. „Diesen blendend weißen Glanz des Glaubens trägt die Seele bei ihrem Entweichen", wenn sie in den Finsternissen und inneren Bedrängnissen der dunklen Nacht wandelt. Sie wird durch keine natürliche Erkenntnis mehr befriedigt und auch durch keine übernatürliche Erleuchtung erquickt, da ihr der Himmel verschlossen scheint; „sie aber duldet standhaft und harrt aus und wandelt durch

---

[111] a. a. O. § 4 Kap. 20, *E. Cr.* II 116 ff.

die Trübsale hindurch, ohne schwach zu werden und den Geliebten zu verlassen". In den Trübsalen und Bedrängnissen prüft Er ihren Glauben.

Über dem weißen Unterkleid des Glaubens trägt die Seele das grüne Mieder der Hoffnung. In Kraft dieser Tugend „befreit sich die Seele von dem zweiten Feind, der Welt, und schirmt sich dagegen. Denn dieses frische Grün der lebendigen Hoffnung auf Gott verschafft der Seele eine solch lebensprühende Kraft und Kühnheit, sie wird so mächtig zu den Gütern des ewigen Lebens emporgetragen, daß ihr im Verhältnis zu dem, was sie hofft, alle Dinge dieser Welt trocken, welk, tot und wertlos vorkommen, wie sie es auch wirklich sind. Hier entblößt und entledigt sich die Seele aller weltlichen Trachten und Kleider, sie hängt auch ihr Herz an nichts mehr und hofft nichts von dem, was in der Welt ist und sein wird, und lebt einzig mit der Hoffnung auf das ewige Leben bekleidet dahin. Da sie ihr Herz so hoch über die Erde erhoben hat, so kann diese sie nicht mehr berühren noch das Herz ergreifen, ja nicht einmal den Blick fesseln. Und so wandelt die Seele in dieser grünen Tracht und Verkleidung wohlverwahrt vor dem zweiten Feinde, der Welt". Es ist „die eigentliche Aufgabe der Hoffnung, in der Seele die Augen nur erheben zu lassen, um auf Gott zu schauen", sodaß sie von anderswohin kein Gut mehr erhofft. In diesem Gewande ist sie dem Geliebten so wohlgefällig, daß sie von Ihm erlangt, soviel sie hofft. Ohne diese grüne Tracht würde sie „nichts erreichen, da Gott nur durch beharrliche Hoffnung bewegt und überwältigt wird".

„Über diesem weißen und grünen Kleid trägt die Seele gleichsam als Krönung und Vollendung der ganzen Kleidung die dritte Farbe, eine prachtvolle hochrote Toga", das Sinnbild der Liebe. Durch sie „wird die Seele beschützt und verborgen vor dem dritten Feinde, dem Fleisch. (Denn wo die Liebe zu Gott herrscht, da hat die Liebe zu sich selbst und dem Seinen keinen Zutritt mehr.) Jene Liebe . . . . stärkt überdies auch die andern Tugenden, gibt ihnen Leben und Kraft zum Schutz der Seele, verleiht ihnen Anmut und Liebreiz, um mit ihnen dem Geliebten zu gefallen. Denn ohne die heilige Liebe ist keine Tugend vor Gott angenehm".

Dies also ist die Verkleidung, in der die Seele in der Nacht des Glaubens zu Gott emporsteigt. Glauben, Hoffnung und Liebe geben ihr die geeignetste Zubereitung für die Vereinigung: „Der Glaube entleert und verdunkelt den Verstand in seiner ganzen natürlichen Erkenntnis und bereitet ihn dadurch zu für die Vereinigung mit der göttlichen Weisheit. Die Hoffnung entleert und trennt das Gedächtnis von allem Besitz der geschaffenen Dinge . . . . und setzt

es in den Besitz dessen, was es hofft. . . . Auf gleiche Weise entleert
die Liebe alle Neigungen und Begierden des Willens von allem, was
nicht Gott ist, und richtet sie, auf Ihn allein. . . . Weil . . . . diese
Tugenden die Aufgabe haben, die Seele von allem zu trennen, was
weniger ist als Gott, so haben sie ihre Vereinigung mit Gott zur
Folge". So kann sie ohne das Gewand dieser drei Tugenden „unmöglich zur vollkommenen Liebe Gottes gelangen. . . . Es ist darum
ein großes Glück für die Seele, wenn sie sich eine solche Kleidung
erworben hat und beharrlich trägt, bis sie das erstrebte und ersehnte Ziel, die Liebesvereinigung, erreicht hat. . . ." [112]
   Nun ist es klar, daß es ein beseligendes Los für die Seele ist, ein
so schwieriges Werk vollbracht zu haben: sie hat sich frei gemacht
vom Teufel, von der Welt und ihrer eigenen Sinnlichkeit, hat die
kostbare Freiheit des Geistes gewonnen, ist aus einer irdischen zu
einer himmlischen Seele geworden und dahin gelangt, daß ihr Wandel im Himmel ist [113].

Im Dunkel und verborgen in tiefer Ruhe

   Ein Glück war es auch, daß die Seele „im Dunkel und verborgen"
entweichen konnte: sie ist im Dunkel sicher vor allen arglistigen Plänen und Nachstellungen des Teufels gewandelt. Denn eingegossene
Beschauung, wird ihr auf geheime Weise, ohne ihr Zutun mitgeteilt;
alle Vermögen des sinnlichen Teils bleiben dabei im Dunkeln. Der
Teufel aber kann nur mit Hilfe der sinnlichen Kräfte innewerden
und verstehen, „was in der Seele ist und in ihr vorgeht. Je geistiger,
innerlicher und erhabener über die sinnliche Erkenntnis darum eine
Mitteilung ist, desto weniger gelangt der Teufel zu ihrem Verständnis. Darum ist für die Sicherheit der Seele ein derartiger innerer Verkehr mit Gott von höchster Bedeutung. . . ., damit die Schwäche
des sinnlichen Teils die Freiheit des Geistes nicht hindert und eine
reichliche geistige Mitteilung ermöglicht wird". Sodann wegen der
Sicherheit vor dem bösen Feinde. Von dem, was im höheren Teil der
Seele geschieht, soll der niedere nichts wissen; „es soll dies ein Geheimnis bleiben zwischen Gott und der Seele".
   Allerdings vermag der Teufel mittelbar auf innerliche und geistige Mitteilungen in der Seele zu schließen „aus der großen Ruhe und
Stille, die manche von ihnen in den Sinnen und Kräften der Seele

---

[112] a. a. O. § 5 Kap. 21, E. Cr. II 119 ff.
[113] a. a. O. § 5 Kap. 22, E. Cr. II 123 f.

verursachen.... Wenn er nun sieht, daß er diese Gnadenerweise im innersten Grunde der Seele nicht zu verhindern vermag, so sucht er aus allen Kräften den sinnlichen Teil, in den er eindringen kann, bald durch Schmerzen, dann wieder durch Schreckbilder und Beängstigungen aufzuregen und zu verwirren, um auf diese Weise den höheren und geistigen Teil der Seele zu beunruhigen und zu verwirren im Hinblick auf ein Gut, das er gerade empfängt und genießt. Aber oft, wenn die Mitteilung dieser Beschauung ganz rein sich in den Geist ergießt und ihm Stärke verleiht, hilft dem Teufel all seine Anstrengung, die Seele zu beunruhigen, nichts, sie empfängt im Gegenteil neuen Gewinn, neue Liebe und einen tiefergegründeten Frieden. Denn sobald sie die störende Gegenwart des bösen Feindes gewahrt, zieht sie sich — und das ist ganz merkwürdig — ohne zu wissen, wie es geschieht, und ohne ihrerseits etwas zu tun, um so tiefer in das Innerste des Seelengrundes zurück und fühlt dabei gar wohl, daß sie sich in einer sicheren Zufluchtsstätte befindet, wo sie sich mehr vom bösen Feinde entfernt und vor ihm verborgen weiß.... Doch alle diese Befürchtungen befallen sie nur mehr äußerlich; sie nimmt es ganz deutlich wahr und freut sich zu sehen, wie sie in solch vollkommener Sicherheit jenen stillen Frieden und jene Süßigkeit des Bräutigams im Verborgenen genießen kann, jenen Frieden, den die Welt und der Teufel weder geben noch nehmen können.... Manchmal aber, wenn die geistigen Mitteilungen nicht allzu tief sich dem Geist einsenken, sondern auch den sinnlichen Teil berühren, vermag der böse Feind mittels der Sinnlichkeit viel leichter den Geist durch solche Schrecknisse zu verwirren und zu stören. Und dann ist die Qual und Pein, die er im Geist hervorruft, sehr groß, ja bisweilen unsäglich groß. Da es sich hier um ein unverhülltes Gegenüberstehen von Geist und Geist handelt, so sind die Schrecknisse, die der böse Geist im guten Geist, d.h. in der Seele, verursacht, unerträglich, sobald seine Verwirrung sich ihrer bemächtigt.... Zu andern Zeiten kommt es vor, daß der Teufel Gnadenerweisungen wahrnimmt, die Gott mittels eines guten Engels der Seele mitteilt; denn Gott läßt es gewöhnlich zu, daß der Widersacher diese.... Gunstbezeugungen erkennt...., vor allem, damit er gegen die Seele vorgehe, wie es ihm der Gerechtigkeit zufolge zusteht...., und damit er nicht sagen könne, es sei ihm keine Gelegenheit gegeben worden, die Seele in seinen Besitz zu bekommen.... Und dies wäre der Fall, wenn Gott nicht eine gewisse Gleichheit zwischen den beiden um die Seele streitenden Parteien, zwischen dem guten und bösen Engel zuließe. So wird der Sieg ehrenvoller und die siegreiche und in der Versuchung treu bewährte

Seele um so herrlicher belohnt werden. Darum .... erlaubt Gott dem Teufel, in derselben Weise auf die Seele einzuwirken, wie Er selbst mit ihr verfährt". Läßt Er ihr durch Seinen guten Engel eine wahre Vision zuteilwerden...., so darf der böse Geist ihr falsche Visionen vorspiegeln, die der wahren täuschend ähnlich sind. Auch geistige Gunstbezeugungen, die durch gute Engel hervorgebracht werden, kann er nachbilden. Rein geistige Mitteilungen aber, die keine Form und Gestalt haben, kann er nicht nachäffen. „Um darum die Seele in der Weise, wie sie von Gott begnadigt wird, anzufechten, tritt er mit seinem furchterregenden Geist vor sie hin, um das Geistige mit Geistigem zu bekämpfen und zu verderben. Geschieht das zu einer Zeit, wo der gute Engel die Seele in den Zustand der geistigen Beschauung erhebt, so kann sich die Seele nicht so schnell in das geheime Versteck der Beschauung flüchten, ohne daß sie vom Teufel bemerkt wird...., und das hat einen Schrecken und eine Verwirrung des Geistes zur Folge, die für die Seele überaus peinlich sind. Doch kann sie sich manchmal augenblicklich zurückziehen, ohne daß der böse Geist in ihr einen Eindruck hervorzurufen und sie in jenen Schrecken zu versetzen vermag: gestärkt durch die wirksame Gnade des guten Engels birgt sie sich in ihrem Innern. Manchmal aber gewinnt der Teufel die Oberhand und es erfaßt die Seele eine Verwirrung und ein Schrecken, die für sie weit peinlicher sind als irgend eine Qual dieses Lebens. Da nämlich diese schreckliche Einwirkung einzig und allein zwischen Geist und Geist stattfindet ohne Beimischung des Körperlichen, so übersteigt ihre Qual alle Begriffe. Allerdings währt dies nicht allzulang im Geist, sonst müßte er sich infolge der fruchtbaren Einwirkung des andern Geistes vom Leib trennen.... All das.... geht in der Seele vor, ohne daß sie ihrerseits dabei etwas tun oder sich dagegen wehren könnte". Doch es geschieht nur, „um sie zu reinigen und durch ein geistiges Vigilfasten auf ein großes Fest und ein geistiges Gnadengeschenk vorzubereiten....; nach dem Maße der dunklen und schrecklichen Reinigung.... wird die Seele mit dem wunderbaren.... Genuß der geistigen Beschauung beglückt, und zwar in so erhabener Weise, daß sie dafür keinen Ausdruck findet". Die vorausgegangenen Schrecknisse haben sie in hohem Maße dafür empfänglich gemacht; „denn diese geistigen Visionen gehören mehr dem anderen als diesem Leben an, und wenn eine sich zeigt, bereitet sie für die andere vor". Das gilt aber nur für Gnaden, die durch Engelsvermittlung erwiesen werden. Wenn Gott selbst die Seele heimsucht, dann bleibt sie völlig „im Dunkel und verborgen", weil „Seine Majestät wesenhaft in der Seele wohnt, wohin weder ein Engel noch der Teufel gelangen kann, um zur Kenntnis zu gelangen, was sich zuträgt. Und sie vermögen auch nicht zur Kenntnis des innigen und geheimnisvollen Verkehrs zwischen Gott und der Seele zu gelangen. Denn diese Gnadenerweise sind.... ganz göttlich, erhaben und gewissermaßen wesenhafte Berührungen zwischen Gott und der Seele; in einer einzigen dieser Berührungen, die den höchsten Grad des Gebetslebens ausmachen, empfängt die Seele mehr Gnaden als in allen übrigen....; darum ersehnt sie eine solche göttliche Berührung und schätzt sie höher als alle anderen Gnaden, die ihr Gott erweist.... Wenn jene Gnadenerweise der Seele im Verborgenen, d.h. allein im Geist, mitgeteilt werden, sieht sie sich, ohne zu wissen wie, bezüglich ihres höheren Teils so vom niederen, sinnlichen Teil geschieden und getrennt, gewahrt sie in sich zwei so voneinander verschiedene Teile, daß es ihr vorkommt, als bestehe keine Gemeinschaft mehr zwischen beiden.... Und das ist in gewissem Sinne wirklich so, denn alles, was sie hier wirkt, ist ganz geistig, und so hat sie darin mit dem sinnlichen Teil nichts mehr gemein. So wird die Seele ganz geistig, und in dieser Verborgenheit der einigenden Beschauung stellen die geistigen Regungen und Begierden ihre Tätigkeit fast ganz ein". Darum singt die Seele, wenn sie von ihrem höheren Teil spricht....: „Da schon mein Haus in tiefer Ruhe lag" [114].

Sie will damit sagen: „Da der höhere Teil meiner Seele ebenso wie der niedere mit seinen Begierden und Vermögen schon in Ruhe war, entwich ich zur göttlichen Liebesvereinigung mit Gott". Der sinnliche wie der geistige Teil sind in der dunklen Nacht angefochten worden. Beide mußten „mit ihren Vermögen und Gelüsten zur Ruhe und zum Frieden gebracht werden". Darum kehrt dieser Vers zweimal wieder. „Diese Beruhigung und diesen Frieden des geistigen Hauses muß die Seele sich zu ihrem bleibenden und vollkommenen Besitz machen, soweit es der Stand dieses gegenwärtigen Lebens zuläßt, und zwar mittels jenen gleichsam wesenhaften Berührungen der göttlichen Vereinigung...." Durch sie mußte die Seele gereinigt, beruhigt und widerstandsfähig gemacht werden, um eingehen zu können in jene Vereinigung: „die göttliche Vermählung zwischen der Seele und dem Sohne Gottes. Sobald nun diese zwei Behausungen der Seele mit all ihren Hausgenossen, den Seelenkräften und Begierden, vollkommen zur Ruhe gelangt und gestärkt sind, sobald sie bezüglich aller himmlischen und irdischen Dinge in Schlaf und Schweigen liegen, vereinigt sich mit ihr die göttliche Weisheit unmittelbar durch ein neues Band des Liebesbesitzes.... Zu dieser

---

[114] a. a. O. Str. 2 V. 4, Kap. 23, *E. Cr.* II 124 ff.

Vereinigung kann man nicht gelangen ohne gründliche Reinigung
.... Wer sich daher weigert, in die Nacht einzugehen, um den
Geliebten zu suchen, seinen Eigenwillen zu verleugnen und sich
selbst abzusterben, wer Ihn nur im Bett der Bequemlichkeit suchen
will, ... wird Ihn niemals finden...." [115]
In der beseligenden Nacht wurde die Seele mit ungestörter und
verborgener Beschauung beglückt, die dem sinnlichen Teil so fremd
und unverständlich ist, daß kein Geschöpf damit in Berührung
kommen und sie vom Wege der Liebesvereinigung ablenken kann.
Durch die geistige Finsternis dieser Nacht wurden alle Kräfte des
höheren Teiles der Seele ins Dunkel versetzt. So vermag sie nichts
mehr wahrzunehmen und gibt sich keiner Sache außer Gott hin,
um zu Ihm zu gelangen. Sie wird frei von allen Formen, Bildern
und Wahrnehmungen, die ein Hindernis für die dauernde Vereinigung mit Gott sind. Sie kann sich auf keine Erleuchtung des Verstandes und auf keinen äußeren Führer mehr stützen, um an ihnen
Trost und Befriedigung zu finden. „Denn die dunklen Finsternisse
haben sie alles dessen beraubt. So ist nun die Liebe allein, die in
dieser Zeit entbrennt und das Herz dem Geliebten zuwendet, be-
wegende Kraft und Führerin der Seele und hebt sie, ohne daß sie
weiß wie und auf welche Weise, auf einsamem Wege im Fluge zu
Gott empor" [116].
Hier bricht die *Abhandlung von der dunklen Nacht* ab. Von den
acht Strophen des Gesanges hat sie nur sechs erläutert. Diese Erläuterung hat für uns doppelte Bedeutung: sie gibt uns weitere Auf-
schlüsse über das *Wesen des Geistes,* und sie zeigt uns, daß die dunkle
Beschauung zugleich *Sterben und Auferstehung* zu einem neuen
Leben ist. Zu einer eigentlichen Darstellung und Klärung dieses
neuen Lebens, des Lebens der Vereinigung, kommt es hier sowenig
wie im *Aufstieg.*

b) Die Seele im Reich des Geistes und der Geister

Bau der Seele; Gottes Geist und geschaffene Geister

Die Seele steht als Geist in einem Reich des Geistes und der Geister. Sie selbst ist eigentümlich gestaltet: sie ist nicht mehr nur als

---

[115] a. a. O. Schluß der 2. Strophe, Kap. 24, *E. Cr.* II 131 f.
[116] a.a. O. Str. 3, Kap. 25, *E. Cr.* II 133.

die belebende Form des Leibes *Inneres* eines *Äußeren,* sondern es gibt in ihr selbst den Gegensatz von Innerem und Äußerem [117]. In ihrem Innersten, im Wesen oder tiefsten Grund der Seele, ist sie eigentlich zu Hause. Mit der natürlichen Tätigkeit ihrer Kräfte geht sie aus sich heraus zur Begegnung mit der äußeren Welt, in einer rein sinnlichen Betätigung sogar unter sich hinab. Das, wozu sie hinausgeht, nimmt sie in sich hinein und wird davon eingenommen. Es bestimmt sie in ihrem Tun und Lassen und beschränkt in einem gewissen Sinn ihre Freiheit. In ihr Innerstes kann es nicht eindringen, aber es kann sie selbst von ihrem Innersten entfernt halten.

In ihrem Aufstieg zu Gott erhebt sich die Seele über sich selbst oder wird über sich selbst erhoben. Und doch gelangt sie damit erst recht eigentlich in ihr Innerstes hinein. Das klingt widerspruchsvoll, entspricht aber der Sachlage und ist begründet in dem Verhältnis, in dem das Reich des Geistes zu Gott steht.

Gott ist reiner Geist und Urbild alles geistigen Seins [118]. Darum kann eigentlich nur von Gott aus recht verstanden werden, was Geist ist, d.h. aber, daß es ein Geheimnis ist, das uns beständig anzieht, weil es das Geheimnis unseres eigenen Seins ist. Wir haben einen gewissen Zugang dahin, sofern unser eigenes Sein geistiges Sein ist. Wir haben auch Zugänge dahin von allem Sein aus, sofern alles Sein als sinnvolles und geistig faßbares etwas von geistigem Sein hat. Aber es entschleiert sich tiefer im Maße unserer Gotteserkenntnis, ohne sich jemals ganz zu entschleiern, d.h. ohne daß es aufhörte, Geheimnis zu sein.

Gottes Geist ist für sich selbst völlig durchsichtig, kann über sich selbst völlig frei verfügen (in jener Uneingeschränktheit, die das Durch-sich-selbst-Sein einschließt), geht völlig frei aus sich heraus und bleibt doch in sich selbst. Er stellt alles andere Sein aus sich heraus, umfaßt es, durchdringt und beherrscht es. Geschaffener Geist ist beschränktes Abbild Gottes (in allen genannten Zügen): als *Abbild* gottähnlich, als *beschränkt* Gottes Widerspiel; ist mehr oder minder weitgehende Aufnahmefähigkeit für Gott, in der höchsten Form Möglichkeit zur Vereinigung mit Gott in wechselseitiger frei-persönlicher Hingabe.

---

[117] Es ist hier daran zu erinnern, daß es sich bei diesen Scheidungen um ein räumliches Bild für etwas Unräumliches handelt. Im eigentlichen Sinn besteht die Seele „nicht aus Teilen, und es gibt bei ihr keinen Unterschied zwischen Innen und Außen...." (*Lebendige Liebesflamme,* Str. 1 V. 3, *Obras* IV 12 f.)

[118] Was hier über geistiges Sein nur in einigen Worten angedeutet werden kann, ist ausführlich dargelegt in *Endliches und Ewiges Sein. Versuch eines Aufstiegs zum Sinn des Seins,* Edith Steins Werke, Bd. II.

Wir sprechen von einem *Reich* des Geistes und der Geister, sofern alles Geistige in einer mindestens möglichen Verbindung steht und Teil eines Ganzen ist. Wir nennen es Reich *des Geistes*, weil *Geist* mehr umfaßt als alle Geister, nämlich alles Geistige, und das ist in gewissem Sinn alles Seiende. Wir fügen aber hinzu: Reich *der Geister*, weil in diesem Reich die *Geister*, d.h. die personal-geistigen Wesen, eine hervorragende Rolle spielen.

Als alles Geistige und alle Geister unendlich überragend steht Gott an der Spitze dieses Reiches. Zu Ihm aufsteigen kann ein geschaffener Geist nur, indem er über sich selbst aufsteigt. Doch als alles Seiende ins Sein setzend und im Sein erhaltend, ist Gott der tragende Grund von allem. Was zu Ihm aufsteigt, das senkt sich ebendamit zugleich in seine sichere Ruhelage.

Verkehr der Seele mit Gott und mit den geschaffenen Geistern

Der Heilige nennt Gott den *Ruhepunkt* der Seele mit einem räumlichen Bild, das der naturwissenschaftlichen Auffassung seiner Zeit entnommen ist [119]. Danach werden die Körper mit aller Kraft nach dem Mittelpunkt der Erde hingezogen als dem Punkt der stärksten Anziehungskraft. Ein Stein im Innern der Erde wäre schon an einem gewissen Ruhepunkt, aber noch nicht am tiefsten Ruhepunkt, weil er noch die Fähigkeit, Kraft und Neigung hätte, weiter zu fallen, solange er nicht im Mittelpunkt wäre. So hat die Seele ihren letzten und tiefsten Ruhepunkt in Gott gefunden, „wenn sie mit all ihren Kräften Gott erkennt, liebt und genießt". In diesem Leben ist das niemals vollkommen der Fall. Wenn sie also durch die Gnade Gottes in ihrem Ruhepunkt ist, so ist es noch nicht der tiefste Ruhepunkt, weil sie immer noch tiefer in Gott eindringen kann. Denn die Kraft, die sie zu Gott hinzieht, ist die Liebe, und die kann hier immer noch höhere Grade erreichen. Je höher ihr Grad ist, desto tiefer ist sie in der Seele verankert, desto innerlicher ist die Seele von Gott ergriffen. Auf den Stufen der Leiter steigt die Seele zu Gott empor, d.h. zur Vereinigung mit Ihm. Je höher sie zu Gott aufsteigt, umso tiefer steigt sie in sich selbst hinab: die Vereinigung vollzieht sich im Innersten der Seele, im tiefsten Seelengrund. Wenn das alles widerspruchsvoll scheint, so ist zu bedenken, daß es nur verschiedene räumliche Bilder sind, die in ihrer wechselseitigen Ergänzung etwas andeuten wollen, was völlig unräumlich ist und überhaupt durch

---

[119] *Lebendige Liebesflamme*, Str. 1 V. 3, *Obras* IV 13 u. 114 f.

nichts aus dem Bereich der natürlichen Erfahrung angemesser. ..rgestellt werden kann.

Gott ist im Innersten der Seele, und nichts, was in ihr ist, ist vor Ihm verborgen. Doch kein geschaffener Geist vermag von sich aus in diesen verschlossenen Garten einzutreten oder mit seinem Blick dahin zu dringen. Die geschaffenen Geister — das sind die guten und die bösen Geister (die man auch *reine Geister* nennt, weil sie keinen Leib haben) und die Menschenseelen. Über den Verkehr der Menschenseelen miteinander ist bei Johannes wenig zu finden. Es ist eigentlich nur *ein* menschliches Verhältnis, auf das er häufig zurückkommt: das der geistlichen Seele zu ihrem Führer. Aber es ist ihm nicht darum zu tun, auf welchen Erkenntniswegen sich die Verständigung herstellt. Nur einmal bemerkt er, daß Menschen, denen die Unterscheidung der Geister als Gnadengabe verliehen ist, auf geringe äußere Kennzeichen hin erkennen können, wie es um andere innerlich bestellt ist [120]. Das weist auf den normalen Erkenntnisweg hin, der zu fremdem Seelenleben führt: er geht über die sinnenfälligen Äußerungen des seelischen Lebens und führt so weit nach innen, wie das Innere sich aufschließt. Denn alles äußere Aus-sich-Herausgehen in leiblichen Ausdruckserscheinungen, in Empfindungslauten und Worten, in Taten und Werken, hat ein inneres Aus-sich-Herausgehen — sei es ein willkürliches oder unwillkürliches, bewußtes oder unbewußtes — zur Voraussetzung. Wenn es aus dem Innersten kommt, wird auch etwas vom Innersten darin aufleuchten. Aber das wird nichts scharf Umrissenes, nichts sicher und bestimmt Faßbares sein, solange man auf den rein natürlichen Weg angewiesen ist und nicht durch außerordentliche göttliche Erleuchtung geleitet wird; es wird vielmehr etwas Geheimnisvolles bleiben. Und wenn das Innere verschlossen ist, wird kein Menschenblick aus eigener Kraft hineindringen. Die Seele steht nicht nur mit ihresgleichen in Verbindung, sondern auch mit geschaffenen *reinen Geistern*, guten und bösen. Mit dem *Areopagiten* nimmt Johannes an, daß den Menschen göttliche Erleuchtung durch Vermittlung der Engel zuteil wird; allerdings gilt ihm das Herabsteigen der Gnade über die Stufen der *Himmlischen Hierarchie* nicht als der einzig mögliche Weg. Er kennt eine unmittelbare Vereinigung Gottes mit der Seele, und die ist es, auf die es ihm eigentlich ankommt. Viel stärker als die Einwirkung der guten Engel berücksichtigt er die Nachstellungen des Teufels. Er sieht ihn beständig die Seelen umschleichen, um sie von ihrem Weg zu Gott abzulenken. Welche Verbindungsmöglichkeiten

---

[120] *Aufstieg,* B. II Kap. 24, E. Cr. I 241.

bestehen zwischen den Menschenseelen und den reinen — d.h. leib-
losen — Geistern? Ein möglicher Erkenntnisweg führt auch hier
über den leiblichen Ausdruck und die anderen sinnenfälligen Äußerungen. Für die Menschen, sofern die reinen Geister die Macht haben,
zum Zweck der Verständigung mit ihnen in sichtbarer Gestalt zu
erscheinen oder sich in hörbaren Worten vernehmen zu lassen. Aber
das ist ein sehr gefährlicher Weg, weil man dabei manigfachen Täuschungen und Irrtümern ausgesetzt ist: man kann als Geistererschei-
nungen ansehen, was bloße Sinnestäuschung oder Gebilde der Phantasie ist; der Teufel kann in der Lichtgestalt eines guten Engels erscheinen, um desto leichter zu verführen; und die Seele kann, aus
Furcht vor solchen Täuschungen, echte Himmelserscheinungen als
Sinnen- oder Teufelstrug abweisen.

Kommt andererseits auch für die reinen Geister das sinnenfällige
Äußere als Zugang zum Inneren in Betracht? Die Erzählungen der
Bücher *Job* und *Tobias* sind kaum anders zu deuten, als daß Teufel
und Engel das äußere Verhalten der Menschen scharf beobachten
und überwachen. Daß die Engel eine Erkenntnis der sinnenfälligen
Welt und damit auch des menschlichen Äußeren haben, entspricht
auch der Glaubenslehre, denn es ist für die Dienste vorausgesetzt, die
sie dem Menschen leisten [121].

Wenn sie dazu keiner leiblichen Sinne bedürfen, so weist das daraufhin, daß es noch andere Möglichkeiten für die Wahrnehmung
der körperlichen Natur geben muß, eine „Erkenntnis des Sinnenfälligen ohne Sinne" [122].

Diese Möglichkeiten zu untersuchen, ist hier nicht unsere Aufgabe. Jedenfalls ist für sie das Äußere nicht der einzige Zugangsweg
zum inneren Leben; für sie sind auch die inneren, geistigen Worte
und Äußerungen vernehmlich. Der Schutzengel „hört" das Gebet,
das lautlos aus dem Herzen zu ihm aufsteigt. Der böse Feind gewahrt gewisse seelische Regungen, die eine Handhabe für seine Einflüsterungen bilden können. Und die Geister haben ihrerseits die
Möglichkeit, sich den Seelen auf geistigem Wege vernehmlich zu
machen: durch lautlose Worte, die ohne Vermittlung der äußeren
Sinne ins Innere hinein gesprochen und innerlich vernommen werden, oder durch Wirkungen, die man in sich selbst verspürt, aber
als von außen bedingt, z.B. Stimmungswandlungen oder Willens-
antriebe, die aus dem eigenen Erlebniszusammenhang nicht verständlich sind. Was nicht in die äußeren Sinne fällt, ist darum noch nicht

---

[121] Vgl. *Quaestiones disputatae de veritate*, q 8 a 11 c., Edith Steins Werke,
Bd. III.
[122] a. a. O. q 8 a 8 ad 7, Edith Steins Werke, Bd. III.

frei von aller Sinnlichkeit überhaupt und darum nicht *rein* geistig
in dem Sinn, in dem Johannes vom Kreuz von reiner Geistigkeit
spricht. Er nennt wohl Gedächtnis, Verstand und Willen geistige
Kräfte aber ihre natürliche Tätigkeit ist noch sinnenbedingt und
darum *sinnliches Leben*, rein geistig ist allein das, was im innersten
Herzen stattfindet, das Leben der Seele aus und in Gott [123]. Hier haben die geschaffenen Geister keinen Zutritt. Die *Gedanken des Herzens* sind ihnen natürlicherweise verborgen — natürlicherweise, denn
Gott kann sie ihnen offenbaren.

Das Innerste der Seele und die Gedanken des Herzens

Die *Gedanken des Herzens*, das ist das ursprüngliche Leben der
Seele in ihrem Wesensgrunde, in einer Tiefe, die vor aller Spaltung
in verschiedene Kräfte und ihre Betätigung liegt. Die Seele lebt sich
darin aus, so wie sie in sich selbst ist, jenseits von allem, was durch
die Geschöpfe in ihr hervorgerufen wird. Wenn dieses Innerste die
Wohnstätte Gottes und der Ort der Vereinigung der Seele mit Gott
ist, so flutet doch das Eigenleben hier, ehe das Leben der Vereinigung beginnt: auch dort, wo es nie zu einer Vereinigung kommt.
Jede Seele hat ja ein Innerstes, und dessen Sein ist Leben. Aber dieses
Ur-Leben ist nicht nur vor anderen Geistern, sondern auch vor ihr
selbst verborgen. Das hat verschiedene Gründe. Das Ur-Leben ist
formlos. Die *Gedanken des Herzens* sind durchaus noch keine *Gedanken* im üblichen Sinn, keine fest umrissenen, gegliederten und
faßbaren Gebilde des denkenden Verstandes. Sie müssen durch mancherlei Formungen hindurchgehen, ehe sie zu solchen Gebilden werden. Sie müssen erst aufsteigen aus dem Grunde des Herzens. Dann
kommen sie an eine erste Schwelle, wo sie spürbar werden. Dies
Spüren ist eine viel ursprünglichere Weise des Bewußtseins als das
verstandesmäßige Erkennen. Es liegt auch noch vor der Spaltung
der Kräfte und Tätigkeiten. Es fehlt ihm die Klarheit des rein verstandesmäßigen Erkennens; andererseits ist es reicher als eine bloße
Verstandeserkenntnis. Was aufsteigt, wird gespürt als mit einem
Wertcharakter behaftet, der die Entscheidung an die Hand gibt, ob
man das, was aufsteigt, aufkommen lassen soll und will oder nicht.
Es ist hier noch anzumerken, daß das, was rein natürlicherweise aufsteigt und spürbar wird, schon nicht mehr das rein innere Leben der

[123] Vgl. *Lebendige Liebesflamme*, Erklärung zu Str. 2 V. 6, *Obras* IV 43 ff u.
150 ff.

Seele ist, sondern schon Antwort auf etwas, was sie in Bewegung gebracht hat. Aber das führt in eine Richtung, die wir hier nicht weiter verfolgen können.

An der Schwelle, wo die aufsteigenden Regungen gespürt werden, beginnt die Scheidung gattungsmäßig kennbarer seelischer Fähigkeiten und die Ausformung faßbarer Gebilde: dahin gehören vom Verstand ausgearbeitete Gedanken mit ihrer vernunftgemäßen Gliederung (das sind *innere Worte*, für die sich dann auch *äußere Worte* finden lassen), Gemütsbewegungen und Willensentschlüsse, die als wirkende Kräfte in den Zusammenhang des seelischen Lebens eintreten. *Seelisches Leben*, das ist nun nicht mehr das Ur-Leben in der Tiefe, sondern etwas, was in *innerer Wahrnehmung* faßbar ist. Und innere Wahrnehmung ist eine ganz andere Art des Erfassens als jenes erste Spüren dessen, was auf der Tiefe aufsteigt. Ebenso ist dieses Aufsteigen aus der Tiefe unterschieden von dem Auftauchen eines bereits geformten Gebildes, das im Gedächtnis bewahrt wurde und nun wieder lebendig wird.

Von dem, was aufsteigt und spürbar ist, wird keineswegs alles wirklich gespürt. Vieles kommt auf, wird zu innerem und äußerem Wort, wird zu Wunsch und Willen und Tat, „ehe man sich's versehen hat". Nur wer ganz gesammelt in seinem Innern lebt, der hält treue Wacht über jene *ersten Regungen*.

Damit kommen wir zu einem zweiten Grund, warum dem Menschen sein Innerstes verborgen ist. Es wurde gesagt, die Seele sei hier recht eigentlich zu Hause. Aber — so seltsam das klingen mag — sie ist in der Regel *nicht* zu Hause. Es gibt nur wenige Seelen, die *in* ihrem Innersten und *von* ihrem Innersten *aus* leben; und noch viel weniger, die *dauernd* darin und von ihm aus leben. Natürlicherweise — d.h. ihrer *gefallenen Natur* gemäß — halten sich die Menschen in den *äußeren Räumen* ihrer *Seelenburg* auf. Was von außen an sie herantritt, zieht sie nach außen, Gott muß schon recht vernehmlich rufen und ziehen, um sie zur „Einkehr bei sich selbst" zu bewegen [124].

---

[124] Unsere hl. Mutter TERESIA VON JESUS hat in ihrem mystischen Hauptwerk *Die Seelenburg* die Seele einer Burg mit vielen Gemächern, mit 7 *Wohnungen* verglichen (*Seelenburg*, I. Wohnung 1. Hauptstück, Neue deutsche Ausgabe der Schriften, Bd. V, München 1938, S. 19 ff.)

Seele. Ich und Freiheit

Es ist wichtig, sich möglichst rein geistig und unbildlich klarzumachen, was hier in räumlichen Bildern ausgesprochen ist. Diese Bilder sind kaum zu entbehren. Aber sie sind vieldeutig und mißverständlich. Was von außen an die Seele herantritt, gehört der *Außenwelt* an, und damit ist das gemeint, was nicht zur Seele selbst gehört; in der Regel auch, was nicht zu ihrem Leib gehört; denn wenn der Leib selbst ihr Äußeres genannt wird, so ist doch *ihr* Äußeres mit ihr eins in der Einheit eines Seins und nicht so außen wie das, was ihr völlig fremd und abgetrennt gegenübersteht [125]. Unter diesem Fremden und Abgetrennten aber gibt es den Unterschied von Dingen, die ein rein *äußeres* — d.h. räumlich ausgebreitetes — Sein haben, und von solchen, die ein *Inneres* haben, wie es die Seele selbst ist. Auf der andern Seite mußten wir in der Seele selbst von Äußerem und Innerem sprechen. Wenn sie nach außen gezogen wird, so geht sie doch nicht aus sich selbst heraus, sie ist nur weiter von ihrem Innersten entfernt und damit zugleich der Außenwelt hingegeben. Was von außen herantritt, hat ein gewisses Recht, sie in Anspruch zu nehmen, und es entspricht seinem *Gewicht*, dem Wert und der Bedeutung, die es in sich und die es für sie hat, eine bestimmte Tiefe der Seele, in der es aufgenommen zu werden verdient. So ist es sachlich angemessen, wenn sie es von daher entgegennimmt. Aber dazu ist nicht erforderlich, daß sie einen tiefer gelegenen Standort preisgibt: weil sie ein Geist ist und ihre *Burg* ein geistiges Reich, gelten hier ganz andere Gesetze als im äußeren Raum; wenn sie im Tiefsten und Innersten dieses ihres inneren Reiches ist, dann beherrscht sie es ganz und hat die Freiheit, sich an jeden beliebigen *Ort* darin zu begeben, ohne *ihren Ort*, den Ort ihrer Ruhe zu verlassen. Die Möglichkeit, sich in sich selbst zu bewegen, beruht auf der *Ichförmigkeit* der Seele. Das Ich ist das in der Seele, wodurch sie sich selbst besitzt und was sich in ihr als in seinem eigenen *Raum* bewegt. Der tiefste Punkt ist zugleich der Ort ihrer Freiheit: der Ort, an dem sie ihr ganzes Sein zusammenfassen und darüber entscheiden kann. Freie Entscheidungen von geringerer Tragweite können in gewissem Sinn auch von einem weiter nach außen gelegenen Punkt getroffen werden: aber es sind oberflächliche Entscheidungen: es ist ein *Zufall*, wenn die Entscheidung sachgemäß ausfällt, denn nur am tiefsten Punkt hat man die Möglich-

---

[125] Die hl. Mutter nennt ihn die *Ringmauern der Burg*.

keit, alles am letzten Maßstab zu messen; und es ist auch keine *letzt-lich* freie Entscheidung, denn wer sich selbst nicht ganz in der Hand hat, der kann nicht wahrhaft frei verfügen, sondern läßt sich bestimmen.

Der Mensch ist dazu berufen, in seinem Innersten zu leben und sich selbst so in die Hand zu nehmen, wie es nur von hier aus möglich ist; nur von hier aus ist auch die rechte Auseinandersetzung mit der Welt möglich; nur von hier aus kann er den Platz in der Welt finden, der ihm zugedacht ist. Bei all dem *durchschaut* er sein Innerstes niemals ganz. Es ist ein Geheimnis Gottes, das Er allein entschleiern kann, so weit es Ihm gefällt. Dennoch ist ihm sein Innerstes in die Hand gegeben; er kann in vollkommener Freiheit darüber verfügen, aber er hat auch die Pflicht, es als ein kostbares anvertrautes Gut zu bewahren. Ein hoher Wert muß ihm im Reich der Geister zukommen: Engel haben den Auftrag, es zu behüten. Böse Geister suchen es in ihre Gewalt zu bekommen. Gott selbst hat es sich zum Wohnsitz auserwählt. Die guten und bösen Geister haben keinen freien Zutritt ins Innerste. Die guten Geister können natürlicherweise so wenig wie die bösen die „Gedanken des Herzens" lesen, aber sie werden von Gott erleuchtet über das, was sie von den Herzensgeheimnissen wissen müssen. Überdies gibt es für die Seele geistige Wege, um sich mit den andern geschaffenen Geistern in Verbindung zu setzen. Was in ihr *inneres Wort* geworden ist, damit kann sie sich an einen andern Geist wenden. So denkt sich der hl. *Thomas* die *Sprache* der Engel, wodurch sie miteinander in Wechselverkehr stehen: als ein rein geistiges Sichzuwenden in der Absicht einem andern mitzuteilen, was man in sich selbst hat [126]. So ist auch der lautlose Ruf zum Schutzengel zu denken oder ein inneres Herbeirufen böser Geister. Doch auch ohne unsere Mitteilungsabsicht haben die geschaffenen Geister einen gewissen Zugang zu dem, was in uns vorgeht: nicht zu dem, was im Innersten verborgen ist, wohl aber zu dem, was in faßbarer Form in den Zusammenhang des seelischen Inneren eingegangen ist. Von hier aus können sie dann auch Schlüsse ziehen auf das, was vor ihren Blicken verborgen geschehen mag. Von den Engeln müssen wir annehmen, daß sie in ehrfürchtiger Scheu das verschlossene Heiligtum hüten. Sie möchten nur die Seele dahin bringen, daß sie selbst sich dahin zurückzieht, um es Gott zu übergeben. Des Satans Bestreben aber geht darauf, das an sich zu reißen, was Gottes Reich ist. Er kann das nicht aus eigener Macht, aber die Seele kann sich ihm selbst übergeben.

---

[126] *Quaestiones disputatae de veritate* q 9 a 4, Edith Steins Werke, Bd. III.

Sie wird das nicht tun, wenn sie selbst in ihr Innerstes eingegangen ist und es kennengelernt hat, wie es in der göttlichen Vereinigung geschieht. Denn dann ist sie so in Gott versenkt und geborgen, daß ihr keine Versuchung mehr nahen kann. Wie ist es aber möglich, daß sie sich preisgibt, wenn sie sich noch gar nicht so in Besitz genommen hat, wie es erst beim Eingehen ins Innerste geschehen kann? Es ist nur denkbar, daß sie es in einem blinden Zugreifen gleichsam noch von außen her tut. Sie schenkt sich weg, ohne zu wissen, was sie damit hingibt. Und auch der Teufel kann das Siegel dessen, was ihm verschlossen in die Hand gegeben wird, nicht erbrechen. Er kann nur zerstören, was ihm ewig verborgen bleibt.

Das Entscheidungsrecht über sich selbst steht der Seele zu. Es ist das große Geheimnis der persönlichen Freiheit, daß Gott selbst davor Halt macht. Er will die Herrschaft über die geschaffenen Geister nur als ein freies Geschenk ihrer Liebe. Er kennt die Gedanken des Herzens, Er durchschaut die tiefsten Gründe und Abgründe der Seele, in die ihr eigener Blick nicht dringt, wenn Gott sie nicht eigens dafür erleuchtet. Aber Er will nicht von ihr Besitz ergreifen, ohne daß sie selbst es will. Doch tut Er alles, um die freie Hingabe ihres Willens an den Seinen als Geschenk ihrer Liebe zu erlangen und sie dadurch zur beseligenden Vereinigung führen zu können. Das ist das Evangelium, das Johannes vom Kreuz zu verkünden hat, dem alle seine Schriften dienen.

Was zuletzt über den Wesensbau der Seele, besonders über das Verhältnis der Freiheit zu ihrem Innersten gesagt wurde, entstammt nicht den Ausführungen des hl. Vaters Johannes; es muß darum geprüft werden, ob es mit seinen Lehren im Einklang steht, ja sogar geeignet ist, diese Lehren noch klarer hervortreten zu lassen. (Nur wenn das der Fall ist, hat ja eine solche Einschiebung in diesem Zusammenhang ein Recht.) Auf den ersten Blick mag manches von dem Gesagten unvereinbar mit gewissen Darlegungen des Heiligen erscheinen.

Jeder Mensch ist frei und wird täglich und stündlich vor Entscheidungen gestellt. Das Innerste der Seele aber ist der Ort, wo Gott „ganz allein" wohnt, solange die Seele nicht zur vollkommensten Liebesvereinigung gelangt ist [127], und die hl. Mutter *Teresia* nennt es die 7. Wohnung, die sich der Seele erst in der mystischen Vermählung erschließt [128]. Kann also nur die Seele, die auf der höchsten Stufe der Vollkommenheit angelangt ist, in vollkommener Freiheit

[127] Vgl. *Lebendige Liebesflamme*, Erklärung zu Str. 4 V. 3, *Obras* IV 100 ff. u. 210 ff.

[128] *Seelenburg*, 7. Wohnung 1. Hauptstück.

entscheiden? Dabei ist zu bedenken, daß die Eigentätigkeit der Seele augenscheinlich immer mehr abnimmt, je mehr sie sich dem Innersten nähert. Und wenn sie hier angelangt ist, wirkt Gott alles in ihr, sie hat nichts mehr zu tun, sondern nur noch in Empfang zu nehmen [129]. Doch gerade in diesem In-Empfang-Nehmen kommt der Anteil ihrer Freiheit zum Ausdruck. Darüber hinaus greift aber die Freiheit an noch viel entscheidenderer Stelle ein: Gott wirkt nur darum hier alles, weil sich die Seele Ihm völlig übergibt. Und diese Übergabe ist die höchste Tat ihrer Freiheit. Johannes selbst schildert die mystische Vermählung als freiwillige Hingabe Gottes und der Seele aneinander und schreibt der Seele auf dieser Stufe der Vollkommenheit eine so große Macht zu, daß sie nicht nur über sich selbst, sondern sogar über Gott verfügen kann [130]. Für diese höchste Stufe persönlichen Lebens besteht also völlige Übereinstimmung zwischen der mystischen Lehre unserer Ordenseltern und der Auffassung, daß das Innerste der Ort der vollkommensten Freiheit ist.

Wie verhält es sich aber bei der großen Masse der Menschen, die nicht zur mystischen Vermählung gelangen? Können sie ins Innerste eingehen und von hier aus eine Entscheidung fällen oder sind sie nur zu mehr oder minder oberflächlichen Entscheidungen fähig? Die Antwort läßt sich nicht in einem einfachen Ja oder Nein geben.

Der Wesensbau der Seele — ihre größere und geringere Tiefe, auch das Innerste — besteht von Natur aus, und in ihm ist, gleichfalls natürlicherweise, die Bewegung des Ich in diesem *Raum* als Wesensmöglichkeit begründet. Es nimmt bald da, bald dort Aufstellung, je nach den *Beweggründen*, die an es herantreten. Aber es unternimmt seine Bewegungen von einem Standort aus, wo es sich vorzugsweise aufhält. Dieser Standort nun ist nicht überall der gleiche, sondern bei verschiedenen Menschentypen typisch verschieden. Der sinnliche Genußmensch ist zumeist in einen Sinnengenuß versenkt oder damit beschäftigt, sich einen Genuß zu verschaffen; sein Standort ist sehr weit von seinem Innersten entfernt. Der Wahrheitsucher lebt vorwiegend im Herzpunkt der forschenden Verstandestätigkeit; wenn es ihm wirklich um *die* Wahrheit zu tun ist (nicht um ein bloßes Sammeln von Einzelerkenntnissen), dann ist er vielleicht dem Gott, der die Wahrheit ist, und damit seinem eigenen Innersten, näher als er selbst weiß. Wir wollen diesen zwei Beispielen nur noch ein drittes beifügen, das von besonderer Bedeutung zu sein scheint: den „Ichmenschen", d.h. den, für den das eigene Ich im Mittelpunkt steht; es

---

[129] *Lebendige Liebesflamme*, Erklärung zu Str. 1 V. 3, *Obras* IV 12 ff. u. 113 ff.

[130] a. a. O. Str. 3 V. 4, *Obras* IV 84 ff. u. 195 ff.

mag dem oberflächlichen Blick scheinen, als sei ein solcher Mensch seinem Innersten besonders nahe, und doch ist vielleicht für keinen andern Typus der Weg dorthin so verbaut wie für diesen. (Etwas davon hat jeder Mensch in sich, solange er nicht die *Dunkle Nacht* bis ans Ende durchlitten hat.) Wir haben für alle diese Typen die Möglichkeiten der Ichbewegung, die Möglichkeiten der freien Entscheidung und die Möglichkeit, ins Innerste zu gelangen, zu untersuchen.

Wenn an den Sinnenmenschen, der einem Genuß hingegeben ist, die Möglichkeit herantritt, sich einen größeren Genuß zu verschaffen, so wird er vielleicht ohne weiteres, ohne Überlegung und Wahl vom Genuß zum Handeln übergehen. Es findet eine Bewegung statt, aber keine eigentliche freie Entscheidung; auch kein Durchbruch zu größerer Tiefe, wenn die *Reize* in derselben Ebene liegen. Es kann aber auch an den Sinnenmenschen etwas herantreten, was einem völlig andern Wertgebiet angehört — kein Typus ist ausschließlich auf ein Gebiet festgelegt, es hat nur jeweils eines das Übergewicht gegenüber den andern. Er kann z.B. aufgefordert werden, auf einen Genuß zu verzichten, um einem andern Menschen zu helfen. Hier wird die Lösung schwerlich ohne eine freie Entscheidung erfolgen. Jedenfalls wird der Sinnenmensch nicht wie selbstverständlich zu einem Verzicht kommen, sondern sich dazu aufraffen müssen. Lehnt er ab — nach einiger Erwägung oder mit einem unmittelbaren „Kommt-gar-nicht-in-Frage" —, so liegt auch darin ein Willensentscheid. Als Grenzfall ist ein Verbleiben im Genuß ohne Ablehnen des Verzichts denkbar: dort, wo der Geist im Sinnenleben so erstickt ist, daß die Forderung ihn gar nicht mehr erreichen kann; die Worte werden gehört, vielleicht wird auch noch die unmittelbare Wortbedeutung verstanden, aber die tiefere Aufnahmestelle für den eigentlichen Sinn ist verschüttet. In diesem Grenzfall kommt nicht nur die einzelne freie Entscheidung nicht zustande, sondern es ist die Freiheit selbst zuvor schon preisgegeben. Bei der Ablehnung ist der Sinn wohl erfaßt, wenn auch wahrscheinlich nicht in seiner vollen Tragweite erwogen. In diesem Nicht-in-voller Tragweite-Erwägen liegt die Oberflächlichkeit der Entscheidung und damit zugleich die Einschränkung der Freiheit. Man läßt gewisse Beweggründe nicht mit ihrem vollen Gewicht an sich herantreten und hütet sich selbst vor dem Zurückgehen in jene Tiefe, wo diese Beweggründe angreifen könnten. Damit gibt man sich aber einem einzelnen Bereich zur Bestimmung preis, man bekommt sich selbst, d.h. alle tieferen Schichten des eigenen Wesens, gar nicht in die Hand und beraubt sich zugleich der Möglichkeit, in Erwägung der wahren Sachlage, d.h. wahrhaft vernunftsgemäß und wahrhaft frei, Stellung zu nehmen. Neben diesem oberflächlichen Ablehnen ist freilich auch ein sachgemäßeres denkbar: ein Ablehnen, das die Forderung, Hilfe zu leisten, mit ihrem vollen Gewicht auf die Seele wirken läßt und ins Auge faßt, doch sich genötigt sieht, sie nach Erwägung aller Gründe und Gegengründe als unberechtigt abzuweisen. Eine solche Ablehnung steht auf gleicher Stufe mit einem Willfahren nach sachlicher Abwägung der Gründe und Gegengründe. Beides ist nur möglich, wenn der Sinnenmensch seine Haltung *als* Sinnenmensch aufgibt und in die *ethische* Haltung übergeht, d.h. in die Einstellung, die das erkennen und tun will, was sittlich recht ist. Dazu muß er aber sehr tief in sich selbst Stellung nehmen: so tief, daß der Übergang einer förmlichen Umwandlung des Menschen gleichkommt und vielleicht natürlicherweise gar nicht möglich ist, sondern nur auf Grund einer außerordentlichen *Erweckung*. Ja, wir dürfen wohl sagen: eine *letztlich* sachgemäße Entscheidung ist nur aus der letzten Tiefe möglich. Denn kein Mensch ist natürlicherweise in der Lage, *alle* Gründe und Gegengründe zu übersehen, die bei einer Entscheidung mitsprechen. Man kann nur nach bestem Wissen und Gewissen entscheiden, soweit der eigene Gesichtskreis reicht. Der gläubige Mensch aber weiß, daß es Einen gibt, dessen Blick durch keinen Gesichtskreis eingeengt ist, sondern wahrhaft alles umfaßt und durchschaut. Wer in dieser Glaubensgewißheit lebt, dessen Gewissen kann sich darum nicht mehr bei dem eigenen besten Wissen beruhigen. Er muß danach trachten zu erkennen, was in Gottes Augen das Rechte ist. (Darin liegt, daß erst die religiöse Haltung die wahrhaft ethische ist. Es gibt wohl ein natürliches Suchen und Sehnen nach dem Rechten und Guten, auch ein Finden im einzelnen Fall, aber es wird erst im Suchen nach dem göttlichen Willen wahrhaft zu sich selbst kommen.) Wer von Gott selbst hineingezogen worden ist in das eigene Innerste und sich Ihm hingegeben hat in der Liebesvereinigung, für den ist die Frage ein für allemal gelöst; er braucht sich nur noch lenken und leiten zu lassen von Gottes Geist, der ihn spürbar antreibt, und hat dann immer und überall die Gewißheit, das Rechte zu tun. In der großen Entscheidung, die er in höchster Freiheit getroffen hat, sind alle künftigen eingeschlossen und können dann im gegebenen Fall wie selbstverständlich erfolgen. Aber von dem einfachen Suchen nach der rechten Entscheidung im einzelnen Fall bis zu dieser Höhe ist ein weiter Weg — wenn überhaupt ein Weg dahin führt. Wer nur hier und jetzt das Rechte sucht und so entscheidet, wie er es zu erkennen glaubt, der ist eben damit auf dem Wege zu Gott und auf dem Wege zu sich selbst, auch wenn er es nicht weiß. Aber er hat sich selbst noch nicht so in der Hand, wie man sich erst in der letzten Tiefe in die Hand bekommt; er kann darum über sich selbst nicht voll verfügen und hat auch den *Sachen* gegenüber nicht die vollkommen freie Entscheidung. Wer *grundsätzlich* das Rechte sucht, d. h. wer gewillt ist, es immer und überall zu tun, der hat über sich selbst entschieden und seinen Willen hineingestellt in den göttlichen Willen, auch wenn ihm noch nicht klar ist, daß das Rechte zusammenfällt mit dem, was Gott will. Aber wenn ihm das nicht klar ist, so fehlt ihm noch der sichere Weg, um das Rechte zu finden; und er hat über sich verfügt, als hätte er sich schon in der Hand, obwohl ihm die letzten Tiefen des eigenen Innern noch nicht aufgegangen sind. Die letzte Entscheidung wird erst Auge in Auge mit Gott möglich. Wenn aber jemand im Glaubensleben so weit gekommen ist, daß er sich ganz für Gott entschieden hat und nichts mehr will, als was Gott will, ist er dann nicht im Innersten angekommen und besteht dann noch ein Unterschied zur höchsten Liebesvereinigung? Es ist sehr schwer, hier die Grenzlinie zu ziehen, auch sehr schwer zu erkennen, wie der hl. Vater Johannes sie zieht; und doch scheint es mir — sachlich und in seinem Sinne — notwendig, eine Grenzlinie anzuerkennen und zur Abhebung zu bringen. Wer wirklich nichts anders mehr will, als Gott will, in blindem Glauben, der hat die höchste Stufe erreicht, die der Mensch mit Gottes Gnade erringen kann: sein Wille ist völlig gereinigt und frei von aller Bindung durch irdische Antriebe, er ist durch freie Hingabe mit dem göttlichen Willen geeint. Und doch fehlt noch etwas Entscheidendes zur höchsten Liebesvereinigung, der mystischen Vermählung.

Die verschiedenen Arten der Vereinigung mit Gott

Wir müssen hier daran erinnern, daß Johannes drei Arten der Vereinigung mit Gott unterschieden hat[131]: durch die erste wohnt Gott wesenhaft in allen geschaffenen Dingen und erhält sie dadurch im Sein; unter der zweiten ist das gnadenhafte Innewohnen in der Seele zu verstehen, unter der dritten die umgestaltende, vergöttlichende Vereinigung durch die vollkommene Liebe. Zwischen der zweiten und dritten Art möchte Johannes an der genannten Stelle nur einen Gradunterschied sehen. Wenn wir aber andere Stellen zu

---

[131] *Aufstieg*, B. II Kap. 4, E. Cr. 1 111 ff. Dabei ist nur an dieses Leben gedacht, nicht an die Vereinigung in der Glorie, die immer noch davon unterschieden wird.

Hilfe nehmen und alles in allem erwägen, so scheint ein Artunterschied vorzuliegen und innerhalb jeder Art noch eine Stufenfolge. Im *Geistlichen Gesang* z.B. erwähnt der Heilige dieselbe Dreiteilung, ohne von einem bloßen Grandunterschied zwischen gnadenhafter und Liebesgegenwart zu sprechen. Vielmehr betont er dort das wahrnehmbare Fühlen des gegenwärtigen höchsten Gutes in der Liebesvereinigung und seine Wirkung: das brennende Verlangen nach der unverhüllten, seligen Gottesschau [132].

Auch die hl. Mutter *Teresia* hat sich mit der Frage viel beschäftigt. Sie sagt in der *Seelenburg* [133], sie sei durch das Gebet der Vereinigung zur Erkenntnis der Glaubenswahrheit gekommen, daß Gott in jedem Ding sei durch Sein Wesen, Seine Gegenwart und Seine Macht. Vorher habe sie nur um das Innewohnen durch die Gnade gewußt. Sie habe dann verschiedene Theologen befragt, um sich Klarheit über ihre Entdeckung zu verschaffen. Ein „Halbgelehrter" wußte auch nur um das Innewohnen durch die Gnade. Aber andere konnten ihr als Glaubenswahrheit bestätigen, was ihr im Erlebnis der Vereinigung aufgeleuchtet war. Vielleicht wird es uns zu größerer sachlicher Klarheit verhelfen, wenn wir versuchen, die beiden augenscheinlich so verschiedenen Darstellungen der Ordenseltern gegeneinander abzuwägen.

Sie stimmen überein in der Glaubenswahrheit, die dem Theologen Johannes geläufig war, während Teresia sie erst entdecken mußte: Gott der Schöpfer ist in jedem Ding gegenwärtig und erhält es im Dasein; Er hat ein jedes vorausgeschaut und kennt es durch und durch mit allen seinen Wandlungen und Schicksalen. Er kann mit jedem, kraft Seiner Allmacht, in jedem Augenblick tun, was Ihm gefällt. Er kann es seiner Eigengesetzlichkeit und dem normalen Lauf des Geschehens überlassen. Er kann auch mit außerordentlichen Maßnahmen eingreifen. In dieser Weise wohnt Gott auch in jeder Menschenseele. Er kennt eine jede von Ewigkeit her, mit allen Geheimnissen ihres Wesens und jedem Wellenschlag ihres Lebens. Sie ist in Seiner Macht; es steht bei Ihm, ob Er sie sich selbst und dem Lauf der Welt überlassen oder mit starker Hand in ihr Geschick eingreifen will. Ein solches Wunder Seiner Allmacht ist die Neugeburt einer Seele durch die heiligmachende Gnade. Johannes und Teresia stimmen wiederum darin überein, daß das gnadenhafte Innewohnen Gottes ein anderes ist als das seinserhaltende Gegenwärtigsein, das allen Geschöpfen gemeinsam ist. Mit „Wesen, Gegenwart

---

[132] a. a. O. Erklärung zu Str. II, *Obras* III 245 ff.
[133] 5. Wohnung 1. Hauptstück (a. a. O. S. 91 ff.).

und Macht" kann Gott in der Seele sein, ohne daß sie es weiß und will, auch wenn sie in Sünden verhärtet in äußerster Gottferne lebt; es ist möglich, daß sie keinerlei Wirkung Seiner Gegenwart verspürt. Das gnadenhafte Innewohnen ist nur bei persönlich-geistigen Wesen möglich, denn es fordert die freie Annahme der heiligmachenden Gnade durch den Empfänger. (Bei der Kindertaufe wird dieser freie Empfang stellvertretenderweise von Erwachsenen vollzogen und später persönlich nachgeholt durch das ganze Glaubensleben des Getauften und in ausdrücklichen Worten durch die Erneuerung der Taufgelübde). Darin liegt eingeschlossen, daß Gott in dieser zweiten Weise in keiner sündhaften, gottabgewandten Seele wohnen kann. Die *heiligmachende Gnade* hat ja ihren Namen daher, daß sie die Sünde tilgt.

Daß das gnadenhafte Innewohnen bei unpersönlichen, d.h. untermenschlichen Wesen nicht möglich ist, das ist in seinem eigenen Wesen begründet. Es bedeutet ein dauerndes Einströmen des göttlichen Seins und Lebens in die begnadigte Seele. Dieses Sein ist aber persönliches Leben und kann nur da einströmen, wo Ihm persönlich aufgetan wird. Eben darum ist der Empfang der Gnade nicht ohne freie Annahme möglich. Es vollzieht sich damit ein Ineinandersein, wie es nur dort möglich ist, wo ein wahrhaft *inneres Sein*, d.h. ein geistiges, vorhanden ist. Nur was geistig lebt, kann geistiges Leben in sich aufnehmen. Die Seele, in der Gott durch die Gnade wohnt, ist kein unpersönlicher Schauplatz des göttlichen Lebens, sondern wird selbst in dieses Leben hineingezogen. Das göttliche Leben ist dreipersönliches Leben; es ist die überströmende Liebe, womit der Vater den Sohn erzeugt und Ihm Sein Wesen hingibt, womit der Sohn dies Wesen umfaßt und wiederum dem Vater hingibt, die Liebe, in der Vater und Sohn eins sind, die beide gemeinsam als Ihren Geist aushauchen. Durch die Gnade ist dieser Geist ausgegossen in die Herzen. So lebt die Seele ihr Gnadenleben durch den Heiligen Geist, sie liebt in Ihm den Vater mit der Liebe des Sohnes und den Sohn mit der Liebe des Vaters. Dieses Mitleben des trinitarischen Lebens kann sich vollziehen, ohne daß die Seele das Innewohnen der göttlichen Personen in sich wahrnimmt. In der Tat ist es ja nur eine kleine Zahl Auserwählter, die zu einem wahrnehmungsmäßigen Erfassen der dreifaltigen Gottheit in ihrem Innersten kommt. Bei einer größeren Anzahl führt ein erleuchteter Glaube zu einem lebendigen Wissen um dieses Innewohnen und zu einem liebenden Verkehr mit den göttlichen Drei im reinen Glauben. Wer noch nicht zu dieser hohen Stufe gelangt ist, der ist doch durch Glauben, Hoffnung und Liebe mit Gott verbunden, auch wenn er sich nicht darüber klar ist.

daß Gott in seinem Innersten lebt und daß er Ihn dort finden kann; daß all sein Gnaden- und Tugendleben Auswirkung dieses göttlichen Lebens in ihm und sein Anteil daran ist. Lebendiger Glaube ist feste Überzeugung, daß Gott ist, Für-wahr-Halten alles dessen, was Gott geoffenbart hat, und liebende Bereitschaft, sich vom göttlichen Willen leiten zu lassen. Als von Gott eingegossene, übernatürliche Erkenntnis Gottes ist er ein „Anfang des ewigen Lebens in uns" [134] — aber nur ein *Anfang.* Durch die heiligmachende Gnade ist er als ein Samenkorn in uns gelegt; es soll unter unserer sorgsamen Pflege aufsprießen zu einem großen Baum mit herrlichen Früchten. Er ist ja der Weg, der uns schon in diesem Leben zur Vereinigung mit Gott führen soll, wenn auch die höchste Vollendung erst dem andern Leben angehört. Nun stehen wir vor der großen Aufgabe festzustellen, wodurch sich die Liebesvereinigung von dem gnadenhaften Innewohnen unterscheidet. An diesem Punkte gehen die Darstellung der hl. Mutter Teresia und die des hl. Vaters Johannes auseinander.

Die heilige Mutter meint im Gebet der Vereinigung die *erste* Art des Innewohnens erfaßt zu haben, das vom gnadenhaften Innewohnen unterschieden ist, während nach dem *Aufstieg* die Vereinigung durch die Liebe als ein höherer Grad der gnadenhaften Vereinigung in Anspruch zu nehmen ist. Übrigens kennt auch die Heilige eine Vereinigung mit Gott, die rein durch unermüdliches Mitwirken der Gnade zu erreichen ist, durch Abtötung der Natur und vollkommene Übung der Gottes- und Nächstenliebe. Sie betont das mit allem Nachdruck zum Trost derer, die nicht zu dem gelangen, was man *Gebet der Vereinigung* nennt [135]. Aber vorher hat sie mit ebenso großem Nachdruck und mit aller wünschenswerten Klarheit dargelegt, daß das *Gebet der Vereinigung* keineswegs durch eigenes Bemühen zu erlangen ist [136]. Es ist ein Hingerissenwerden der Seele durch Gott, das sie für die Dinge der Welt ganz empfindungslos macht, während sie für Gott ganz wach ist. Sie ist „wie von Sinnen", sodaß sie an nichts denken kann. „. . . . Hier liebt sie nur, weiß aber. . . . nicht einmal, wie sie liebt, noch, was das ist, was sie liebt. . . . Der Verstand möchte sich mit voller Hingabe damit beschäftigen, etwas von den Empfindungen der Seele zu begreifen; da aber seine Kräfte dies nicht vermögen, ist er von Staunen so hingerissen, daß er weder Hand noch Fuß bewegt. . . ." Dabei wirkt Gott in der Seele, „ohne von jemand, ja ohne von uns selbst gehindert

---

[134] *Quaestiones disputatae de veritate,* q 19 a 2 c., Edith Steins Werke, Bd. IV.
[135] Vgl. *Seelenburg,* 5. Wohnung 3. Hauptstück (a. a. O. S. 103 ff.).
[136] *Seelenburg,* 5. Wohnung 1. und 2. Hauptstück (a. a. O. S. 85 ff.).

zu werden". Und was Er darin wirkt, übersteigt alle Freuden und alle Ergötzungen und alle Beseligung der Erde". Dieser Zustand dauert nur kurze Zeit (kaum mehr als eine halbe Stunde). Aber die Art, wie Gott dabei in der Seele verweilt, ist derart, „daß sie, wenn sie wieder zu sich kommt, durchaus nicht daran zweifeln kann, sie sei in Gott und Gott in ihr gewesen. An dieser Wahrheit hält sie mit solcher Sicherheit fest, daß sie sie nie vergißt und nie daran zweifeln kann, auch wenn ihr Gott diese Gnade jahrelang nicht wieder erweist. Und dies geschieht ganz abgesehen von den Wirkungen, die in der Seele zurückbleiben". Solange der geheimnisvolle Vorgang dauerte, hat sie Ihn nicht wahrgenommen. Aber nachher hat sie Seine Wirklichkeit sicher erkannt. Sie hat Ihn nicht klar geschaut, „aber es bleibt ihr davon eine Gewißheit, die Gott allein geben kann." Es handelt sich dabei um nichts Körperliches wie bei der unsich. baren Gegenwart Christi im Allerheiligsten Sakrament. Es ist allein die Gottheit gegenwärtig. „Aber wie können wir eine solche Gewißheit über das haben, was wir nicht sehen? Daß weiß ich nicht, das sind Gottes Werke; aber ich weiß, daß ich die Wahrheit sage .... Es genügt uns zu wissen, daß der, von dem diese Gunstbezeugungen ausgehen, allmächtig ist. Soviel wir uns auch anstrengen mögen, wir sind doch in keiner Weise imstande, sie aus eigener Kraft zu erwerben; nur Gott kann sie geben. Darum wollen wir uns auch nicht bemühen, sie zu begreifen".

Ohne es zu wollen, hat die heilige Mutter aber doch einige Deutungsversuche unternommen. Eine Deutung war es, wenn sie das Innewohnen Gottes, das sie mit so unumstößlicher Gewißheit erfuhr, als jenes Innewohnen auffaßte, das allen Geschöpfen gemeinsam ist. Eine Deutung liegt auch in der Bemerkung: „Wenn jemand diese Gewißheit nicht hat, so möchte ich nicht sagen, die ganze Seele sei mit Gott vereint gewesen, sondern nur irgendeine ihrer Fähigkeiten, oder sie sei mit einer anderen der vielen Arten von Gunstbezeugungen begnadigt worden, die Gott der Seele zu erweisen pflegt". Bei der wahren Vereinigung sei Gott mit dem Wesen der Seele verbunden.

Für uns ist es überaus wertvoll, daß Teresia in aller Unbefangenheit beschreibt, was sie erfahren hat; unbekümmert um die Möglichkeit einer theoretischen Erklärung des Erfahrenen; unbekümmert auch um die Beurteilung, die ihre Darstellung finden mochte. Ihre treue Beschreibung kann uns vielleicht zu der Erkenntnis verhelfen, welche Art des Innewohnens hier vorliegt, und uns damit zugleich eine Beurteilung ihres eigenen Deutungsversuchs ermöglichen. *Die Seele hat die Gewißheit, daß sie in Gott war und Gott in ihr.*

Diese Gewißheit ist ihr aus dem Erlebnis der Vereingung mit Gott zurückgeblieben. Sie hat in diesem Erlebnis selbst, es wesenhaft mit-aufbauend, gelegen, wenn sie auch hinterher erst zur Abhebung ge-bracht werden kann. Das Bewußtsein der Vereinigung tritt nicht von außen zu der Vereinigung hinzu, sondern gehört zu ihr selbst. Wo ein solches Bewußtsein und eine nachträgliche hervortretende Gewißheit unmöglich ist — wie bei einem Stein oder einer Pflan-ze —, da kann auch nicht dieselbe Art der Vereinigung oder des In-newohnens vorliegen. Es ist also in der Tat eine andere Art des Inne-wohnens als die allen Geschöpfen gemeinsame, was Teresia im Ge-bet der Vereinigung erfahren hat. Und diese neue Art des Innewoh-nens ist auch dort, wo sie grundsätzlich möglich ist, tatsächlich nicht immer vorhanden. Das bringt die Heilige selbst zum Aus-druck, wenn sie sagt, die Seele sei gewiß, daß sie in Gott *war* und Gott in ihr. Es war ein Zustand, der vorüberging. Das Innewohnen durch „Gegenwart, Wesenheit und Macht" aber setzt keinen Augen-blick aus, solange ein Ding existiert. Sein Aussetzen würde für das Ding das Versinken ins Nichts bedeuten.

So halten wir mit Johannes vom Kreuz fest, daß das Innewohnen der Liebesvereinigung ein anderes ist als jenes, das alle Dinge im Sein erhält.

Auf der andern Seite tritt in der Darstellung der heiligen Mutter mit aller Schärfe und Klarheit hervor, daß es sich um ein Innewoh-nen handelt, das von dem gnadenhaften der Art nach, nicht nur gradmäßig verschieden ist. Sie fordert ihre Töchter nachdrücklichst auf, sich mit allen Kräften um die höchste Stufe des Gnadenlebens zu bemühen, die durch treues Mitwirken mit der Gnade zu erreichen ist: die vollkommene Vereinigung des menschlichen Willens mit dem göttlichen durch die vollkommene Übung der Gottes- und Näch-stenliebe. Aber ebenso entschieden erklärt sie es für sinnlos, sich um jene Vereinigung zu bemühen, die Gott allein geben kann. Niemals wird man durch eigene, wenn auch von der Gnade getragene An-strengung dahin gelangen, Gottes Gegenwart und das Einssein mit Ihm als lebendige Wirklichkeit zu spüren. Niemals wird gnadenge-stützte Willensarbeit die wunderbare Wirkung hervorbringen, die sich in der kurzen Zeitspanne einer Vereinigung vollzieht: die Seele so umzuwandeln, daß sie sich selbst kaum noch wiedererkennt; die Raupe in einen Schmetterling zu verwandeln. Eigene Arbeit ver-langt viele Jahre harten Ringens, um Ähnliches zustandezubringen.

Das Gebet der Vereinigung ist noch nicht *die* Vereinigung, die Johannes als Ziel der *Dunklen Nacht* immer vor Augen hat. Es ist Vorbote und Vorstufe dazu. Es dient dazu, die Seele zur vollkommenen Hingabe an Gott bereit zu machen und ein brennendes Verlangen nach der Wiederkehr der Vereinigung und nach ihrem dauernden Besitz zu erwecken. Das zeigt sich klar in der 5. und 6. Wohnung der *Seelenburg,* wo die Vorbereitung und der Vollzug der *geistlichen Verlobung* geschildert wird. Die entsprechende Darstellung findet sich im *Geistlichen Gesang* in der Erklärung der 13. und 14. Strophe. An diesen beiden Stellen geben Johannes und Teresia übereinstimmend an, daß die Verlobung in einer Verzückung stattfindet. Gott reißt die Seele mit großer Gewalt an sich, sodaß die Natur fast darunter erliegt. Die hl. Mutter betont darum, daß großer Mut dazu gehöre, diese Verlobung abzuschließen. Und im *Geistlichen Gesang* entschlüpft den Lippen der erschreckten Braut die Bitte, der Geliebte möge Seine Augen abwenden, als Er ihr plötzlich den so lange ersehnten und erflehten Blick gewährt. Dazu steht in einem gewissen Widerspruch, wenn wir bei Johannes an anderer Stelle lesen, der Besitz durch die Gnade und der Besitz durch die Vereinigung verhielten sich zueinander wie Verlobung und Vermählung. Das eine bedeute das, was man durch den Willen und die Gnade erlangen könne — die völlige Übereinstimmung des menschlichen Willens mit dem göttlichen bei vollkommener Reinigung der Seele —, das andere die wechselseitige restlose Hingabe und Vereinigung [137]. Dieser Widerspruch läßt sich zum Teil rein terminologisch erklären: der Ausdruck *Verlobung* wird offenbar an den beiden Stellen nicht im selben Sinn gebraucht. Darüber hinaus aber liegt ein sachlicher Unterschied vor: das eigentlich Mystische scheint einmal auf die höchste Stufe eingeschränkt, während es in der andern Darstellung schon früher einsetzt [138]. Entscheidend ist aber für die Frage, die uns bei all diesen Erwägungen leitet, daß Johannes hier jedenfalls für die höchste Stufe einen wesentlichen Unterschied zwischen dem Äußersten, was durch Gnade und Willen zu erreichen ist, und der mystischen Vermählung deutlich zum Ausdruck bringt. Damit ist offenbar jene Darstellung des *Aufstiegs* überwunden, die zwischen gnadenhafter und mystischer Vereinigung nur einen Gradunterschied sehen wollte. Überdies lassen sich aber in allen seinen Schriften Stellen aufweisen, die deutlich zeigen, daß der Einsatz des eigentlich Mystischen schon auf sehr viel tieferer Stufe zu suchen ist. Wir erinnern nur an jene *Berührungen* im Wesen der Seele, von denen im *Aufstieg* [139] die Rede ist. Es wird von ihnen gesagt,

---

[137] *Lebendige Liebesflamme,* Erklärung zu Str. 3 V. 3, *Obras IV* 54 ff. u. 160 ff.
[138] Wir werden später sehen, daß auch innerhalb des *Geistlichen Gesanges* die Darstellung nicht ganz einheitlich ist.
[139] B. II Kap. 30, *E. Cr.* I 264 ff.

daß darin der Verstand in erhabener und wonnevoller Weise Gott verspüre, daß sie in gar keinem Verhältnis zu den Werken der Seele stünden, daß man sich nur dafür bereiten, aber sie sich in keiner Weise verschaffen könne, daß sie rein passiv empfangen würden und zur Vereinigung mit Gott hinführen sollten. Das alles weist auf etwas hin, was außerhalb des *normalen Gnadenweges* liegt: eine vorübergehende Vereinigung, die einen Vorgeschmack der dauernden gibt.

Wie ist es zu verstehen, daß sich Johannes vom Kreuz in dieser entscheidenden Frage nicht klar und eindeutig ausgesprochen hat? Um das bestimmt zu beantworten, müßten wir mehr von dem persönlichen Leben des schweigsamen Heiligen wissen, als er durch seine Schriften verraten und seinen Zeitgenossen anvertraut hat. Nur als Möglichkeiten können wir aussprechen, was die Geschichte seiner Zeit und die neueren Forschungen über die Textgeschichte seiner Werke nahelegen [140]. Die großen religiösen Kämpfe der Zeit, die immer weiter um sich greifenden Irrlehren, die Gefahren eines ungesunden Mystizismus hatten zu einer scharfen Überwachung des religiösen Schrifttums geführt. Jeder, der über Fragen des inneren Lebens schrieb, mußte damit rechnen, daß die Inquisition auf ihn und seine Werke ihre Hand legte. Es wäre denkbar, daß Johannes aus Vorsicht darauf bedacht gewesen wäre, seine eigene Lehre gegenüber dem Illuminatentum scharf abzugrenzen (wie es an manchen Stellen offenbar geschieht) und den mystischen Werdegang in möglichst nahe Verbindung mit dem *normalen Gnadenweg* zu bringen. Daß bei der Herausgabe seiner Schriften eine solche Absicht maßgebend gewesen ist, hat die Nachprüfung der älteren Ausgaben an den Handschriften und der Vergleich der Handschriften untereinander erwiesen. *Liebesflamme* und *Geistlicher Gesang* liegen uns handschriftlich in doppelter Fassung vor. Die späteren Bearbeitungen zeigen das Bestreben, durch Abschwächung kühner Ausdrücke und eingefügte Erläuterungen einer Mißdeutung vorzubeugen. Gehen diese Änderungen auf den Heiligen selbst zurück oder sind sie von einer fremden Hand vorgenommen? *Aufstieg* und *Nacht* sind handschriftlich nur in einer Fassung überliefert. Der Unterschied zwischen diesen Handschriften und allen älteren Druckausgaben bis zu der ersten kritischen von P. *Gerado* (ebenso der Unterschied zwischen den alten Druckausgaben der *Liebesflamme* und der ersten handschriftlichen Fassung, auf die sie sich stützen) ist aber so er-

---

[140] Vgl. dazu BARUZI, B. I.: *Die Texte, sowie die Einleitungen in der neuesten kritischen Ausgabe von P. Silverio.*

heblich, daß hier die Verstümmelung durch fremde Hände unleugbar ist. *Aufstieg* und *Nacht* liegen uns als Bruchstücke vor. In beiden Fällen fehlen die Teile, in denen die Vereinigung ausführlich zur Sprache kommen sollte und die Fragen, die uns jetzt beschäftigen, Klärung finden mußten. Sind diese Teile nie geschrieben worden oder wurden sie in den Abschriften unterdrückt? (Alle vier großen Traktate liegen nur in Abschriften vor, von keinem haben wir die Urschrift; nur eine Abschrift des *Geistlichen Gesanges* enthält Korrekturen von der Hand des Heiligen.) Und geschah eine solche Unterdrückung nach der Weisung des Verfassers oder hat ein fremder Wille so verfügt? Auf alle diese Fragen haben wir keine Antwort.

In dem Verlangen, zur Klarheit zu kommen, haben wir zu den unbefangenen Beschreibungen unserer heiligen Mutter unsere Zuflucht genommen. Sie geben uns Sicherheit, wo die verschiedenen Formulierungen bei Johannes vom Kreuz Zweifel in uns aufsteigen lassen. Sie sind nicht nur als völlig unverfälschte Tatsachenberichte von unschätzbarem Wert eine Unterlage, um zu eigenem theoretischen Verständnis zu gelangen. Wir haben auch das Recht anzunehmen, daß die beiden Heiligen — bei aller Verschiedenheit des Charakters, der schriftstellerischen Eigenart, auch des Heiligkeitstypus und der Bewertung der außerwesentlichen mystischen Gnaden — in der wesentlichen Auffassung des inneren Lebens eines Sinnes waren. Die *Seelenburg* und auch die Schriften des hl. Vaters Johannes sind abgefaßt, nachdem beide jahrelang in Avila in vertrautem Gedankenaustausch gelebt hatten. Die heilige Mutter hat daraufhin ihren jungen Mitarbeiter den „Vater ihrer Seele" genannt [141] und Johannes hat gelegentlich auf ihre Schriften verwiesen, um sich Ausführungen zu ersparen, die man dort finden konnte [142]. Wenn wir also in ihrer Darstellung der verschiedenen Stufen der mystischen Vereinigung etwas finden, was unverkennbar von der Vereinigung durch die Gnade artmäßig verschieden ist, so dürfen wir der Überzeugung sein, daß wir etwas vor uns haben, was durch Johannes vom Kreuz gebilligt worden ist. Wir kommen also durch die Zusammenfassung der Ausführungen beider Ordenseltern zu einer Befestigung der Auffassung, daß die drei genannten Weisen des Innewohnens Gottes nicht nur Gradabstufungen, sondern artmäßig verschieden

---

[141] Brief an *Anna von Jesus*, 265. Brief; Neue deutsche Ausgabe der Schriften, B. IV, München 1939, S. 105.

[142] *Geistlicher Gesang*, Erklärung zu Str. 12 (13) V. 2, *Obras III* 59 u. 262. (Die Zählung ist in den beiden Fassungen verschieden, weil in B. eine Strophe — Str. 11 — eingefügt ist.)

sind, und suchen die sachlichen Unterschiede jetzt noch etwas schärfer herauszuarbeiten.

Es ist derselbe Eine Gott in drei Personen, der in allen drei Weisen gegenwärtig ist, und Sein unwandelbares Sein ist in allen drei Weisen dasselbe. Und doch ist das Innewohnen verschieden, weil das, worin die eine und selbe, unveränderte Gottheit wohnt, jedesmal anders geartet ist: dadurch wird das Innewohnen selbst abgewandelt [143]. Die erste Art des Innewohnens — oder besser: der göttlichen Gegenwart, da es noch kein *Inne*wohnen im eigentlichen Sinne ist — erfordert von dem, worin Gott gegenwärtig ist, nichts anderes als das Unterworfensein unter Gottes Wissen und Macht sowie die Bedingtheit durch das göttliche Sein. Das alles ist allem Geschaffenen gemeinsam. Göttliches und geschöpfliches Sein bleiben dabei völlig getrennt; es besteht zwischen ihnen nur die Beziehung einseitiger Seinsabhängigkeit, die kei eigentliches Ineinander — eben darum kein eigentliches *Inne*wohnen — bedeutet. Denn zum Innewohnen gehört auf beiden Seiten ein *inneres Sein*, d.h. ein Sein, das sich selbst innerlich umfaßt und anderes Sein in sich aufnehmen kann, sodaß ohne Aufhebung der Selbständigkeit des aufgenommenen und des aufnehmenden Seienden eine Einheit des Seins entsteht. Das ist nur bei geistigem Sein möglich: nur Geistiges ist in sich selbst und kann anderes — wiederum Geistiges — in sich aufnehmen. Nur das ist wahrhaftes Innewohnen. Das gnadenhafte Innewohnen ist schon etwas von der Art. Wer Gottes Sein, Wissen und Macht nicht ohne eigenes Wissen und Wollen unterworfen ist, sondern dazu Ja sagt, der nimmt Gott in sich auf, sein Sein wird vom göttlichen Sein durchdrungen. Aber diese Durchdringung ist keine vollständige. Sie geht nur soweit, wie die Aufnahmefähigkeit des Aufnehmenden es zuläßt. Um vollständig vom göttlichen Sein durchdrungen zu werden — darin besteht die vollkommene Liebesvereinigung —, muß die Seele gelöst sein von jeglichem andern Sein: leer von allen andern Geschöpfen und von sich selbst, wie der hl. Vater Johannes so eindringlich dargelegt hat. Liebe in ihrer höchsten Erfüllung ist das Einssein in freier wechselseitiger Hingabe: das ist das innertrinitarische göttliche Leben. Abzielen auf diese Erfüllung ist die aufstrebende, verlangende, geschöpfliche Liebe (*amor*, ἔρως) und die barmherzig sich herabneigende Liebe Gottes zu den Geschöpfen (*caritas*,

---

[143] Wenn bei einem und demselben geschöpflichen Seienden das Innewohnen sich abwandelt, so ist es in der Tat eine *Abwandlung*, nicht ein Hinzutreten der einen Art zur andern: wenn eine Seele die heiligmachende Gnade empfängt, so wohnt Gott nicht jetzt auf zwei verschiedene Weisen in der Seele, sondern Wesenhaftes und gnadenhaftes Innewohnen sind eins.

ἀγάπη. Wo diese beiden sich begegnen, da kann sich die Vereinigung fortschreitend vollziehen: auf Kosten dessen, was ihr noch im Wege steht, und in dem Maße, in dem es verzehrt wird. Das geschieht, wie wir wissen, durch die *Dunkle Nacht* in aktiver und passiver Weise. Durch die selbsttätige Reinigung geht der menschliche Wille mehr und mehr in den göttlichen ein, aber so, daß der göttliche nicht als gegenwärtige Wirklichkeit gespürt, sondern im blinden Glauben angenommen wird. Hier ist in der Tat nur ein gradweiser Unterschied zwischen dem gnadenhaften Innewohnen und der Liebesvereinigung. In der leidend erfahrenen Läuterung durch das verzehrende göttliche Liebesfeuer dagegen durchdringt der göttliche Wille den menschlichen mehr und mehr, indem er sich zugleich als gegenwärtige Wirklichkeit spüren läßt. Und hier liegt meines Erachtens eine neue, nicht nur gradweise von der gnadenhaften unterschiedene Art des Innewohnens vor. Der Unterschied läßt sich klar machen im Anschluß an die Auslegung, die *Augustinus* von den Worten des Johannesevangeliums gibt: „Viele glaubten an Seinen Namen...., Jesus selbst aber vertraute sich ihnen nicht an...." [144]

Augustinus bezieht das auf die Katechumenen: sie bekennen sich schon gläubig zu Jesus Christus, aber Er schenkt sich ihnen noch nicht im Allerheiligsten Sakrament. Wir können es auch beziehen auf die beiden Arten des Innewohnens, deren Unterschied wir fassen wollen, und damit zugleich auf den Unterschied von Glauben und Beschauung. Das gnadenhafte Innewohnen verleiht die Tugend des Glaubens, d.h. die Kraft, als wirklich anzunehmen, was man nicht gegenwärtig wahrnimmt, und für wahr zu halten, was man nicht mit Vernunftgründen streng beweisen kann. Es ist etwa so wie bei einem Menschen, von dem man schon viel Gutes und Großes gehört hat; er hat einem auch schon Wohltaten erwiesen, Gaben gespendet; darum neigt man sich ihm in Liebe und Dankbarkeit zu und hat in steigendem Maß das Verlangen, ihn persönlich kennen zu lernen. Aber er hat sich dem Schützling noch nicht *anvertraut*: nicht in dem Mindestmaß, daß er ihm eine Zusammenkunft gewährt hätte; noch weniger hat er ihm sein Inneres eröffnet oder gar ihm sein Herz geschenkt. All das aber wird — wiederum in stufenweisem Aufstieg — dem Menschen von Gott zuteil durch die dritte Weise des Innewohnens, die der mystischen Erwählung: Gott gewährt ihm eine persönliche Begegnung durch eine *Berührung* im Innersten; Er eröffnet ihm Sein eigenes Inneres durch besondere Erleuchtungen

---

[144] „....Multi *crediderunt* in nomine eius.... Ipse autem Jesus non *credebat* semetipsum eis...." (Joan. 2, 23-24) Vgl. Aug. Tract. in Joan. 11-12, Migne, P. L. XXXV 1474 ff.

über Seine Natur und Seine geheimen Ratschlüsse; Er schenkt ihm Sein Herz — erst wie in einer augenblicklichen Aufwallung bei persönlichem Zusammensein (im Gebet der Vereinigung [145]), dann zu dauerndem Besitz (in der mystischen Verlobung [146] und Vermählung [147]). All das ist kein Schauen von Angesicht zu Angesicht — darin versagt das Bild von der fortschreitenden Annäherung zwischen Menschen. Aber um eine Begegnung von Person zu Person und damit um eine Erfahrungserkenntnis handelt es sich schon auf der untersten Stufe. Gott berührt mit Seinem Wesen das Innerste der Seele (das der hl. Vater Johannes auch als ihr *Wesen* bezeichnet). Gottes Wesen aber ist nichts anderes als Sein *Sein* und als Er selbst; Er selbst ist Person, Sein *Sein* persönliches Sein, das Innerste der Seele ist der Herz- und Quellpunkt ihres persönlichen Lebens, zugleich der eigentliche Ort ihrer Begegnung mit anderem persönlichen Leben. Eine Berührung von Person zu Person ist nur im Innersten möglich; durch eine solche Berührung gibt eine Person der andern ihre Gegenwart kund [148]. Wenn man also in dieser Weise sich innerlich berührt fühlt, so ist man mit einer Person in lebendiger *Fühlung*. Das ist noch keine Vereinigung, sondern nur der Ansatzpunkt dazu. Gegenüber dem gnadenhaften Innewohnen ist es aber schon ein Durchbruch zu etwas Neuem: dort wird der Seele göttliches Sein mitgeteilt, aber der persönliche Quellpunkt bleibt verborgen und tritt in diese Seinsmitteilung nicht ein; hier tritt der Quellpunkt des göttlichen Lebens (soweit man davon sprechen kann) mit dem Quellpunkt des menschlich-seelischen Leben sin Seinsberührung und wird dadurch als gegenwärtig spürbar. Dabei bleibt er aber noch im Dunkeln und verschlossen. In den Erleuchtungen über göttliche Geheimnisse öffnet sich das *verschlossene Innere* Gottes: wenn die Seele in der gnadenhaften Mitteilung das Einströmen des göttlichen Seins in das ihre als eigene Seinserhöhung erfährt, so tritt sie hier in das göttliche Sein ein. In der Vereinigung (mit ihren verschiedenen Stufen) vollzieht sich ein Einswerden vom persönlichen Quellpunkt des Lebens her durch wechselseitige persönliche Hingabe.

Es ist hier noch Verschiedenis anzumerken: die bloße Berührung im Innersten hat das Innewohnen durch die Gnade nicht notwendig

---

[145] Vgl. *Seelenburg*, 5. Wohnung 1. Hauptstück; *Dunkle Nacht*, Str. 2 V. 2, § 3 Kap. 19, *E. Cr.* II S. 112; *Geistlicher Gesang*, Str. 13, *E. Cr.* II S. 227.

[146] *Seelenburg*, 6. Wohnung 4. Hauptstück; *Geistlicher Gesang*, Str. 13 u. 14, *E. Cr.* II S. 227.

[147] *Seelenburg*, 7. Wohnung 1. Hauptstück; *Geistlicher Gesang*, Str. 22, *E. Cr.* II S. 277.

[148] Es kann hier nicht darauf eingegangen werden, wieweit das auch für den Verkehr von menschlichen Personen untereinander Geltung hat.

zur Voraussetzung. Sie kann beim völlig Ungläubigen als Erwekkung zum Glauben und als Vorbereitung für den Empfang der heiligmachenden Gnade geschenkt werden. Sie kann auch als Mittel dienen, um einen Ungläubigen zum Werkzeug für bestimmte Zwekke tauglich zu machen. Beides gilt auch noch für einzelne Erleuchtungen. Die Vereinigung dagegen als wechselseitige Hingabe kann nicht ohne Glauben und Liebe, d.h. nicht ohne die heiligmachende Gnade geschehen. Sollte sie bei einer Seele einsetzen, die nicht im Stand der Gnade wäre, so müßte mit ihrem Beginn zugleich auch die heiligmachende Gnade geschenkt werden und als deren Vorbedingung die vollkommene Reue. Diese Möglichkeiten bestätigen die grundsätzliche Verschiedenheit der gnadenhaften und der mystischen Einigung und der entsprechenden Weisen des Innewohnens. Es handelt sich um zwei verschiedene Stufenwege. Damit ist nicht ausgeschlossen, daß das Gnadenleben der mystischen Einigung den Weg bereiten kann.

Daß das Innerste der Seele grundsätzlich der Ort persönlicher Begegnung und Vereinigung ist, macht es verständlich — soweit bei göttlichen Geheimnissen von Verstehen geredet werden kann —, daß Gott sich das Innerste der Seele als Wohnstätte ausersehen hat. Wenn die Vereinigung das Ziel ist, zu dem die Seelen erschaffen sind, so muß ja von vornherein das Verhältnis bestehen, das diese Einigung möglich macht.

Es ist ebenso verständlich, daß dies Innerste der Seele zu freier Verfügung in die Hand gegeben ist, weil liebende Hingabe nur für ein freies Wesen möglich ist. Ist diese liebende Hingabe in der mystischen Vermählung auch von seiten der Seele noch etwas anderes als die unbedingte Hingabe ihres Willens an den göttlichen Willen? Offenbar ja. Es ist *erkenntnismäßig* etwas anderes: wenn Gott sich ihr in der mystischen Vermählung hingibt, dann lernt sie Gott in einer Weise kennen, wie sie Ihn vorher noch nicht gekannt hat und auf keinem andern Wege kennen lernen kann; sie hat auch ihre eigenen letzten Tiefen vorher nicht gekannt. Sie hat also noch gar nicht so wie jetzt gewußt, wem sie ihren Willen hingibt, was sie hingibt und welche Hingabe dieser göttliche Wille von ihr verlangen kann. Es ist *willensmäßig* etwas anderes: im *Ziel*, denn die Willenshingabe geht auf Einigung des eigenen Willens mit dem göttlichen *Willen*, nicht auf das *Herz* Gottes, nicht auf die göttlichen *Personen*; im *Ausgangspunkt*, denn erst jetzt ist der tiefste Quellpunkt erreicht, erst jetzt umfaßt der Wille sich selbst ganz, weil er die ganze Person von ihrer personalen Mitte her umfaßt; im *Vollzug*, denn in der bräutlichen Hingabe wird nicht bloß der eigene Wille dem göttlichen unter- und eingeordnet: es wird die göttliche Hingabe entgegengenommen; darum ist die Hingabe der eigenen Person zugleich die kühnste Besitzergreifung, die alles menschliche Begreifen übersteigt. Johannes vom Kreuz bringt das sehr klar zum Ausdruck, wenn er sagt, die Seele könne Gott nun *mehr* geben, als sie selbst sei: sie gebe Gott in Gott sich selbst [149]. So sehr liegt denn *seinsmäßig* etwas anderes vor als bei der gnadenhaften Vereinigung: das tiefste Hineingezogenwerden in das göttliche Sein, das die Seele selbst vergöttlicht; ein Einswerden der Personen, das ihre Selbständigkeit nicht aufhebt, sondern gerade zur Voraussetzung hat; eine Durchdringung, die nur von dem Ineinandersein der göttlichen Personen übertroffen wird, worin sie ihr Urbild hat. *Das* ist die Vereinigung, die Johannes unverkennbar in allen seinen Schriften als Ziel vor Augen hat, wenn er auch das Wort öfters in anderm Sinn gebraucht und sie in ihrer Eigenart theoretisch nicht so scharf gegen die andern Arten abgegrenzt hat, wie es hier versucht wurde. Es ist schon vorgreifend gesagt worden: die mystische Vermählung ist Einigung mit dem dreifaltigen Gott. Solange Gott nur in Dunkel und Verborgenheit die Seele berührt, kann sie die persönliche Berührung nur als solche spüren, ohne mitwahrzunehmen, ob es *eine* Person ist, die sie berührt oder mehrere. Wenn sie aber in der vollkommenen Liebesvereinigung ganz hineingezogen wird in das göttliche Leben, dann kann es ihr nicht verborgen bleiben, daß es ein dreipersönliches Leben ist, und sie muß mit allen drei göttlichen Personen in Fühlung kommen [150].

Glaube und Beschauung. Tod und Auferstehung

Die Verschiedenheit des Innewohnens Gottes durch die Gnade und durch die mystische Einigung erscheint uns auch als geeignete Grundlage, um zu einer klaren Abgrenzung von *Glauben* und *Beschauung* zu gelangen. Der hl. Vater Johannes spricht von beiden sehr häufig, aber er gibt keine eigentliche Gegenüberstellung in der Weise, daß man ihn auf eine eindeutige Bestimmung des wechselseitigen Verhältnisses festlegen könnte. Vielfach klingen seine

---

[149] *Lebendige Liebesflamme*, Erklärung zu Str. 3 V. 5 u. 6, *Obras* IV 88 ff. u. 199 ff.
[150] Bei der Besprechung der *Lebendigen Liebesflamme* werden wir sogleich darauf stoßen. Die hl. Mutter Teresia schildert das Niedersteigen der Allerheiligsten Dreifaltigkeit zur mystischen Vermählung in der *Seelenburg*, 7. Wohnung 1. Hauptstück.

Darlegungen so, als sei überhaupt keine scharfe Grenzlinie zu ziehen: beide werden als Weg zur Vereinigung, beide als dunkle und liebende Erkenntnis bezeichnet. Von der Dunkelheit des Glaubens handelt vor allem der *Aufstieg zum Berge Karmel*[151]: hier wird ja der Glaube als mitternächtliches Dunkel bezeichnet, weil wir das Licht der natürlichen Erkenntnis völlig preisgeben müssen, um *sein* Licht zu gewinnen. Die Beschauung bezeichnet Johannes öfters mit den *areopagitischen* Ausdrücken *mystische Theologie* (verborgene Gottesweisheit) und *Strahl der Finsternis*[152]. Beide rücken sehr nahe aneinander, wenn gesagt wird, Gott hülle sich in die Dunkelheit des Glaubens, wenn Er sich der Seele mitteile[153]. Anderseits wird gerade in diesen Ausführungen des *Aufstiegs* klar, daß Glaube und Beschauung nicht einfach gleichbedeutend sein können, weil gesagt wird, daß die Nacht des Glaubens Führerin sei in den Wonnen der reinen Beschauung und Vereinigung. Eine Unterschiedenheit ist auch vorausgesetzt, wenn es im Vorwort zum *Geistlichen Gesang* heißt, die *mystische Weisheit* fordere kein bestimmtes Verständnis und sei darin dem Glauben ähnlich, durch den wir auch Gott lieben, ohne Ihn genau zu erfassen[154]. Würden beide zusammenfallen, so könnte ja von Ähnlichkeit nicht gesprochen werden. Unterschiedenheit und nahe Zusammengehörigkeit sind vielleicht am schärfsten ausgedrückt an einer Stelle, wo die Beschauung als unklare, dunkle und allgemeine Erkenntnis den deutlich erkennbaren und gesonderten übernatürlichen Verstandeserkenntnissen gegenübergestellt wird: „Die dunkle und allgemeine Verstandeserkenntnis ist nur eine: das ist die Beschauung, die sich uns im Glauben gibt"[155].

Zum Verständnis dieses Satzes und des Verhältnisses von Glauben und Beschauung muß an das erinnert werden, was an früheren Stellen über die Bedeutungsmannigfaltigkeit gesagt ist, die das Wort *Glauben* notwendig in sich befaßt; auch an die Mehrdeutigkeit der *Beschauung*. Glauben wird der Inhalt der göttlichen Offenbarung und das Annehmen dieses Offenbarungsinhalts genannt, schließlich die liebende Hingabe an Gott, von dem die Offenbarung spricht und dem wir sie verdanken. Der Glaubensinhalt liefert den Stoff für die

---

[151] B. II Kap. 1 ff., *E. Cr.* I 100 ff.

[152] U.a. *Aufstieg*, a. a. O. Kap. 7 gegen Ende, *E. Cr.* I 130. *Dionysius* gebraucht den Ausdruck *Strahl der Finsternis* im 1. Kap. der *Mystischen Theologie* (MIGNE, P. Gr. III 999 f.).

[153] *Aufstieg*, B. II Kap. 8, *E. Cr.* I 132.

[154] Hierin haben wir zugleich einen Beleg für die Darstellung des Glaubens als liebende Erkenntnis; für die Beschauung vgl. besonders *Aufstieg*, a. a. O. Kap. 12 u. 13, *E. Cr.* I 153 u. 163.

[155] *Aufstieg*, a. a. O. Kap. 9 (Ende), *E. Cr.* I 136.

Betrachtung: die Betätigung der seelischen Kräfte an dem, was wir gläubig angenommen haben, in bildhafter Vergegenwärtigung, verstandesmäßigem Nachsinnen und Willensstellungnahme. Als Frucht der Betrachtung wird ein bleibender Zustand liebender Erkenntnis gewonnen [156]. Die Seele verweilt nun in ruhiger, friedlicher, liebender Hingabe in der Gegenwart Gottes, den sie durch den Glauben kennen gelernt hat, ohne irgend eine einzelne Glaubenswahrheit zu betrachten. Als Frucht der Betrachtung ist dies *erworbene Beschauung*. Ihrem Erlebnisgehalt nach ist sie nicht unterschieden vom Glauben im dritten Sinn; dem *credere in Deum*, dem gläubigen und liebenden Hineingehen in Gott. Aber meistens hat Johannes vom Kreuz etwas anderes im Auge, wenn er van Beschauung spricht. Gott kann der Seele ein dunkles, liebendes Erkennen Seiner selbst auch ohne vorausgehende Übung der Betrachtung schenken. Er kann sie plötzlich in den Zustand der Beschauung und Liebe versetzen, ihr die Beschauung *eingießen*. Auch das wird nicht ohne Beziehung zum Glauben geschehen. In der Regel wird es Seelen zuteilwerden, die durch lebendigen Glauben und ein Leben aus dem Glauben dafür vorbereitet sind. Sollte aber einmal ein Ungläubiger davon ergriffen werden, so würde ihm doch die bisher nicht angenommene Glaubenslehre zu der Erkenntnis verhelfen, von wem er ergriffen wird. Und auch die treu liebende Seele wird aus dem Dunkel der Beschauung immer wieder zur sicheren Klarheit der Glaubenslehren ihre Zuflucht nehmen, um von daher zu verstehen, was ihr begegnet [157]. Was ihr aber begegnet, das ist trotz aller Übereinstimmung etwas grundsätzlich anderes als die *erworbene Beschauung* und die Hingabe an Gott im bloßen Glauben, deren Erlebnisgehalt sich mit dem der erworbenen Beschauung deckt. Das Neue ist das Ergriffenwerden von dem fühlbar gegenwärtigen Gott oder — in jenen Erlebnissen der *Dunklen Nacht,* in denen die Seele dieser fühlbaren Gegenwart beraubt ist — die schmerzliche Liebeswunde und das sehnliche Verlangen, die zurückbleiben, wenn Gott sich der Seele entzieht. Beides sind mystische Erfahrungen, begründet in jener Art des Innewohnens, die eine Berührung von Person zu Person im Innersten der Seele ist. Der Glaube dagegen und alles, was zum Glaubensleben gehört, beruhen auf dem gnadenhaften Innewohnen.

Der Gegensatz von fühlbarer Gegenwart und fühlbarem Entzogensein Gottes in der mystischen Beschauung weist noch auf etwas anderes hin, was zur Abgrenzung gegenüber dem Glauben dienen

---

[156] Vgl. dazu *Aufstieg*, B. II Kap. 12, *E. Cr.* II 154 ff.
[157] Vgl. *Geistlicher Gesang*, Erklärung zu Str. 11 (12), *E. Cr.* II 221.

kann. Der Glaube ist in erster Linie Sache des Verstandes. Wenn auch in der *Annahme* des Glaubens eine Beteiligung des Willens zum Ausdruck kommt, so ist es doch die Annahme einer Erkenntnis. Die *Dunkelheit* des Glaubens bezeichnet eine Eigentümlichkeit dieser Erkenntnis. Die Beschauung ist Sache des Herzens, d.h. des Innersten der Seele, und darum aller Kräfte. Die Gegenwart und die scheinbare Abwesenheit Gottes werden im Herzen gespürt — beseligend oder in schmerzlichster Sehnsucht. Hier am Innersten, wo sie ganz bei sich selbst ist, spürt die Seele aber auch sich selbst und ihre Verfassung [158]; und solange sie nicht völlig gereinigt ist, fühlt sie sie peinigend als Gegensatz zur erlebten Heiligkeit des gegenwärtigen Gottes. So bezeichnet die *Nacht* der Beschauung nicht nur Dunkelheit der Erkenntnis, sondern Finsternis der Unreinheit und reinigende Qual.

Im Glauben und in der Beschauung wird die Seele von Gott ergriffen. Das Annehmen der offenbarten Wahrheit geschieht nicht einfach durch natürlichen Willensentschluß. Die Glaubensbotschaft kommt zu vielen, die sie nicht annehmen. Es können dabei natürliche Beweggründe mitsprechen, aber es gibt auch Fälle, in denen ein geheimnisvolles Nicht-Können zugrunde liegt: die Gnadenstunde ist noch nicht gekommen. Das gnadenhafte Innewohnen hat noch nicht eingesetzt. In der Beschauung aber begegnet die Seele Gott selbst, der sie ergreift.

Gott ist die Liebe. Darum ist das Ergriffenwerden von Gott Entzündetwerden in Liebe — wenn der Geist dazu bereit ist. Für alles, was endlich ist, ist die ewige Liebe verzehrendes Feuer. Und das sind alle Bewegungen, die durch die Geschöpfe in der Seele ausgelöst werden. Wendet sie sich den Geschöpfen zu, dann entzieht sie sich der göttlichen Liebe, kann ihr aber nicht entgehen. Dann wird die Liebe für sie selbst verzehrendes Feuer. Der Menschengeist als Geist ist auf unvergängliches Sein entworfen. Das kündigt sich an in der Unwandelbarkeit, die er seinen eigenen Zuständen zuschreibt: daß er meint, so wie es jeweils um ihn bestellt ist, müßte es immer bleiben [159]. Das ist ein Täuschung, denn in seinem zeitlichen Sein ist er dem Wandel unterworfen. Aber es spricht daraus das Bewußtsein davon, daß sein Sein nicht in der Zeitlichkeit aufgeht, sondern im Ewigen wurzelt. Seiner Natur nach kann er nicht zerfallen wie stoffliche Gebilde.

---

[158] Dieses *Sichspüren* in der Tiefe ist etwas anderes als die einfache Selbsterkenntnis, die die hl. Mutter in der *Seelenburg* schon der 1. Wohnung zuweist. Es ist ein *Innewerden* seiner selbst, ohne sich selbst gegenüberzutreten. Dabei bleibt das eigene Wesen geheimnisvoll, ebenso wie die Gegenwart Gottes darin. Das *Innerste* wird hier nicht eingeschränkt auf die 7. Wohnung, wo die Vermählung stattfindet, sondern für den ganzen Bereich des mystischen Geschehens genommen.

[159] *Nacht des Geistes*, Erklärung zu Str. 1 V. 1, § 3 Kap. 7, E. Cr. II 69.

Aber wenn er sich in freier Hingabe im Zeitlichen befestigt, dann bekommt er die Hand des lebendigen Gottes zu spüren, der ihn kraft Seiner Allmacht vernichten, durch das rächende Feuer der verschmähten göttlichen Liebe verzehren oder im ewigen Verzehrtwerden erhalten kann wie die gefallenen Engel. Dieser zweite und eigentlichste Tod wäre unser aller Los, wenn nicht Christus mit Seinem Leiden und Sterben zwischen uns und die göttliche Gerechtigkeit träte und der Barmherzigkeit einen Weg eröffnete.

In Christus war durch Seine Natur und Seine freie Entscheidung nichts, was der Liebe widerstand. Er lebte jeden Augenblick Seines Daseins in der restlosen Hingabe an die göttliche Liebe. Aber Er hatte in der Menschwerdung die ganze Sündenlast der Menschheit auf sich genommen, sie mit Seiner erbarmenden Liebe umfaßt und in Seine Seele geborgen; im *Ecce venio*, womit Er Sein irdisches Leben begann, und ausdrücklich erneut in Seiner Taufe und im *Fiat!* von Gethsemani. So vollzog sich der sühnende Brand in Seinem Innern, in Seinem ganzen, lebenslangen Leiden, in der schärfsten Form aber im Ölgarten und am Kreuz, weil hier die spürbare Seligkeit der unaufhebbaren Vereinigung aufhörte, um Ihn ganz dem Leiden preiszugeben und dies Leiden zum Erlebnis der äußersten Gottverlassenheit werden zu lassen. Im *Consummatum est* wird das Ende des sühnenden Brandes verkündigt und im *Pater, in manus tuas commendo spiritum meum* die endgültige Rückkehr in die ewige, ungetrübte Liebesvereinigung.

Im Leiden und Sterben Christi sind unsere Sünden vom Feuer verzehrt worden. Wenn wir das im Glauben annehmen und wenn wir in gläubiger Hingabe den ganzen Christus annehmen, d.h. aber, daß wir den Weg der Nachfolge Christi wählen und gehen, dann führt Er uns „durch Sein Leiden und Kreuz zur Herrlichkeit der Auferstehung". Genau das ist es, was in der Beschauung erfahren wird: das Hindurchgehen durch den sühnenden Brand zur seligen Liebesvereinigung. Daraus erklärt sich ihr zwiespältiger Charakter. Sie ist Tod und Auferstehung. Nach der *Dunklen Nacht* strahlt die *Lebendige Liebesflamme* auf.

§ 3. DIE HERRLICHKEIT DER AUFERSTEHUNG

1. In den Flammen der göttlichen Liebe

LLAMA DE AMOR VIVA [1]   LEBENDIGE LIEBESFLAMME

I

Oh llama de amor viva,   O Flamme lebend'ger Liebe,
Que tiernamente hieres [centro,   Die zart Du mich verwundest
De mi alma en el más profundo   In meiner Seele allertiefstem Grunde!
Pues ya no eres esquiva,   Da Du nicht mehr voll Schmerzen,
Acaba ya si quieres, [cuentro.   Vollende, wenn's Dein Wille,
Rompe la tela de este dulce en-   Zerreiß den Schleier dieses süßen Treffens.

II

Oh cauterio suave!   O Feuerbrand, so lieblich!
Oh regalada llaga! [cado,   O Wunde voller Wonne!
Oh mano blanda! Oh toque deli-   O linde Hand! O zarteste Berührung!
Que a vida eterna sabe,   Läßt ew'ges Leben kosten
Y toda deuda paga! [trocado.   Und zahlest alle Schuld!
Matando, muerte en vida la has   Die tötend Du den Tod in Leben wandelst.

III

Oh lámparas de fuego,   O lichte Feuerlampen,
En cuyos resplandores   In deren Strahlenfluten
Las profundas cavernas del sentido, Des Sinnes abgrundtiefe Höhlen
Que estaba obscuro y ciego,   So blind einst und so dunkel,
Con extraños primores   In Schönheit sondergleichen
Calor y luz dan junto a su querido! Wärme und Licht vereint weih'n dem Geliebten

IV

Cuán manso y amoroso   Wie sanft und voller Liebe
Recuerdas en mi seno,   In meinem Schoß erwachst Du,
Donde secretamente solo moras: Wo Du verborgen weilest ganz allein;
Y en tu aspirar sabroso   Mit Deinem süßen Hauche,
De bien y gloria lleno   Voll Glück und Herrlichkeiten,
Cuán delicadamente me enamoras!   Wie zart läßt Du in Liebe mich entbrennen!

---

[1] *Obras* IV 6. u. 108 f.

a) An der Schwelle des ewigen Lebens

Die Seele ist der Nacht entronnen. Was nun in ihr vorgeht, das ist viel mächtiger, als alle Worte es sagen können. Die Sehnsuchtsrufe „o" und „wie" suchen dem Ausdruck zu geben. Darum hat der Heilige gezögert, die Bitte seiner geistlichen Tochter *Anna de Peñalosa* um Erklärung der vier Strophen zu erfüllen. Er fühlte, wie unzulänglich die Sprache sei, um etwas so ganz Geistiges und Innerliches zu erklären. Nach einiger Zeit aber schien es ihm, daß der Herr ihm „in etwa das Verständnis erschlossen und einige Wärme verliehen" habe, ja ihn selbst zu dem Werk aufmutere [2].

„Einige Wärme"! In der Tat hat man den Eindruck, daß nicht nur die vier Strophen des Gesanges, sondern auch die ganze Erklärung ein Ausbruch des *Lebendigen Liebesflamme* sind. So können auch wir nur mit heiliger Scheu diesen göttlichen Geheimnissen im Innersten einer auserwählten Seele nahen. Nachdem einmal der Schleier gelüftet wurde, ist es aber nicht erlaubt, davon zu schweigen. Wir haben ja hier das vor uns, was *Aufstieg* und *Nacht* — so wie sie uns vorliegen — uns schuldig geblieben sind: die Seele am Ziel des langen Kreuzwegs, in der beseligenden Vereinigung.

Es wurde früher gesagt, daß auch die ersten Schriften offenbar von jemandem verfaßt sind, der bereits am Ziel angelangt ist. Das *Lied von der Dunklen Nacht* ist kaum anders zu verstehen. Aber in der Erklärung der Strophen hat er sich zurückversetzt in die Zeit der Nacht und sie so geschildert, als ob er noch davon umfangen wäre. Nur vorblickend hat er etwas über das Ziel gesagt. Jetzt aber ist er eingetaucht in das strahlende Licht des Auferstehungsmorgens. Wenn er jetzt noch von Kreuz und Nacht spricht, so geschieht es rückblickend. Gerade dieser Rückblick macht die Schrift in unserem Zusammenhang bedeutungsvoll: das neue Leben ist aus dem Tod geboren, die Herrlichkeit der Auferstehung ist der Lohn für das treue Aushalten in Nacht und Kreuz. So „zahlt sie jede Schuld".

Die Seele „fühlt, wie aus ihrem Innern Ströme lebendigen Wassers hervortreten" [3], und es kommt ihr vor, als sei sie „schon so wirksam in Gott umgewandelt, so mächtig von Ihm ergriffen und so überreich mit Gaben und Tugenden ausgestattet, daß nur mehr ein leichtes Gewebe sie von der ewigen Seligkeit trenne". Wenn diese zarte Liebesflamme, die in ihr brennt, sie ergreift, so wird sie jedesmal „gleichsam verklärt in süßer und mächtiger Herrlichkeit...." und

---

[2] *Lebendige Liebesflamme*, Vorwort an *Anna de Peñalosa*, Obras IV 3 f. u. 105 f.
[3] Joan. 7, 38.

meint, es werde das Gewebe des irdischen Lebens zerrissen und es fehle nur sehr wenig zum Besitz der ewigen Seligkeit und des ewigen Lebens. So ist sie ganz erfüllt von heftigem Verlangen und fleht um Befreiung von der sterblichen Hülle [4].

Die *Lebendige Liebesflamme* ist der *Heilige Geist*, „den die Seele nunmehr in sich fühlt.... als ein Feuer, das sie verzehrt und in wonnevolle Liebe umgestaltet", darüber hinaus aber „als ein Feuer, das aus ihr hinausbrennt und .... in Flammen ausschlägt. Sooft nun diese Flamme auflodert, taucht sie die Seele in Wonne und belebt sie mit einer Art göttlichen Lebens". Der Heilige Geist wirkt in der Seele ein Entbrennen der Liebe, worin der Wille der Seele mit der göttlichen Flamme eine einzige Liebe geworden ist. Die Umgestaltung in Liebe ist der Habitus, der dauernde Zustand, in den die Seele versetzt ist, das Feuer, das ständig in ihr brennt. Ihre Akte aber „sind die Flamme, die aus dem Feuer der Liebe hervorbricht und umso heftiger emporlodert, je intensiver das Feuer der Vereinigung brennt". In diesem Zustand kann die Seele nicht selbst tätig sein. Alle ihre Akte werden vom Heiligen Geist angeregt und vollbracht, sind darum ganz göttlich. Und so scheint es der Seele bei jedem Emporlodern der Flamme, als werde ihr nun das ewige Leben verliehen: „sie wird ja erhoben zu einem göttlichen Tun in Gott". Bei dieser Umgestaltung in eine Liebesflamme teilen sich ihr der Vater, der Sohn und der Heilige Geist mit, sie kommt darin Gott so nahe, daß sie einen Schimmer des ewigen Lebens erhascht; sie hat die Empfindung, als sei dies das ewige Leben [5].

Die Flamme des göttlichen Lebens *berührt* die Seele mit der Zartheit des göttlichen Lebens und *verwundet* sie so mächtig in ihrem tiefsten Innern, daß sie ganz in Liebe zerfließt. Wie kann hier noch von Verwundung die Rede sein? In der Tat sind diese Wunden „gleich den lichtesten Flammen zärtlichster Liebe", Spiele der ewigen Weisheit, „Flämmchen der zärtlichsten Berührungen, wodurch die Seele unablässig von jenem Feuer der Liebe, das nie untätig ist, getroffen wird...." [6]

Das geschieht *im allertiefsten Grunde* der Seele, wohin weder der Teufel noch die Sinnlichkeit zu dringen vermögen, darum ganz ungestört, wesentlich und wonnevoll. „.... Je lieblicher und innerlicher etwas ist, umso reiner ist es, und je größer die Reinheit ist, desto reichlicher, häufiger und vollständiger teilt sich Gott mit, und umso tiefgehender ist auch der Genuß und die Freude der Seele.... Gott

---

[4] *Lebendige Liebesflamme*, Erklärung zu Str. 1, *Obras* IV 7 u. 109 f.
[5] a. a. O. Str. 1 V. 1, *Obras* IV 8 ff. u. 110 ff.
[6] a. a. O. Str. 1 V. 2, *Obras* IV 11 f. u. 112 f.

ist es, der alles vollbringt; die Seele gibt von dem Ihrigen nichts".
Sie kann ja aus sich nur mit Hilfe der körperlichen Sinne tätig sein;
denen ist sie aber in diesem Zustand völlig entrückt, und so „beschränkt sie sich darauf, nur von Gott im Empfang zu nehmen; Er
allein kann im Grunde der Seele.... ohne Vermittlung der Sinne
Sein Werk vollbringen und die Seele bewegen...." So sind alle Regungen der Seele göttlich, sind Gottes Akte, aber doch auch wieder
Akte der Seele. „Denn Gott vollführt sie mit ihr in ihr, indem sie
ihre Einwilligung und Zustimmung gibt".

Wenn die Seele sagt, der Heilige Geist verwunde sie in ihrem tiefsten Grunde, so meint sie damit, daß es in ihr auch weniger tieflie-
gende Punkte gibt, den Graden der Gottesliebe entsprechend; nun
aber wird ihr Wesen, ihre Wirksamkeit und ihre Kraft berührt und
erfaßt. Sie will nicht behaupten, „daß dies ebenso wesentlich und
vollkommen stattfinde wie in der seligen Anschauung im anderen
Leben...."; sie spricht nur so, „um die überreiche Fülle von Wonne
und Seligkeit zum Ausdruck zu bringen, die sie bei diesen Gnaden-
erweisen des Heiligen Geistes in sich fühlt. Die Wonne ist umso
größer und innerlicher, je mächtiger und wesenhafter die Seele in
Gott umgestaltet ist". Das geschieht hier nicht so vollkommen wie
im ewigen Leben. „Wohl kann vielleicht die habituelle Liebe der
Seele in diesem Leben ebenso vollkommen sein wie im andern, aber
nicht ihre Frucht und Wirksamkeit...." Der Zustand wird aber
dem Leben im Jenseits so ähnlich, daß die Seele in der Überzeugung,
es sei so, auszusprechen wagt: im tiefsten Grunde meiner Seele. Wer
von solchen Dinge keine Erfahrung hat, mag das für Übertreibung
halten. Doch „der Vater der Lichter, dessen Hand nicht gekürzt ist
und.... in Füllen Segen spendet, ... unterläßt es nicht, an einer
Seele, die schon im Feuer der Trübsale.... geprüft, erprobt, gereinigt und treu in der Liebe erfunden ist, eben wegen dieser Treue
schon in diesem Leben zu erfüllen, was der Sohn Gottes verheißen
hat: ‚Wenn jemand Ihn liebe, so werde die Heiligste Dreifaltigkeit
kommen und Wohnung bei ihm nehmen' (Joan. 14, 23). Dieses
Wohnungnehmen besteht darin, daß der Verstand göttlich erleuchtet
wird in der Weisheit des Sohnes, daß der Wille mit Wonne im Heiligen Geist erfüllt wird und der Vater die Seele mächtig und innig
hineinversenkt in den Abgrund Seiner Liebe". Bei der Seele, in der
die lebendige Liebesflamme brennt, wirkt der Heilige Geist aber
etwas noch weit Erhabeneres als jene Mitteilung der Liebe und Umgestaltung. „Das eine gleicht einer Kohlenglut, das andere ist wie
eine Glut, in der das Feuer.... nicht nur glüht, sondern auch als
lebendige Flamme emporlodert". Die *einfache Vereinigung* gleicht

dem „Feuer Gottes in Sion" (Is. 31, 9), d.h. in der streitenden Kirche, in der das Feuer der Liebe nicht bis zum Äußersten entbrennt,
die *Liebesvereinigung* mit Entflammung der Liebe dem „Glutofen
Gottes in Jerusalem", dem Schauen des Friedens in der triumphie-
renden Kirche, wo dieses Feuer wie in einem Glutofen in vollkommener Liebe entbrennt. Die Seele hat noch nicht die Vollkommenheit des Himmels erreicht, aber sie glüht wie ein Feuerofen mit ruhigem, herrlichem, liebeglühendem Schauen. Sie nimmt wahr, wie
die „Liebesflamme in lebendiger Weise ihr alle Gnadengüter erweist". Darum ruft sie aus: „O Flamme lebend'ger Liebe, die zart
Du mich verwundest!" und will damit sagen: „O brennende Liebe,
die Du meine Seele entsprechend ihrer größeren Fähigkeit und
Kraft mit Deinen Liebesanregungen so zärtlich verklärst! Du gibst
mir eine göttliche Erkenntnis, wie sie der ganzen Fähigkeit und
Empfänglichkeit meines Verstandes entspricht, Du schenkst mir eine
Liebe entsprechend der erweiterten Kraft meines Willens und er-
füllst das Wesen meiner Seele durch Deine göttliche Berührung und
wesenhafte Vereinigung mit einem Strom von Wonne, wie sie nur
die Reinheit meines Wesens und die Empfänglichkeit und Fassungskraft meines Gedächtnisses aufzunehmen vermag". Wenn die Läuterung aller Kräfte vollendet ist, dann „läßt die göttliche Weisheit. . . .
die Seele mit ihrer göttlichen Flamme auf unergründliche, zarte und
erhabene Weise in sich aufgehen, und in diesem Aufgehen der Seele
in der Weisheit entsendet der Heilige Geist die beseligenden Schwingen Seiner Flamme"[7]. Es ist *dasselbe Feuer, das der Seele in der Reinigung dunkel und schmerzhaft war.* Nun aber ist es hellleuchtend,
lieblich und beseligend. Darum sagt die Seele: „*Da Du nicht mehr
voll Schmerzen*". Früher hat das göttliche Licht sie nur ihre eigene
Finsternis sehen lassen. Nun, wo sie erleuchtet und umgestaltet ist,
sieht sie in sich das Licht. Früher war die Flamme für den Willen
schrecklich, weil sie ihm seine eigene Härte und Trockenheit schmerz-
voll empfinden ließ. Er konnte die Zartheit und Lieblichkeit der
Flamme nicht spüren. Er konnte auch ihre Süßigkeit nicht schmek-
ken, weil sein Geschmack durch entartete Neigungen verdorben
war. Die Seele konnte den unermeßlichen Reichtum und die Wonne
der Liebesflamme nicht fassen und empfand unter ihrer Einwirkung
nur die eigene Armut und das eigene Elend. An all das denkt sie nun
zurück und will mit jenen kurzen Worten sagen: „Du bist nun für
meinen Verstand nicht mehr Finsternis wie ehedem, sondern ein

---

[7] a. a. O. Str. 1 V. 3, *Obras* IV 12 ff. u. 113 ff. Die Abgrenzung gegenüber der
ewigen Herrlichkeit und das Eingehen auf den Zweifel an der Möglichkeit so
überschwänglicher Gnaden sind Hinzufügungen der zweiten Bearbeitung (B).

göttlliches Licht, womit ich Dich schauen kann; Du läßt meine Schwäche nicht mehr in Ohnmacht geraten, sondern wirst vielmehr die Stärke meines Willens sein, unter deren Einfluß ich, ganz in die göttliche Liebe umgewandelt, Dich lieben und genießen kann. Du bist nun für das Wesen meiner Seele keine Last und keine Bedrängnis mehr, vielmehr Beseligung, Wonne und Erweiterung...." [8] Und weil sie sich nun dem Ziele so nahe weiß, bittet sie um das Letzte: „Vollende, wenn Du willst!"

Es ist die Bitte um die vollkommene mystische Vermählung in der beseligenden Anschauung. Zwar ist die Seele auf dieser Stufe durchaus gelassen und fast wunschlos; sie möchte um sonst nichts mehr bitten. Da sie aber immer noch in der Hoffnung lebt und noch nicht im vollen Besitz der Gotteskindschaft, sehnt sie sich nach der Vollendung, und das umso mehr, als sie den Vorgeschmack und Genuß davon schon hat, soweit das auf Erden möglich ist. So hoch ist dieser Grad, daß sie glaubt, ihre Natur müsse sich auflösen, da der niedere Teil nicht imstande ist, ein so mächtiges und erhabenes Feuer zu ertragen. Und sie würde auch wirklich vergehen, wenn Gott nicht der Schwäche ihrer Natur zu Hilfe kommen und sie mit Seiner Rechten stützen würde. Übrigens sind die kurzen Lichtblicke der Beschauung derart, „daß es ein Beweis schwacher Liebe wäre, die Bitte um den Eintritt in jene Vollkommenheit und Vollendung der Liebe zu unterlassen". Sie nimmt auch wahr, daß der Heilige Geist selbst sie zur Beseligung einladet, ähnlich wie die Braut im *Hohenlied* gerufen wird: „Mach Dich auf und eile, meine Freundin, meine Taube, meine Schöne, und komm...." (Cant. 2, 10 ff.). „Vollende — wenn Du willst", damit spricht die Seele „jene zwei Bitten aus, die uns der Bräutigam im Evangelium lehrt: ‚Zukomme uns Dein Reich — Dein Wille geschehe' " [9].

Damit die vollkommene Vereinigung stattfinden könne, muß jedes trennende Gewebe zwischen Gott und der Seele beseitigt werden. Es kann ein dreifaches sein: „ein zeitliches, das alle Geschöpfe in sich begreift; ein natürliches, das alle rein natürlichen Tätigkeiten und Neigungen umfaßt; .... ein sinnliches, das die Vereinigung der Seele mit dem Leibe, das sinnliche und animalische Leben in sich schließt...." Das erste und zweite mußte schon zerrissen werden, um zu der bereits erreichten Vereinigung zu gelangen. Das geschah „durch das schreckliche Zusammentreffen mit jener Flamme, als sie noch furchtbar war". Jetzt ist nur noch das dritte Gewebe des

---

[8] a. a. O. Str. 1 V. 4, *Obras* IV 15 ff. u. 119 ff.
[9] a. a. O. Str. 1 V. 5, *Obras* IV 20 ff. u. 124 ff.

sinnlichen Lebens zu zerreißen, und das ist durch die Vereinigung mit Gott schon so dünn und zart wie ein Schleier. Und wenn es zerrissen wird, so kann die Seele von einem *süßen Treffen* sprechen. Denn das natürliche Streben solcher Seelen ist ganz anders als bei anderen, obwohl die natürlichen Bedingungen des Todes ähnlich sind. „Sterben sie an einer Krankheit oder an Altersschwäche, so löst sich doch bei ihnen die Seele mit heftiger Gewalt und in weit erhabenerer Liebesbewegung.... los....; diese Liebesbewegung hat.... die Kraft, das Gewebe zu zerreißen und den kostbaren Juwel der Seele mit sich zu nehmen. Darum ist das Sterben solcher Seelen um so lieblicher und süßer, als es das geistige Leben während der Dauer des ganzen Lebens war. Ihr Tod wird verursacht durch die erhabensten Antriebe und wonnevollsten Begegnungen der Liebe, gleichwie der Schwan am lieblichsten singt, wenn es mit ihm zum Sterben kommt. Darum sagt David: ‚Kostbar ist in den Augen Gottes der Tod seiner Heiligen' (Ps. 115, 15). Denn hier vereinigen sich alle Reichtümer der Seele, und es ergießen sich ihre Liebesströme ins Meer der Liebe...., so reichhaltig und ruhig..., daß sie schon Meere zu sein scheinen". Die Seele sieht sich „schon an der Schwelle des Eintritts in die Glückesfülle...., um ihr Reich voll und ganz zu besitzen.... Sie sieht sich rein und reich, voll Tugend und wohl zubereitet für die Besitznahme.... Denn in diesem Zustand läßt Gott die Seele ihre eigene Schönheit schauen.... Alles verwandelt sich jetzt in Liebe und Lobpreisung ohne eine Spur von Vermessenheit und Eitelkeit, da aller Sauerteig der Unvollkommenheiten beseitigt ist.... Nun sieht die Seele, daß ihr sonst nichts mehr fehlt, als daß das feine Gewebe des natürlichen Lebens zerreißt.... So verlangt sie aufgelöst zu werden und bei Christus zu sein und empfindet es als Qual, da ein so armseliges und schwaches Leben sie hindern kann an der Besitznahme des andern, so erhabenen und unvergänglichen Lebens. Deshalb bittet sie....: „Zerreiß den Schleier dieses süßen Treffens" [10].

Da sie nun „die Kraft des anderen Lebens fühlt,.... nimmt sie auch.... die Schwäche dieses Lebens wahr. Es kommt ihr.... wie ein überaus dünnes Gewebe vor, ähnlich wie ein Spinnengewebe (Ps. 89, 9)...., ja.... noch viel geringfügiger...." Denn sie erkennt nun die Dinge wie Gott; „sie sind vor ihren Augen nichts, und auch sie selbst ist nichts, Gott allein ist ihr alles".

Sie bittet um Zerreißen, nicht um Abschneiden: einmal, weil das besser zur Vorstellung einer Begegnung paßt; ferner, „weil die Liebe

---

[10] a. a. O. Str. 1 V. 6, *Obras* IV 22 ff. u. 126 ff.

eine Freundin starker Liebe und kraftvoller, stürmischer Berührung ist.... Drittens, weil die Liebe sich danach sehnt, daß der Akt sich in kürzester Zeit vollziehe...." Denn er hat umso mehr „Kraft und Wert, je kürzer und geistiger er ist. Denn vereinte Kraft ist mächtiger als zersplitterte...." Die Akte, die sich in einem Augenblicke in der Seele vollziehen, sind von Gott eingegossen; die von der Seele selbst ausgehen, sind mehr zubereitende Begierden und werden niemals vollkommene Akte der Liebe, wenn sie nicht, wie gesagt, Gott zuweilen „ganz kurz im Geiste formt und vollendet". „....In die zubereitete Seele senkt sich der Akt der Liebe augenblicklich ein, denn bei der ersten Berührung erfaßt der Funken die trockene Nahrung. Darum verlangt die liebeentflammte Seele ein schnelles Zerreißen...." Sie will keinen Aufschub und kein Abwarten des natürlichen Endes. „Die Macht der Liebe und die Zubereitung, die sie in sich gewahrt, wecken in ihr.... das Verlangen, es möge das Leben alsbald beendet werden durch irgend einen Stoß oder übernatürlichen Antrieb der Liebe". Sie weiß, „daß Gott sehr gern solche Seelen, die Er innig liebt, schon vor der Zeit hinwegnimmt, um sie durch diese Liebe in kurzem zu vollenden...." „Darum ist es eine wichtige Aufgabe der Seele, sich in diesem Leben in Akten der Liebe zu üben, damit sie in kurzer Zeit und, ohne sich da oder dort aufzuhalten, zur Anschauung Gottes gelange".

Die Seele nennt das ungestüme innere Erfaßtwerden vom Heiligen Geist ein *Treffen* oder eine *Begegnung*. Gott greift sie mit diesem übernatürlichen Ungestüm an, um sie über das Fleisch zu erheben und der ersehnten Vollendung entgegenzuführen. Es sind das wahre Begegnungen; der Heilige Geist durchdringt dabei das Wesen der Seele, verklärt und vergöttlicht es. „Dabei verschlingt das göttliche Sein das Sein der Seele über allem Sein". Die Seele darf hier Gott lebendig kosten und nennt dieses Treffen vor allen andern Berührungen und Begegnungen süß, weil es alle andern an Erhabenheit übertrifft. So bereitet Gott die Seele auf die vollkommene Beseligung vor und gibt ihr selbst die Bitte ein, jenen zarten Schleier zu zerreißen, damit sie fortan ohne Schranken und ohne Ende in der Fülle und Ersättigung, nach der sie verlangt, Gott lieben könne [11].

---

[11] Damit endet die Erklärung zu Str. 1, *Obras* IV 26 ff. u. 131 ff.

b) Vereint mit dem Drei-Einen

O Feuerbrand so lieblich!
O Wunde voller Wonne!
O linde Hand! O zarteste Berührung!
Läßt ew'ges Leben kosten
Und zahlest alle Schuld!
Die tötend Du den Tod in Leben wandelst.

In der ersten Strophe ist die Vereinigung hauptsächlich als Werk des Heiligen Geistes betrachtet worden. Es wurde nur kurz erwähnt, daß alle drei göttlichen Personen in der Seele Wohnung nehmen. Nun wird versucht darzustellen, welchen Anteil jede der drei Personen an dem „göttlichen Werk der Vereinigung" hat. Feuerbrand, Hand und Berührung sind dem Wesen nach dieselbe Sache; im Hinblick auf die Wirkung werden die Namen unterschieden. „Der Feuerbrand ist der Heilige Geist, die Hand ist der Vater und die Berührung der Sohn". Jeder verleiht ihr eine besondere Gabe: dem Heiligen Geist, dem *leiblichen Feuerbrand,* verdankt sie die *wonnevolle Wunde.* Der Sohn läßt sie in *zarter Berührung* das ewige Leben kosten. Der Vater gestaltet sie mit *sanfter Hand* in Gott um. Und doch spricht sie nur mit der einen Gottheit, „denn alle drei Personen wirken vereint, und so schreibt sie alles einer und alles allen zu" [12].

Wir kennen den Heiligen Geist schon als *verzehrendes Feuer* (Deut. 4, 24), als „Feuer der Liebe, das mit unbegrenzter Macht die Seele, die es berührt, auf eine über jede Vorstellung gehende, erhabene Weise verzehren und in sich umgestalten kann.... Und wenn dieses göttliche Feuer die Seele umgewandelt hat, so fühlt sie nicht bloß den Feuerbrand, sondern ist auch vollständig zu einem Feuerherd geworden, der heftig brennt. Es ist wunderbar...., daß dieses heftige und verzehrende Feuer Gottes, das viel leichter tausend Welten verzehren könnte als das irdische Feuer einen Strohhalm, die Seele.... nicht zerstört und vernichtet,.... sondern.... vergöttlicht und mit Wonne erfüllt...." Es ist ihr „das seltene Glück beschieden, daß sie alles weiß, alles kostet und alles tut, was sie will; es gelingt ihr alles, nichts kann ihr etwas anhaben noch sie berühren". Von ihr gelten die Worte des Apostels: „Der geistige Mensch beurteilt alles, er selbst aber wird von niemand beurteilt (1 Cor. 2, 15) und wiederum: ‚Der geistige Mensch erforscht alles, selbst die

---

[12] a. a. O. Str. 2, *Obras* IV 28 f. u. 132 f.

Tiefen der Gottheit' (1 Cor. 2, 10). Denn es ist der Liebe eigen, alle Schätze des Geliebten zu erforschen" [13].

Der liebliche Feuerbrand verursacht eine wonnevolle Wunde; „denn da es ein Feuer süßer Liebe ist, wird es auch eine Wunde süßer Liebe sein und die Seele süß erquicken. Wie das materielle Feuer schon vorhandene Wunden, auf die es trifft, in Brandwunden verwandelt, so verletzt der Feuerbrand der Liebe die Wunden des Elends und der Sünde, heilt sie dann und wandelt sie in Wunden der Liebe. Auch die Wunden, die er selbst schlägt, heilt er — das unterscheidet ihn vom materiellen Feuer —, und sie können durch nichts anders geheilt werden. Aber er heilt sie, um neue Wunden zu schlagen. „Sooft der Feuerbrand der Liebe mit der Wunde der Liebe in Berührung kommt, vergrößert er die Liebeswunde, und so heilt und führt er die Seele umso mehr zur Gesundung, je stärker er sie verwundet. . . ., bis die Wunde so groß ist, daß die Seele ganz in der Liebeswunde aufgeht. Und so. . . . gleichsam zu einer Wunde gemacht, ist sie ganz heil in der Liebe, d.h. umgestaltet in der Liebe . . . .; sie ist ganz verwundet und ganz heil". Und doch läßt der Feuerbrand nicht ab zu wirken, sondern nimmt wie ein guter Arzt die Wunde in liebevolle Behandlung.

Diese höchste Art der Liebesverwundung „wird durch unmittelbare Berührung der Gottheit in der Seele verursacht ohne irgend eine geistige oder einbildliche Form und Gestalt. . . ." Es gibt aber noch andere sehr erhabene Arten des Entbrennens, bei denen eine geistige Form mitwirkt. Der Heilige gibt hier eine sehr ausführliche Schilderung, wie die Seele durch einen Seraph mit einem brennenden Pfeil oder Speer verwundet werden kann. Es ist darunter kaum etwas anderes zu verstehen als die Herzverwundung unserer hl. Mutter *Teresia*. Seine Darstellung gibt aber bemerkenswerte Züge, die Teresia in ihrem eigenen Bericht [14] nicht verzeichnet hat. Das ist nicht erstaunlich, da sie Johannes ihre ganze Seele offenbart hatte und sich dabei jedenfalls rückhaltloser aussprach als in der literarischen Darstellung. Die Seele — so erzählt er — „fühlt die zarte Verwundung und das Heilkraut, mit dem die Spitze des Speeres wirksam geschärft war, als lebendigen Punkt im Wesen des Geistes, gleichsam im Herzen der durchbohrten Seele. Und an diesem innersten Punkt der Verwundung, die mitten im Herzen des Geistes, wo sie die zarteste Wonne verkostet, zu sein scheint — wer kann sich da treffend ausdrücken? —, fühlt die Seele ein ganz kleines Senf-

---

[13] a. a. O. Str. 2 V. 1, *Obras* IV 29 f. u. 133 ff.
[14] *Das Leben der hl. Teresia von Jesu*, 29. Haupstück (Neue deutsche Ausgabe, Bd. I, München 1933, S. 280 ff.).

körnlein voll Leben und Feuer, das in seinem Umkreis ein lebendiges und glühendes Feuer ausstrahlen läßt. Sie hat das Gefühl, als ob dieses Feuer, das aus dem Wesen und der Kraft jenes lebendigen Punktes entsteht, wo das Wesen und die Kraft des Krautes ist, in erhabener Weise sich in alle Geistes- und Wesensadern ergieße....; wobei sie die Liebesglut in hohem Grade zunehmen und wachsen sieht. In dieser Glut wird die Liebe so geläutert, daß es ihr vorkommt, als wäre ein ganzes Meer von liebeentflammtem Feuer in ihr, das vor übergroßer Fülle auf- und niederwogt, alles mit Liebe erfüllend. In diesem Feuer erscheint das ganze Weltall als ein Meer der Liebe; sie sieht, darein getaucht, keine Grenzen und kein Ende dieser Liebe, während sie in sich.... den lebendigen Mittelpunkt der Liebe wahrnimmt. Von der Wonne, die hier die Seele genießt, kann man nur sagen, daß sie darin erfährt, wie gut im Evangelium das Himmelreich mit einem Senfkörnlein verglichen wird, das, obschon ganz klein, infolge seiner heftigen Triebkraft zu einem großen Baum heranwächst (Matth. 13, 31). Denn die Seele gewahrt, wie sie selber zu einem unermeßlichen Feuer der Liebe geworden ist, das hervorbricht von jenem glühenden Punkt im Herzen des Geistes.

Wenige gelangen so weit, aber manche haben die Stufe erreicht, vor allem jene, deren Tugend und Geist sich auf ihre Nachkommen fortpflanzen mußte. Da erfüllte Gott die Familienhäupter...., die Erstlinge des Geistes mit Reichtum und Kraft, je nach der großen oder geringen Zahl jener, die ihre Lehre und ihren Geist sich aneignen sollen". (Auch diese Bemerkung weist auf die heilige Mutter.)

In manchen Fällen wird die innere Verwundung auch nach außen hin am Leibe sichtbar. Johannes beruft sich dafür auf die Wundmale des hl. *Franziskus,* die der Seraph „auch dem Leibe eindrückte...., wie er sie seiner Seele durch die Liebesverwundung beigebracht hatte [15]. Denn Gott gewährt gewönlich dem Leib keine Gnade, die er nicht zuvor und in erster Linie der Seele erwiesen hätte". Je größer dabei die Wonne und Kraft der Liebe infolge der inneren Verwundung ist, „desto empfindlicher ist auch der Schmerz äußerlich an der Wunde des Leibes. Und mit dem Wachstum des einen nimmt auch das andere zu". Denn „den gereinigten und in Gott gekräftigten Seelen bereitet Wonne und Süßigkeit, was dem verweslichen Leibe Schmerz und Qual bereitet.... Wird aber die Wunde nur der Seele geschlagen,.... so kann die Wonne weit inniger und erhabener sein; denn das Fleisch hält den Geist im Zaum,

---

[15] Johannes schrieb dies etwa 2 Jahre nach dem Tode der heiligen Mutter. Daß an ihrem Herzen die Liebesverwundung sichtbare Spuren zurückgelassen hatte, wußte er noch nicht.

und bekommt es an den geistigen Gnadengütern Anteil, so zieht es den Zügel an und.... bändigt die feurige Lebhaftigkeit des schnellfüßigen geistigen Pferdes; wenn es nämlich seine Kraft ausnützen würde, müßte der Zügel zerreißen...." [16]

Die kleine Einschaltung über Abarten der Liebesverwundung ist einmal bemerkenswert, weil sie zeigt, wie sorgfältig sich der Heilige bemüht, seine eigene innere Erfahrung zu ergänzen durch das, was ihm in andern Seelen zugänglich wird, wie er aber rein und klar die Unterschiede herausarbeitet und fest bei dem bleibt, was ihm grundsätzlich klar geworden ist: so erhaben die Liebesverwundung im visionären Erlebnis sein mag — nichts reicht an das rein geistige Geschehen im Wesen der Seele heran. Dem entspricht die sehr bezeichnende Auffassung des Verhältnisses von Leib und Seele, die sich an dieser Stelle andeutet: die Seele als Geist ist das wesenhaft Herrschende, wenn sie auch im Zustand des Falls — selbst noch in der höchsten Erhebung, die auf Erden denkbar ist — vom Leib belastet und durch die irdische Hülle niedergedrückt wird; und dieser ursprünglichen Ordnung der Natur paßt sich die Gnadenordnung an und spendet ihre Gaben vornehmlich und in erster Linie der Seele, erst abgeleiterweise und eventuell durch Vermittlung der Seele, dem Leib.

Die *Hand*, die die Wunde schlägt, ist der *liebevolle* und *allmächtige Vater*: „eine Hand...., die ebenso großmütig und freigebig wie mächtig und reich Ihre.... kostbaren Geschenke der Seele mitteilt, wenn Sie sich öffnet, um Ihre Gnade auszuspenden...." Die Seele empfindet Ihre liebevolle Herablassung und Berührung umso sanfter, weil diese Hand die ganze Welt in den Abgrund schleudern könnte, wenn Sie sich etwas empfindlicher darauf legte. Sie tötet und belebt und niemand kann Ihr entfliehen. „Du tötest aber, o göttliches Leben, nur um Leben zu geben.... Wenn Du züchtigst, berührst Du sanft, aber dies reicht hin, um die ganze Welt zu vernichten; doch wenn Du die Seele erquickst, zeigst Du Dich überaus herablassend, und die Tröstungen Deiner Süßigkeit sind unzählbar. Du hast mich verwundet, um mich zu heilen, o göttliche Hand; Du hast in mir getötet, was mich unter dem Baum des Todes fern vom göttlichen Leben gefangen hielt.... Dies hast Du vollbracht mit der Freigebigkeit Deiner großherzigen Liebe in jener Berührung, bei der Du mich mit dem Abglanz Deiner Herrlichkeit und mit dem Abbild Deines Wesens berührtest (Hebr. 1, 3). Es ist dies Dein eingeborener Sohn; in Ihm, der Deine Weisheit ist, reichst Du mit

---

[16] *Lebendige Liebesflamme*, Str. 2 V. 2, *Obras* IV 31 ff. u. 135 ff.

Macht von einem Ende zum andern (Weish. 8, 1). Und dieser Dein eingeborener Sohn, o barmherzige Hand des Vaters, ist die zarte Berührung, mit der Du mich in der Kraft Deines Feuerbrandes getroffen und verwundet hast.

O zarte Berührung, Wort, Sohn Gottes, der Du in der Zärtlichkeit Deines göttlichen Seins in erhabener Weise das Wesen meiner Seele durchdringst! Und während Du sie ganz zart berührst, läßt Du sie vollkommen in Dir, in göttlicher Süßigkeit und Wonne aufgehen, wie man sie weder im Lande Kanaan gehört, noch in Teman gesehen hat (Bar. 3, 22). O überaus zarte und gegen mich ganz einzigartige Berührung des Wortes! Du hast durch den Schatten Deiner Macht und Kraft, der vor Dir herging, die Berge umgestürzt und die Felsen auf dem Berge Horeb zermalmt und ließest Dich in ganz sanfter und fühlbarer Weise vom Propheten im Säuseln eines gelinden Windes wahrnehmen! (3 Reg. 19, 11-12) O zartes und gelindes Lüftchen, sag mir doch, wie Du ein zartes und gelindes Lüftchen warst; wie Du so zart berühren kannst, da Du, Wort, Sohn Gottes, so furchtbar und mächtig bist! O selig und überselig die Seele, die Du, der Du so furchtbar und mächtig bist, so sanft und milde berührst! Verkünde es der Welt — doch nein, sage es nicht, denn sie hat kein Verständnis für dieses sanfte Lüftchen.... O mein Gott und Leben! nur die werden Dich in Deiner sanften Berührung erkennen und wahrnehmen, die selber durch Losschälung von der Welt zart geworden sind, da das Zarte nur dem Zarten begegnet; und so können sie es empfinden und genießen.... O abermals und vielmals zarte Berührung, um so wirksamer und fühlbarer, je zarter Du bist! Denn durch die Kraft Deiner Zärtlichkeit befreist .... Du die Seele von allen Berührungen der Geschöpfe, einst sie mit Dir und nimmst sie für Dich allein in Besitz. Du läßt in der Seele eine so wohltuende Wirkung und Empfindung zurück, daß ihr jede Berührung der Geschöpfe.... plump und trügerisch vorkommt.... Schon ihr Anblick erregt in ihr Widerwillen, und es bereitet ihr Pein und große Qual, davon zu reden oder mit ihnen in Berührung zu kommen".

Mit der Zartheit wächst die Fassungskraft, mit der Einfachheit und Feinheit die Fülle der Mitteilung. Das Wort ist unendlich einfach und zart, die Seele in diesem Stande durch ihre Lauterkeit und Reinheit ein Gefäß von großem Umfang und Inhalt. Und je feiner und zarter die Berührung ist, umso mehr Wonne bereitet sie. Diese göttliche Berührung ist ohne Form und Gestalt, weil das göttliche Wort sich keiner Art einfügt. Sie ist wesenhaft, d.h. sie vollzieht sich in der Seele durch Gottes einfaches Wesen und ist darum unaussprechlich. Sie ist unendlich und darum auch unendlich zart [17]. So kann sie „ewiges Leben kosten lassen". Das ist nicht unmöglich, wenn Gottes Wesen die Seele in ihrem Wesen berührt. Die Wonne, die man dabei fühlt, ist unaussprechlich. „Ich will mich auch nicht darüber aussprechen, damit man nicht meine, dies ginge nicht über alles hinaus, was sich mit Worten sagen läßt". Die Seelen haben für diese erhabenen göttlichen Dinge ihre eigene Ausdrucksweise, die nur der versteht, dem sie zuteil werden: er freut sich ihrer und hält sie geheim. Es ist damit wie mit dem Namen auf dem weißen Stein: niemand kennt ihn, als der ihn empfängt (Apoc. 2, 17). So gewährt die göttliche Berührung den Vorgeschmack des ewigen Lebens, wenn auch die Freude noch nicht so vollkommen ist wie in der ewigen Herrlichkeit. Die Seele kostet hier „durch Teilnahme alle göttlichen Reichtümer, die Kraft, die Weisheit und Liebe, die Schönheit, Anmut und Güte usw. Und weil Gott all das ist, kostet es die Seele in einer einzigen göttlichen Berührung, und zwar mit all ihren Fähigkeiten und ihrem Wesen. Von diesem beseligenden Genuß der Seele ergießt sich manchmal auch die Salbung des Heiligen Geistes auf den Leib. An diesem Genuß nimmt das ganze sinnliche Wesen teil, alle seine Glieder, Gebeine und selbst das Mark der Gebeine kosten ihn.... mit dem Gefühl großer Wonne und Herrlichkeit, das sich bis in die äußersten Gelenke der Hände und Füße wahrnehmen läßt" [18]. In diesem Vorgeschmack des ewigen Lebens fühlt sich die Seele reichlich und weit über alle Gebühr belohnt für alle früheren Mühen, Betrübnisse, Beschwerden und Bußübungen. Und so ist „alle Schuld bezahlt".

Wenn so wenige „zu diesem erhabenen Stand der vollkommenen Vereinigung mit Gott gelangen", so ist die Ursache nicht bei Gott zu suchen, denn Er würde gern alle vollkommen sehen. Aber Er findet nur wenige Gefäße, die die notwendige „hohe und erhabene Bearbeitung ertragen". Die meisten „weigern sich, geringfügige Trostlosigkeiten und Abtötungen auf sich zu nehmen, und auch, mit beharrlicher Geduld zu wirken.... Und so führt Er sie auch nicht weiter vorwärts, um sie durch das Werk der Abtötung zu reinigen und aus dem Staub der Erde zu erheben.... O ihr Seelen, die ihr im geistlichen Leben in Sicherheit und Tröstungen zu wandeln wünscht, wenn ihr doch wüßtet, wie notwendig euch die Leiden sind, um zu dieser Sicherheit und diesem Trost zu gelangen .... Nehmt.... das Kreuz auf euch und trinkt, daran geheftet,

---

[17] a. a. O. Str. 2 V. 3, *Obras* IV 35 ff. u. 140 ff.
[18] a. a. O. Str. 2 V. 4, *Obras* IV 37 f. u. 143 f.

Galle und unvermischten Essig. Haltet das für ein großes Glück, denn wenn ihr so der Welt und euch selbst absterbt, gelangt ihr zu einem Leben aus Gott in der Wonne des Geistes". Wem „die ganz besondere Gnade der inneren Prüfung" verliehen wird, der muß Gott erst viele Dienste erweisen, große Geduld und Standhaftigkeit an den Tag legen, vor den Augen des Herrn in Leben und Wirken äußerst angenehm werden. So kommt es, „daß nur wenige es verdienen, durch Leiden zur Vollendung zu gelangen" [19].

Rückschauend erkennt dann die Seele, daß ihr alles zum Heil geworden ist und daß das Licht den Finsternissen entspricht. Es wird ihr nicht nur alles vergolten; es sind in ihr auch alle unvollkommenen Begierden ertötet, die ihr das geistige Leben rauben wollten. So hat Gottes Hand *tötend den Tod in Leben gewandelt.*

Unter *Leben* ist dabei ein Doppeltes zu verstehen: die beseligende Anschauung Gottes, zu der wir nur durch den natürlichen Tod hindurch gelangen können, und das vollkommene geistige Leben in der Liebesvereinigung mit Gott: dahin führt die Ertötung aller Laster und Begierden. Was die Seele hier *Tod* nennt, ist „der ganze alte Mensch, ... der Gebrauch des Gedächtnisses, des Verstandes und Willens, die sich mit den Dingen dieser Welt beschäftigen...., und die Begierden und Neigungen, die auf die Geschöpfe gerichtet sind". In all dem besteht das alte Leben, und das ist gleichbedeutend mit dem Tod des neuen, geistigen Lebens. In diesem neuen Leben der Vereinigung aber werden alle Begierden und Kräfte der Seele, alle ihre Neigungen und Tätigkeiten in göttliche umgewandelt. Sie lebt „ein Leben Gottes, und so hat sich ihr Tod in Leben umgewandelt, das sinnliche Leben in geistiges". Ihr Verstand ist umgestaltet in einen göttlichen Verstand, ihr Wille, ihr Gedächtnis und ihr natürliches Begehren sind alle vergöttlicht. „Das Eigenwesen (*sustancia*) der Seele ist zwar nicht das göttliche Wesen, da es sich nicht seinem Bestand nach (*sustancialmente*) in Gott verwandeln kann, aber durch die Vereinigung mit Gott und durch das Hineingezogensein in Ihn ist es Gott durch Teilnahme". So kann die Seele nun mit vollem Recht sagen: „Ich lebe, doch nicht ich, sondern Christus lebt in mir" (Gal. 2, 20). Sie ist nun „innerlich und äußerlich immer in Feststimmung, und dem Mund ihres Geistes entströmt häufig ein heller Jubel zu Gott, gleich einem neuen, immer neuen Lied in Freude, Liebe und Erkenntnis ihres glückseligen Standes". Gott, der alles neu macht, erneuert auch die Seele beständig. Er läßt sie nicht

---

[19] a. a. O. Str. 2 V. 5, *Obras* IV 38 ff. u. 144 ff.

wieder abnehmen wie früher, sondern mehrt ihre Verdienste. „.... Neben dem Bewußtsein der erhabenen Gnade, die sie empfangen hat, fühlt sie, daß Gott sorgfältig darauf bedacht ist, sie mit Seinen köstlichen, zärtlichen und liebevollen Worten zu beglücken und bald durch diese, bald durch jene Gnade zu erhöhen; und so kommt es ihr vor, als habe Er sonst keine Seele auf der Welt, die Er erfreuen wolle, und nichts anderes, womit Er sich zu beschäftigen hätte, sondern sei ganz für sie allein da. Aus diesem Gefühl heraus bricht sie in die Worte der Braut im *Hohenliede* aus: ‚Mein Geliebter ist mein und ich bin sein' (Cant. 2, 16) " [20].

c) Im Strahlenglanz der göttlichen Herrlichkeit

O lichte Feuerlampen,
In deren Strahlenfluten
Des Sinnes abgrundtiefe Höhlen,
So blind einst und so dunkel,
In Schönheit sondergleichen
Wärme und Licht vereint weih'n dem Geliebten.

Die Seele strömt über von Dank für die Gnaden, die sie aus der Vereinigung empfangen hat. Ihr Sinn und ihre Vermögen, einst blind und in Finsternis, sind nun durch liebeglühende Erkenntnisse hellleuchtend und entflammt. So kann sie dem Geliebten Licht und Liebe zurückschenken; darüber ist sie hochbeglückt.

In der wesentlichen Vereinigung mit Gott erkennt die Seele die Herrlichkeiten und Kräfte aller *göttlichen Eigenschaften,* die im einfachen göttlichen Wesen eingeschlossen sind : Seine Allmacht, Weisheit, Güte, Barmherzigkeit usw. „Jede dieser Eigenschaften ist dasselbe Wesen Gottes in einer einzigen Person, ... im Vater, im Sohn oder im Heiligen Geist; und so ist auch jede dieser Vollkommenheiten Gott selbst. Und da Gott ein unendlich göttliches Licht und ein unermeßlich göttliches Feuer ist, ... so leuchtete und brennt jede dieser Seiner zahllosen Eigenschaften und Kräfte wie Gott selbst. So ist jede dieser Eigenschaften eine *Lampe,* welche die Seele erleuchtet und mit Liebesglut erfüllt". In einem einzigen Akt der Vereinigung empfängt die Seele die Erkenntnis der verschiedenen Eigenschaften, und so „ist für sie derselbe Gott eine Fülle von Lampen zugleich, die sie in verschiedener Weise mit Weisheit er-

---

[20] Ende der Erklärung zu Str. 2, *Obras* IV 43 ff. u. 150 ff.

leuchten und mit Liebesglut erfüllen". Und so wird sie von jeder
dieser Lampen besonders und von allen gemeinsam entflammt.
„Denn alle diese Eigenschaften sind *ein* Wesen....; und so sind
auch alle diese Lampen nur *eine* Lampe, die nach ihren Kräften und
Eigenschaften leuchtet und brennt wie viele Lampen". Der Glanz
dieser Lampe des göttlichen Wesens, sofern Er allmächtig ist, gibt
ihr Licht und Wärme zu Gott dem Allmächtigen. Er erfüllt sie aber
auch mit Glanz als der Allweise und ist so eine Lampe der Weisheit.
Und so ist es mit allen übrigen Eigenschaften, die sich der Seele zugleich offenbaren. Wunderbare Wonne empfängt die Seele vom
Feuer und Licht dieser Lampen, eine unendliche Fülle, da sie von
so vielen Lampen kommt und jede in Liebe brennt. „Und die Glut
der einen vermehrt die Glut der andern, die Flamme der einen die
Flamme der andern und das Licht der einen das der andern. Denn
durch jede einzelne Vollkommenheit wird die andere erkannt. Und
so werden alle zusammen ein Licht und ein Feuer...." Die Seele
wird unermeßlich in diese zarten Flammen eingetaucht, von jeder
einzelnen aufs zärtlichste in Liebe verwundet und von allen zusammen noch mehr verwundet in der Liebe, die aus dem Leben kommt,
und sie „vermag gar wohl zu erkennen, daß jene Liebe vom ewigen
Leben stammt, das alle Güter in sich begreift". Gott erweist der Seele
Seine Liebe und Seine Wohltaten in der Kraft aller Seiner Eigenschaften: Er begnadet und liebt sie mit Allmacht und Weisheit, in
Güte und Heiligkeit, in Gerechtigkeit und Barmherzigkeit, Reinheit
und Lauterkeit usw. Er schätzt sie überaus hoch, will sie mit sich
selbst auf gleiche Stufe stellen und zeigt sich ihr darum freudig in
den Erkenntnissen der Vereinigung. Ströme des Liebens gießt Er
auf sie aus, und sie wird beglückt in vollkommener Harmonie der
Seele und des Leibes, umgewandelt in ein Paradies, das Gott vollkommen bebaut hat. Und so lieblich ist das unendliche Feuer, daß
es den Wassern des Lebens gleicht, die mit Ungestüm den Durst
des Geistes vollkommen stillen. Das deutete jener wunderbare Vorgang an, von dem die Makkabäerbücher berichten: das heilige Feuer,
das in einer Zisterne verborgen wurde, war in der Zisterne zu Wasser geworden; auf dem Opferaltar wandelte es sich wieder in Feuer [21]. Wie ein süßes, wonnigliches Wasser ist der Geist Gottes, so-
lang Er in den Adern der Seele verborgen ist; tritt Er aber beim
Opfer der göttlichen Liebe zu Tage, dann ist Er ein lebendiges Flam-
menfeuer. Weil nun die Seele hier entflammt und in liebender Hingabe tätig ist, darum spricht sie lieber von Lampen als von Wasser.

---

[21] 2 Mach. 1, 19-22.

Doch all das sind nur unzulängliche Versuche, das auszudrücken, was in Wirklichkeit vorgeht; „denn die Umgestaltung der Seele in Gott ist etwas Unaussprechliches" [22].

Wenn von *Strahlenfluten* gesprochen wird, in denen die Seele erglänzt, so sind damit die liebeglühenden Erkenntnisse der göttlichen Vollkommenheiten gemeint. Mit diesen Vollkommenheiten vereinigt, wird sie in die liebeglühenden Lichstrahlen umgestaltet und erglänzt wie diese selbst. Das Leuchten der göttlichen Lichtstrahlen ist ganz anders als das körperlicher Lampen. Diese beleuchten mit ihren Flammen die Dinge außer ihnen; jenes Leuchten dagegen läßt die Dinge im Innern der Strahlen erglänzen. Die Seele ist ja *in* den Strahlenfluten, ist dadurch umgestaltet und selbst zur Lichtflamme geworden: sie gleicht der entzündeten und in Feuer umgestalteten Luft innerhalb der Flamme. Die Bewegungen der Flamme, ihr Schwingen und Aufflackern, gehen von der Seele und dem Heiligen Geist zugleich aus; „sie sind nicht bloß Strahlenfluten, sondern auch eine Verklärung der Seele, die lieblichen Spiele und Festlichkeiten des Heiligen Geistes in der Seele", von denen früher schon gesprochen wurde. Es scheint, daß Er ihr dadurch das ewige Leben und die vollkommene Verherrlichung schenken will. Darauf zielen alle vorausgehenden und folgenden Gnaden hin. Aber so machtvoll auch die Anregungen des Heiligen Geistes wirken, das Aufgehen in der Fülle der Beseligung ist doch erst möglich, wenn die Seele „aus der Sphäre. . . . dieses sterblichen Lebens heraustritt und eingehen kann in das Tiefinnerste des Geistes, des vollkommenen Lebens in Christus".

Wenn von *Bewegungen* der Flamme die Rede war, so sind sie nicht eigentlich Gott zuzuschreiben, sondern der Seele. Denn Gott ist unveränderlich; es scheint ihr nur so, als ob Er sich in ihr bewege.

Die *Lichtglanzfülle* kann auch *Überschattung* genannt werden, wie es der Engel bei der Verkündigung tat (Luc. 1, 35). Denn *überschatten* oder *Schatten geben* bedeutet „schützen, begünstigen und Wohltaten erweisen". Sobald nämlich der Schatten einer Person auf jemanden fällt, ist es ein Zeichen, daß sie zum Schutz und Beistand nahe ist. Der Schatten nun, den ein Ding gibt, richtet sich nach der Natur des Dinges. „Ist es dicht und finster, so wirft es einen dunklen Schatten, ist es hell und fein, dann ist auch der Schatten hell und fein." So sind die Schatten der göttlichen Feuerlampen Strahlenfluten: die Lampe der Schönheit erzeugt als Schatten in der Seele eine andere Schönheit, die Lampe der Stärke eine andere Stärke, und der Schatten der Weisheit Gottes ist wiederum eine Weisheit. Besser

---

[22] a. a. O. Str. 3 V. 1, *Obras* IV 48 ff. u. 155 ff.

gesagt: die Weisheit, die Schönheit und Stärke Gottes' sind in Schatten gehüllt, weil die Seele sie hier noch nicht vollkommen erfassen kann. Da aber dieser Schatten Gott, Seinem Wesen und Seinen Eigenschaften ganz entspricht, so erkennt die Seele im Schatten deutlich die Erhabenheit Gottes. Gottes Allmacht und Weisheit, Seine unendliche Güte und Seine Seligkeit ziehen „im hellglänzenden und feurigen Schatten jener lichthellen und brennenden Lampen vorüber" und werden so von ihr erkannt und verkostet. So erkennt und verkostet sie alle Reichtümer, die in der unendlichen Einheit und Einfachkeit des göttlichen Wesens vereint sind. Die Erkenntnis des einen beeinträchtigt die Erkenntnis und den Genuß des andern nicht; vielmehr ist jede Schönheit und Kraft ein Licht, das wieder eine andere Herrlichkeit enthüllt. Die Reinheit der göttlichen Weisheit macht es, daß man in Ihr viele Dinge als eines schaut [23].

All diese Herrlichkeit füllt „des Sinnes abgrundtiefe Höhlen". Damit sind die Kräfte der Seele gemeint, Gedächtnis, Verstand und Willen. „Sie sind umso tiefer, je größere Gnadengüter sie aufnehmen können". Nur das Unendliche kann sie ausfüllen. So große Pein sie erduldet haben, als sie leer waren, so große Wonne kosten sie nun, da sie von Gott erfüllt sind. Sie haben die ungeheure Leere ihrer Fassungskraft nicht empfunden, solange sie nicht von aller Anhänglichkeit an die Geschöpfe leer, gereinigt und geläutert waren. Die geringste Kleinigkeit, woran sie geheftet sind, macht sie unempfindlich, sodaß sie „ihren Schatten nicht fühlen, den Verlust der Gnadengüter nicht merken und ihre Aufnahmefähigkeit nicht erkennen.... Trotz ihrer Fassungskraft für unermeßliche Güter vermag die geringste Ursache sie so zu bestricken, daß sie jene nicht in sich aufnehmen können.... Sind sie aber leer und geläutert, dann ist der Durst und Hunger und die Sehnsucht des geistigen Sinnes unerträglich. Denn jede dieser Höhlen hat einen sehr tiefen Magen, und so empfinden sie auch tiefes Weh, denn auch die Speise, die ihnen mangelt, ist unergründlich: es ist ja.... Gott selbst. Dieses tiefe Empfinden (des Hungers und Durstes) stellt sich gewöhnlich gegen Ende der Erleuchtung und Reinigung der Seele ein...." Wenn das geistige Verlangen rein ist von allem Geschöpflichen und aller Anhänglichkeit daran, dann hat die Seele statt ihrer natürlichen Weise die göttliche angenommen und besitzt einen leeren, zubereiteten Raum. Da sich aber das Göttliche noch nicht in der Vereinigung mitteilt, empfindet sie „eine Pein, die größer ist als der Tod, besonders wenn durch irgend eine Öffnung oder Ritze ein

---

[23] a. a. O. Str. 3 V. 3, *Obras* IV 54 ff. u. 160 ff.

göttlicher Strahl hindurchleuchtet, ohne daß Gott sich ihr mitteilt. Das sind jene Seelen, die an Ungestüm der Liebe leiden und nicht lange in diesem Zustand verharren können; entweder müssen sie das Ersehnte erlangen oder sterben" [24].

Die erste Höhle ist der *Verstand,* ihre Leere ist der *Durst nach Gott* und verlangt nach der göttlichen *Weisheit.* Die zweite Höhle ist der Wille, der nach Gott *hungert* und nach Vervollkommnung der *Liebe verlangt.* Die dritte Höhle ist das *Gedächtnis.* Es *verzehrt sich* nach dem *Besitz Gottes.* Was diese Höhlen fassen können, ist Gott. Und weil Gott tief und unendlich ist, so ist in gewisser Hinsich auch ihre Aufnahmefähigkeit unendlich, ihr Durst und ihr Hunger unendlich, ihr Vernichtetwerden und ihre Pein ein Tod ohne Ende. Wenn auch diese Pein noch nicht so tief ist wie im andern Leben, so gibt sie doch ein lebendiges Bild davon, da die Seele schon die nötige Zubereitung besitzt, um die Fülle des ewigen Lebens in sich aufzunehmen. Weil aber diese Bedrängnis in der Liebe ihren Sitz hat, gibt es für sie keine Linderung. „Denn je größer die Liebe ist, desto ungeduldiger ersehnt sie den Besitz Gottes; ihn erhofft sie jeden Augenblick mit sehnlichstem Verlangen" [25].

Doch wenn die Seele in Wahrheit nach Gott verlangt, dann besitzt sie den schon, den sie liebt, und so scheint es, daß sie keinen Schmerz mehr empfinden kann. „Denn das Verlangen der Engel, den Sohn Gottes zu sehen.... (1 Petr. 1, 12), ist frei von Schmerz und ängstlicher Sehnsucht, da sie Ihn ja schon besitzen.... Der Besitz Gottes aber verleiht Wonne und Sättigung. Es muß also die Seele in diesem Verlangen umso mehr Sättigung und Wonne empfinden, je heftiger es ist, da sie umso mehr im Besitz Gottes lebt; darum empfindet sie auch keinen Schmerz und keine Pein".

Es ist hier wohl zu beobachten, daß unter *Besitz Gottes* zweierlei zu verstehen ist: der Besitz *durch die Gnade* und *durch die Vereinigung.* Beide verhalten sich zueinander etwa wie *Verlobung* und *Vermählung.* Bei der Verlobung wird eine Übereinkunft getroffen, Braut und Bräutigam besuchen einander manchmal und tauschen Geschenke, aber eine gegenseitige Mitteilung der Personen und Vereinigung findet erst bei der Vermählung statt. So sind bei vollständiger Reinigung der Seele Gottes Wille und der ihre in freier Übereinstimmung eins geworden; sie besitzt dann „alles, was man

---

[24] a. a. O. Erklärung zu Str. 3 V. 3, § 1, *Obras* IV 58 ff. u. 165 ff.

[25] a. a. O. § 2, *Obras* IV 59 f. u. 166 f.

[26] Es wurde früher schon darauf hingewiesen, daß *Verlobung* hier nicht im strengen Sinn der mystischen Verlobung gebraucht ist — im Gegensatz zum *Geistlichen Gesang,* Str. 13 u. 14, *Obras* III 63 ff.

durch den Willen und die Gnade erreichen kann; das will sagen: Gott hat der Seele in ihr Sein, Sein wahres Sein und die Fülle Seiner Gnade hineingelegt. Das ist der erhabene Stand der geistigen Verlobung der Seele mit dem Wort Gottes; darin erweist ihr der Bräutigam große Gnaden und besucht sie oft aufs liebevollste...." Was ihr dabei an erhabenen Gunstbezeugungen zuteil wird, ist aber mit denen der mystischen Vermählung nicht zu vergleichen; es ist nur die Vorbereitung dafür. Denn es bedarf dazu nicht nur der Reinigung von aller geschöpflichen Anhänglichkeit, sondern auch der Zubereitung durch Heimsuchungen und Geschenke, damit sie immer schöner, reiner und geläuterter und einer so erhabenen Vereinigung würdiger werde. Darüber vergeht bei dem einen mehr, bei dem andern weniger Zeit. Die Zubereitung geschieht durch die Salbungen des Heiligen Geistes. Wenn diese Salbungen „schon sehr erhaben sind...., pflegt der Sehnsuchtsdrang der Seelenhöhlen aufs äußerste gespannt und zart zu werden;.... da sie nämlich schon inniger mit Gott verbinden und deshalb die Seele begehrlicher nach Gott machen und sie mit feinerer Empfindsamkeit zu Ihm hinziehen, so wird auch die Sehnsucht zarter und tiefer. Denn die Sehnsucht nach Gott ist die Zubereitung für die Vereinigung mit Ihm" [27]. Die Salbungen des Heiligen Geistes „sind so erhaben und zart, daß sie das innerste Wesen des Seelengrundes durchdringen.... und die Seele in Süßigkeit zerfließen lassen; dann ist der Schmerz und das sehnsuchtsvolle Dahinschmachten bei der unermeßlichen Leere der Höhlen gleichsam unendlich". Doch je feiner die Zubereitung war, desto vollkommener wird der *Sinn der Seele* in der Vermählung den Besitz genießen. „Unter Sinn der Seele versteht man die Fähigkeit und Kraft des Wesens der Seele, die Gegenstände der geistigen Vermögen wahrzunehmen und zu genießen; damit kostet sie die Weisheit, die Liebe und Mitteilung Gottes". Die Seele nennt ihre Kräfte „tiefe Höhlen des Sinnes", weil sie in ihnen die Erhabenheit der Weisheit und der Vollkommenheiten Gottes kostet. Und „wenn sie fühlt, daß sie die tiefen Erkenntnisse und Strahlenfluten der Feuerlampen in sich fassen, erkennt sie, daß ihnen eine so große Fassungskraft und Tiefe innewohnt, wie sie den verschiedenen Dingen entspricht, die sie von Gott empfängt: Erkenntnissen, Süßigkeiten, Freuden, Genüssen usw." Ähnlich wie der Gemeinsinn der Phantasie Aufbewahrungsort und Archiv für die Bilder und Formen der Sinne ist, „wird auch der Gemeinsinn der Seele als Aufbewahrungsort und Archiv der Herrlichkeiten Gottes in dem Maße erleuchtet

---

[27] a. a. O. Erklärung zu Strophe 3 V. 3, § 3, *Obras* IV 60 ff. u. 167 ff.

und bereichert, als er an diesem erhabenen und glanzvollen Besitz Anteil bekommt [28]. Einst war *er blind und dunkel* — ehe nämlich die Seele von Gott erleuchtet und erhellt war. Das leibliche Auge kann nicht sehen, wenn es im Dunkeln oder wenn es blind ist. So kann auch die Seele bei schärfster Sehkraft nichts erkennen, wenn Gott, ihr Licht, sie nicht erleuchtet. Umgekehrt: ist ihr geistiges Auge erblindet durch die Sünde oder das Verlangen nach etwas Geschöpflichem, dann strömt das göttliche Licht vergeblich auf sie ein. Sie erkennt ihre eigene Dunkelheit, d.h. ihre Unwissenheit, nicht. Von der *Finsternis* der Sünde ist die *Dunkelheit* zu unterscheiden : die unverschuldete Unwissenheit bezüglich natürlicher oder übernatürlicher Dinge. So war auch der Sinn der Seele vor der Vereinigung in doppelter Hinsicht im Dunkel. Denn bis der Herr die Worte sprach: „Es werde Licht!", schwebten Finsternisse über dem Höhlengrund des Seelensinnes. Je abgrundtiefer der Sinn und seine Höhlen sind, desto tiefer und schwärzer ist auch seine Finsternis bezüglich der übernatürlichen Dinge, wenn ihn Gott, sein Licht, nicht erleuchtet. Er kann unmöglich seine Augen zum Licht erheben und es auch nicht denkend fassen. Denn er weiß nicht, wie es ist, da er es noch nicht gesehen hat, und so kann er auch kein Verlangen danach tragen. Er würde vielmehr nach Finsternis verlangen, da er weiß, wie sie ist". Wenn aber Gott der Seele das Licht der Gnade verliehen hat, dann wird das Auge ihres Geistes erleuchtet und für das göttliche Licht geöffnet. Und wie vorher ein Abgrund der Finsternis den andern rief (Ps. 18, 3), so ruft nun ein Abgrund der Gnade nach dem andern, nämlich nach der Umgestaltung der Seele in Gott. Dann wird das Licht Gottes mit dem Licht der Seele ganz eins, das natürliche Licht der Seele vereinigt sich mit dem übernatürlichen Licht Gottes und es leuchtet nur noch das übernatürliche.

Der Sinn der Seele war auch blind, weil er sich an etwas anderem als an Gott ergötzte. Das Begehren lag wie der Star oder wie ein Wölkchen vor dem Auge der Vernunft; es war blind für die erhabenen Schönheiten und Reichtümer Gottes. Das kleinste Ding, das dicht vor das Auge gestellt wird, nimmt ihm den Blick auf andere, fernerstehende Dinge. So genügt ein leichtes Begehren, um der Seele das Schauen aller Herrlichkeiten Gottes unmöglich zu machen. In solchem Zustand sieht „das Auge des Urteils" jenes Wölkchen nur bald so, bald so gefärbt; es hält das Wölcken für Gott, weil es über dem Sinn liegt; Gott aber fällt nicht in den Bereich des Sinnes.

---

[28] a. a. O. Erklärung zu Strophe 3 V. 3, § 3, *Obras* IV 83 f. u. 194 f.

Menschen, die sich noch nicht von allen Begierden und Neigungen freigemacht haben, sollen darum überzeugt sein, daß sie verkehrt urteilen. Was für den Geist gewöhnlich und geringfügig ist, aber die Sinne befriedigt, das halten sie für etwas Großes, was für den Geist etwas Hohes ist, aber die Sinne wenig anspricht, das achten sie gering. Bei dem sinnlichen Menschen, d.h. bei dem, der ganz nach seinen natürlichen Begierden und Neigungen lebt, werden auch Begierden, die im Geist ihren Ursprung haben, zu bloß natürlichen. Selbst wenn die Seele nach Gott verlangt, ist dies Verlangen nicht immer übernatürlich, sondern nur, wenn Gott es eingießt und ihm Kraft verleiht.

So war der Sinn der Seele mit seinen Gelüsten und Neigungen dunkel und blind [29]. Nun aber ist er durch die übernatürliche Vereinigung mit Gott erleuchtet, ja mehr noch: er ist selbst mit seinen Vermögen ein hellglänzendes Licht und kann „in Schönheit sondergleichen Wärme und Licht vereint weih'n dem Geliebten".

Die Höhlen der Seelenkräfte sind von der Lichtfülle der göttlichen Lampen durchflossen. Sie selbst brennen nun und senden die Glanzesfülle, die sie empfangen haben, in liebeglühender Beseligung in Gott zu Gott, wie das Glas den Glanz des einströmenden Sonnenlichtes wiederstrahlt, doch viel erhabener, weil der Wille mitwirkt. Es geschieht in einer ganz einzigartigen Fülle, die jedes gewöhnliche Denken übersteigt und sich durch keine Worte ausdrücken läßt. In der Fülle, in der der gottgeeinte Verstand die Weisheit aufnimmt, strahlt er sie auch wieder zurück. Und in der Vollkommenheit, womit der Wille der göttlichen Güte geeint ist, gibt er sie Gott in Gott wieder zurück. Denn die Seele empfängt nur, um zurückzugeben: alles Licht und alle Liebeswärme, die der Geliebte ihr mitteilt, schenkt sie Ihm wieder. Sie ist durch die wesentliche Umgestaltung ein Schatten Gottes geworden, und „so tut sie in Gott durch Gott dasselbe, was Er in ihr durch sich selbst tut, und in derselben Weise, wie Er es tut.... Wie.... Gott mit freiem und gnadenvollem Willen sich mitteilt, so gibt auch ihr Wille — umso frei- und großmütiger, je inniger er mit Gott vereint ist — in Gott, Gott Gott selbst.... Sie sieht hier, daß Gott ihr vollkommen gehört, daß sie als Adoptivkind mit vollem Eigentumsrecht in Seinen Erbbesitz eingetreten ist.... Als ihr Eigentum kann sie Ihn...., wenn sie will, geben.... Und so gibt sie Ihn ihrem Geliebten, ... Gott selbst ...., der sich ihr hingegeben hat. Und sie empfindet .... unaussprechliche Wonne und Befriedigung bei der Wahrnehmung, daß

---

[29] a. a. O. Str. 3 V. 4, *Obras* IV 84 ff. u. 195 ff.

sie Gott ihr Eigentum gibt und daß es dem unendlichen Sein Gottes entspricht.... Gott begnügt sich vollkommen mit dieser Gabe der Seele — mit Geringerem könnte Ihm nicht Genüge geschehen — und nimmt es von der Seele gern und wohlgefällig als etwas ihr Gehöriges an.... In dieser Hingabe an Gott liebt Ihn die Seele in neuer Weise, und Er gibt sich aufs neue freigebig der Seele hin.... So ist zwischen Gott und der Seele wirklich eine gegenseitige Liebe begründet in der Gleichförmigkeit der Vereinigung und in ehelicher Hingabe, worin sie beide beider Gut, das göttliche Wesen, durch freiwillige Hingabe aneinander und durch Vereinigung miteinander besitzen.... Die Wahrnehmung, daß die Seele Gott mehr geben kann, als sie in sich ist und vermag, da sie in solcher Freigebigkeit Gott als ihr Eigentum Ihm selbst schenkt...., bereitet ihr die größte Befriedigung und Freude.... Im andern Leben vollzieht sich das durch das Glorienlicht, in diesem Leben durch den vollkommen erleuchteten Glauben". So spenden „des Sinnes abgrundtiefe Höhlen.... in Fülle sondergleichen Wärme und Licht vereint dem Geliebten". Vereint — denn in der Seele teilen sich Vater, Sohn und Heiliger Geist vereint mit, und Sie sind für sie Licht und Liebesfeuer.

Die Liebe zwischen Gott und der Seele ist von ganz außerordentlicher Vollkommenheit, ebenso der Genuß, den sie darin findet, und die Lobpreisung und Danksagung, die sie Gott darbringt. „Die Seele liebt hier Gott nicht aus sich, sondern durch Gott selbst....: durch den Heiligen Geist, wie der Vater den Sohn liebt...." Ferner liebt die Seele Gott *in* Gott: „in dieser ungestümen Vereinigung geht die Seele in der Liebe Gottes auf und auch Gott gibt sich der Seele in mächtigem Ungestüm hin". Schließlich liebt „die Seele hier Gott um Seiner selbst willen. Sie liebt Ihn nicht bloß deshalb, weil Er gegen sie so mitteilsam, gütig und beseligend.... ist, sondern noch weit inniger, weil sie das alles wesenhaft in sich selbst ist".

Auch der *Genuß* ist darum so erhaben, weil es ein Genuß Gottes durch Gott selbst ist. Denn die Seele ist hier dem Verstand nach vereinigt mit der Allmacht, Weisheit und Güte Gottes; und wenn dies auch nicht in solcher Klarheit geschieht wie im andern Leben, so ist doch ihre Freude an all diesen deutlich erkannten Dingen überaus groß. Ferner findet die Seele jetzt nur noch in Gott ihr Gefallen, ohne daß irgend ein Geschöpf dazwischen tritt. Und sie genießt Gott nur durch das, was Er selber ist, ohne Einmischung eigenen Geschmackes.

Ihr *Lob* ist dadurch ausgezeichnet, daß sie es pflichtgemäß darbringt, weil sie erkennt, daß Gott sie zu Seinem Lobe erschaffen hat. Sie preist Ihn ferner wegen der Gnadengüter, die sie empfängt, und um des Entzückens willen, das sie beim Lobe Gottes empfindet. Darüber hinaus aber preist sie Ihn um dessentwillen, was Er in sich selbst ist; „denn würde die Seele auch keine Wonne empfinden, so würde sie Ihn doch um Seiner selbst willen lobpreisen" [30].

d) Verborgenes Liebesleben

Wie sanft und voller Liebe
In meinem Schoß erwachest Du,
Wo Du verborgen weilest ganz allein;
Mit Deinem süßen Hauche
Voll Glück und Herrlichkeiten,
Wie zart läßt Du in Liebe mich entbrennen!

Die Seele spricht von einer wunderbaren Wirkung Gottes, die sie bisweilen in sich wahrnimmt. Sie hat das Bild eines Menschen vor Augen, der vom Schlaf erwacht und aufatmet, denn sie hat wirklich das Gefühl, daß etwas dergleichen in ihr vorgeht.

„Gott erwacht auf mannigfache Weise in der Seele. Wollten wir alle diese Weisen anführen, wir kämen mit der Aufzählung an kein Ende. Aber dieses Erwachen des Sohnes Gottes, worauf die Seele hier hinweist, ist überaus erhaben und gewinnreich für sie. Es ist eine Bewegung, die das Wort im Wesen der Seele hervorruft, von solcher Erhabenheit, Macht und Herrlichkeit und von so innerster Süßigkeit, daß es der Seele vorkommt, als seien alle Balsamdüfte, alle wohlriechenden Spezereien und Blumen der ganzen Welt ausgestreut. . . ., als seien alle Königreiche und Herrschaften der Welt und alle Kräfte und Gewalten des Himmels in Bewegung, ... als leuchteten alle Kräfte und Wesen, alle Vollkommenheiten und Reize aller geschaffenen Dinge auf und machten einträchtig ein und dieselbe auf Eines hinzielende Bewegung. . . . Wenn also jener erhabene Gebieter in der Seele sich geltend machen will, dem die Herrschaft über das dreifache Weltengebäude . . . . auf die Schulter gelegt ist, und der . . . . durch das Wort Seiner Macht alles trägt, so scheint es, daß alles auf einmal in Bewegung gerät, so wie bei der Bewegung der Erde alle stofflichen Dinge, die sich auf ihr befinden, sich bewegen, als wären sie nicht. . . . Dieser Vergleich ist aber durchaus unzulänglich, da hier alle Dinge sich nicht nur zu bewe-

---

[30] Ende der Erklärung zu Str. 3, *Obras* IV 88 ff. u. 199 ff.

gen scheinen, sondern auch die Anmut ihres Seins, ihre Kraft, ihre Schönheit und ihre Reize sowie den innersten Grund ihres Bestehens und Lebens offenbaren. Hier sieht die Seele, wie alle Geschöpfe der höheren und niedern Ordnung ihr Leben, ihre Kraft und ihr Bestehen in Ihm haben...., daß aber das Wesen Gottes in Seinem Sinn unendlich erhaben ist über all diese Dinge, sodaß sie sie in Seinem Wesen besser erkennt als in ihnen selbst. Und darin besteht das große Entzücken dieses Erwachens, daß sie die Geschöpfe durch Gott erkennt und nicht mehr Gott durch die Geschöpfe.... Wie aber diese Bewegung in der Seele vor sich gehen kann, da Gott unveränderlich ist, das ist etwas Wunderbares. Denn obwohl Gott sich nicht wirklich bewegt, scheint es doch der Seele, daß Er sich in Wahrheit bewege; da sie nämlich durch Gott verändert und bewegt ist, um jene übernatürliche Erscheinung wahrzunehmen, offenbart sich ihr in ganz neuem Licht jenes göttliche Leben und das Sein und die Harmonie der ganzen Schöpfung in Ihm mit ihren Bewegungen in Gott; und so scheint es ihr, daß Gott sich bewege und die Ursache sich den Namen der Wirkung aneigne, die sie hervorbringt...."
So ist es auch die Seele, die vom Schlaf des natürlichen Schauens zum übernatürlichen erweckt wird. „Nach meiner Ansicht geht dieses Erwachen und Schauen der Seele so vor sich: da die Seele — wie jedes Geschöpf — mit ihrem selbsteigenen Sein in Gott ist, nimmt Gott einige von den vielen Schleiern und Hüllen weg, die vor ihr hängen, damit sie sehen kann, wie Er ist. Dann leuchtet Sein Antlitz voll Huld hindurch und man nimmt es wahr, wenn auch noch etwas im Dunkel, da noch nicht alle Schleier hinweggenommen sind. Und da Er alle Dinge durch Seine Kraft in Bewegung setzt, tritt zugleich mit Ihm alles, was Er tut, zu Tage, sodaß Er in ihnen und sie in Ihm fortwährend in Bewegung zu sein scheinen. Darum hat die Seele den Eindruck, daß Er sich bewege und erwache, während doch sie es ist, die bewegt und aufgeweckt wird.... So schreiben die Menschen Gott zu, was sich in ihnen findet. Sie, die träge und schläfrig sind, sagen, Gott erhebe sich und erwache, obwohl Er niemals schläft.... Da aber in Wahrheit alles Gute von Gott kommt und der Mensch aus sich nichts Gutes vermag, sagt man der Wahrheit gemäß, daß unser Erwachen ein Erwachen Gottes und unser Aufstehen ein Aufstehen Gottes ist.... Und weil die Seele in einem Schlaf versunken war, aus dem sie aus sich selbst nie hätte erwachen können, und weil nur Gott ihr die Augen öffnen und dies Erwachen bewirken konnte, darum nennt die Seele dieses Erwachen im eigentlichen Sinn ein Erwachen Gottes....
Es ist ganz unaussprechlich, was die Seele bei diesem Erwachen der

Herrlichkeit Gottes erkennt und fühlt". Die Herrlichkeit Gottes teilt sich im Wesen der Seele mit (sie nennt es ihren *Schoß*) und offenbart sich in unermeßlicher Macht, mit der Stimme „von tausend und abertausend Kräften Gottes, die man nicht zählen kann. Mitten unter ihnen bleibt die Seele unbeweglich, ... furchtbar und fest wie ein geordnetes Heerlager und zugleich lieblich und holdselig, mit allen Reizen der geschaffenen Dinge ausgestattet". Daß die Seele in der Schwäche des Fleisches bei einem so herrlichen Erwachen nicht in Ohnmacht gerät und vor Furcht vergeht, ist einmal daraus zu erklären, daß sie sich schon im Stande der Vollkommenheit befindet. Der niedere Teil ist vollkommen gereinigt und dem Geist gleichförmig gemacht, sodaß er keine Einbuße und Pein mehr erleidet bei geistigen Mitteilungen wie früher. Überdies aber zeigt sich Gott „sanft und voller Liebe". Er sorgt dafür, daß die Seele keinen Schaden nimmt, und schützt die Natur, während Er dem Geist Seine Herrlichkeit mitteilt. Darum empfindet die Seele ebensoviel Liebe und Milde in Ihm wie Macht, Herrlichkeit und Größe. So mächtig ihr Entzücken ist, so mächtig ist auch der Schutz in Milde und Liebe, um dieses mächtige Entzücken ertragen zu können. So wird die Seele eher kraftvoll und stark als ohnmächtig. Der König des Himmels zeigt sich ihr wie ein Gleichgestellter und Bruder. Er steigt von Seinem Thron herab, neigt sich zu ihr und umarmt sie. Er bekleidet sie mit königlichen Gewändern: mit den wunderbaren Kräften Gottes, umgibt sie mit dem Goldglanz der Liebe und läßt in ihr als kostbare Edelsteine die Erkenntnis der höheren und niederen Wesen leuchten [31]. All das vollzieht sich in ihrem innersten Wesen, wo Er „verborgen weilet ganz allein". Gott weilt freilich in allen Seelen geheim und verborgen — sonst könnten sie nicht bestehen. Aber in einigen weilt Er allein, in anderen nicht allein; hier mit Wohlgefallen, dort mit Widerwillen. In einigen weilt Er wie in Seinem eigenen Hause, wo Er alles lenkt und leitet, in andern wie ein Fremdliing, den man nicht gebieten und nichts tun läßt. Je weniger eine Seele von eigenen Begierden und Neigungen eingenommen ist, desto mehr ist Er darin allein und wie im eigenen Hause, und je mehr allein, desto verborgener weilt Er auch darin. In einer Seele, die von allen Begierden frei ist, aller Formen, Bilder und geschöpflichen Neigungen entkleidet, da verweilt Er ganz verborgen und in innigster Umarmung. Weder der Teufel noch ein Menschenverstand können ausfindig machen, was da vorgeht. Der Seele selbst aber bleibt es auf dieser Stufe der Vollkommenheit nicht verborgen,

---

[31] a. a. O. Str. 4 V. 1 u. 2, *Obras* 93 ff. u. 204 ff.

da sie es immer in sich fühlt. Doch gibt es dabei noch jenen Unterschied von Schlaf und Erwachen. Es ist manchmal, als ob der Geliebte ruhend bei ihr verweilte, sodaß kein Austausch von Liebe und Erkenntnis möglich ist, und dann wieder, als ob Er erwache. Glücklich die Seele, die immer lebendig fühlt, daß Gott in ihr ruht und Erquickung findet! In unermeßlich stiller Ruhe muß sie sich bewahren, damit keine Bewegung und kein Geräusch den Geliebten störe. Wollte Er immer wachend in ihr bleiben und ihr die Schätze der Erkenntnis und Liebe mitteilen, dann wäre sie schon im Glorienstand. In Seelen, die noch nicht bis zur Liebesvereinigung gelangt sind, bleibt Er meist verborgen. Sie nehmen Ihn für gewöhnlich nicht wahr, sondern nur, wenn Er sie wonnevoll erweckt. Dieses Erwecken ist ein anderes als jenes im Stand der Vollkommenheit. Es ist auch hier nicht alles so verborgen vor dem Teufel und vor dem Menschenverstand wie dort, denn bei solchen Seelen ist noch nicht alles ganz geistig; es finden sich noch Regungen der Sinnlichkeit in ihnen. In jenem Erwachen aber, das der Bräutigam selbst bewirkt, in der vollkommenen Seele, ist alles vollkommen, weil Er es vollzieht. Das Aufatmen und Erwachen der Seele ist dann wie bei einem Menschen, der wach wird und Atem holt; sie empfindet darin das Anhauchen Gottes[32]. „Deshalb spricht sie:

> Mit Deinem süßen Hauche,
> Voll Glück und Herrlichkeiten,
> Wie zart läßt Du in Liebe mich entbrennen!

Von diesem Hauchen Gottes wollte und will ich nicht sprechen; denn ich erkenne klar, daß ich es nicht richtig zu sagen weiß, und es wird geringer erscheinen, als es ist, wenn ich davon rede. Denn es ist ein Anhauchen, das Gott wirkt; darin haucht sie in jenem Erwecken der erhabensten Erkenntnis der Gottheit der Heilige Geist an; und in dem Maß der Erkenntnis, worin sie ganz tief in den Heiligen Geist versinkt, wird sie aufs zarteste in Liebe entflammt, dem entsprechend, was sie geschaut hat. Und da dieser Hauch voll Gnade und Herrlichkeit ist, erfüllt sie der Heilige Geist mit Glück und Beseligung, sie gerät in Liebe außer sich und wird in unaussprechlicher und unbegreiflicher Weise in die Tiefe Gottes hineingezogen; und darum breche ich hier ab"[33].

---

[32] a. a. O. Str. 4 V. 3, *Obras* IV 100 ff. u. 210 ff.
[33] Ende der *Lebendigen Liebesflamme*, Obras IV 102 u. 213.

e) Eigenart der *Lebendigen Liebesflamme* im Vergleich
mit den älteren Schriften

Wenn dem Heiligen das Gefühl des Unvermögens gegenüber dem Unsagbaren Schweigen gebietet — wie sollen wir es wagen, seinen Worten eine sachliche Erklärung anzufügen? Wir möchten ihm nur danken, daß er uns einen Blick tun ließ in ein wunderbares Land, ein irdisches Paradies an der Schwelle des himmlischen. Doch wir müssen versuchen das, was er uns hier erschlossen hat, in Verbindung zu bringen mit dem schon Bekannten. Liebe zu den Seelen hat ihm die Lippen geöffnet: er will ihnen Mut machen zum harten Kreuzweg, dem steilen und schmalen Weg, der auf so lichter, seliger Höhe endet.

Damit ist kurz die innere Zunsammengehörigkeit zwischen der *Lebendigen Liebesflamme* und den beiden Schriften ausgesprochen, die den Kreuzweg selbst zum Gegenstand hatten: *Aufstieg* und *Nacht*. Eine eigentliche Gegenüberstellung des gedanklichen Gehaltes wäre nur möglich, wenn wir die verlorenen oder nie geschriebenen Teile der beiden älteren Schriften vor uns hätten. Immerhin darf man wohl soviel sagen: Nach dem, was jene beiden Werke an manchen Stelle vorgreifend von der Vereinigung andeuteten, hat man den Eindruck, daß eine neue Erlebnisgrundlage vorliegt. Die grundsätzliche Einstellung ist dieselbe geblieben: es gibt keinen andern Weg zur Vereinigung als den durch Kreuz und Nacht, den Tod des alten Menschen. Es ist auch nicht nachträglich durchzustreichen, was wiederholt betont wurde: daß der Dichter und Ausleger des Nacht-Gesangs bereits zur Vereinigung gelangt war. Aber die Vereinigung schien sich *in* der Nacht, ja am Kreuz zu vollziehen. Wie weit sich schon in diesem Leben der Himmel öffnen kann, das scheint der Heilige erst später beseligt erfahren zu haben.

Auch das äußere Geschick der letzten Schrift war ein glücklicheres als das der früheren. Damit ist nicht nur gemeint, daß sie zum Abschluß kam und als Ganzes erhalten blieb. *Wenn* die andern tatsächlich unvollendet blieben — wir haben diese Frage ja immer offen gelassen —, so lag es vielleicht daran, daß die Erklärung dort nachträglich und nicht nur in einem zeitlichen, sondern auch in einem seelischen Abstand von dem Gesange geschrieben wurde. *Aufstieg* und *Nacht* sind viel stärker lehrhaft als die Auslegung der *Liebesflamme*. Der Denker steht vor dem Gedicht, dem Niederschlag seiner ursprünglichen Erfahrung, fast wie vor etwas Fremdem; jedenfalls als vor etwas sachlich Gegebenem. Und der Eifer, die grundlegenden Begriffe und leitenden Bilder gedanklich klarzumachen, reißt ihn so mit sich fort, daß seine ursprüngliche Absicht, das Gedicht Strophe für Strophe und Vers für Vers zu erklären, im *Aufstieg* bald fallen gelassen wird und in der *Nacht* erst spät zur Durchführung kommt. In der *Lebendigen Liebesflamme* dagegen sind Gedicht und Erklärung eins. Daß zwischen der Abfassung des einen und andern einige Zeit verstrich, hat der Einheit nicht geschadet — im Gegenteil: Johannes hat gezögert, an die Auslegung heranzugehen, weil sie ihm als Aufgabe für den natürlichen Verstand unlösbar schien. Er hat sich dazu entschlossen, als die Liebesflamme in ihm aufs neue emporloderte und ihn mit himmlischem Licht überströmte. Das, was er früher geschrieben hatte, schloß sich nun von selbst tiefer auf. So ergab sich zwanglos der enge Anschluß an die Gedankenfolge der vier Strophen. Die Einheit des Ganzen ist nur an einer Stelle durch eine temperamentvolle Auseinandersetzung mit den stümperhaften Seelenführern unterbrochen [34]. Davon abgesehen ist die Schrift aus einem Guß, von dichterischem und mystischem Schwung von Anfang bis zu Ende getragen wie keine andere. Aus der Überfülle des Lichtes ergibt sich auch eine besondere Stileigentümlichkeit. Der Heilige hat immer in der Heiligen Schrift gelebt. Überall haben sich ihm Bilder und Vergleiche aus der Heiligen Schrift zwanglos aufgedrängt, und er hat gern danach gegriffen, um das, was eigene Erfahrung ihn lehrte, durch das Wort der Schrift zu sichern und zu bekräftigen. Aber hier ist der Zusammenklang der eigenen Erfahrung mit dem offenbarten Gotteswort und den Begebenheiten der Heiligen Geschichte besonders eindringlich [35]. Man fühlt, wie sich für den Heiligen die Schleier heben und alles ihm durchsichtig wird zur Aufhellung des geheimen Verkehrs zwischen Gott und der Seele. Was für den unerleuchteten Blick des gewöhnlichen Lesers nur äußere Begebenheit ist, das *liest* er wie selbstverständlich als Ausdruck mystischen Geschehens. Nur *ein* Beispiel: Mardochäus, der dem König Ahasverus das Leben gerettet hatte, ist für Johannes das Bild der Seele, die dem Herrn in Treue dient, ohne etwas dafür zu empfangen. Aber mit einemmal wird sie, „wie einst Mardochäus, für ihre Mühseligkeiten

---

[34] *Lebendige Liebesflamme*, Erklärung zu Str. 3 V. 3, § 4, *E. Cr.* II 444 f. Wir haben diese Einschiebung hier übergangen, um den sachlichen Zusammenhang nicht zu zerreißen. Sie findet in unserem III. Teil Verwendung.

[35] Unsere Wiedergabe des Gehaltes der *Liebesflamme* gibt davon nur ein sehr schwaches Bild, weil wir aus der Fülle der Schriftbeispiele nur ganz wenige angeführt haben (auch bei den andern Schriften). Wer den richtigen Eindruck bekommen will, muß die Werke des Heiligen selbst zur Hand nehmen.

und Dienstleistungen belohnt. Sie darf nicht bloß in das Innere des Palastes und im königlichen Gewande vor das Angesicht des Königs treten, sie empfängt auch das Diadem, den Szepter und den Thron des Königs sowie den königlichen Ring, um im Reich ihres Bräutigams nach Belieben schalten und walten zu können" [36].

2. Der Seele Brautgesang

a) Der *Geistliche Gesang* und sein Verhältnis zu den andern Schriften

Wo Johannes von der Vereinigung der Seele mit Gott sprach, haben sich ihm in allen Schriften gern Worte des *Hohenliedes* auf die Lippen gedrängt. Aber in jener Zeit, in der seine eigene Seele wohl am stärksten von allen Schmerzen und Wonnen der Liebe erschüttert wurde — in den Kerkermonaten zu Toledo —, da ist der uralte Brautgesang aus seinem Herzen neu geboren worden. Er ist uns in zwei Fassungen überliefert, deren Unterschied für uns von Bedeutung ist.

CANCIONES ENTRE EL ALMA Y EL ESPOSO	GESANG ZWISCHEN DER SEELE UND DEM BRÄUTIGAM
I. [37]	I.
Esposa:	*Die Braut:*
1.	1.
A dónde te escondiste,	Wo Du geheim wohl weilest,
Amado, y me dejaste con gemido?	Geliebter, der zurückließ mich in Klagen?
Como el ciervo huiste,	Dem Hirsch gleich Du enteilest,
Habiéndome herido;	Da Wunden Du geschlagen:
Salí tras tí clamando, y eras ido.	Ich lief und rief, doch konnt' Dich nicht [erjagen.

---

[36] *Lebendige Liebesflamme*, Erklärung zu Str. 2 V. 5, *Obras* IV 43 u. 149 f. — Buch Esther 4, 1 ff.

[37] Die römischen Ziffern I., II. und III. sind erst in der zweiten Fassung eingefügt.

2.

Pastores, los que fuerdes
Allá por las majadas al Otero,
Si por ventura vierdes
Aquel que yo más quiero, [muero.
Decilde que adolezco, peno y

2.

Ihr Hirten, die ihr gehet
Durch Hürden hin dort auf des Berges Höhe,
Wenn ihr vielleicht ihn sehet,
Nach dem ich liebend spähe,
Sagt ihm, daß ich in Pein und Qual vergehe.

3.

Buscando mis amores,
Iré por esos montes y riberas,
Ni cogeré las flores,
Ni temeré las fieras,
Y passaré los fuertes y fronteras.

3.

Mein Lieb will suchen gehen
Ich über Berge und in Flußrevieren,
Die Blumen laß ich stehen,
Leid' Schrecken nicht von Tieren,
Will Starke und will Grenzen kühn passieren.

Pregunta á las criaturas:
4.

Oh, bosques y espesuras,
Plantadas por la mano del Amado!
Oh, prado de verduras,
De flores esmaltado,
Decid si por vosotros ha pasado!

Frage an die Geschöpfe:
4.

Ihr Dickichte und Wälder,
Die unter des Geliebten Hand entsprangen,
Ihr frisch begrünten Felder,
Wo bunte Blumen prangen,
Sagt mir, ob er durch euch ist hingegangen.

Respuesta de la criaturas:
5.

Mil gracias derramando,
Pasó por estos sotos con presura,
Y yéndolos mirando,
Con sola su figura
Vestidos los dejó de hermosura.

Antwort der Geschöpfe:
5.

Ausstreuend tausend Gaben.
Sah'n wir ihn schnell durch diese Büsche eilen,
Im Flug den Blick zu laben;
Sein Antlitz, sonder Weilen,
Ließ sie an seiner Schönheit haben.

Esposa:
6.

Ay, quién podrá sanarme!
Acaba de entregarte ya de vero,
No quieras enviarme
De hoy más ya mensajero,
Que no saben decirme lo que quiero.

Die Braut:
6.

Ach, wer kann Heilung spenden?   [fragen!
O komm Du selbst, denn Dich nur möcht' ich
Wollst nicht mehr Boten senden:
Was sie für Nachricht tragen,
Die ich verlange, kann mir keiner sagen.

197

7.

Y todos cuantos vagan,
De ti me van mil gracias refiriendo,
Y todos más me llagan,
Y déjame muriendo   [ciendo.
Un no sé qué que quedan balbu-

7.

Sie all', die von Dir sagen,
Die mir von tausend Gnadenwundern sprechen,
Nur neue Wunden schlagen;
Es macht das Herz mir brechen,   [sprechen.
Ich weiß nicht was, wovon sie stammelnd

8.

Mas, cómo perseveras,
Oh vida, no viviendo donde vives,
Y haciendo porque mueras,
Las flechas que recibes,   [cibes?
De lo que del Amado en tí con-

8.

Wie harrst Du aus, o Leben,
Da, wo Du lebst, kein Leben zu erlangen?
Den Tod die Pfeile geben,
Die tief ins Herz dir drangen,
Durch das, was vom Geliebten Du empfangen?

9.

Por qué pues, has llagado
Aqueste corazón, no le sanaste?
Y pues me le has robado,
Por qué así le dejaste,
Y no tomas el robo que robaste?

9.

Willst Du nicht heilen kommen
Das Herz, das Du verwundet hast verlassen?
Da Du es mir genommen,
Wie kannst Du's liegen lassen   [fassen?
Und nicht den Raub, den Du geraubt, nun

10.

Apaga mis enojos,   [cellos,
Pues que ninguno basta á desha-
Y véante mis ojos,
Pues eres lumbre dellos,
Y sólo para tí quiero tenellos.

10.

Niemand kann dazu taugen,
Als Du allein — o ende meine Peinen!
Auf Dich wend' meine Augen,
Du als ihr Licht mußt scheinen,
Ich wahre sie für Dich nur, für den Einen.

11. [38]

Descubre tu presencia,
Y máteme tu vista y hermosura;
Mira que la dolencia
De amor, que no se cura
Sino con la presencia y la figura.

11.

O zeige dich enthüllet
Und töte mich durch Deiner Schönheit Strahl
Der Liebe Schmerzen stillet,
Denk' es in ihren Qualen
Sein Anblick nur, der einzig sie erfüllet.

---

[38] Diese Strophe ist in der zweiten Bearbeitung eingeschoben.

11 (12).

Oh, cristalina fuente,
Si en esos tus semblantes plateados,
Formases de repente
Los ojos deseados,   [jados!
Que tengo en mis entrañas dibu-

11 (12).

O Du kristallne Quelle,
Daß jäh in Dir die Augen mir erstrahlten,
Im Antlitz silberhelle,
Die mich in Sehnsucht halten,
Die in die tiefste Seele mir sich malten!

II.

12 (12).

Apártalos, Amado,
Que voy de vuelo.

II.

12 (13).

O wend' sie ab, Geliebter —
Ich bin im Fluge!

Esposo:

Vuélvete, paloma,
Que el ciervo vulnerado
Por el otero asoma,
Al aire de tu vuelo, y fresco toma.

Der Bräutigam:

O Täublein, wend' die Flügel,
Der Hirsch läßt sich erblicken
Verwundet auf dem Hügel,
Das Wehen Deines Flugs soll ihn erquicken.

Esposa:

13 (14).

Mi Amado las montañas,
Los vales solitarios nemorosos,
Las ínsulas extrañas,
Los ríos sonorosos,
El silbo de los aires amorosos.

Die Braut:

13 (14).

Du bist wie Berge, hehre,
Geliebter, und wie Waldtals Einsamkeiten,
Wie Inseln ferner Meere,
Wie rauschend Stromesgleiten,
Und säuselnd linder Lüfte Lieblichkeiten.

14 (15).

La noche sosegada
En par de los levantes de la aurora,
La música callada,
La soledad sonora,
La cena, que recrea y enamora.

14 (15).

Gleich stiller Nacht, der schönen,
Die schon das neue Morgenlicht durchdringet,
Musik mit leisen Tönen
Und Einsamkeit, die klinget,   [schwinget.
Erquickend Nachtmahl, das die Lieb' be-

199

Tekst B.

15.

Nuestro lecho florido
De cuevas de leones enlazado,
En púrpura tendido,
De paz edificado,
De mil escudos de oro coronado.

15.

Ein Blütenbett uns ladet,
Von Löwenhöhlen ist es rings umgangen,
In Purpurglanz gebadet,
Von Frieden ganz umfangen,
Goldschilde tausend dran als Zierde hangen.

16.

A zaga de tu huella
Las jóvenes discurren al camino
Al toque de centella,
Al adobado vino,
Emisiones de bálsamo divino.

16.

Folgend der Schritte Spuren
Des Liebsten eilen junge Mägdelein;
Da Funken sie durchfuhren,
Sie stärkte würz'ger Wein,
Strömt Balsamduft von ihnen himmlisch rein.

17.

En la interior bodega
De mi Amado bebí, y cuando salía
Por toda aquesta vega,
Ya cosa no sabía,
Y el ganado perdí que antes seguía.

17.

Im innern Kellerraum
Trank ich von dem Geliebten und trat vor:
An weiten Feldes Saum
All Wissen ich verlor,
Fand auch die Herd' nicht, der ich folgt' zuvo

18.

Allí me dió su pecho,
Allí me enseño ciencia muy sabrosa,
Y yo le dí de hecho
A mí, sin dejar cosa,
Allí le prometí de ser su esposa.

18.

Dort reicht' er mir die Brust,
Wollt' mir sein süßes Wissen nicht verhehlen;
Ich gab mich ihm mit Lust,
Ließ auch an mir nichts fehlen,   [mählen.
Und dort versprach ich, ihm mich zu ver-

19.

Mi alma se ha empleado,
Y todo mi caudal en su servicio;
Ya no guardo ganado,
Ni ya tengo otro oficio,
Que ya sólo en amar es mi ejercicio.

19.

Ihm dient die Seele immer,   [schrieben:
All meinen Reichtum hab' ich ihm ver-
Die Herde hüt' ich nimmer,
Kein Amt ist mir geblieben —
Nur *eines* üb' ich noch, und das ist Lieben.

Tekst J.

16.	16.
Cogednos las raposas,	Die Füchse fangt, die losen,
Que está ya florecida nuestra viña,	Des Weinbergs Reben schon in Blüte stehen,
En tanto que de rosas	Und während wir die Rosen
Hacemos una piña,	Zu dichtem Strauß uns drehen,
Y no parezca nadie en la montiña.	Laß niemand auf dem Hügel mehr sich sehen.

17.	17.
Detente, Cierzo muerto, [amores,	Halt ein Nordwind! Dein Hauchen [ken,
Ven, Austro, que recuerdas los	Bringt Tod. O Südwind, komm du Liebe wek-
Aspira por mi huerto,	In Duft den Garten tauchen
Y corran sus olores,	Der Blumen, die sich recken,
Y pacerá el Amado entre las flores.	Um den Geliebten lieblich zu bedecken.

18.	18.
Oh ninfas de Judea,	Nymphen, Judäas Sprossen,
En tanto que en las flores y rosales	Da Blumen wir und Rosenbüsche sehen,
El ámbar perfumea,	Von Ambraduft umflossen,
Morá en los arrabales, [brales.	Bleibt ihr im Vorraum stehen,
Y no queráis tocar nuestros um-	Wagt nicht zu uns'rer Schwelle herzugehen.

19.	19.
Escóndete, Carillo,	Verbirg Dich, ist mein Wille,
Y mira con tu haz a las montañas,	Geliebter! Schau zum Berge, der sich breitet.
Y no quieras decillo;	Kein Laut durchbrech' die Stille!
Mas mira las compañas	Hab Acht, wer sie begleitet,
De la que va por ínsulas extrañas.	Die dort durch fremde Inselreiche schreitet.

Esposo:	*Der Bräutigam:*
20.	20.
A las aves ligeras,	Ihr Vögel auf luft'gem Pfade, [sputen;
Leones, ciervos, gamos saltadores,	Hirsch, Löwen, Gemsen, die im Sprung sich
Montes, valles, riberas,	Ihr Berge, Tal', Gestade,
Aguas, aires, ardores	Ihr Wasser, Winde, Gluten,
Y miedos de las noches veladores.	Ängste der Nacht, die sorgend niemals ruhten.

Der Seele Brautgesang

20.

Pues ya si en el ejido   [lada,
De hoy más no fuere vista ni hal-
Diréis que me he perdido;
Que andando enamorada,
Me hice perdidiza, y fuí ganada.

20.

Nicht auf dem Dorfplatz findet
Man mich, die sich zu zeigen nicht gesonnen,
Verloren ging ich, kündet;
In Liebesglut entronnen,
Ging ich verloren frei und ward gewonnen.

21.

De flores y esmeraldas,
En las frescas mañanas escogidas,
Haremos las guirnaldas
En tu amor florecidas,
Y en un cabello mío entretejidas.

21.

Smaragden, Blumen glänzen,
Die wir im frischen Morgentau gefunden;
Wir flechten sie zu Kränzen,
Von Dir mit Lieb' durchwunden,
Mit einem meiner Haare festgebunden.

22.

En sólo aquel cabello
Que en mi cuello volar consideraste,
Mirástele en mi cuello,
Y en él preso quedaste,
Y en uno de mis ojos te llagaste.

22.

An jenem Haar, dem einen,
Das Du an meinem Hals sahst wehend hangen;
Am Halse sahst Du's scheinen,
Du hast Dich drin gefangen,
Eins meiner Augen weckte Dein Verlangen.

23.

Cuando tú me mirabas,
Su gracia en mí tus ojos imprimían;
Por eso me adamabas,
Y en eso merecían
Los míos adorar lo que en tí vían.

23.

Du hast mich angesehen,
Mit Gnadenreizen mich Dein Auge schmückte
Davon ist es geschehen,
Daß ich Dein Herz berückte,
Anbetend, was in Dir mein Aug' entzückte.

24.

No quieras despreciarme,
Que si color moreno en mí hallaste,
Ya bien puedes mirarme,
Después que me miraste,   [jaste.
Que gracia y hermosura en mí de-

24.

Du mögst mich nicht verachten,
Hast Du auch dunkelfarbig mich gefunden;
Wohl kannst Du mich betrachten,
Dein Blick ließ mich gesunden,
Mit Gnadenschönheit hast Du mich umwunden

21.

Por las amenas liras,
Y canto de serenas os conjuro,
Que cesen vuestras iras,
Y no toquéis al muro,   [seguro.
Porque la Esposa duerma más

21.

Bei holden Leiertönen,
Bei der Sirenen Sang laßt euch beschwören:
Laßt euern Zorn versöhnen,
Laßt an der Wand nichts hören,
Daß der Geliebten Schlaf nichts möge stören.

III.

22.

Entrado se ha la Esposa
En el ameno huerto deseado,
Y a su sabor reposa,
Et cuello reclinado
Sobre los dulces brazos del Amado.

III.

22.

Die Braut ist eingegangen
In des ersehnten Gartens Lieblichkeiten,
Sie ruht nun nach Verlangen,
Den Nacken läßt sie gleiten
Auf des Geliebten Arme, die sich breiten.

23.

Debajo del manzano,
Allí conmigo fuiste desposada,
Allí te di la mano,
Y fuiste reparada
Donde tu madre fuera violada [39].

23.

In Apfelbaumes Schatten,
Da hab' ich Dich zu meiner Braut erkoren,
Reicht Dir die Hand des Gatten,
Erhob Dich, wo verloren
Die Ehre sie einst, die Dich hat geboren.

---

[39] Hier endet die Umordnung der Strophen, die in der zweiter Bearbeitung vorgenommen wurde. Wir gaben beide Fassungen nebeneinander, um den Eindruck der ursprünglichen Dichtung nicht verloren gehen zu lassen. Nach den bedeutendsten Mss. bezeichneten wir die erste Fassung mit B. (*Barrameda*), die zweite mit J. (*Jaén*). Das Verhältnis beider zeigt folgenden Überblick:
B: 1-10,   , 11-14, 15-24, 25-26, 27-28, 29-30, 31-32, 33-39
J: 1-10, 11, 12-15, 24-33, 16-17, 22-23, 20-21, 18-19, 34-40
Es ist nötig, jede der beiden Fassungen als Ganzes zu lesen und in ihrem Zusammenhang auf sich wirken zu lassen, wenn man dem Sinn der Umformung auf die Spur kommen will. Ob der Heilige selbst diese Umformung vorgenommen hat oder jemand anders, diese Frage wollen wir hier so wenig in Angriff nehmen wie an früherer Stelle. Es fehlen uns die erforderlichen Unterlagen für ihre Lösung. Aber an dem inneren Verhältnis der beiden Bearbeitungen können wir nicht vorbeigehen.

Tekst B. J.

Esposo:	Der Bräutigam:
33 (34).	**33 (34).**
La blanca palomica	Schon hat die weiße Taube
Al arca con el ramo se ha tornado,	Zur Arche mit dem Ölzweig sich gewandt,
Y ya la tortolica	Die kleine Turteltaube
Al socio deseado	Schon dem Gefährten fand,
En las riberas verdes ha hallado.	Den sie ersehnt, am grünen Stromesrand.

34 (35).	**34 (35).**
En soledad vivía,	Sie lebt in Einsamkeiten,
Y en soledad ha puesto ya su nido,	In Einsamkeit hat sie ihr Nest gebaut,
Y en soledad la guía	Sie führt zu Einsamkeiten
A solas su querido, [herido.	Er, der ihr lieb und traut,
También en soledad de amor	Den Lieb' entflammt, da er sie einsam schaut.

Esposa:	Die Braut:
35 (36).	**35 (36).**
Gocémonos, Amado,	Laß Freude uns umwehen!
Y vámonos a ver en tu hermosura	Daß wir in Deiner Schönheit schauen gingen.
Al monte o al collado,	Wo Berg und Hügel stehen,
Do mana el agua pura; [sura.	Wo Wasser rein entspringen;
Entremos más adentro en la espe-	Laß tiefer uns hinein ins Dickicht dringen,

36 (37).	**36 (37).**
Y luego a las subidas	Laß uns die Schritte lenken,
Cavernas de la piedra nos iremos,	Wo schroff sich in den Felsen tief hinein
Que están bien escondidas,	Verborgne Höhlen senken,
Y allí nos entraremos,	Da laß uns treten ein
Y el mosto de granadas gustaremos.	Und kosten der Granaten jungen Wein.

37 (38).	**37 (38).**
Allí me mostrarías	Dort wirst Du dann mich lehren,
Aquello que mi alma pretendía,	Wonach verlanget meiner Seele Streben,
Y luego me darías	Sogleich wirst Du gewähren
Allí tú, vida mía,	Mir dort, o Du mein Leben,
Aquello que me diste el otro día.	Was Du mir schon an jenem Tag gegeben.

38 (39).

El aspirar del aire,
El canto de la dulce filomena,
El soto y su donaire,
En la noche serena   [pena.
Con llama que consume y no da

38 (39).

Des Lufthauchs lindes Leben,
Wenn süßer Nachtigallen Sang man höret,
Der Hain mit seinen Gaben
In heit'rer Nacht gewähret,
Die Flamme, welche ohne Schmerz verzehret.

39 (40).

Que nadie lo miraba,
Aminadab tampoco parecía,
Y le cerco sosegaba,
Y la caballería
A vista de las aguas decendía.

39 (40).

Nie durft's ein Wesen sehen,
Aminadab läßt auch sich nicht mehr blicken,
Belagerungsheer mußt gehen,
Die Reiter talwärts rücken,
Dort unten die Gewässer zu erblicken.

Dieser Gesang aus dem Kerker ist von überwältigendem Reichtum der Bilder und Gedanken. Er unterscheidet sich dadurch wesentlich von den Strophen der *Dunklen Nacht* und der *Liebesflamme*. Dort hatten wir jedesmal ein einfaches Bild, wovon das Ganze beherrscht wurde: die Flucht in der Nacht — die Feuersglut mit der emporschlagenden Flamme. Hier ist wohl auch ein einheitgebendes Band vorhanden — wir kommen noch darauf zurück —, aber davon umfaßt, ein beständiger Wechsel der Bilder. Dort Einfalt und Stille, hier die Seele und die ganze Schöpfung in Bewegung. Das ist kein bloße Verschiedenheit des dichterischen Stils: die Stilverschiedenheit ist einem tiefgehenden Unterschied der Erlebensgrundlage entsprungen. *Nacht* und *Liebesflamme* geben gleichsam einen Querschnitt durch das mystische Leben in einem bestimmten Augenblick des Werdegangs, und zwar beide in einem Zeitpunkt, in dem die Seele bereits alles Geschaffene hinter sich gelassen hat und nur noch mit Gott beschäftigt ist. Ihr Verhältnis zu den Dingen der Welt wird bloß rückblickend behandelt. Der *Geistliche Gesang* gibt den ganzen mystischen Werdegang wieder — nicht nur in der Erläuterung, sondern in den Strophen selbst — und ist von einer Seele geschrieben, die von allen Reizen der sichtbaren Schöpfung zu tiefst ergriffen ist. Auf den Gefangenen in der dunklen Zelle, der Dichter und bildender Künstler ist und empfänglich für den Zauber der Musik, dringt die Welt draußen, die Welt von der er abgeschnitten ist, mit wunderbaren Bildern und bestrickenden Klängen ein. Freilich bleibt er nicht bei den Bildern und Klängen stehen. Sie sind ihm eine geheimnisvolle Bilderschrift, in der sich ausspricht — und in der er selbst aussprechen kann —, was sich verborgen in einer Seele vollzieht. Eine *geheimnisvolle* Bilderschrift ist es wahrlich. Sie enthält eine solche Fülle des Sinnes, daß es dem Heiligen selbst unmöglich erscheint, die rechten Worte zu finden, um alles zu erklären, was der Heilige Geist in ihm „in unaussprechlichen Seufzern" sang. Denn dem Heiligen Geist sind diese Strophen zu verdanken. Sie sind „Eingebungen der Liebe und geheimnisvoller Erkennnis"; der Geist Gottes hat sie der Seele verliehen, in der Er Wohnung nahm, und dergleichen vermag auch der Begnadigte selbst nicht vollständig zu beschreiben und verständlich zu machen. Darum verzichtet der Dichter von vornherein darauf, alles zu erklären. Er will nur „einige allgemeine Erläuterungen geben" und den Versen „den ganzen Reichtum des Sinnes lassen, damit jeder nach seiner Befähigung und dem Zuge seines Geistes daraus schöpfe...." Er vertraut darauf, daß die „mystische Weisheit ... kein bestimmtes Verständnis erfordert...., um in der Seele Liebe und Begeisterung zu wecken...." [40] So wird der Geist, der einer Seele Seine Liebe eingegossen hat, anderen liebenden Seelen einen Zugang erschließen zum geheimnisvollen Ausdruck jener Liebe. Diesem Wehen des Geistes will der Heilige keine Schranken setzen. Darum erklärt er seine eigenen Erläuterungen als unverbindlich. Wenn wir die Erläuterungen gelesen haben, sind wir für diese Erklärung aufrichtig dankbar; denn der Gegensatz zwischen dem dichterisch mystischen Schwung des Gesanges und dem ganz anders gearteten Stil der Auslegung ist hier viel tiefer fühlbar als in *Aufstieg* und *Nacht*. Wir haben darin den äußersten Gegenpol zur *Liebesflamme*, obwohl beide Schriften zeitlich und gedanklich nahe zusammengehören. Es ist hier nicht nur so wie bei den beiden älteren Abhandlungen, daß der Denker und Lehrer vor der Dichtung steht wie vor etwas sachlich Gegebenem und fast Fremdem. (Dazu hat jedenfalls der zeitliche Abstand beigetragen: der größte Teil der Strophen entstand 1578 in Toledo, die erste Fassung der Erklärungen ist 1584 in Granada geschrieben.) Darüber hinaus hat man den Eindruck, daß neben der leitenden Absicht, die Bildersprache der Dichtung deutend und lehrend zu erschließen, noch eine andere Rücksicht wirksam war. Hinter seinen geistlichen Söhnen und Töchtern, für die er in erster Linie schreibt, scheint vor dem Blick des Heiligen ein anderes Publikum aufzutauchen, ein weniger gutwilliges und aufnahmebereites. Schon beim Bemühen um das Verständnis

---

[40] *Geistlicher Gesang*, Vorwort an Anna von Jesus, die um Erklärung der Strophen gebeten hatte. *Obras* III 3 ff. u. 183 ff.

des *Aufstiegs* und der *Dunklen Nacht* hat sich uns die Vermutung aufgedrängt, daß in den wichtigen Fragen der Abgrenzung des eigentlich Mystischen vom *gewönhlichen* Gnadenleben die Darstellung nicht ganz unbefangen sein mag, sondern beeinflußt von dem Gedanken an das wachsame Auge der Inquisition und den Verdacht des Illuminismus, dem alles Mystische von vornherein ausgesetzt war[41]. Der *Geistliche Gesang* scheint von dieser Rücksicht noch viel stärker beeinflußt zu sein. Und die Umformung in der zweiten Bearbeitung scheint wesentlich davon bedingt. Diese Umformung hat sich ja nicht auf die Erklärungen beschränkt, sondern tief in den Gesang selbst hineingeschnitten.

Wir möchten hier zunächst auf vier Tatsachen hinweisen, die augenscheinlich in einem inneren Zusammenhang stehen: 1. Die zweite Fassung enthält eine Strophe, die ursprünglich nicht vorhanden war. (Diese Strophe tauchte allerdings schon in einigen Druckausgaben auf, die sich im übrigen nach der ersten Fassung richteten, wurde aber wahrscheinlich aus einem Ms. der zweiten Fassung hinübergenommen[42].) 2. Die zweite Fassung zerlegt den Gesang in drei Abschnitte: I, II, III. 3. Sie nimmt eine Umordnung der Strophen vor und durchschneidet so den ursprünglichen Aufbau. 4. Sie fügt im Anschluß an den Gesang, vor dem Beginn der Erklärung zur ersten Strophe, ein *argumentum,* eine kurze Angabe des leitenden Gedankengangs, ein. Nach dieser Angabe behandeln die Strophen den Weg einer Seele von dem Augenblick an, wo sie sich dem Dienst Gottes zu widmen begann, bis zur höchsten Stufe der Vollkommenheit, der geistlichen Vermählung; darum werden auch die drei Stände oder Wege berührt, die zu diesem Ziel führen: der Reinigungs-, Erleuchtungs- und Einigungsweg (oder der der Anfangenden, der Fortschreitenden — bis zur geistlichen Verlobung — und der Vollkommenen: der Stand der Vermählung). Die letzten Strophen behandeln noch den Stand der Seligen, dem die Vollkommenen zustreben.

Dem eingefügten Argumentum mit seiner Hervorhebung der gewohnten Unterscheidung der drei Wege entspricht die nachträgliche Einteilung des Gesanges in drei Abschnitte. (Übereinstimmend wird im Rückblick auf den durchmessenen Weg bei Beginn der zweiten Fassung eine Anspielung auf die drei Wege eingeflochten[43].)

---

[41] Vgl. die wohltuend sachliche Darstellung der Inquisition bei J. BROUWER, *De achtergrond der Spaanse mystiek,* Zutphen 1935, S. 79 ff.

[42] Vergl. P. SILVERIO im Anhang zum *Geistlichen Gesang,* Obras III 456.

[43] Vergl. die Erklärung zu Str. 27 (B, *Obras* III 131 f.) mit der zu Str. 22 (J, *Obras* III 319 f.).

Die eingefügte Strophe 11 bringt die Sehnsucht der Seele nach der unverhüllten Gottesschau des ewigen Lebens zum Ausdruck und bereitet die Umdeutung der Strophen 36-39 (35-38) vor: diese Strophen beziehen sich in der ersten Fassung unverkennbar auf den Stand der mystischen Vermählung, werden aber in der zweiten Fassung durch einige Änderungen und Hinzufügungen in den Erklärungen zu einer vorwegnehmenden Schilderung des ewigen Lebens gestempelt.

All das weist auf eine einheitliche Absicht bei der zweiten Bearbeitung: den mystischen Werdegang der Seele möglichst in einer überlieferten und unverdächtigen Form darzustellen und die höchste Stufe, die mystische Vermählung, scharf gegen die Vollendung der Seele im ewigen Leben abzugrenzen. Wir werden bald noch zu prüfen haben, ob auch die Umordnung der Strophen demselben Zweck dient.

Wenn die Überarbeitung der ersten Erklärungen sichtlich in dem Bemühen geschah, alles, was verdächtig sein und mißdeutet werden konnte, ins rechte Licht zu rücken, so scheint doch diese Besorgnis auch schon bei der ersten Abfassung mitgesprochen zu haben. Der Heilige hat auch am Eingang des *Aufstiegs* und der *Liebesflamme* die übliche Erklärung abgegeben, daß er sich in allem dem Urteil der Kirche unterwerfe, und sich außerdem auf die Lehre der Heiligen Schrift berufen. Aber hier geschieht es mit noch größerem Nachdruck. Er versichert am Ende des Prologs[44], daß er nichts aus sich selbst behaupten wolle noch im bloßen Vertrauen auf seine eigene Erfahrung und das, was er durch Einblick in andere Seelen erkannt habe; er wolle vielmehr alles durch Stellen der Heiligen Schrift sicher stellen und erklären, zum mindesten alles, was etwas schwerer verständlich sei. In der Tat erscheinen im *Geistlichen Gesang* die Schriftworte nicht überall so ungezwungen wie in der *Liebesflamme*, besonders die zahlreichen Parallelstellen aus dem *Hohenlied*. Oft machen sie den Eindruck, als wollten sie den Beweis erbringen, daß gewisse gewagte Ausdrücke sich auf den Sprachgebrauch der Heiligen Schrift gründen und im selben Sinn wie dort verwendet sind. Schließlich wird durch den äußeren Zweck vielleicht auch der unleugbare Abstand zwischen der Dichtung und ihrer Auslegung in etwa verständlich, obwohl dazu wohl auch noch andere Umstände beitrugen. Es ist schon darauf hingewiesen worden, daß sich diese Dichtung von den andern, die in Schriften erläutert wurden, durch die Fülle und Mannigfaltigkeit ihrer Bilder

---

[44] *Obras* III 5 f.

unterscheidet. Die Erläuterungen wirken nun fast wie ein Wörterbuch dieser Bildersprache. In gewisser Weise ist das nahegelegt durch die Eigenart vieler Bilder. Sie stehen in keiner ursprünglichen Einheit mit dem, was sie darstellen sollen, wie das Symbol im engeren und eigentlichen Sinn: etwa das der Nacht oder der Flamme. Es besteht wohl eine gewisse Ähnlichkeit in irgendeiner Hinsicht zwischen dem Bild und dem, was es bezeichnen soll, und damit eine sachliche Grundlage für das Zeichenverhältnis. Aber diese Grundlage reicht nicht aus, um den Sinn der Bilder ohne weiteres zu verstehen. Ihre Sprache muß erlernt werden und erscheint überdies in der Wahl ihrer Ausdrücke weit willkürlicher als eine natürliche Wortsprache, wenn auch nicht so willkürlich wie eine Kunstsprache oder ein völlig nach Gutdünken gewähltes Zeichensystem. Diese Wahlfreiheit und der lose sachliche Zusammenhang haben zur Folge, daß die Bilder nicht eindeutig sind, sondern mancherlei Auslegungen zulassen; umgekehrt kann das, worauf sie hinweisen, auch auf andere Weise dargestellt werden, weil sie kein notwendiger Ausdruck sind. Mit all diesen Zügen ist das umschrieben, was wir *Allegorie* nennen. Sie ist im Geschmack der Zeit, ein Kennzeichen der Barockpoesie. Johannes kannte die Dichtkunst seiner Zeit sehr wohl und hatte sich durch sie formen lassen. So lag ihm die Anwendung dieses Kunstmittels schon natürlicherweise nahe, und er handhabt es in der Dichtung mit Meisterschaft [45]. Wenn er aber in der Auslegung Worterklärung an Worterklärung reiht und manchmal für *einen* bildlichen Ausdruck mehrere ganz verschiedene Erklärungen gibt — z.B. werden in der 2. Strophe die *Hirten* als die Begierden und Neigungen der Seele oder als die Engel gedeutet —, so geht er über das hinaus, was die Allegorie als solche fordert, und beeinträchtigt den Eindruck der Dichtung durch Auflösung der Einheit in eine Fülle von Einzelheiten und Unterstreichung des Seltsamen und Willkürlichen der Bilder. Ob nocht auch hinter dieser Häufung der Erklärungen die Absicht steht, bedenklichen und gefährlichen Deutungen zuvorzukommen? Das Herz des Dichters mag sich dabei manchmal gegen das Verfahren des Auslegers aufgelehnt haben. Seine Versicherung, daß er durch seine eigenen Deutungen dem Wehen des Geistes in der Seele der Leser keine Schranken setzen wolle, darf jedenfalls als Aufforderung genommen werden, sich vor allem an die Dichtung selbst zu halten.

---

[45] Wie weit er hier rein natürlich als Künstler schafft, wie weit unter besonderer Eingebung des Heiligen Geistes, ist nicht abzumessen. Wir werden auf diese Frage noch zurückkommen.

b) Der leitende Gedankengang nach der Darstellung
des Heiligen

Wenn wir den Gesang in seiner ersten Fassung unbefangen auf
uns wirken lassen, so erscheint er uns als getreuer Ausdruck des
ganzen *mystischen Weges*. Wir unterstreichen „mystischen", weil
der Heilige selbst in dem schon erwähnten Rückblick in der Erklärung zu Str. 27 (22) [46] sagt, die ersten 5 Strophen seien den
Anfängen des geistlichen Lebens gewidmet, der Zeit, in der die
Seele sich in Betrachtungen und Abtötungen übt; erst mit der 6.
Strophe, so fügt die zweite Fassung ein, beginne die Darstellung des
beschaulichen Lebens. Wir hören aber schon aus dem Sehnsuchts-
ruf, mit dem der Gesang beginnt: *A donde te escondiste?* (Wo hast
Du Dich verborgen?), die Klage einer Seele, die im tiefsten Herzen
von Gottesliebe verwundet ist. Sie kennt ihren Herrn sicher nicht
nur „vom Hörensagen", sondern ist Ihm persönlich begegnet, hat
Seine Berührung im Innersten erfahren. Ihr Schmerz ist der Schmerz
der Liebenden, die des Geliebten beglückende Gegenwart kosten
durfte und nun entbehren muß. Er hat sie seufzend zurückgelassen; denn die Abwesenheit des Geliebten ruft ein ständiges „Seufzen im Herzen der Liebenden hervor", „besonders wenn sie schon
etwas von Seiner süßen, erquickenden Gegenwart gekostet hat und
dann in Trockenheit und Einsamkeit verlassen zurückbleibt...." [47]
Müssen wir nicht an hohe mystische Gnaden denken, wenn von
„brennenden Liebesberührungen" gesprochen wird, „die nach Art
eines feurigen Pfeils die Seele verwunden und durchdringen und sie
ganz ausgebrannt vom Feuer der Liebe zurücklassen"? Der Wille
wird dabei so entflammt, daß es der Seele vorkommt, „als werde
sie in dieser Flamme verzehrt, als gerate sie außer sich und werde
ganz erneuert.... wie der Vogel Phönix, der verbrennt und neu
geboren wird" [48]. Wir erkennen in dieser Schilderung die Liebesvereinigung wieder, die nach der Darstellung der heiligen Mutter
Teresia und des Vaters Johannes selbst auf die mystische Verlobung
und Vermählung vorbereitet [49]. Es ist für die Seele ein völlig neuer
Zustand, den sie selbst noch nicht versteht. Sie sucht deshalb den
Entschwundenen in der Betrachtung der Geschöpfe, aber sie findet
darin keine Befriedigung. Das unterscheidet sie deutlich von jenen

---

[46] *Obras* III 131 f. u. 319 f.
[47] Erklärung zu Str. 1 V. 2, *Obras* III 17 u. 204 f.
[48] Erklärung zu Str. 1 V. 4, *Obras* III 18 u. 205 f.
[49] Vgl. im Vorausgehenden die Ausführungen über die verschiedenen Arten
der Vereinigung.

Anfängern im geistlichen Leben, die an den gewöhnlichen Übungen der Frömmigkeit Freude haben, weil sie noch nicht in die Nacht der Beschauung eingetreten sind. Die Seele, die Gott innerlich berührt hat, kann in nichts mehr Ruhe finden, was nicht Gott ist: „Für die Wunden der Liebe findet sich nirgends ein Heilmittel als bei dem, der sie geschlagen hat". Darum eilt die verwundete Seele hinaus und ruft dem Geliebten nach. „Dies Ausgehen bedeutet.... das Ausgehen von allen Dingen.... und das Ausgehen von sich selbst durch Vergessen seiner selbst und Liebe zu Gott" [50]. Die Seele kann jetzt nichts anderes mehr tun als Gott lieben und verzehrt sich in Sehnsucht nach Seiner Anschauung. Und diesem Verlangen kann der Herr auf die Dauer nicht widerstehen. Die Liebe, die Er entzündet hat, bewegt Ihn selbst zu neuen unerhörten Liebesbeweisen. Er erscheint plötzlich und hebt die Seele in jähem Fluge zu sich empor [51].

Diese Darstellung der geistlichen Verlobung mit ihrem für die Seele so erschreckenden Hinausgerissenwerden aus allen natürlichen Bedingungen ihres Seins entspricht durchaus dem, was wir bei der hl. Mutter in der 6. Wohnung der *Seelenburg* geschildert fanden. Die schwache Natur fürchtet zu erliegen und bricht in den Ruf aus: „Wende sie hinweg, Geliebter!" (die so ersehnten Augen). Aber diese Bitte ist nicht ernst gemeint. Die Seele erhofft vielmehr, von den Fesseln dieses Lebens befreit zu werden, um die beseligende Nähe ertragen zu können. Doch so weit ist es noch nicht. Das *Vuelvete, paloma* („Kehr zurück, Taube!") ruft zurück ins irdische Dasein. Sie muß sich vorläufig mit dem begnügen, was ihr hier gegeben werden kann. Und das ist überreich. Es beginnen nun die Spiele der Liebe zwischen dem göttlichen Liebenden und der geliebten Seele. Sie bedarf nun nicht mehr der Geschöpfe, um durch sie einen Weg zum Geliebten zu finden. Er selbst sucht sie wieder und wieder heim und enthüllt ihr mehr und mehr Seine Schönheit. Doch alle Reize der Geschöpfe müssen ihr jetzt dazu dienen, das Lob der göttlichen Schönheit zu singen. In der Vereinigung mit dem himmlischen Bräutigam wird sie selbst mit Gaben überhäuft, mit wunderbarer Anmut und Kraft geschmückt, ganz eigetaucht in Liebe und Frieden. Weil sie das Leben Gottes mitlebt, freut sie sich auch an dem Feuer der Liebe, das Er in andern Seelen entzündet. Sie selbst wird nun eingeführt in den „innersten Weinkeller", das verborgenste Heiligtum der Liebe, wo Gott selbst sich ihr mitteilt und sie in sich selbst

---

[50] Erklärung zu Str. 1 V. 5, *Obras* III 19 f. u. 207.
[51] Erklärung zu Str. 12 (13), *Obras* III 56 f. u. 259 f.

umwandelt. Ganz erfüllt von der überwältigenden Seligkeit dieses neuen, göttlichen Lebens vergißt sie alle Dinge dieser Welt, alles Verlangen danach versinkt. Und wie der Geliebte sie mit unvergleichlicher Zärtlichkeit umgibt, so gibt auch sie sich rückhaltlos hin, sie lebt nur noch für Ihn und ist tot für die Welt. In dieser liebenden Vereinigung blühen alle Tugenden auf. Die Seele erkennt beglückt die himmlische Schönheit, mit der sie selbst jetzt geschmückt ist. Aber sie weiß, daß all dieser Reichtum allein durch Gottes Gnadenblick hervorgerufen ist, und sie will ihn für nichts anderes benützen, als um den Geber selbst damit zu erfreuen. Alle Störungen sollen dem seligen Leben der Liebe fern bleiben. Der Herr selbst trägt dafür Sorge, daß alles schwindet, was der dauernden Vereinigung im Wege steht. Und so kann Er sie einführen in den ersehnten Garten, wo sie in völlig ungestörter Ruhe bei ihm verweilen darf. In tiefster Einsamkeit wird Er sie in die verborgenen Geheimnisse Seiner Weisheit einführen, sie in den Flammen der Liebe entbrennen, lassen, und kein geschaffenes Wesen wird etwas von dem erblicken, was Gott der Seele bereitet, die Er für immer in sich geborgen hat.

So glauben wir — in einer kurzen Überschau — den ursprünglichen Aufbau des Gesanges verstehen zu dürfen: als ein Aufsteigen von einer Stufe der Liebesvereinigung zur andern oder als ein immer tieferes Hineingezogenwerden: erst eine flüchtige Begegnung, dann — nach der Sehnsucht und Qual des Suchens — ein Emporgerissenwerden zur innigsten Verbindung, eine Zeit der Vorbereitung auf das dauernde Eingehen in diese Verbindung und schließlich der unstörbare Friede der Vermählung. Von einer Trennung in drei Wege oder Stände der Reinigung, Erleuchtung und Vereinigung kann dabei kaum die Rede sein. Das sind vielmehr drei Wirkungen, die im ganzen Gnadenleben und auf dem ganzen mystischen Weg miteinander verbunden sind [52], wenn auch auf den verschiedenen Stufen jeweils die eine oder andere mehr hervortritt. In der Darstellung des *Geistlichen Gesanges* steht die Vereinigung am Anfang und am Ende und beherrscht das Ganze. Von der Reinigung wird am meisten gesprochen beim Übergang von der Verlobung zur Vermählung. Die Erleuchtung hält mit der Vereinigung Schritt.

In der Strophenordnung der ersten Fassung fällt auf, daß der Übergang von der Verlobung zur Vermählung fließend ist und sehr früh einsetzt. In Str. 15 (24) ist schon die ganze Innigkeit der

---

[52] So entspricht es auch der Absicht des *Areopagiten*, auf den die Dreiteilung zurückgeht.

Vereinigung erreicht. Als Unterschied zur Vermählung bleibt nur, daß noch Störungen möglich sind, die verschwinden müssen, damit die Verbindung dauernd werden kann. Durch die Umordnung der Strophen in der zweiten Fassung ist die Grenze schärfer gezogen. Die Ausschließung alles Störenden wird vorausgestellt, die Darstellung der vollen Vereinigung folgt ihr, einsetzend mit dem Eingehen in den ersehnten Garten (Str. 22). Das ist ein sachlicher Vorteil der zweiter Fassung und wiegt den kleinen Schönheitsfehler auf, daß nach der wunderschönen 15. Strophe mit ihrem Zauber der Nacht in der 16. ganz unvermittelt der Hinweis auf die „Füchse im Weinberg" folgt. Es ist sehr wohl verständlich, daß bei der ersten Niederschrift die Strophenfolge nicht sofort die sachlich angemessenste war. Die Strophen sind ja nicht alle auf einmal entstanden; auch was der Kerkerzeit entstammt, hat sich jedenfalls nach und nach angesammelt, den inneren Erfahrungen folgend. Es wurde früher erwähnt, daß verschiedene Zeugenaussagen darüber vorliegen, ob die Gedichte überhaupt im Kerker aufgezeichnet werden konnten oder erst nach der Flucht. Das erste ist wahrscheinlich, schließt aber nicht aus, daß der Gefangene seine Lieder längere Zeit in seinem Herzen bewahren mußte, ehe er Schreibzeug bekam. Er mag sich bald diese bald jene Strophe vorgesungen haben, wie es gerade seiner Stimmung entsprach. Und sobald es möglich war, hat er sie wohl zu Papier gebracht, ohne die beste Strophenfolge so sorgsam zu erwägen, wie es dann bei der letzten Bearbeitung geschah. Diese Überlegungen lassen es uns ratsam erscheinen, nun bei der eingehenderen Erwägung von Gedankengehalt und künstlerischer Form der Ordnung der zweiten Fassung zu folgen [53]. Dabei werden wir nicht aus dem Auge verlieren, was wir über die leitende Absicht der zweiten Bearbeitung festgestellt haben und ihr gegenüber die ursprüngliche Deutung der Strophen zur Geltung kommen lassen.

c) Das beherrschende Bild und seine Bedeutung für den Gehalt des Gesanges

Der erste Überblick wollte nur dem Sinn des Ganzen auf die Spur kommen. Von der Fülle der Einzelzüge konnte er noch kaum eine Andeutung geben. Wenn man das versuchen will, muß man in die Bildersprache der Dichtung einzudringen suchen. Dafür ist das

---

[53] Darum geben im Folgenden die Ziffern an erster Stelle die Strophenordnung der zweiten Fassung an; in Klammern fügen wir die Nummerung der ersten Fassung bei. (Bisher ist es umgekehrt geschehen.)

Wörterbuch des Heiligen der gegebene Führer, wenn man sich auch nicht sklavisch daran zu halten braucht.

Die Grundstimmung des Gesanges ist bezeichnet durch die Spannung der liebenden Seele zwischen schmerzlicher Sehnsucht und seligem Finden. Diese Grundstimmung hat Ausdruck gefunden in dem Bilde, das gleichfalls das Ganze beherrscht, ungeachtet der Fülle einzelner Bilder, die sich ihm ein- und unterordnen: dem Bild der Braut, die nach dem Geliebten verlangt, die sich aufmacht, ihn zu suchen, und ihn endlich beseligt findet. Das ist für uns nichts Neues. Auch im *Nachtgesang* verläßt ja die Braut ihr Haus, um zu dem Geliebten zu eilen; auch in der *Liebesflamme* wendet sie sich an den Bräutigam. Aber dort steht das bräutliche Verhältnis nicht im Mittelpunkt, es ist vielmehr selbstverständlicher Hintergrund. Hier ist es das, worum sich alles dreht. Dies Bild ist keine Allegorie. Wenn die Seele Gottes Braut genannt wird, so liegt nicht bloß ein Ähnlichkeitsverhältnis zweier Dinge vor, das es erlaubt, eines durch das andere zu bezeichnen. Es besteht vielmehr zwischen Bild und Sache eine so innige Einheit, daß kaum noch von einer Zweiheit gesprochen werden kann. Das ist das Kennzeichen des Symbolverhältnisses im engeren und eigentlichen Sinn. Das Verhältnis der Seele zu Gott, wie Gott es von Ewigkeit her als Ziel ihrer Erschaffung vorgesehen hat, kann gar nicht treffender bezeichnet werden als durch die bräutliche Verbindung. Umgekehrt: was Brautschaft ihrem Sinne nach besagt, das findet nirgends eine so eigentliche und vollkommene Erfüllung wie in der Liebesvereinigung Gottes mit der Seele. Wenn man das einmal erfaßt hat, dann tauschen Bild und Sache geradezu ihre Rollen: die Gottesbrautschaft wird als die ursprüngliche und eigentliche Brautschaft erkannt, und alle menschlichen Brautverhältnisse erscheinen als unvollkommene Abbilder dieses Urbildes — sowie auch Gottes Vaterschaft das Urbild aller Vaterschaft auf Erden ist. Auf Grund des Abbildverhältnisses wird das menschliche Brautverhältnis tauglich zum symbolischen Ausdruck des göttlichen, und gegenüber dieser Aufgabe rückt das, was es als rein menschliche Beziehung im wirklichen Leben ist, an zweite Stelle. Was es wirklich ist, dat hat seinen höchsten Seinssinn darin, daß es einem göttlichen Geheimnis Ausdruck geben kann [54].

---

[54] Vgl. Eph. 5, 23 ff.

d) Das Brautsymbol und die einzelnen Bilder

In welchem Verhältnis steht dieses beherrschende Bild, das Brautsymbol, zu der bunten Mannigfaltigkeit allegorischer Darstellungen? Um diese Frage zu beantworten, müssen wir auf eine andere
eingehen, die auch schon früher gestellt wurde: Sind diese Bilder
als willkürliche Erdichtungen anzusehen oder als Eingebungen
des Heiligen Geistes? Diese Frage ist dem Heiligen selbst durch
Schw. *Magdalena vom Heiligen Geist* gestellt worden. Sie schreibt in
ihrem Zeugenbericht, Johannes habe sein Heft mit den Gedichten aus
dem Kerker im Kloster zu Beas gelassen, und sie sei beauftragt worden, einige Abschriften zu machen. Sie war voll Bewunderung für die
Lebhaftigkeit der Sprache, für die Schönheit und feine Treffsicher-
heit des Ausdruckes. So fragte sie eines Tages den Dichter, ob Gott
ihm jene Worte eingegeben habe, die soviel in sich befaßten und ein
solcher Schmuck seien. Er antwortete: „Meine Tochter, manchmal
gab sie mir Gott, und andermal suchte ich sie" [55]. Eine ähnliche Auskunft können wir aus dem Werk selbst herauslesen. Im Vorwort
wird betont, daß die Strophen vom Geist der Liebe eingegeben seien
und daß man darum unmöglich die rechten Worte zu ihrer Erklärung finden könne. Dabei ist offenbar zunächst an die Schwierigkeit der nachträglichen Deutung zu denken. Der dichterische Ausdruck scheint mit dem Gehalt zugleich vom Heiligen Geist empfangen. Doch bald darauf wird uns klar gemacht, daß auch schon der
unmittelbare Ausdruck nichts wiederzugeben vermag, was der Geist
Gottes die Seele innerlich empfinden und verstehen läßt. Darum
greift die Auslegung zu Bildern und Gleichnissen, um etwas davon
anzudeuten. Es ist darum in der Erfahrung des Mystikers etwas rein
Geistiges und Innerliches vom sprachlichen Ausdruck zu unterscheiden. Und diese *form-* und *weiselose* Fülle des Geistes wird sich niemals vollständig in Worte einfangen lassen. Das *Greifen* nach Bildern
und Gleichnissen kann als eigenes Suchen nach einem treffenden
Ausdruck gedeutet werden. Es kann aber auch ein Ergreifen dessen
sein, was der Geist Gottes darbietet. Wenn Johannes auf die oft so
seltsam klingenden und der Mißdeutung ausgesetzten Bilder der Heiligen Schrift verweist, so dürfen wir an eine übernatürliche Hilfe
auch beim sprachlichen Ausdruck denken. Der Begriff der *Inspira-
tion* ist zwar nicht so zu fassen, daß nicht nur alles, *was* die heiligen Schriftsteller sagen, sondern auch alle ihre Bilder und Worte auf
göttliche Eingebung zurückgeführt werden müßten, aber an vielen

---

[55] *Obras* I 133.

Stellen ist doch offenbar auch das *äußere* Wort als *Wort Gottes* im buchstäblichen Sinn zu verstehen. So ist es nach seiner Aussage in manchen Fällen auch bei Johannes gewesen. Doch auch wenn er selbst nach dem Ausdruck suchte, ist die Mithilfe des Heiligen Geistes nicht ausgeschlossen. Die Lebhaftigkeit seiner künstlerischen Einbildungskraft, gesteigert durch das unnatürliche Abgeschnittensein von allem, was die äußeren Sinne befriedigen konnte, mochte ihm eine Fülle farbenprächtiger Bilder vor die Seele zaubern. Wenn aber diese Bilder mit dem zusammenklingen, was er innerlich erfährt, so ist das nicht mehr auf die Einbildungskraft zurückzuführen und auch nicht auf ein willkürliches Deuten: er *findet* in den Bildern den gesuchten Ausdruck für das Unsagbare, der Heilige Geist schließt ihm den geistigen Sinn der bunten sinnenfälligen Fülle auf und leitet ihn bei seiner Wahl. Daher ist die Einheitlichkeit des Ganzen zu verstehen und eine innere Überzeugungskraft der Bilder. Allerdings gilt das nicht für alle. Manche sind sicher rein natürlich gewählt und selbst im peinlichen Sinn des Wortes *gesucht*. Noch etwas häufiger als für die Bilder trifft das wohl für die nachkommenden Erklärungen zu.

Die Welt, in die uns der Gesang einführt, ist die Welt, wie sie sich der sehnsuchterfüllten, liebestrunkenen Seele darstellt. Sie geht nur aus, um den Geliebten zu suchen. Überall ist sie bemüht, Spuren von Ihm zu entdecken, alles gemahnt sie an Ihn und hat für sie nur so weit Bedeutung, als es von Ihm Kunde gibt oder Ihm Botschaft bringen kann. Wie der Hirsch am Waldrand flüchtig auftaucht und schnell wieder entspringt, sobald ein Menschenauge ihn erblickt, so war der Herr bei den ersten Begegnungen: Er zeigte sich der Seele, aber Er war entschwunden, ehe sie Ihn fassen konnte. Der kristallklare Quell, der die Umherirrende labt, das ist für sie der Glaube: rein ist die Wahrheit, die er spendet, frei von aller Trübung durch Irrtum, und aus ihm strömt ihr das Wasser des Lebens zu, das fortsprudelt zum ewigen Leben (Joan. 4, 14). Sehnsüchtig beugt sie sich darüber: könnten ihr nicht aus diesem klaren Spiegel die Augen des Geliebten entgegenleuchten? Seine Augen — das sind die göttlichen Strahlen, die sie im Innersten trafen, erleuchteten und entflammten. Sie fühlt sich immer unter ihrem Blick: so sind sie ihr ins Innerste gezeichnet. Das alles ist aus der Gesamtsituation anschaulich verständlich. Wenn uns aber darüber hinaus die Erklärung sagt, das *Antlitz* seien die Glaubensartikel, die uns die göttlichen Wahrheiten (Strahlen) verhüllt und unvollkommen darstellen: dies Antlitz werde „silberhell" genannt, weil das reine Gold der Wahrheit uns im Glauben von Silber verdeckt dargeboten werde[56], so können wir mit der Anschauung nicht mehr folgen und auch keinen Zusammenhang mit dem leitenden Symbol mehr entdecken. Wir stehen vor einer rein verstandesmäßigen, künstlichen Deutung, die wir auf die Autorität des Dichters und Auslegers hin annehmen können — oder auch nicht, da er uns Freiheit gegeben hat.

Das lange Ersehnte und Erflehte geschieht. Plötzlich und unerwartet begegnet die Suchende dem Blick der göttlichen Augen. Ihr leidenschaftliches Verlangen hat den Geliebten bewogen, sie „erhaben, zart und innigst und mit mächtiger Liebesgewalt heimzusuchen"[57]. Er ist aufs neue erschienen gleich dem Hirsch: auf dem Hügel, d.h. auf der hohen Warte der Beschauung; Er läßt sich nur blicken, denn „so erhaben auch die Erscheinungen sein mögen, mit denen Gott die Seele in diesem Leben begnadigt, sie sind doch nur kurze, plötzliche Erscheinungen wie aus weiter Ferne". Und auch Er ist verwundet. „Denn unter Liebenden ist die Wunde des einen beiden gemeinsam und beide haben ein und dasselbe Gefühl". Das Wehen ihres Fluges bringt Ihm Erquickung. Er nennt sie *Taube*, weil sie im hohen und leichten Flug der Beschauung aufsteigt, weil sie einfältigen Herzens ist und brennend von Liebe. Das Wehen ihres Fluges — das ist der Geist der Liebe, den sie in dieser hohen Beschauung und Gotteserkenntnis aushaucht, wie Vater und Sohn den Heiligen Geist hauchen. Unter dem *Flug* wird die eingegossene Gotteserkenntnis verstanden, unter dem *Wehen des Fluges* aber die Liebe, die daraus entspringt. Und die Liebe ist es, die den Bräutigam herbeilockt und erquickt wie ein frischer Wasserquell. „Wie das Wehen des Windes dem von der Hitze Ermüdeten Erfrischung und Erquickung bringt, so erfrischt und erquickt auch das Wehen der Liebe den, der vom Feuer der Liebe brennt. Denn im Liebenden ist die Liebe eine Flamme, die brennt mit dem Verlangen, mehr zu brennen". Und weil die Liebe der Braut diese Flamme anfacht, ist sie erquickendes Wehen[58].

Da die Seele nun die Gegenwart des Geliebten genießt, enden ihre Sehnsuchtsrufe; sie beginnt vielmehr die Herrlichkeiten zu preisen, die sie in der Vereinigung mit Ihm erfährt. Denn im Geistesflug vollzieht sich, wie wir sahen, die Verlobung mit dem Sohne Gottes. Hier „begnadigt Gott die Seele mit wunderbaren Erleuchtungen über Seine Gottheit, schmückt sie mit Erhabenheit und Majestät, bereichert sie mit Gaben und Tugenden, bekleidet sie mit göttlicher

---

[56] Erklärung zu Str. 12 (11) V. 2, *Obras* III 252 f. u. 53.
[57] Erklärung zu Str. 13 (12), *Obras* III 259 f. u. 56 f.
[58] Erklärung zum letzten Vers der 13 (12). Strophe, *Obras* III 264 u. 61.

Erkenntnis und Herrlichkeit, geradeso wie eine Braut am Tage ihrer Verlobung" [59]. Sie tritt ein „in einen Stand des Friedens, der Wonne mit Süßigkeit der Liebe" und weiß nun nichts anderes mehr zu tun, „als die Großtaten ihres Geliebten aufzuzählen und zu besingen...." Sie erfährt in den Ekstasen der Liebe, was der hl. *Franziskus* mit den Worten sagen wollte: „Mein Gott und mein alles". Gott ist nun in der Tat für die Seele alles, das Gute aller Geister, und so findet sie in den Geschöpfen ein Bild Seiner Vollkommenheiten. Jede dieser wunderbaren Vollkommenheiten ist Gott und alle miteinander sind Gott. „Und da die Seele in dieser Ekstase sich mit Gott vereinigt, so hat sie das Gefühl, alle diese Dinge seien Gott", wie es der hl. Johannes erfuhr, als er sprach: „Was gemacht ward, war in Ihm Leben" [60]. Das bedeutet nicht, daß die Seele die Geschöpfe in Gott sähe, „wie man die Dinge im Licht erblickt, sondern besagt nur, daß sie im Besitz Gottes das Gefühl hat, alle Dinge seien Gott". Das ist auch nicht etwa die klare und wesenhafte Anschauung Gottes. Es ist wohl „eine mächtige und überreiche Mitteilung", aber doch nur „ein schwacher Schimmer von dem, was Er in sich ist" [61]. Durch diesen schwachen Schimmer werden der Seele die Vollkommenheiten der Geschöpfe enthüllt.

Das Gebirge mit seiner ragenden Höhe und dem Liebreiz seiner duftenden Blumen hat etwas von der Erhabenheit und Schönheit des Geliebten. In Seinem Frieden ruht die Seele wie in einem kühlen und stillen einsamen Waldtal. Eine wunderbare neue Welt geht ihr in der Gotteserkenntnis auf — wie dem Seefahrer in fernen Inselreichen. Gleich einem Strom, der überflutet und alles unter Wasser setzt, alle Tiefen füllt und mit seinem Getöse jeden andern Schall übertönt, so wird die Seele „vom Strome des Geistes Gottes.... mächtig ergriffen und derart überwältigt, daß die Wasser aller Ströme der Welt über sie hereinzubrechen scheinen". Aber das bereitet ihr keine Pein, denn es sind Ströme des Friedens, und ihr Überfluten „erfüllt sie ganz mit Frieden und Herrlichkeit". Es füllt mit seinem Wasser die Tiefen ihrer Demut und die Leere ihres Begehrens aus, und im Brausen der Ströme vernimmt sie „eine geistige Stimme, die .... alle anderen Stimmen verstummen macht und jeden Klang der Welt übertönt.... Es ist eine innere Stimme mit unermeßlichem Schall, welche die Seele mit Macht und Kraft

---

[59] Vorbemerkung zur Erklärung der Str. 14 (13) und 15 (14), *Obras* III 265 u. 63.

[60] Joan. 1, 4 nach der früher üblichen Lesart.

[61] Vorausgeschickte Erklärung zu Str. 14 (13), *Obras* III 265 u. 63.

erfüllt", wie es bei der Herabkunft des Heiligen Geistes auf die Apostel geschah. Das gewaltige Brausen, das die Bewohner von Jerusalem hörten, war nur eine Andeutung dessen, was die Apostel innerlich vernahmen. Diese geistige Stimme ist trotz ihrer gewaltigen Kraft lieblich anzuhören. Der hl. Johannes vernahm sie „wie das Rauschen vieler Wasser und wie das Rollen starker Donner" und doch zugleich wie „das Spiel von Harfenspielern, die auf ihren Harfen spielten" (Apoc. 14, 2) [62].

Wenn linde Lüfte säuselnd um die Wange spielen, ist es wie die liebliche Weise, in der die Tugenden und Reize des Geliebten der Seele eingegossen werden: „eine überaus erhabene und süße Erkenntnis Gottes und Seiner Vollkommenheiten, die in den Verstand sich ergießt durch Berührung dieser Vollkommenheiten im Wesen der Seele. . . .

. . . . Wie man die Berührung der Luft mit dem Tastsinn und ihr Säuseln mit dem Gehörsinn wahrnimmt, so fühlt und genießt man auch die Berührung der Vollkommenheiten des Geliebten im Tastsinn der Seele, d.h. in ihrem Wesen (mittels des Willens); und die Erkenntnis gewinnt man durch den Gehörsinn der Seele, durch den Verstand". Überaus lieblich und wohltuend ist diese Mitteilung. „. . . . Wie das Säuseln der Luft sich sehr frei dem Gehörsorgan mitteilt, so dringt auch diese überaus zarte und feine Erkenntnis mit wunderbarer Lust und Wonne in das Innerste des Wesens der Seele; und diese Wonne übertrifft jede andere. . . ., weil der Seele eine wesenhafte Erkenntnis zukommt, die frei ist von allen unwesentlichen Bildern und Formen". „Dieses göttliche *Säuseln,* das durch das Gehör der Seele eindringt, ist nicht nur eine wesenhafte Erkenntnis, sondern auch eine Enthüllung der göttlichen Wahrheiten im Verstande oder eine Enthüllung der göttlichen Geheimnisse. . . . Sooft in der Heiligen Schrift von einer Mitteilung Gottes. . . . durch das Gehör die Rede ist, darf man gewöhnlich eine Offenbarung dieser reinen Wahrheiten im Verstande . . . . annehmen. Es sind das rein geistige Offenbarungen oder Visionen, die nur der Seele verliehen werden ohne Vermittlung oder Beihilfe der Sinne. Aus diesem Grunde sind die Mitteilungen Gottes. . . . mittels des Gehörs . . . . ganz erhaben und sicher". So nimmt man an, daß unser hl. Vater *Elias* „im sanften Säuseln" Gott schaute (3 Reg. 19, 12) und auch *Paulus,* als er „geheimnisvolle Worte hörte, die kein Mensch aussprechen darf" (2 Cor. 12, 4). Denn das „Hören der Seele ist ein Schauen mit dem Verstande". Freilich nicht die volkommene und

---

[62] Erklärung zu Str. 14 (13) V. 4, *Obras* III 270 u. 67.

klare Anschauung Gottes wie in der Glorie, sondern immer noch „ein Strahl der Finsternis" [63].

Weil die Seele solche dunkle und unergründliche Erkenntnis empfängt und an der Brust des Geliebten erquickende Ruhe genießt, vergleicht sie Ihn der stillen Nacht; aber einer Nacht, die schon vom Morgenlicht erhellt wird, weil es „eine Ruhe und Stille im göttlichen Licht ist und in einer neuen Erkenntnis Gottes, worin der Geist.... die süßeste Ruhe kostet". Er erhebt sich „beruhigt und befriedigt in Gott, von der Finsternis des natürlichen Erkennens zum Morgenlicht der übernatürlichen Erkenntnis Gottes.... Bei diesem Aufleuchten des Morgenlichtes herrscht weder volle Nacht noch voller Tag, es ist vielmehr .... ein Zwielicht...." [64]

In der Ruhe und Schweigsamkeit dieser lichterhellten Nacht „ist es der Seele gestattet, die wunderbare Harmonie und Ordnung der göttlichen Weisheit in den Verschiedenheiten aller ihrer Geschöpfe und Werke zu schauen. Sie alle und jedes einzelne von ihnen stehen in einer gewissen Beziehung zu Gott und jedes einzelne Geschöpf erhebt in der ihm eigenen Weise seine Stimme, um zu verkünden, weiweit Gott in ihm ist, sodaß es erscheint wie eine Harmonie der erhabensten Musik, die alle Serenaden und Melodien der Welt weit übertrifft". Aber es ist eine lautlose Musik, denn diese ruhige und stille Erkenntnis teilt sich ohne Wortgeräusch mit, „und man genießt in ihr die Lieblichkeit der Musik und die Ruhe des stillen Schweigens" [65]. Diese lieblich tönende Musik wird nur in der Einsamkeit und Abgeschiedenheit von allen äußeren Dingen vernommen. Darum wird auch die Einsamkeit selbst klingend genannt.

Wie die Anschauung Gottes die Speise der Engel und Heiligen ist, so wird die Seele durch die beruhigende Erkenntnis der friedlichen Nacht erquickt wie von einem Abendmahl. Sie genießt es mit dem frohen Gefühl, daß alle Mühen und Leiden des Tages vorüber sind. Der Geliebte selbst „hält mit ihr Nachtmahl" (Apoc. 3, 20) ; Er gibt ihr Anteil am Genuß all Seiner Güter und entflammt sie durch Seine Freigebigkeit zu neuer Liebe.

Im Schmuck der Tugenden, die Gottes überströmende Barmherzigkeit ihr verleiht, erscheint der Braut ihr eigenes Innere gleich einem Garten voll duftender Blumen oder einem blühenden Weinberg. In ihrem Herzen spürt sie die Gegenwart des Geliebten, als liege Er da wie in Seinem eigenen Ruhebett. Sie möchte sich Ihm mit all dem Blütenreichtum übergeben, um Ihm die höchste Huldigung

---

[63] Dionysius Areopagita, *Mystica Theologica*, C. I.
[64] Erklärung zu Str. 15 (14) V. 1, *Obras* III 279 u. 75.
[65] Str. 15 (14) V. 3, *Obras* III 281 u. 77.

darzubringen und Ihn zu erfreuen, und jede Störung fernhalten. Aber die sinnlichen Gelüste, die lange Zeit ruhten wie Füchse, die sich schlafend stellten, brechen mit einemmal hervor, angestachelt durch die bösen Geister, um das friedliche Blütenreich der Seele zu zerstören. Dem Teufel „liegt ja weit mehr daran, diese Seele auch nur um eine Unze ihres Reichtums und ihrer beseligenden Wonne zu betrügen, als andere in viele und schwere Sünden zu stürzen. Andere haben nämlich wenig oder nichts zu verlieren, sie aber vieles, da sie schon so großen und kostbaren Gewinn gemacht hat" [66]. So bringen die bösen Geister die Gelüste in heftige Erregung, um die Seele zu verwirren; können sie damit nichts ausrichten, so greifen sie sie mit körperlichen Qualen und Geschrei an. Unerträglich aber wird die Pein, wenn sie ihr mit geistigen Schreckbildern und Beängstigungen zusetzen. „Und dies ist ihnen zu jener Zeit gar leicht möglich, wenn sie dazu die Erlaubnis erhalten. Begibt sich nämlich die Seele in vollster Geistesentblößung zu geistigen Übungen, so vermag der böse Feind, da er auch ein Geist ist, gar leicht vor sie hinzutreten. Zuweilen fällt er sie mit anderen Schrecknissen an, ... und zwar gerade, wenn Gott sie ein wenig aus der Behausung ihrer Sinne herausführt, um sie .... in den Garten des Bräutigams eintreten zu lassen. Der böse Feind weiß eben, daß die Seele, wenn sie einmal in jener Sammlung sich befindet, so geschützt ist, daß er ihr trotz aller Anstrengung keinen Schaden mehr zufügen kann. Oft, wenn der böse Feind darauf ausgeht, sie zu Fall zu bringen, pflegt sich die Seele in größter Eile in den Schutzkeller ihres Inneren zurückzuziehen, wo sie große Wonne und sicheren Schutz findet; da empfindet sie diese Schrecknisse als etwas ganz Äußerliches und Fernliegendes, sodaß sie ihr keine Furcht, sondern vielmehr Freude und Genuß bereiten" [67]. Gerät sie aber in Unruhe, dann fleht sie die Engel an, „die Füchse zu fangen", denn ihre Aufgabe ist es, die bösen Geister zu verscheuchen.

Sind alle Schädlinge entfernt, dann kann die Seele sich, vereint mit dem Geliebten, an all den Tugendblüten erfreuen, die sich unter Seinem Blick erschließen und ihren Duft aushauchen. Sie windet sie zum Strauß „und bietet sie alle vereint und jede im besonderen in zärtlichster und innigster Liebe dem Geliebten dar". Sie bedarf aber dazu Seiner Hilfe; ohne Ihn brächte sie keinen Strauß zustande. Fest binden sie den Strauß, einem Tannenzapfen gleich, in dem alle Teile dicht und fest zusammengeschmolzen sind: so ist auch die

---

[66] Vorbemerkung zu Str. 16 (Hinzufügung der zweiten Bearbeitung), *Obras* III 284.

[67] Erklärung zu Str. 16 V. 1 u. 2, *Obras* III 286.

Vollkommenheit der Seele ein abgeschlossenes Ganzes: sie umschließt eine Fülle leuchtender Tugenden fest und in schöner Ordnung. Während die Seele diesen Strauß durch Übung der Tugenden windet, soll kein Störenfried sich auf dem *Hügel* sehen lassen, d.h. in den Vermögen der Seele sollen keinerlei Einzelerkenntnisse oder Erinnerungen auftreten, damit nichts sie von ihrem liebenden Verweilen bei Gott ablenke.

Aber es gibt noch eine andere Trübung ihres Glückes. In der Zeit der Verlobung ist der Geliebte noch nicht dauernd mit ihr vereint. Und da ihre Liebe sehr groß und innig ist, bereitet es ihr große Qual, wenn Er sich zurückzieht. Darum fürchtet sie die Trockenheit wie den kalten Nordwind, der alle Blüten tötet. Sie nimmt zum Gebet und den geistlichen Übungen ihre Zuflucht, um über die Trockenheit Herr zu werden. Aber auf der hohen Stufe des geistlichen Lebens, die sie schon erreicht hat, sind alle Mitteilungen des geistlichen Lebens so innerlich, daß sie durch keine Betätigung der eigenen Kräfte erlangt werden können. Darum ruft sie den feuchten und warmen Südwind zu Hilfe, in dem die Blumen sich erschließen und ihren Duft aushauchen: den Heiligen Geist, „der in ihr die Liebe erweckt". Wenn Er sie erfaßt, „entflammt Er sie vollends, erquickt und belebt sie und regt den Willen und die Begierden.... zur Liebe Gottes an...." Sie bittet Ihn, *durch* ihren Garten zu wehen, nicht *im* Garten. „Es ist nämlich ein großer Unterschied zwischen dem Wehen Gottes *in* der Seele und dem Wehen *durch* die Seele. Das Wehen in der Seele bedeutet das Eingießen der Gnade, der Gaben und Tugenden, das Wehen durch die Seele aber ist eine Berührung und Tätigkeit Gottes, wodurch die schon verliehenen Tugenden und Vollkommenheiten erneuert und in Bewegung gebracht werden, sodaß sie einen wunderbar süßen Duft verbreiten. Es ist geradeso, wie wenn man wohlriechende Dinge rüttelt"; sie strömen dann „eine Fülle von Wohlgeruch aus, wie es vorher nie geschah...." So hat auch die Seele nicht immer das wirkliche Gefühl und den Genuß ihrer Tugenden. Sie gleichen vielmehr in diesem Leben den Blumen, die noch in der Knospe sind, oder zugedeckten Gewürzen. Manchmal aber, wenn der göttliche Geist durch den Seelengarten weht, öffnet Er alle Knospen der Tugenden und deckt die Würze der Gaben, Vollkommenheiten und Reichtümer der Seele auf. „So enthüllt Er durch Offenbarung ihrer inneren Schätze und Reichtümer die ganze Schönheit der Seele". Diese Wohlgerüche der Tugendblüten finden sich zuweilen in der Seele in solchem Übermaß, daß sie ganz mit Wonne umkleidet und in unschätzbarer Herrlichkeit eingetaucht ist. Es pflegt davon auch etwas

„nach außen zu dringen, sodaß Menschen, die einen Sinn dafür haben, es wahrnehmen. Ihnen erscheint eine solche Seele als ein Lustgarten voll Wonnen und Reichtümern Gottes.

Und auch wenn die Blüten nicht geöffnet sind...., haben solche heilige Seelen eine gewisse geheimnisvolle Größe und Würde an sich, die andern Ehrfurcht und Hochachtung einflößt...." Im Wehen des Heiligen Geistes aber teilt sich der Sohn Gottes in erhabener Weise der Seele mit. Und Er ist es vor allem, der sich an ihrem voll erblühten und duftenden Blumenschmuck erfreut. Sie aber verlangt danach, um Ihn zu ergötzen. Er hat sie genährt und in sich umgewandelt, auch so ist sie nun „gereift, zubereitet und gewürzt durch die Blüten der Tugenden, Gaben und Vollkommenheiten...." An ihrem Wohlgeschmack und ihrer Süßigkeit erfreuen sich die Liebenden gemeinsam. „Denn es ist dem Bräutigam eigen, sich mit der Seele im Duft dieser Blüten zu vereinen" [68].

Inmitten dieses Glückes leidet die Seele darunter, daß sie immer noch nicht die volle Herrschaft über ihre niederen Kräfte hat; immer noch regen sich Empörungen im Begehrungsvermögen und beeinträchtigen das Gnadenleben. Die Seele wendet sich an diese niederen Regungen und bittet sie, ihre Grenzen nicht zu überschreiten. *Nymphen* nennt sie sie, weil sie schmeichelnd und zudringlich den Willen verführen wollen. Den Namen *Judäa* gibt sie dem sinnlichen Seelenteil, „weil er von Natur aus schwach, fleichlich und blind ist wie das Volk der Juden" [69]. Während die Rosensträucher der höheren Vermögen Blüten der Tugenden hervorbringen und den Ambraduft des Heiligen Geistes aushauchen, sollen jene Nymphen im *Vorraum* oder der *Vorstadt* der inneren Sinne bleiben und die Schwelle zum Inneren, d.h. die ersten Regungen des höheren Seelenteils, nicht berühren. (An dieser Stelle erscheint nicht erst die Deutung, sondern schon die Strophe selbst gekünstelt und allzu stark vom Zeitgeschmack beeinflußt. Die nächste dagegen fügt sich wieder anschaulich dem Rahmen des Ganzen ein.)

Das Verlangen der Seele geht darauf, Gott von Angesicht zu Angesicht zu schauen. In ihrem Innersten hat sie Ihn gefunden und hier möchte sie mit Ihm verborgen bleiben. Wenn Er ihr in der geheimen Kammer ihres Herzens die Herrlichkeit Seiner Gottheit offenbart, soll nichts davon nach außen laut werden, damit von dort keine Störung komme. Die Seele weiß, daß die Schwäche ihrer sinnlichen Natur erliegen würde unter der Erhabenheit dessen, was auf

---

[68] Erklärung zu Str. 17 (26), *Obras* III 292 f. u. 125 f.
[69] Erklärung zu Str. 18 (31) V. 1, *Obras* III 299 u. 146.

den *Bergen* geschieht, und das würde den Geist am Schauen des Antlitzes Gottes hindern. Sie möchte also ganz frei von aller Belastung durch den Leib in ihrem Innersten die Berührung mit dem göttlichen Wesen erfahren und sich erfreuen an dem wundersamen Schmuck, mit dem Er selbst sie geziert hat: einer Erkenntnis Seiner Gottheit, die hoch über den gewöhnlichen Erkenntniswegen liegt.

Aber auch der Bräutigam selbst verlangt nach der Vermählung. Er will der Braut die außerordentliche Seelenstärke, Reinheit und einzigartige Liebe verleihen, um die mächtige und innige Umarmung Gottes ertragen zu können. Er stellt die volkommene Harmonie in ihrer Seele her. Alles flatterhafte Spiel der Phantasie, alles gewaltige Aufbegehren der Leidenschaft, alle zaghafte Scheu findet ein Ende. Alle Berge und Täler werden ausgeglichen: alles Übermaß und alles, was unter dem rechten Maß bleibt. Die Wasser der Trübsal müssen weichen, die Winde der Hoffnung schweigen, das Feuer der Freude darf sie nicht mehr entflammen; alle Schrecknisse werden gebannt, durch die der böse Feind Finsternis in der Seele zu verbreiten und das göttliche Licht zu verdunkeln sucht. So kann die Braut völlig ungestört in den Armen des Geliebten ruhen. Sie hat eine Geistesgröße und Standhaftigkeit erlangt, die durch nichts mehr zu erschüttern sind. Obwohl sie das feinste Empfinden für eigene und fremde Fehler hat, bereiten sie ihr keinen Schmerz mehr. Denn in diesem Stande hat die Seele alles verloren, „was die Tugenden an Schwäche an sich tragen. Es bleibt nur, was in ihnen kraftvoll, beständig und volkommen ist. Wie die Engel alles, was Schmerz verursacht, wohl zu würdigen wissen, aber selbst keinen Schmerz darüber empfinden und die Werke der Barmherzigkeit üben ohne irgend ein Gefühl des Mitleids, so ist es bei der Seele in dieser Umformung durch die Liebe" [70]. Läßt Gott die Seele manches noch schmerzlich empfinden, so geschieht es, um sie mehr Verdienste sammeln zu lassen; mit der mystischen Vermählung hat das nichts zu tun. Auch ihre Hoffnung ist durch die Vereinigung mit Gott so weit zufriedengestellt, als es in diesem Leben möglich ist, und erwartet nichts mehr von dieser Welt. „Ihre Freude ist gewöhnlich so groß, daß sie einem Meer gleicht: es nimmt durch austretende Flüsse nicht ab und vergrößert sich nicht durch zuströmende". Wohl werden ihr zufällige Freuden noch überschwänglich zuteil, aber die „wesenhafte geistige Mitteilung erhält dadurch keinen Zuwachs mehr. Denn was noch Neues hinzukommen kann, das besitzt sie schon alles. . . . Hierin scheint die Seele in gewissem Sinn

---

[70] Erklärung zu Str. 20 (29), *Obras* III 307 u. 138.

an einer göttlichen Eigenschaft teilzunehmen. Denn wenn auch Gott
Seine Freude an allen Dingen findet, so erfreut Er sich doch nicht
so sehr an ihnen wie an sich selbst, denn Er besitzt sie alle in sich
selbst in weit höherer, in überragender Weise". So dienen auch der
Seele alle neuen Freuden nur als Aufmunterung, sich dem Glück
der Vereinigung hinzugeben. Wenn sie an irgend etwas Befriedigung
findet, dann erwacht sogleich in ihr der Gedanke an das weit höhere Gut, das in ihr gegenwärtig ist, und sie wendet sich Ihm zu, um
in Ihm ihre Wonne zu suchen. Im Vergleich damit ist der Gewinn
aus dem Hinzukommenden „etwas so Unbedeutendes, daß wir ihn
für nichts achten können". Dabei hat sie aber das Gefühl, ständig
neue Wonne zu kosten, weil das Gute, das sie immer von neuem
genießt, für sie immer etwas Neues ist.

„Wenn wir nun von dem Glorienlicht reden wollen, das Gott der
Seele in dieser beständigen Umarmung manchmal gewährt, so findet sich kein Wort, das uns davon eine Vorstellung geben könnte.
Es ist das in gewissem Sinn eine geistige Umgestaltung, in welcher
Er die Seele das ganze Meer der Wonne und Reichtümer schauen
und zugleich kosten läßt, womit Er sie begnadigt hat. Wie die Sonne, wenn sie vom Zenit aus ihre Feuerstrahlen auf das Meer wirft,
es bis in die tiefen Höhlen und Abgründe erhellt und Perlen, die
reichsten Goldadern und andere kostbare Mineralien aufschimmern
läßt, so enthüllt auch die göttliche Sonne .... der Braut .... alle
Reichtümer ihrer Seele.... Und trotz dieser erhabenen Erleuchtung erfährt die Seele keinen Zuwachs, es wird nur ans Licht gebracht und genossen, was sie schon vorher besaß".

So erleuchtet, stark und fest in Gott gegründet, läßt sie sich
durch die Schrecknisse der bösen Geister nicht mehr beängstigen.
„Nichts kann sie mehr berühren und verwirren". Sie ist in Gott
eingegangen und erfreut sich eines vollkommenen Friedens, der alle
Begriffe übersteigt und durch keine Menschenworte ausgedrückt
werden kann [71].

„Die Braut ist eingegangen in des ersehnten Gartens Lieblichkeiten". Der ganze Weg liegt hinter ihr, die Vorbereitung ist beendet,
in der Zeit der Verlobung hat sich die Treue bewährt. Nun ruft
sie Gott zur Vermählung in den blühenden Garten: das ist Er selbst,
der Ersehnte, in den sie jetzt völlig umgestaltet wird. „Dadurch
kommt eine so innige Vereinigung beider Naturen und eine solche
Mitteilung der göttlichen Natur an die menschliche zustande, daß
jede von beiden, ohne irgend eine Veränderung ihres Wesens, als

---

[71] Erklärung zu Str. 21 (30), *Obras* III 316 u. 144.

Gott erscheint. Diese Vereinigung kann zwar in diesem Leben nicht in vollkommener Weise stattfinden, aber sie übertrifft alles, was man sagen und denken kann"[72]. Hier am Ziel besitzt die Seele eine wunderbare, göttliche Gnadenfülle, unvergleichlich mit jener der geistigen Verlobung. Der Frieden ist viel tiefer und beständiger. Sie fühlt sich mit Gott in wirklicher, inniger geistiger Umarmung verbunden und lebt dadurch das Leben Gottes. Ihr Hals ruht auf den Armen des Geliebten: Er leiht ihr Seine Stärke, um ihre Schwäche in göttliche Stärke umzuwandeln.

Es ist ein neues Paradies, in das sie eingegangen ist. Unter dem Apfelbaum wird die Vermählung vollzogen. Die treue Seele wird eingeführt in die wunderbaren Geheimnisse Gottes, vor allem in die süßen Geheimnisse der Menschwerdung und Erlösung: wie im Paradies durch den Genuß der verbotenen Frucht des Baumes die menschliche Natur zerstört und dem Verderben preisgegeben wurde, so ward sie unter dem Baum des Kreuzes von Ihm erlöst und wiederhergestellt. Dort auf der Höhe des Kreuzes war es, wo der Bräutigam ihr die Hand Seiner Gnade und Erbarmung reichte und durch die Verdienste Seines Leidens und Sterbens der Feindschaft ein Ende machte, die seit der Erbsünde den Menschen von Gott trennte. Unter dem Paradiesesbaum ist die Mutter (die menschliche Natur) in der Person der Stammeltern durch die Sünde entehrt worden. Unter dem Kreuzesbaum wird der menschlichen Seele das Leben wiedergeschenkt. Die Verlobung unter dem Kreuz ist mit der mystischen nicht einfach gleichzusetzen: sie wird schon bei der Taufe vollzogen und auf einmal, während die mystische Verlobung an die persönliche Vervollkommnung geknüpft ist, dementsprechend allmählich vorsichgeht und von der Großmut der Seele abhängt. Im Grunde ist es aber doch dieselbe Vereinigung[73].

e) Brautsymbol und Kreuz
(Mystische Vermählung - Schöpfung, Menschwerdung und Erlösung)

Wir stehen hier an einem wesentlichen Punkt und müssen versuchen, im Verständnis noch etwas tiefer zu dringen, als die Erläuterungen des Heiligen selbst uns in ausdrücklichen Worten führen.

---

[72] Erklärung zu Str. 22 (27) V. 2, *Obras* III 321 u. 133.
[73] Diese Erklärung zu Str. 23 (28), *Obras* III 386 u. 136, ist in der zweiten Fassung sehr erweitert. Der Vergleich der Verlobung in der Taufe mit der mystischen Verlobung ist neu eingefügt. Er entspricht dem Bestreben, gnadenhafte und mystische Vereinigung in nahe Verbindung zu bringen.

Wir haben im Kreuz das Wahrzeichen des Leidens und Sterbens Christi gesehen und alles dessen, was damit in ursächlichem und in Sinnzusammenhang steht. Dabei ist auf der einen Seite an die Frucht des Kreuzestodes zu denken: die Erlösung. Wir werden aber hier darauf hingewiesen, daß im innigsten Zusammenhang damit die Menschwerdung steht als Bedingung des erlösenden Leidens und Sterbens und der Sündenfall als Beweggrund zu beiden. Es ist früher der Gedanke ausgesprochen worden, daß die Leiden der *Dunklen Nacht* Anteil seien am Leiden Christi, vor allem am tiefsten Leiden: der Gottverlassenheit. Das hat durch den *Geistlichen Gesang* eine nachdrückliche Bestätigung erhalten, da hier das sehnsüchtige Verlangen nach dem verborgenen Gott *das* Leiden ist, das den ganzen mystischen Weg beherrscht. Es hört selbst in der Seligkeit der bräutlichen Vereinigung nicht auf; ja in gewisser Weise nimmt es mit der wachsenden Gotteserkenntnis und -liebe noch zu, weil mit ihr die Vorahnung dessen, was die klare Anschauung Gottes in der Glorie uns bringen soll, immer fühlbarer wird. (Das wird durch die zweite Fassung scharf herausgearbeitet.) Welcher menschliche Sehnsuchtsschmerz aber kann sich messen mit dem Leiden des Gottmenschen, der Sein ganzes Leben hindurch im Besitz der seligen Gottesschau war, bis er sich kraft freien Willensentschlusses in der Ölbergsnacht dieses Genusses beraubte? Sowenig ein Menschengeist und ein Menschenherz ausdenken und erfühlen können, was die ewige Seligkeit ist, sowenig vermögen wir einzudringen in das unergründliche Geheimnis einer solchen Beraubung. Er allein, der Einzige, der sie erfahren hat, kann denen, die Er dafür erwählt, etwas davon zu kosten geben in der Vertraulichkeit der bräutlichen Vereinigung. Die Gottverlassenheit in ihrer ganzen Tiefe war Ihm ausschließlich vorbehalten und konnte von Ihm nur gelitten werden, weil Er Gott und Mensch zugleich war, als Gott konnte Er nicht leiden, als reiner Mensch hätte Er das Gut, dessen Er sich beraubte, nicht fassen können. So ist die Menschwerdung Bedingung dieses Leidens, die menschliche Natur als leidensfähige und wirklich leidende, Werkzeug der Erlösung. Beweggrund des erlösenden Leidens und darum auch der Menschwerdung ist die menschliche Natur als dem Fall ausgesetzte und tatsächlich gefallene [74]. Durch den Sündenfall hat sie in den ersten Menschen ihre

---

[74] Wir sehen in der Sünde und Erlösungsbedürftigkeit nicht den *einzigen* Beweggrund der Menschwerdung. Diese scheint uns schon in der Hinordnung der Schöpfung auf die Vollendung durch Christus hinreichend begründet. Auch Johannes vom Kreuz kennt eine Begründung der Menschwerdung unabhängig vom Sündenfall. Vgl. die *Romanzen, Obras* IV 328 ff.

Ehre — ihre ursprüngliche Vollkommenheit und gnadenhafte Erhöhung — verloren. Sie wird aufs neue erhöht in jeder einzelnen Menschenseele, die durch die Taufgnade zur Gotteskindschaft wiedergeboren wird, und gekrönt in den auserwählten Seelen, die zur bräutlichen Vereinigung mit dem Erlöser gelangen. Das geschieht „unter dem Kreuzesbaum" — als reife Frucht des Kreuzestodes und im Miterleiden des Kreuzestodes. Wie haben wir es aber zu verstehen, daß der Ort der Erhebung derselbe Ort sei wie der des Falles, der Kreuzesbaum und der Paradiesesbaum ein und derselbe? Die Lösung scheint mir im Geheimnis der Sünde zu liegen. Der Baum im Paradies, dessen Früchte den Menschen verboten waren, war ja der Baum der Erkenntnis des Guten und Bösen. Eine echte Erfahrungserkenntnis des Bösen und seines radikalen Gegensatzes zum Guten konnten die Menschen nur gewinnen, indem sie es taten. So dürfen wir den Paradiesesbaum als Wahrzeichen für die menschliche Natur in ihrer Zugänglichkeit für die Sünde auffassen und die wirkliche Sünde (die erste wie jede spätere) mit all ihren Folgen als seine Frucht. Furchtbarste Auswirkung der Sünde aber und darum Enthüllung ihrer Furchtbarkeit ist das Leiden und Sterben Christi. So ist die Erlösung Frucht des Paradiesesbaumes in mehrfachem Sinn: weil die Sünde Christus bewog, Leiden und Tod auf sich zu nehmen, weil es die Sünde in all ihren Erscheinungsformen war, die Christus kreuzigte, und weil sie eben damit zum Werkzeug der Erlösung gemacht wurde. Die christusverbundene Seele aber gelangt im Mit-Leiden mit dem Gekreuzigten (d.i. in der *Dunklen Nacht der Beschauung*) zur „Erkenntnis des Guten und Bösen" und erfährt sie als erlösende Kraft: es wird ja immer wieder betont, daß die Seele durch die scharfe Pein der Selbsterkenntnis (als Erkenntnis der eigenen Sündhaftigkeit) zur Reinigung gelangt.

Es ist nun noch darauf hinzuweisen, daß die mystische Vereinigung auch als Anteil an der Menschwerdung aufzufassen ist. Das ist schon durch die enge Verbundenheit beider Geheimnisse nahegelegt. Es wird überdies angedeutet durch die Wendungen, in denen der Heilige von der mystischen Vermählung spricht. Wenn er von einer „so innigen Verbindung beider Naturen und einer solchen Mitteilung der göttlichen Natur an die menschliche" spricht, daß die gottvermählte Seele selbst als Gott erscheint [75], so wird man an das Verhältnis der beiden Naturen Christi in der hypostatischen Union erinnert. Die Theologen bezeichnen ja auch gern die Annahme der menschlichen Natur durch das göttliche Wort als Vermäh-

---

[75] Erklärung zu Str. 22 V. 2, *Obras* III 321.

lung mit der Menschheit[76]. Durch sie hat sich der Gottmensch den Weg zu den einzelnen Seelen eröffnet. Und jedesmal, wenn eine Seele sich Ihm so vorbehaltlos übergibt, daß Er sie zur mystischen Vermählung erheben kann, wird Er gleichsam aufs neue Mensch. Freilich bleibt der wesentliche Unterschied, daß in Jesus Christus beide Naturen in einer Person eins sind, während in der mystischen Vermählung zwei Personen in Verbindung treten und in ihrer Zweiheit erhalten bleiben. Aber durch die wechselseitige Hingabe beider kommt eine Vereinigung zustande, die nahe an die hypostatische heranreicht. Sie öffnet die Seelen für den Empfang des göttlichen Lebens und gibt durch die völlige Unterwerfung des eigenen Willens unter den göttlichen dem Herrn die Möglichkeit, über solche Menschen wie über Glieder Seines Leibes zu verfügen. Sie leben nicht mehr ihr Leben, sondern das Leben Christi, sie leiden nicht mehr ihr Leiden, sondern das Leiden Christi. Darum freuen sie sich auch an dem Gnadenleben, das der Herr in anderen Seelen entzündet, wenn der Funke der göttlichen Liebe sie berührt und der Wein dieser Liebe sie in einen seligen Rausch versetzt[77].

Die Seele, die zur mystischen Vermählung gelangt ist, befindet sich im *innersten Weinkeller* des Geliebten, d.h. auf der höchsten Stufe der Liebe. Der Heilige unterscheidet hier sieben Stufen der Liebe, den sieben Gaben des Heiligen Geistes entsprechend, und sieht als letzte und vollendende Gabe die der Furcht an: „Hat .... die Seele den Geist der Furcht vollkommen erreicht, dann besitzt sie auch den Geist der Liebe in seiner Vollkommenheit; denn diese Furcht, die letzte der sieben Gaben, ist ganz kindlich, und die vollkommene Furcht des Kindes entspringt der vollkommenen Liebe zum Vater"[78]. In dieser innersten Vereinigung *trinkt* die Seele von dem Geliebten. Wie ein Trunk „sich durch alle Glieder und Adern des Körpers ergießt und ausbreitet, so ergießt sich auch diese wesenhafte Mitteilung Gottes über die ganze Seele...., soweit ihr Wesen und ihre geistigen Fähigkeiten es gestatten. Mit dem Verstand trinkt sie die Weisheit und Wissenschaft, mit dem Willen die süßeste Liebe und mit dem Gedächtnis die Erquickung und Wonne, die

---

[76] Als Vermählung mit der Menschheit hat Johannes vom Kreuz die Menschwerdung in den *Romanzen* über die Schöpfung behandelt. (*Obras* IV 328 ff.) Diese Vermählung erscheint hier sogar als Beweggrund der Schöpfung. Erstaunlicherweise ist der Sündenfall in den Romanzen ganz übergangen. Die Erlösung erscheint als Befreiung vom Joch des Gesetzes.

[77] Vgl. die Erklärung zu Str. 25 (16), *Obras* III 335 u. 85.

[78] Erklärung zu Str. 26 (17) V. 1, *Obras* III 343 u. 91.

ihr die Erinnerung und das Gefühl der Herrlichkeit bereiten" [79].
Beim Hervortreten aus ihrer tiefen Versunkenheit — das ist keine
Unterbrechung der wesenhaften Vereinigung, sondern nur ihrer Auswirkung in den Vermögen — hat sie „alles Wissen verloren": „sie
hat in dieser Vereinigung die erhabenste Weisheit Gottes getrunken,
die sie alle Dinge dieser Welt vergessen läßt. Es kommt ihr vor, als
wäre alles, was sie bisher wußte, ja alles, was die ganze Welt weiß,
im Vergleich mit jenem Wissen reine Unwissenheit.... Außerdem
läßt die Vergöttlichung und Erhebung des Geistes zu Gott....
keine Erinnerung an irdische Dinge zu; sie ist nicht nur allen geschöpflichen Dingen, sondern auch sich selbst entfremdet und vernichtet, wie verzehrt und aufgelöst in Liebe.... Der Zustand einer
solchen Seele gleicht in gewissem Sinn dem Adams in seiner ersten
Unschuld, da er noch nicht wußte, was böse ist. Sie ist so unschul-
dig, daß sie weder das Böse begreift noch etwas für böse hält. Mag
sie auch sehr böse Dinge hören und mit eigenen Augen sehen, so
kann sie doch nichts davon verstehen...." (Das steht nicht im Widerspruch zu dem, was kurz zuvor gesagt wurde: daß die Beschauung Erkenntnis des Guten und Bösen verleihe. Jene Erkenntnis gehört den Anfängen des mystischen Weges an, das Nichtwissen um
das Böse der erneuerten Unschuld auf dem Gipfel der Vollkommenheit.) Im übrigen ist das Nichtwissen der Seele auf dieser Stufe
„nicht so zu verstehen, als gingen ihr die erworbenen Kenntnisse
verloren, vielmehr erlangen sie einen höheren Grad von Vollkommenheit durch das übernatürliche Wissen, das ihr von Gott eingegossen wird. Wenn aber auch die erworbenen Erkenntnisse nicht so
in der Seele herrschen, daß sie sie nötig hätte, um etwas zu wissen, so
kann sie doch noch manchmal Gebrauch davon machen. Denn in
dieser Vereinigung mit der göttlichen Weisheit verbinden sich diese
erworbenen Erkenntnisse mit der höheren Weisheit...., wie sich ein
schwaches Licht mit einem stärkeren vereint. Das starke Licht ist das
vorherrschende und leuchtende, doch das schwächere verschwindet
nicht, sondern gewinnt an Vollkommenheit.... Wenn aber die Seele in jener Liebe aufgeht, dann verliert sie vollständig alle besonderen Erkenntnisse und Formen der Dinge.... und weiß nichts
mehr davon.... Erstens, weil sie durch jenen Liebestrank so in Gott
versenkt ist...., daß sie sich aktuell mit keiner Sache beschäftigen
.... kann; zweitens — und das ist der Hauptgrund — macht jene
Umgestaltung in Gott die Seele der Einfachheit und Reinheit Gottes, in der keine Form noch einbildliche Gestalt ist, so gleichförmig,

---

[79] Erklärung zu Str. 26 (17) V. 2, *Obras* III 345 u. 92.

daß sie ganz lauter und rein und frei von allen früheren Formen und Gestalten wird...." [80] Dieses Nichtwissen dauert aber nur solange, bis die besondere Wirkung der Liebe vorüber ist.

Das *Trinken im Keller* hat aber noch eine andere Wirkung: an die Stelle des alten Menschen tritt ein völlig neuer. Ehe die Seele in den Stand der Vollkommenheit eintritt, bleibt ihr, auch bei hoher Vergeistigung, immer noch eine kleine *Herde* von Begierden, Freuden und Unvollkommenheiten. „Sie geht dieser Herde nach und sucht sie zu weiden, um sie dadurch zu befriedigen". Der Verstand behält meist noch etwas von seiner alten Wißbegierde, der Wille läßt sich noch von persönlichen Begierden und Genüssen einnehmen. Man verlangt noch nach dem Besitz gewisser Kleinigkeiten und pflegt gewisse Neigungen, hascht gern nach Hochschätzung und fühlt sich leicht zurückgesetzt, trifft noch eine Auswahl beim Essen und Trinken nach dem Geschmack, wird von unnützen Sorgen, Freuden, Leiden und Befürchtungen bestürmt. Dies ist jene Herde von Unvollkommenheiten, der solche Seelen nachgehen, „bis sie in den inneren Weinkeller eintreten und zu trinken bekommen; dann verlieren sie sie ganz durch die Vollendung in der Liebe...." [81]

In der bräutlichen Vereinigung umgibt Gott die Seele mit einer Liebe, der sich auch die zärtlichste Mutterliebe nicht vergleichen kann. Er „bietet ihr Seine Brust", d.h. Er offenbart ihr Seine Geheimnisse und schenkt ihr das *süße Wissen* der mystischen Theologie, der geheimen Gotteswissenschaft. Dafür gibt auch die Seele sich Ihm rückhaltlos. „Sie hat nur den einen Wunsch, Ihm ganz und für immer anzugehören und nichts in sich zu behalten, was von Ihm verschieden ist...." Und da Gott alles andere aus ihr entfernt hat, woran ihr Herz hing, kann sie sich nicht nur dem Willen nach, sondern auch in der Tat rückhaltlos hingeben. Beider Willen sind völlig eins, in Treue und Festigkeit für immer verbunden. Selbst die ersten Regungen der Seele wenden sich niemals mehr gegen das, was sie als den Willen Gottes erkennt. Sie kennt nichts mehr als die Liebe und den Umgang mit dem göttlichen Bräutigam. Sie hat „jenen Stand der Vollkommenheit erreicht, dessen Wesen und Form.... die Liebe ist". Sie ist „sozusagen ganz Liebe. Sie handelt nur unter Eingebung der Liebe und verwendet alle ihre Vermögen und ihren ganzen Reichtum nur für die Liebe.... Sie hat erkannt, daß ihr Geliebter nichts als die Liebe schätzt und daß Ihm mit nichts anderem gedient ist. Und weil sie Ihm vollkommen dienen will, gebraucht

---

[80] Erklärung zu Str. 26 (17) V. 4, *Obras* 347 u. 95.
[81] Str. 26 (17) V. 5, *Obras* 351 u. 97.

sie alles in reiner Gottesliebe.... Wie die Biene aus allen Blumen
....Honig saugt und nichts anderes darin sucht, so schöpft auch
die Seele mit erstaunlicher Leichtigkeit aus allen Ereignissen des Lebens die Süßigkeit der Liebe...." [82]

Daß Gott allein an der Liebe und ihren Äußerungen Gefallen findet, hat seinen Grund darin, daß all unsere Werke und Bemühungen vor Seinen Augen ein reines Nichts sind. Wir können Ihm nichts
geben, Er bedarf nichts und verlangt nichts. „Er will nur eines: die
Würde unserer Seele erheben....; was Ihm allein Gefallen bereitet, ist die Bereicherung der Seele. Weil sie durch nichts anderes
mehr zu Ehren kommen kann, als wenn Er sie sich gleich macht,
so will Er einzig und allein, daß sie Ihn liebe. Der Liebe ist es ja
eigen, den Liebenden dem, was er liebt, gleichzumachen. Und da
die Seele hier die vollkommene Liebe besitzt, heißt sie die Braut des
Sohnes Gottes, und das bedeutet Gleichheit mit Ihm, Gleichheit
durch die Freundesliebe, kraft deren beide alle Güter gemeinsam besitzen...." [83]

Die Seele steht nun mit allem, was sie ist und hat, im Dienst Gottes. Es ist ihr so selbstverständlich, für Ihn und Seine Ehre zu wirken, daß sie es oft tut, ohne daran zu denken und sich dessen bewußt zu werden, daß sie für Gott handelt. Früher überließ sie sich
„vielen unnützen Beschäftigungen.... Denn alle ihre gewohnheits-
mäßigen Unvollkommenheiten können wir ebensoviele Beschäftigungen nennen....: die Neigung, Unnützes zu reden, zu denken
und zu tun, indem man all das betreibt ohne Rücksicht auf die Ver-
vollkommung der Seele...." Alle diese Geschäfte kennt sie jetzt
nicht mehr; denn „alle ihre Gedanken, Worte und Werke sind
nun aus Gott und auf Gott gerichtet" [84]. Sie hat kein anderes Amt
mehr, als zu lieben. Alle ihre Fähigkeiten sind nur noch tätig durch
die Liebe und in der Liebe. Das gilt für ihr Gebetsleben ebenso wie
für die Beschäftigung mit zeitlichen Dingen. Vor der Liebesvereinigung mußte sie die Liebe im tätigen wie im beschaulichen Leben
üben. In diesem Stande aber ist es nicht mehr zuträglich, sich mit
andern Werken und äußeren Übungen zu befassen, die auch nur im
geringsten ihrem Liebesleben in Gott hinderlich sein könnten. Und
dies gilt auch, wenn es sich um Werke handelt, die Seine Ehre in hohem Grade vermehren. Denn „ein Funken reiner Liebe ist kostbarer
vor Gott, nützlicher für die Seele und segensvoller für die Kirche

---

[82] Gegen Ende der Erklärung zu Str. 27 (19), *Obras* 356 u. 104.
[83] Vorbemrkung zu Str. 28, *Obras* III 356.
[84] Erklärung zu Str. 28, *Obras* III 357.

als alle andern Werke zusammengenommen, wenn es auch den Anschein hat, als tue man nichts"[85].

Wenn die Welt einen solchen Menschen für verloren hält, der
von ihren Geschäften und Zerstreuungen nichts mehr wissen will,
so nimmt die Seele diesen Vorwurf gern auf sich. Sie bekennt mutig
und frei: ja, ich habe mich verloren. Dies Verlorensein ist ja für sie
gleichbedeutend mit Gewonnenwerden; „sie verlangt keinen Gewinn
und keine Belohnung, sondern hat nur den einen Wunsch, alles und
sich selbst zu verlieren, um Gott anzugehören". Ins Geistige übertragen heißt es, daß sie im Verkehr mit Gott alle natürlichen Mittel
und Wege aufgegeben hat und nur im Glauben und in der Liebe
mit Gott verkehrt. Dann ist sie für Gott gewonnen, weil „sie in
Wirklichkeit für alles verloren ist, was nicht Gott ist...."[86]

Dann ist aber auch für die Seele alles gewonnen. Sie ist mit auser-
lesenen Tugenden und Gaben geschmückt wie mit *Blumen und
Smaragden*. Sie formen, zum Kranzgewinde verbunden, einen vollendet schönen Brautschmuck. Und alle heiligen Seelen zusammen
bilden ihrerseits ein Kranzgewinde, das die Braut Kirche mit Christus, dem Bräutigam, flicht. Alle Blüten, mit denen die Seele geziert
ist, sind Geschenke des Geliebten. Das *Haar*, das die Tugenden fest
zusammenbindet, ist der Wille und seine Liebe, die das *Band der
Vollkommenheit* ist (Col. 3, 14). Ohne dies Band fallen die Tugendblüten auseinander und werden zerstört. Die Liebe muß stark sein,
um den Kranz der Tugenden zusammenzuhalten. Wenn sie das ist
und der Glaube treu und einfältig, dann sieht Gott mit Wohlgefallen auf sie und macht sich selbst zu ihrem Gefangenen. „Groß ist
die Macht und das Ungestüm der Liebe, da sie Gott selbst gefangen-
zunehmen und zu verwunden weiß.... Wer Ihn durch solch eine
uneigennützige Liebe besitzt, erreicht alles, was er wünscht. Wer
aber diese Liebe nicht kennt, der redet umsonst mit Ihm und vermag auch nichts bei Ihm, selbst nicht durch ungewöhnliche Werke.... Diese Wahrheit erkennt die Seele, und sie sieht auch ein,
daß Er ihr ganz unverdient so große Gnaden verliehen hat"[87]. Sie
schreibt nichts sich selbst, alles Gott zu. Wenn sie liebenswürdig ist
in Seinen Augen, so hat Sein liebender Blick sie dazu gemacht. Durch
Seine Gnade hat Er sie so schön gemacht, daß Er sie nun innig lieben kann. Gott kann ja nichts lieben, was außer Ihm ist. Wenn Er
„eine Seele liebt, so nimmt Er sie in gewissem Sinn in sich selbst auf
und erhebt sie zu gleicher Höhe mit sich, und so liebt Er die Seele

---

[85] Vorbemerkung zu Str. 29, *Obras* III 361.
[86] Erklärung zu Str. 29 V. 5, *Obras* III 365.
[87] Vorbemerkung zu Str. 32, *Obras* III 380.

in sich, mit sich und mit derselben Liebe, mit der Er sich selbst liebt. Darum verdient sich die Seele mit jedem Werk, das sie in Gott vollbringt, die Vermehrung der Liebe. Erhoben zu dieser Gnade und Würde, verdient sie sich durch jedes Werk Gott selbst". In Gottes Gnade wirken, das heißt für die Seele: Gott schauen. Durch die Gnade erleuchtet, vermögen die Augen ihres Geistes zu sehen, was ihrer Blindheit vorher verborgen war: „die Herrlichkeit der Tugenden, die unaussprechliche Wonne, unermeßliche Liebe, Güte und Barmherzigkeit Gottes, unzählbare Wohltaten, die sie von Gott empfangen hat...." All das konnten sie früher weder sehen noch anbeten. „Denn groß ist der Stumpfsinn und die Blindheit der Seele, die der Gnade beraubt ist". Sie denkt nicht an die Pflicht, Gottes Gnadenerweise zu erkennen und anzubeten, es kommt ihr gar nicht in den Sinn. „So groß ist das Elend derer, die in der Sünde leben oder, besser gesagt, durch die Sünde tot sind" [88].

Hat aber Gott die Seele von ihren „Sünden und Fehlern befreit, so macht Er ihr darüber nie mehr einen Vorwurf und läßt sich dadurch auch nicht abhalten, ihr größere Gnaden zu gewähren". Die Seele aber soll ihre früheren Fehltritte nicht vergessen. Dann wird sie nicht anmaßend werden, wird stets dankbar bleiben, und ihr Vertrauen wird wachsen, um noch Größeres zu empfangen. Die Erinnerung an ihren früheren schmachvollen Zustand erhöht noch ihre Seligkeit an der Seite des göttlichen Bräutigams. War sie aus sich selbst *dunkelfarbig* durch die Sünde, so ist sie jetzt mit Schönheit geschmückt durch Gottes Gnadenblick und dadurch neuer Gnaden würdig. Er gibt ja „Gnade um Gnade" (Joan. 1, 16): „Findet Er eine Seele, die Seines Wohlgefallens würdig ist, so fühlt Er sich gedrängt, ihr Gnadenmaß zu vermehren, weil Er in ihr eine angenehme Wohnung gefunden hat.... Hat Er sie schon vor dieser gnadenvollen Erhebung um Seinetwillen geliebt, so liebt Er sie jetzt sowohl um Seinetwillen als um ihretwillen. Entzückt von der Schönheit der Seele.... erweist ihr der Herr immer neue Liebe und neue Gnaden, und während Er sie ohne Unterlaß ehrt und verherrlicht, gestaltet sich Seine Liebe zu ihr immer inniger und zärtlicher.... Wer kann die Würde beschreiben, zu der Gott eine Seele erhebt, an der Er Sein Wohlgefallen gefunden hat? Man kann das unmöglich aussprechen noch sich einen Begriff davon machen; denn da handelt Gott in jeder Weise als Gott, um zu zeigen, was er ist" [89].

Um des Geliebten willen hat die Seele freiwillig die Einsamkeit

---

[88] Schluß der Erklärung zu Str. 32, *Obras* III 384.
[89] Erklärung zu Str. 33, *Obras* III 386 ff.

aufgesucht, d.h. allem Irdischen entsagt. Doch in dieser Einsamkeit lebte sie in Mühseligkeiten und Beängstigungen. Nun aber hat Gott sie in eine neue, volkommene Einsamkeit geführt, wo sie Ruhe und Erquickung findet. „In dieser Einsamkeit, in der die Seele, getrennt von allen Geschöpfen, allein mit Gott lebt, ist Er es, der sie führte anregt und zu göttlichen Dingen erhebt". Und „Er ist es auch einzig und allein, der in ihr wirkt, ohne sich irgend einer Mithilfe zu bedienen.... Gott wirkt in ihr und teilt sich ihr unmittelbar mit...., einzig durch sich selbst und nicht durch Vermittlung der himmlischen Geister oder mittels einer natürlichen Kraft. Alle inneren und äußeren Sinne, die geschaffenen Dinge, ja die Seele selbst können ihrerseits fast nichts beitragen zum Empfang dieser ganz übernatürlichen Gnaden, die Gott in diesem Stande verleiht....; Er will ihr keine andere Gesellschaft geben und sie niemandem als sich selbst anvertrauen" [90].

Vom höchsten Gipfel dieses Lebens erhebt sich dann die Sehnsucht der Seele zur ewigen Schau: zum *Berg* der Wesenserkenntnis Gottes im Ewigen Wort und um *Hügel der* „Weisheit niederen Ranges, die sich in den Geschöpfen und wunderbaren Werken offenbart". Diese göttliche Weisheit soll sie wie ein reines Wasser von allen Flecken der Unwissenheit befreien. Je mehr die Liebe wächst, desto größer wird das Verlangen, die göttlichen Wahrheiten rein und klar zu erkennen und immer tiefer einzudringen in die Abgründe der unerforschlichen Ratschlüsse und Geheimnisse Gottes. „Um dies zu erreichen, würde sie getrost und freudig alle Prüfungen und Leiden der Welt auf sich nehmen und sich zu allem verstehen, was ihr dazu behilflich sein könnte, wäre es auch noch so schwer und peinlich.... Die unergründliche Tiefe, worin die Seele.... einzudringen wünscht, kann.... auch als Sinnbild.... der Leiden und Trübsale betrachtet werden, welche die Seele auf sich zu nehmen wünscht. Denn im Leiden findet sie ihre größte Wonne und ihren höchsten Gewinn, weil es ein Mittel ist, um tiefer in die Wonnen und Tiefen der Weisheit Gottes einzudringen. Das Leiden läutert, und je mehr die.... Reinheit zunimmt, desto tiefer und klarer wird auch die Erkenntnis und desto vollkommener und erhabener der Genuß, weil er aus einem tieferen Erkennen entspringt. Deshalb gibt sich die Seele nicht zufrieden mit irgendeiner Art gewöhnlicher Leiden, sondern will.... auch die Todesängste auf sich nehmen,.... als Mittel...., um Gott zu schauen.... Wann wird man doch zur Einsicht kommen, daß die Tiefen der Weisheit und

---

[90] Erklärung zu.Str. 35, *Obras* III 393 ff.

der unendlichen Reichtümer Gottes der Seele unzugänglich sind,
wenn sie nicht die Leiden in ihrer ganzen Fülle auf sich nimmt;
wenn sie sich nicht danach sehnt und ihren Trost darin findet?
Wann wird man sich davon überzeugen, daß die Seele, die ein wahres Verlangen nach göttlicher Weisheit trägt, zuerst damit beginnen
muß, in die Tiefen der Leiden des Kreuzes einzudingen....?
Denn das Kreuz ist die Pforte zum Eintritt in die Reichtümer der
Weisheit Gottes, und die ist eng...." [91] Sie führt in die *tiefen
Felsenhöhlen*, d.h. in „die erhabenen, tiefen und unergründlichen
Geheimnisse der göttlichen Weisheit, die in der Person Christi verborgen sind kraft der hypostatischen Vereinigung.... der menschlichen Natur mit dem Wort Gottes oder der dadurch bedingten
Vereinigung der Menschheit mit Gott.... Jedes der Geheimnisse,
die in Christus vereint sind,.... ist für sich ein Abgrund der Weisheit und schließt zahllose verborgene Ratschlüsse der Vorherbestim-
mung und des Vorherwissens bezüglich der Menschenkinder in sich.
.... Soviel Geheimnisse und Wunder auch die hl. Lehrer enthüllt
haben, und so tief die Seelen in diesem Leben darin eingedrungen
sind, sie haben doch in Wirklichkeit fast nichts erklärt und erkannt; Christus ist und beibt ein unerforschlicher Abgrund....",
gefüllt mit „allen Schätzen der Weisheit und Wissenschaft" (Col.
2, 3). Zu diesen Schätzen kann die Seele nur gelangen, wenn sie „zuvor durch äußere und innere Leidensglut nach den Plänen der göttlichen Weisheit geläutert wurde. Selbst eine beschränkte Erkenntnis
dieser Geheimnisse kann man sich in diesem Leben nur erwerben
durch viele Leiden, durch zahllose auf Geist und Sinne einwirkende
Gnaden Gottes und durch bewährte Übung im geistlichen Leben.
Denn al diese Gnaden sind nur von untergeordneter Natur gegenüber der Weisheit der Geheimnisse Christi, sie sind nur Zubereitun-
gen, um zu ihnen zu gelangen" [92]. Der Genuß dieser göttlichen Erkenntnisse ist der *junge Wein*, den die Liebenden gemeinsam kosten.

„Über alles aber ersehnt die Seele die Gleichförmigkeit mit der
göttlichen Liebe. Sie möchte Gott so lieben, wie sie von Ihm geliebt
wird. Dahin kann sie jedoch in diesem Leben auch auf der höchsten
Stufe nicht gelangen, es bedarf dazu der Umgestaltung in der ewigen Herrlichkeit. Dort wird sie Gott lieben mit dem Willen und der
Kraft Gottes selbst, weil sie vereinigt ist mit der Kraft der göttlichen
Liebe oder mit der Kraft des Heiligen Geistes, in den sich die Seele
in der ewigen Glorie umgestaltet sieht. Der Heilige Geist wird der

---

[91] Erklärung zu Str. 36, *Obras* III 398 ff.
[92] Erklärung zu Str. 37 V. 3, *Obras* III 406.

Seele verliehen, damit sie in den Besitz der Kraft dieser Liebe gelangt, und Er ersetzt und ergänzt alles, was ihr für die machtvolle Umgestaltung in der ewigen Glorie mangelt" [93].
Zugleich mit der Vollkommenheit der Liebe erwartet sie die ewige Glorie, d.h. die Anschauung der göttlichen Wesenheit, die Gott ihr von Ewigkeit her vorherbestimmt hat. Sie nennt sie erst an zweiter Stelle, weil die Liebe im Willen ihren Sitz hat und in erster Linie Ziel ist; denn der Liebe entspricht es zu geben, nicht zu empfangen, dem Verstand aber, dem Sitz der Glorie, zu empfangen, nicht zu geben. „Hingerissen von Liebe, beschäftigt sich nun die Seele nicht mit der wesenhaften Glorie, die Gott ihr schenken wird, sondern denkt nur daran, wie sie sich durch wahre Liebe Ihm weihen könne, ohne Rücksicht auf eigenen Gewinn". Außerdem schließt die erste Bitte die zweite in sich; „denn man kann unmöglich zur vollkommenen Liebe Gottes gelangen ohne den Genuß der vollkommenen Anschauung Gottes". Die Anschauung Gottes — das ist es, was Gott ihr von Ewigkeit her bereitet hat. Das ist aber das, „was kein Auge gesehen hat, kein Ohr gehört hat und was in keines Menschen Herz gekommen ist" (1 Cor. 2, 9; Is. 64, 4). Was die Seele davon ahnt, ist so überwältigend, daß sie kein anderes Wort dafür findet als *Was*. Eine Erklärung dieses geheimnisvollen Wortes ist nicht möglich. Der Herr selbst hat es in der Geheimen Offenbarung durch den Mund des hl. *Johannes* in sieben verschiedenen Ausdrücken, Worten und Vergleichen angedeutet: „Wer überwindet, dem werde Ich zu essen geben von dem Baume des Lebens, der im Paradiese Meines Gottes ist" (Apoc. 2, 7). „Sei getreu bis in den Tod, und Ich will dir die Krone des Lebens geben" (Apoc. 2, 10). „Wer siegt, dem werde Ich von dem verborgenen Manna geben, und Ich will ihm einen weißen Stein geben, und auf diesem Stein geschrieben einen neuen Namen, den niemand kennt, als wer ihn empfängt" (Apoc. 2, 17). „Wer siegt und Meine Werke bis ans Ende bewahrt, dem werde Ich Macht über die Völker geben, und er wird sie mit eisernem Zepter leiten, und wie Töpfergeschirr werden sie zertrümmert, so wie auch Ich Macht empfangen habe von meinem Vater, und Ich werde ihm den Morgenstern geben" (Apoc. 2, 26). „Wer siegt, wird mit weißen Kleidern bekleidet werden, und Ich werde seinen Namen nicht austilgen aus dem Buch des Lebens und werde seinen Namen bekennen vor Meinem Vater" (Apoc. 3, 5). „Wer siegt, den will Ich zu einer Säule im Tempel Meines Gottes machen, und er wird nicht mehr von da weichen, und Ich werde auf ihn den Namen

---

[93] Erklärung zu Str. 38 V. 1 u. 2, *Obras* III 410.

Meines Gottes schreiben und den Namen der Stadt Meines Gottes,
des neuen Jerusalem, das vom Himmel, Meinem Gott, herabsteigt,
und auch Meinen Namen, den neuen" (Apoc. 3, 12). „Wer überwindet, dem werde Ich verleihen, mit Mir auf einem Thron zu sitzen, so wie auch Ich überwunden und Mich zu Meinem Vater auf
Seinen Thron gesetzt habe" (Apoc. 3, 22). „All das sind Worte des
Sohnes Gottes, die uns jenes *Was* verständlich machen sollen. Jedes
entspricht Ihm in vollkommener Weise, aber sie erklären es nicht.
Denn Unermeßliches kann man nicht in Worte kleiden" [94].

Die Seele im Stand der mystischen Vermählung ist nicht ganz in
Unkenntnis über dies Unermeßliche und Unaussprechliche. Die Umgestaltung in Gott hat ihr schon Unterpfänder davon verliehen: das
Wehen des Lufthauches, das ihr vom Heiligen Geist verliehen wird,
ein Aushauchen eben dieses Heiligen Geistes, des Geistes der Liebe,
den Vater und Sohn gemeinsam aushauchen. Er „haucht in jener
Umgestaltung die Seele im Vater und im Sohn an, um sie mit sich
zu vereinigen. Denn diese Umgestaltung der Seele wäre keine wirkliche und vollkommene, wenn sie nicht in ihr den drei Personen der
Heiligsten Dreifaltigkeit offen und wahrnehmbar zu Tage träte. Und
dies Hauchen des Heiligen Geistes in der Seele, wodurch Gott sie
in sich umgestaltet, überschüttet sie mit einem so erhabenen, zarten
und innigen Entzücken, daß keine menschliche Zunge es auszusprechen und kein Menschenverstand sich auch nur annähernd einen
Begriff davon zu machen vermag.... Wenn die Seele mit dieser
Umgestaltung hier auf Erden begnadigt wird, dann findet dieses
gegenseitige Aushauchen zwischen Gott und der Seele sehr häufig
statt, ... mit der innigsten Liebeswonne für die Seele. Aber diese
Wonne erreicht nie jenen ausgeprägten und offensichtlichen Charakter wie im andern Leben.... Eine so erhabene Tätigkeit darf
uns nicht unmöglich erscheinen.... Wenn Gott die Seele einmal in
gnadenvoller Weise mit der Heiligsten Dreifaltigkeit vereinigt, sodaß sie vergöttlicht und Gott durch Teilnahme wird — wer kann
es dann für unglaublich finden, daß sie ihre Verstandes-, Willens-
und Liebestätigkeit vollzieht .... in der Heiligsten Dreifaltigkeit,
vereint mit Ihr und wie der Dreieinige Gott selbst.... Das heißt
umgestaltet sein in die drei Personen, der Macht, Weisheit und Liebe nach, und dadurch ist die Seele Gott ähnlich. Damit sie zu dieser
erhabenen Lebensweise gelangen könne, schuf sie Gott nach Seinem
Bild und Gleichnis" [95].

---

[94] Erklärung zu Str. 38 V. 5, *Obras* III 412 ff.
[95] Erklärung zu Str. 39 V. 1, *Obras* III 416 ff.

Beim Wehen des *linden Lufthauchs* vernimmt die Seele in ihrem Innern die süße Stimme des Bräutigams und verbindet damit ihre eigene Stimme in seligem Aufjubeln. Wie die Nachtigall im Frühjahr singt, wenn Kälte, Regenschauer und Unbeständigkeit der Winterwitterung vorüber sind, so ertönt das Lied der Liebe in einem neuen Frühling der Seele, wenn sie sich nach „allen Stürmen und Wechselfällen des Lebens, geläutert und gereinigt von den Unvollkommenheiten, Drangsalen und Finsternissen der Sinne und des Geistes.... in Freiheit, Erweiterung und Freude des Geistes versetzt fühlt.... Erquickt, beschützt und durchdrungen vom Gefühl der Freude, stimmt.... sie...., vereint mit Gott, den neuen Freudenjubel an.... Er leiht ihr Seine Stimme, damit sie sich mit Ihm vereine zum gemeinsamen Lobe Gottes". Denn Gott verlangt sehnsüchtig danach, „ihre Stimme als Ausdruck volkommenen Freudenjubels zu vernehmen". Zur Vollkommenheit des Lobliedes gehört es, daß es in der Erkenntnis der Geheimnisse der Menschwerdung wurzelt. Vollkommen ist aber alles, was die Seele im Stand der Vereinigung tut. Darum ist ihr Freudenjubel süß für Gott und süß für sie selbst, wenn er auch noch nicht an das neue Lied in der ewigen Glorie heranreicht [96].

Gott wird sich ihr auch als Schöpfer und Erhalter aller Wesen offenbaren (als *Hain* mit seinem Gewimmel von Tieren und Pflanzen), und sie wird zur Erkenntnis der Gnade, Weisheit und Schönheit Gottes in einem jeden Geschöpf des Himmels und der Erde wie auch in ihren wechselseitigen Beziehungen und ihrer harmonischen Ordnung gelangen. Das geschieht jetzt in der dunklen Nacht der Beschauung, in geheimenisvollem Empfangen, wovon sie selbst keine Rechenschaft geben kann. Es wird dann geschehen in der „heiteren Nacht" der klaren Anschauung Gottes [97].

Schließlich wird die Flamme der göttlichen Liebe sie zur Vollkommenheit der Liebe umgestalten, ohne ihr Schmerz zu bereiten Das ist „nur möglich im Stande der ewigen Beseligung, wo die Flamme nur mehr wonnevolle Liebe ist.... Mag die Stärke der Liebe sich mehr oder minder ändern, die Seele empfindet keinen Schmerz wie früher, als sie noch nicht zur vollkommenen Liebe fähig war". In diesem Leben aber ist die Umgestaltung niemals frei von Schmerz, selbst auf der höchsten Stufe der Liebe, und die Natur gerät noch immer in Aufregung. „Der Schmerz entsteht aus dem heftigen Verlangen nach der beseligenden Umgestaltung...., die

---

[96] Erklärung zu Str. 39 V. 2, *Obras* III 419.
[97] Erklärung zu Str. 39 V. 3 u. 4, *Obras* III 421.

Aufregung der Natur hat ihren Grund darin, daß der schwache und vergängliche Sinn durch die Stärke und Größe einer so erhabenen Liebe in Mitleidenschaft gezogen wird; denn alles, was erhaben ist, drückt die schwache Natur nieder und bereitet ihr Schmerz.... In jenem beseligenden Leben aber wird die Seele keinen Schmerz und keine Einbuße mehr erleiden, wenn auch ihre Erkenntnis unergründlich und ihre Liebe unermeßlich sind; Gott gibt ihr zur Erkenntnis die nötige Fähigkeit und für die Liebe die Kraft und verleiht dem Verstand durch die göttliche Weisheit und dem Willen durch die göttliche Liebe die Vollendung" [98].

Dieser seligen Vollendung harrt die Seele entgegen im tiefen Frieden der Gewißheit, daß sie völlig dafür bereitet ist und von keiner Seite mehr eine Gefahr zu fürchten hat. Der böse Feind ist so vollständig in die Flucht geschlagen, daß er sich nicht mehr zu zeigen wagt. Kein Geschöpf ahnt etwas von dem, was sie in ihrer Verborgenheit in Gott genießt. Sie ist nicht mehr umlagert von Leidenschaften und Begierden, die ihre Ruhe bedrohen. Die sinnlichen Kräfte sind so gereinigt und vergeistigt, daß sie an den Gunstbezeugungen Gottes im Innersten des Geistes Anteil haben können. Allerdings können sie die *Gewässer* der geistigen Güter nicht kosten, sondern nur *erblicken*. „Denn der sinnliche Teil.... hat im eigentlichen Sinn keine Befähigung, das Wesen der geistigen Güter zu genießen, weder in diesem noch im anderen Leben. Es wird ihm vielmehr durch ein gewisses Überströmen des Geistes eine fühlbare Erquickung und Ergötzung zuteil, und durch diesen Wonnegenuß werden die körperlichen Sinne und Vermögen in die innere Sammlung mit hineingezogen, wo die Seele die Wasser der geistigen Güter trinkt". Sie *steigen ab*, wie Reiter von ihren Pferden, da sie „ihre natürliche Tätigkeit aufgeben.... und sich der geistigen Sammlung überlassen" [99].

In der bunten Folge der Bilder ist der ganze Weg der Seele vor uns enthüllt worden. Damit zugleich durften wir hineinschauen in die geheimen Ratschlüsse Gottes, die vom Schöpfungsmorgen an diesen Weg vorgezeichnet haben. Und wir sehen, wie der verborgene Weg der Seele verwoben ist mit den Glaubensgeheimnissen. Von Ewigkeit her ist sie ausersehen, als Braut des Sohnes Gottes das dreifaltige Leben der Gottheit mitzuleben. Um die Braut heimzuführen, bekleidet sich das Ewige Wort mit der menschlichen Natur. Gott und die Seele sollen *zwei in einem Fleisch* sein. Weil aber das Fleisch

---

[98] Erklärung zu Str. 39 V. 5, *Obras* III 423.
[99] Erklärung zu Str. 40, *Obras* III 424 ff.

des sündigen Menschen in Aufruhr ist gegen den Geist, darum ist alles Leben im Fleisch Kampf und Leiden: für den *Menschensohn* mehr als für jeden andern Menschen, für die andern umso mehr, je enger sie mit Ihm verbunden sind. Jesus Christus wirbt um die Seele, indem Er Sein Leben einsetzt für das ihre im Kampf gegen Seine und ihre Feinde. Er verjagt den Satan und alle bösen Geister, wo Er ihnen persönlich begegnet. Er entreißt die Seelen ihrer Tyrannei. Schonungslos entblößt Er die menschliche Bosheit, wo sie Ihm verblendet, verhüllt und verstockt entgegentritt. Allen, die ihre eigene Sündhaftigkeit erkennen, reumütig bekennen und sehnsüchtig nach Befreiung davon verlangen, reicht Er die Hand, aber Er verlangt von ihnen bedingungslose Nachfolge und Absage an alles, was in ihnen Seinem Geist widersteht. Durch all das reizt Er die Wut der Hölle und den Haß der menschlichen Bosheit und Schwäche gegen sich auf, bis sie losbrechen und Ihm den Tod am Kreuz bereiten. Hier zahlt Er in den äußersten Qualen des Leibes und der Seele, vor allem in der Nacht der Gottverlassenheit, den Lösepreis für die angesammelte Sündenschuld aller Zeiten an die göttliche Gerechtigkeit und öffnet die Schleusen der väterlichen Barmherzigkeit für alle, die den Mut haben, das Kreuz und den Gekreuzigten zu umarmen. In sie ergießt sich Sein göttliches Licht und Leben, aber weil es unaufhaltsam alles vernichtet, was Ihm im Wege steht, darum erfahren sie es zunächst als Nacht und Tod. Das ist die dunkle Nacht der Beschauung, der Kreuzestod des *alten Menschen*. Die Nacht is umso dunkler, der Tod umso qualvoller, je mächtiger diese göttliche Liebeswerbung die Seele ergreift und je rückhaltloser die Seele sich ihr überläßt. Das fortschreitende Zusammenbrechen der Natur gibt dem übernatürlichen Licht und dem göttlichen Leben mehr und mehr Raum. Es bemächtigt sich der natürlichen Kräfte und verwandelt sie in vergöttlichte und vergeistigte. So vollzieht sich eine neue Menschwerdung Christi im Christen, die mit einer Auferstehung vom Kreuzestode gleichbedeutend ist. Der *neue Mensch* trägt die Wundmale Christi an seinem Leibe: die Erinerung an das Sündenelend, aus dem er zu seligem Leben erweckt ist, und an den Preis, der dafür gezahlt werden mußte. Und es bleibt ihm der Schmerz der Sehnsucht nach der Fülle des Lebens, bis er durch das Tor des wirklichen leiblichen Todes eingehen darf in das schattenlose Licht.

So ist die bräutliche Vereinigung der Seele mit Gott das Ziel, für das sie geschaffen ist, erkauft durch das Kreuz, vollzogen am Kreuz und für alle Ewigkeit mit dem Kreuz besiegelt.

III. KREUZESNACHFOLGE

(FRAGMENT)

Die Kreuzeslehre des hl. Johannes wäre nicht als *Kreuzeswissenschaft* in unserm Sinn anzusprechen, wenn sie auf bloßer Verstandeseinsicht beruhte. Aber sie trägt den echten Stempel des Kreuzes. Sie ist das weitverzweigte Geäst eines Baumes, der seine Wurzeln in die tiefste Seele gesenkt hat und sich vom Herzblut nährt. Seine Früchte sehen wir im Leben des Heiligen.

Daß er die Liebe zum Gekreuzigten im Herzen trägt, zeigt seine Liebe zum Kreuzbild. Es gab dem kleinen Häuschen in Durvelo sein Gepräge. Es ist bekannt, welchen Eindruck die hl. Mutter davon empfing: „Beim Eintritt in die Kapelle mußte ich staunen über den Geist, den der Herr dort wehen ließ. Allein nicht bloß ich hatte dieses Gefühl, auch die zwei Kaufleute, die meine Freunde waren und mich von Medina bis nach Durvelo begleitet hatten, konnten nichts als weinen. Es waren dort so viele Kreuze und Totenköpfe. Nie habe ich ein kleines Kreuz aus Holz vergessen, das über dem Weihwasserkesselchen hing und an das ein Christusbild von Papier geklebt war. Dieses schien mehr zur Andacht zu stimmen als selbst das schönste Kunstwerk"[1]. Es ist anzunehmen, daß der erste Unbeschuhte Karmelit, der frühere Bildschnitzer- und Malerlehrling, selbst diese Kreuze zur Ausschmückung seines Klösterchens verfertigte. Sie entsprachen durchaus dem, was er später über Bilderverehrung niedergeschrieben hat: daß kostbares Material und kunstvolle Ausführung eine Gefahr sein können, weil man sich dadurch leicht vom Wesentlichen ablenken läßt — vom Geist des Gebetes und dem Weg zur Vereinigung mit Gott[2]. Er aber wollte sich selbst und andere durch das Kreuzbild wie durch alle andern Mittel zur

---

[1] Teresia von Jesus, *Das Buch der Klosterstiftungen*, 14. Hauptstück, Neue deutsche Ausgabe der Schriften Bd. II, München 1935, S. 107.

[2] Vgl. *Aufstieg*, B. 3 Kap. 35, im Vorausgehenden II § 2, 1 e.

Vereinigung führen. Darum hat er auch später so gern Kreuze geschnitzt und verschenkt. Auch seinem freundlichen Kerkermeister in Toledo, P. *Johannes von der hl. Maria*, wußte er zum Dank für seine heimlichen Liebesdienste nichts Besseres zu geben als ein Kreuz. Dies Geschenk mußte dem Geber wie dem Empfänger durch einen besonderen Umstand auch menschlich teuer sein: Johannes hatte es in Durvelo von der hl. Mutter erhalten. Für ihn war das wohl nur ein Grund mehr, sich davon zu trennen.

Wie wohlgefällig dem Herrn diese Liebe zum Kreuzbild war und der Eifer, für dessen gebührende Verehrung zu sorgen, davon zeugen die Kreuzvisionen, von denen früher gesprochen wurde[3]. Sie haben jedenfalls dazu beigetragen, dem Herzen das heilige Zeichen noch tiefer einzuprägen. Er hielt sein Kreuz in der Hand während der letzten Nacht seines Lebens. Kurz vor Mitternacht, als der vorausgesagte Augenblick des Todes nahte, gab er es einem der Anwesenden zum halten, um mit beiden Händen seinen ganzen Körper in die rechte Ordnung zu bringen. Aber dann nahm er den *heiligen Christus* wieder, gab ihm zärtliche Worte und küßte ihn zum letztenmal, ehe er leicht und unmerklich aushauchte[4].

Gut ist es, den Gekreuzigten im Bild zu verehren und Bilder zu verfertigen, die zu seiner Verehrung anspornen. Aber besser als Bilder aus Holz oder Stein sind lebendige Bilder. Seelen nach dem Bilde Christi zu formen, das Kreuz ihnen ins Herz zu pflanzen, das war die große Lebensaufgabe des Ordensreformators und Seelenführers. Im Dienst dieser Aufgabe standen alle seine Schriften. Von ihr sprechen in noch persönlicher Form seine Briefe und die Zeugenaussagen über seine Wirksamkeit.

Im Karmel zu Granada gab er seiner geistlichen Tochter *Maria Machuca* das heilige Kleid und den Namen *Maria vom Kreuz*. Man brachte sie ihm danach ins Sprechzimmer mit der Bemerkung, sie werde ihm wohl besonders lieb sein, weil sie *vom Kreuz* heiße; er antwortete: gewiß werde sie ihm sehr lieb sein, wenn sie das Kreuz liebte[5]. Eindringlich pflegte er den Menschen, mit denen er verkehrte, ans Herz zu legen, sie sollten „große Vorliebe für das Leiden, ganz allein um Christi willen, haben, ohne irdischen Trost zu verlangen; öfters sagte er....: ,Meine Tochter, verlange nichts anderes als das Kreuz, und zwar ohne Trost; denn das ist vollkommen' "[6].

---

[3] Vgl. im Vorausgehenden I § 4.
[4] Vgl. P. Bruno, *Vie d'Amour*, S. 264.
[5] P. Bruno, *Saint Jean*, S. 307.
[6] *Andere Aussprüche über das geistliche Leben*, 10. Ausspruch, E. Cr. III 70.

An sein Beichtkind *Juana de Pedraza* in Granada schrieb er als Antwort auf Klage über ihre Leiden: „Alle diese Schrecknisse und Schläge.... vermehren die Liebe und bewirken, daß man eifriger betet und den Geist flehend zu Gott erhebt.... O mein Herr, Du großer Gott der Liebe, mit welchen Reichtümern beschenkst Du den, der nichts liebt und in nichts sein Genügen sucht als nur in Dir! Dich selbst gibst Du ihm und vereinigst Dich mit ihm durch die Liebe. Und so läßt Du die Seele das in Liebe kosten, was sie an Dir am innigsten ersehnt und was ihr am meisten nützt. Aus diesem Grunde darf uns ebensowenig wie unserm Geliebten das Kreuz fehlen bis zum Tode der Liebe. Er verhängt Leiden über uns nach dem Maße unserer Liebe, damit wir größere Opfer bringen und mehr Verdienste uns sammeln. Aber dies alles ist von kurzer Dauer, da es nur währt, bis das Messer erhoben ist; dann bleibt Isaak lebendig und erhält die Verheißung seiner Verdienste"[7].

Besonders nahe stand er den Karmelitinnen in Beas. Als Oberer auf dem Calvario (bald nach seiner Flucht aus dem Kerker) und als Rektor des Kollegs von Baëza war er in ihrer Nähe und konnte oft persönlich bei ihnen sein, durch Predigten, geistliche Gespräche und Ermahnungen im Beichtstuhl auf sie einwirken. Auch später war er noch manchmal ihr Gast. Brieflicher Verkehr ergänzte die mündliche Unterweisung. In einem Brief vom 18. November 1586 heißt es: „Wer.... Gefallen sucht an irgendeiner Sache, der ist kein leeres Gefäß, das Gott mit Seiner unaussprechlichen Wonne erfüllen kann. Auf diese Weise wendet man sich von Gott ab, statt Ihm entgegenzugehen, und Ihre Hände vermögen nicht im Empfang zu nehmen, was Gott geben will.... Dienen Sie Gott, meine geliebten Töchter in Christo, treten Sie durch Selbstverleugnung in aller Geduld, durch Stillschweigen und wahre Leidensliebe in Seine Fußstapfen, gehen Sie unbarmherzig gegen jede Selbstgenügsamkeit vor und ertöten Sie alles, was in Ihnen sterben soll und die innere Auferstehung des Geistes hindert!...."[8] An Mutter *Eleonora Baptista*, Priorin von Beas, schreibt Johannes am 8. Februar 1588: „.... Wenn ich bedenke, daß Gott Sie zu einem apostolischen Leben, d.h. zu einem Leben der Verachtung, berufen hat und Sie auf diesem Wege geführt hat, so ist mir das ein Trost. Denn nach Gottes Willen muß die Gesinnung wahrer Ordensleute so beschaffen sein, daß sie mit allem abgeschlossen haben und alles für sie seine Bedeutung verloren hat; Gott allein will ihr Reichtum, ihr Trost und ihre wonnevolle Herrlichkeit sein. Gott hat

---

[7] 10. Brief vom 28. I. 1589, *E. Cr.* III 89.
[8] 6. Brief, *E. Cr.* III 84.

Euer Ehrwürden eine große Gnade erwiesen, daß Sie jetzt, von allen vergessen, an Ihm allein Ihre Freude finden können. Seien Sie ganz unbesorgt, wenn an Ihnen geschicht, was man um der Liebe Gottes willen Ihnen zufügen will. Sie gehören nicht mehr sich selbst, sondern Gott an...." [9]

Einer Postulantin gibt er den Rat: „.... Was das Leiden unseres Herrn angeht: Behandeln Sie Ihren Leib mit weiser Strenge, durch Haß gegen sich selbst und Selbstverleugnung, und suchen Sie nie dem eigenen Willen und Geschmack zu folgen. Denn dieser Eigenwille war die Ursache Seines Leidens und Todes...." [10]

Der Priorin des neubegründeten Klosters zu Cordova schreibt er: „Daß Sie unter sengender Hitze so ärmliche Häuser beziehen mußten, hat Gott so gefügt; Sie sollen ein gutes Beispiel geben und zeigen, daß Sie sich durch Ihre Profeß zur Armut Christi bekennen. Die sich zur Aufnahme melden, werden daraus ersehen, welcher Geist sie bei ihrem Eintritt beseelen muß.... Bewahren Sie aufs gewissenhafteste den Geist der Armut und der Verachtung alles Irdischen und beschäftigen Sie sich mit Gott allein, sonst erwachsen Ihnen, wie Sie wissen, tausenderlei geistige und zeitliche Bedürfnisse, während Sie nur jene Bedürfnisse haben und empfinden sollen, die Sie in Ihrem Herzen aufkommen lassen wollen. Denn der Arme im Geist ist zufriedener und fröhlicher im Mangel, weil er sein Alles auf das völlige Nichts gesetzt hat, und so bewahrt er in allem die Freiheit des Herzens. Glückseliges Nichts und glückselige Vereinsamung des Herzens, die solche Kraft besitzen, daß sie sich alles unterwerfen, sich selbst aber keinem Ding unterwerfen und sich aller Sorgen entledigen, um mehr in Liebe entbrennen zu können". Die Schwestern „sollen sich die Erstlinge des Geistes zunutze machen, die Gott bei solchen Neugründungen verleiht, um so mit ganz erneutem Geist den Weg der Vollkommenheit in aller Demut und Losschälung, innerlich und äußerlich, zu betreten, nicht mit kindischem Sinn, sondern mit kraftvollem Willen. Sie sollen Abtötung und Buße auf sich nehmen, in dem Bestreben, sich Christus etwas kosten zu lassen, und nicht jenen gleich sein, die ihre eigene Bequemlichkeit und ihren Trost suchen, in Gott oder außer Ihm, sondern das Leiden für Gott, in Gott und außer Ihm, in Stillschweigen und Hoffnung und liebendem Gedenken...." [11]

Der dunkelste Weg ist der sicherste. Diese Lehre der *Dunklen Nacht* wird auch in der Seelenführung mit allem Nachdruck be-

---

[9] 8. Brief, *E. Cr.* III 86.
[10] 11. Brief, *E. Cr.* III 90.
[11] 15. Brief, *E. Cr.* III 161 ff.

tont: „Da Ihre Seele sich in dieser Finsternis und Leere der geistigen Armut befindet, so glauben Sie, es fehle Ihnen alles und alle Menschen hätten Sie verlassen. Doch das ist kein Wunder, da Sie sogar meinen, Gott hätte Sie verlassen; doch es fehlt nichts. . . . Wer nichts anderes sucht als Gott, wandelt nicht in der Finsternis, mag er auch noch so viel Dunkel und Armut in sich sehen. Wer nicht in Selbstüberhebung wandelt und nicht seinem Geschmack folgt, weder was Gott noch was die Geschöpfe angeht, und in nichts auf seinem eigenen Willen besteht, weder innerlich noch äußerlich, der wird nichts straucheln. . . . Sie waren niemals in besserer Verfassung als jetzt, denn nie waren Sie so demütig und unterwürfig und hielten niemals so wenig von sich selbst und von allen Dingen der Welt. Nie erkannten Sie sich selbst als so schlecht und Gott als so gut, nie dienten Sie Gott so rein und uneigennützig wie jetzt. . . . Was wollen Sie mehr? . . . . Was denken Sie — ist der Dienst Gottes etwas anderes als das Böse fliehen, Seine Gebote beobachten und unsere Sachen besorgen, so gut wir können? Wenn Sie das tun, was haben Sie dann noch andere Wahrnehmungen, Erleuchtungen und Genüsse nötig, da die Seele darin gewöhnlich so manchen Täuschungen und Gefahren begegnet? . . . . Darum ist es eine große Gnade, wenn Gott die Seele in Dunkelheit und Entblößung führt, sodaß sie durch ihre Vermögen nicht mehr irregeführt werden kann. . . . Leben wir hier auf Erden als Pilger und Arme, als Verbannte und Waisen, in Tockenheit, ohne Weg und ohne irgend etwas, aber alles erhoffend. . . .” [12]

Der Heilige schreibt voller Liebe an seine geistlichen Töchter: aber in einer Liebe, die nichts anderes ist als das herzliche Verlangen nach ihrem ewigen Heil. „Solange uns Gott dies nicht im Himmel verleiht, harren Sie aus in. . . . Selbstverleugnung und Geduld, mit dem Wunsche, diesem großen Gott durch Ihr Leiden in Seiner Demut und Kreuzesliebe in etwas ähnlich zu werden. Besteht unser Leben nicht in der Nachahmung (des Gekreuzigten), so hat es keinen Wert. . . .” [13]

Darum konnte er nicht an die Echtheit angeblicher höherer Gebetsgnaden in einer Seele glauben, der es an Demut mangelte. Als er vom Generalvikar der Unbeschuhten Karmeliten, P. *Nikolaus Doria*, beauftragt wurde, den Geist einer Nonne zu prüfen, die für hochbegnadigt galt, gab er dieser Überzeugung in seinem Gutachten

---

[12] 18. Brief (nach neuerer Zählung der 19.), an *Juana de Pedraza*, E. Cr. III 101 f.

[13] 20. (21.) Brief, an Mutter *Anna von Jesus in Segovia*, vom 6. VII. 1591, E. Cr. III 105.

Ausdruck: „Der Hauptfehler.... liegt darin, daß sich in ihrem
Verhalten keine Demut kundzugeben scheint; denn die Gunstbezeugungen, von denen sie hier spricht, wenn es überhaupt welche sind,
werden der Seele gewöhnlich nur verliehen, nachdem sie sich zuerst
in vollkommener innerer Verdemütigung ihrer selbst entäußert und
gleichsam vernichtet hat". Wenn sich die Wirkungen der Demut
„auch nicht bei allen göttlichen Wahrnehmungen in so hohem Maß
bemerkbar machen, so bringen doch jene Gunstbezeugungen, mit
denen man im Stande der Vereinigung begnadigt wird — und von
diesen spricht sie —, demütige Gesinnung hervor.... Man soll sie
in der Übung von Tugenden prüfen, die keinen Genuß verschaffen,
besonders in Geringschätzung, Demut und Gehorsam. Im Widerhall dieses Schlages wird sich die Lauterkeit der Seele offenbaren, der
solch erhabene Gunstbezeugungen zuteilgeworden sein sollen. Aber
diese Prüfungen müssen tiefgehend sein, denn es gibt keinen Teufel,
der nicht um seiner Ehre willen etwas leiden würde" [14].
 Denselben Geist atmen die Verhaltungsmaßregeln für Ordensleute,
die der Heilige bei verschiedenen Gelegenheiten niederschrieb. Unter
den Anweisungen, die wahrscheinlich für die Karmelitinnen von
Beas geschrieben wurden, finden sich die folgenden drei *gegen das
Fleisch*:
 „1. In erster Linie sollst du bedenken, daß du nur dazu ins
Kloster gekommen bist, damit alle an dir arbeiten und dich abrich-
ten. Um frei zu sein von allen Unvollkommenheiten und aller Verwirrung, die dir aus dem Charakter und der Handlungsweise der
Ordensleute erwachsen können, und um Nutzen zu ziehen aus allem,
was geschieht, mußt du denken, alle seien Werkzeuge (das sind sie
auch wirklich), die im Kloster sind, um dich zu bearbeiten. Der eine
hat dich zu bearbeiten durch Worte, der andere durch Werke, der
dritte durch Gedanken, die gegen dich gerichtet sind; unterwirf dich
allem wie ein Bild, das von dem einen geschnitzt, von dem andern
gemalt und vom dritten vergoldet wird. Wenn du das nicht beach-
test, kannst du weder deine Sinnlichkeit und Empfindlichkeit besiegen noch mit den Ordensleuten im Kloster gut auskommen; du wirst
auch nicht den heiligen Frieden genießen und dich nicht von vielen
Fehltritten freihalten können.
 2. ....Unterlasse nie ein Werk, weil es dir nicht zusagt und
du keinen Geschmack daran findest, wenn es sich um den Dienst
Gottes handelt; tu auch nichts allein um des Geschmackes und der
Befriedigung willen, die es dir gewährt...., sondern als wenn es dir

[14] *E. Cr.* III 110 f.

Widerwillen einflößte; sonst kannst du niemals Standhaftigkeit erlangen und deine Schwäche besiegen.

3. ....Eine geistliche Seele soll sich niemals bei ihren Übungen von dem einnehmen lassen, was an ihnen angenehm ist, und sie nur darum verrichten; erst recht nicht dagegen sträuben, weil sie ihr unangenehm vorkommen; vielmehr muß sie das Beschwerliche vorziehen.... Damit legt man der Sinnlichkeit Zügel an. Auf andere Weise wirst du die Eigenliebe nicht ablegen und nicht zur Gottesliebe gelangen"[15].

Gott ruft die Seelen ins Kloster, „um sie zu prüfen und zu reinigen, wie das Gold durch Feuer und Hammer; darum müssen auch Prüfungen und Versuchungen durch Menschen und böse Geister über sie kommen und das Feuer der Beängstigung und Trostlosigkeit. Solche Dinge muß der Ordensmann in Geduld und Gleichförmigkeit mit dem Willen Gottes auf sich zu nehmen suchen, und nicht so, daß Gott gezwungen würde, ihn zu verwerfen, weil er das Kreuz Christi nicht mit Geduld tragen wollte...."[16] „Suche dir nicht das Kreuz auszuwählen, das dir leichter vorkommt, denn.... je schwerer die Bürde ist, desto leichter ist sie, wenn man sie aus Liebe zu Gott trägt".[17] „Bist du beladen, so lebst du in Vereinigung mit Gott, der deine Stärke ist; denn Gott hält die Betrübten aufrecht; bist du der Last enthoben, so findest du deine Stütze nur in dir, der du die Schwachheit selber bist. Denn die Kraft und Stärke der Seele wächst und festigt sich in dem geduldigen Ertragen von Beschwerden"[18]. „Höher schätzt Gott an dir die Neigung zur Trockenheit und zum Leiden aus Liebe zu Ihm als alle Tröstungen und geistigen Visionen und alle Betrachtungen, die du anstellen kannst"[19]. „Zur Vollkommenheit kann man nicht gelangen, wenn man es nicht dahin bringt, mit dem Nichts zufriedenzusein, sodaß das natürliche und das geistige Begehrungsvermögen im Leeren befriedigt sind; denn das ist erforderlich, um zur höchsten Ruhe und zum Frieden des Geistes zu gelangen; und auf diese Weise ist die Liebe Gottes in der reinen und einfältigen Seele dauernd wirksam"[20].

Eine ganze Gruppe von Denksprüchen hat unmittelbar die *Nachfolge Christi* zum Gegenstand: „Der Fortschritt im geistlichen Leben

---

[15] *E. Cr.* III 6 f.
[16] *Vier Winke für einen Ordensmann....*, *E. Cr.* III 11.
[17] a. a. O. *E. Cr.* III 11.
[18] *Leitsätze und Denksprüche aus der Handschrift von Andujar*, 4. Spruch, *E. Cr.* III 17.
[19] a. a. O. 14. Spruch, *E. Cr.* III 17 f.
[20] a. a. O. 50. Spruch, *E. Cr.* III 22.

ist nicht möglich ohne Nachfolge Christi. Er ist der Weg, die Wahrheit und das Leben und die Pforte, durch die eintreten muß, wer gerettet werden will...." [21] „Deine erste Sorge sei, eine glühende Sehnsucht.... zu erlangen, Christus in allen deinen Werken nachzuahmen; bemühe dich, ein jedes so zu verrichten, wie der Herr selbst es täte" [22]. „Bietet sich deinen Sinnen ein Genuß, der nicht rein zur Ehre und Verherrlichung Gottes dient, so verzichte darauf und halte dich frei davon aus Liebe zu Jesus Christus, der in diesem Leben keinen andern Genuß.... suchte als den Willen Seines Vaters zu erfüllen: das nannte Er Seine Nahrung und Speise" [23]. „Laß dich innerlich und äußerlich mit Christus kreuzigen, und du wirst in diesem Leben in der Ruhe und dem Frieden Seiner Seele leben und dich in Seiner Geduld bewahren" [24]. „Es genüge dir Christus der Gekreuzigte, mit Ihm leide und ruhe; ohne Ihn leide weder noch ruhe; dafür mach dich frei von allen äußeren Dingen und inneren Eigenheiten" [25]. „Verlangst du danach, Christus zu besitzen, so such Ihn nie ohne das Kreuz" [26]. „Wer das Kreuz Christi nicht sucht, sucht auch nicht die Herrlichkeit Christi" [27]. „Was weiß der, der nicht um Christi willen zu leiden weiß? Je größer und schwerer die Lasten sind, desto besser ist das Los dessen, der sie trägt" [28]. „Erfreue dich beständig in Gott, deinem Heil, und bedenke, wie süß es ist, auf jegliche Weise zu leiden für den, der wahrhaft gut ist" [29]. „Willst du vollkommen sein, so verkaufe deinen Willen, gib ihn den Armen im Geist, komm zu Christus in Sanftmut und Demut und folge Ihm bis zum Kalvarienberg und zum Grab" [30].

„Die Mühseligkeiten und Leiden, die man aus Liebe zu Gott erträgt, sind wie kostare Perlen: je größer sie sind, desto wertvoller sind sie und rufen in dem, der sie empfängt, eine größere Liebe für den Geber hervor; so sind auch die Leiden, die ein Geschöpf verursacht, wenn man sie um Gottes willen annimmt, umso wertvoller, je größer sie sind, und rufen eine größere Gottesliebe hervor. Und für ein Ertragen von Leiden um Gottes willen auf Erden, das nur einen Augenblick währt, gibt Seine Majestät im Himmel

---

21 *Andere Leitsätze und Denksprüche*, 76. Spruch, *E. Cr.* III 24 f.
22 a. a. O. 77. Spruch, *E. Cr.* III 25.
28 a. a. O. 78. Spruch, *E. Cr.* III 25.
24 a. a. O. 80. Spruch, *E. Cr.* III 25.
25 a. a. O. 81. Spruch, *E. Cr.* III 25.
26 a. a. O. 83. Spruch, *E. Cr.* III 25.
27 a. a. O. 84. Spruch, *E. Cr.* III 25.
28 a. a. O. 87. Spruch, *E. Cr.* III 25.
29 a. a. O. 293. Spruch, *E. Cr.* III 49.
30 *Andere Leitsprüche*, 7. Spruch, *E. Cr.* III 58.

unendliche und ewige Güter: sich selbst, Seine Schönheit und Herrlichkeit...." [31]

Eine Tages sprach eine Schwester in Gegenwart des Heiligen ab-
fällig über einen Laien, der dem Kloster feindlich gesinnt was. Sie
erhielt die Mahnung: „ ,Dann sollten Sie und die übrigen ihm umso
freundlicher entgegenkommen; so würden Sie Schülerinnen Christi
sein'. Er fügte hinzu: ,Viel leichter ist es, die kleine Bitterkeit einer
solchen Gelegenheit zu ertragen, wenn man diese Menschen Gott
empfiehlt, als die doppelte Bitterkeit, mit solchen Empfindungen gegen den Nächsten unserm Willen nachzugeben' " [32].

Im Gespräch mit einem Ordensmann sagte er die eindringlichen
Worte: „.... Wenn Sie jemals ein Mensch, und sei es auch ein Oberer, zu einer Lehre überreden wollte, die Milderung anrät, und sollte
er sie auch durch Wunder bekräftigen, so glauben Sie ihm nicht und
nehmen Sie sie nicht an, sondern umfassen Sie die Buße und Losschälung von allen Dingen und suchen Sie Christus nicht ohne das
Kreuz; Ihm mit dem Kreuz zu folgen durch Verzicht auf alles, auch
auf uns selbst, dazu sind wir als Unbeschuhte der Allerseligsten
Jungfrau berufen und nicht, unserer Bequemlichkeit und Weichlichkeit nachzugeben. Achten Sie darauf, daß Sie nicht vergessen, dies
zu predigen, sooft sich Ihnen Gelegenheit dazu bietet, denn es ist
für uns von so großer Bedeutung" [33].

Aus dieser Mahnung spricht so recht die Liebe Christi, die den
Kreuzesjünger drängt, andere auf den Weg zu führen, den er selbst
gefunden hat. „Wußtet ihr nicht, daß ich in dem sein muß, was
Meines Vaters ist?" (Luc. 2, 49), dies erste Wort des Heilands, das
uns überliefert ist, hat Johannes auf die große Lebensaufgabe des
Herrn uns Seiner Getreuen bezogen: „Unter dem, was des ewigen
Vaters ist, kann nichts anderes verstanden werden als die Erlösung
der Welt, vor allem das Heil der Seelen, da Christus, unser Herr, die
vom Ewigen Vater vorausbestimmten Mittel anwandte. Und der
hl. *Dionysius Areopagita* hat zur Bekräftigung dieser Wahrheit den
wunderbaren Satz geschrieben: *Aller göttlichen Werke göttlichstes
ist es, mitzuwirken mit Gott zum Heil der Seelen* [34]. Das heißt: die
höchste Vollkommenheit eines jeden Wesens in seinem Rang und auf

---

[31] *Andere Aussprüche über das geistliche Leben*, 1. Ausspruch, *E. Cr.* III 67.
[32] a. a. O. 2. Ausspruch, *E. Cr.* III 68.
[33] a. a. O. 5. Ausspruch, *E. Cr.* III 69. Fast wörtlich dasselbe ist als Brieffrag-
ment 25(26), *E. Cr.* III 109, abgedruckt aus der *Historia del Venerabile Padre
Fray Juan de la Cruz*, VI cap. 8.
[34] *Himmlische Hierarchie*, Kap. III § 3, MIGNE, *P. Gr.* III 165. Das Zitat ist
nicht ganz wörtlich wiedergegeben.

seiner Stufe ist es, nach seiner Befähigung und seinem Vermögen sich zu erheben und zu wachsen zum Bilde Gottes; das Wunderbarste und Göttlichste aber ist es, Mitarbeiter zu sein an der Bekehrung und Heimführung der Seelen; denn in ihr strahlt Gottes eigenes Wirken wieder, und dessen Nachahmung ist die größte Herrlichkeit. Darum nannte es Christus, unser Herr, das Werk Seines Vaters, das Anliegen Seines Vaters. Es ist auch eine offenkundige Wahrheit, daß das Mitgefühl mit dem Nächsten umso mehr wächst, je mehr die Seele durch die Liebe mit Gott verbunden ist. Denn je mehr sie Gott liebt, desto mehr verlangt sie, daß Er von allen geliebt und verehrt werde. Und je mehr sie danach verlangt, desto mehr bemüht sie sich darum, sowohl durch Gebet als durch alle andern Übungen, die dazu notwendig und tauglich sind. Und so groß ist die Glut und Stärke ihrer Liebe, daß jene, die im Besitz Gottes sind, sich nicht mit ihrem eigenen Gewinn begnügen und zufrieden geben können; es scheint ihnen zu wenig, allein in den Himmel zu gehen, sie bemühen sich mit großem Verlangen und himmlischen Begierden und außerordentlicher Sorgfalt, viele mit sich zum Himmel hinaufzuführen. Das kommt wohl von ihrer großen Liebe zu Gott, es ist die eigene Frucht und die Neigung, die dem volkommenen Gebet und der Beschauung entspringen" [35].

Ist der Seeleneifer hier als Frucht der Vereinigung gefaßt, so ist andererseits die Liebe zum Nächsten ein wichtiges Mittel auf dem Weg zur Vereinigung: „Zwei Dinge.... dienen der Seele als Flügel, um sich zur Vereinigung mit Gott zu erheben: das aufrichtige Mitleid mit dem Tode Jesu und mit dem Nächsten. Und ist die Seele von Mitleid ergriffen mit dem Leiden und Kreuz des Herrn, dann beherzigt sie auch, daß Er all dies auf sich nahm zu unserer Erlösung" [36]. D.h. wer in liebender Versenkung eingeht in die Gesinnung des Heilands am Kreuz, in die Liebe bis zur äußersten Hingabe seiner selbst, der wird eben damit geeint mit dem göttlichen Willen, denn es ist der Erlösungswille des Vaters, der sich in der Erlöserliebe und -hingabe Jesu erfüllt; und man wird eins mit dem göttlichen Sein, das sich selbst hingebende Liebe ist: in der wechselseitigen Hingabe der göttlichen Personen im innertrinitarischen Leben wie im Wirken nach außen. So gehören eigene Seinsvollendung, Vereinigung mit Gott und Wirken für die Vereinigung anderer mit Gott und ihre Seinsvollendung unlöslich zusammen. Der Zugang zu all dem aber ist das Kreuz. Und die Predigt vom Kreuz wäre eitel, wenn

---

[35] *Aussprüche über das geistliche Leben,* 10. Ausspruch, *E. Cr.* III 63 f.
[36] a. a. O. 11. Ausspruch, *E. Cr.* III 64.

sie nicht Ausdruck eines Lebens in Vereinigung mit dem Gekreuzigten wäre.

„Mein Geliebter, alles für Dich und nichts für mich; nichts für Dich und alles für mich. Alles Harte und Schwere verlange ich für mich und nichts für Dich.

O wie süß ist für mich Deine Gegenwart, der Du das höchste Gut bist. Ich will mich Dir in Schweigen nahen und Deine Fußspuren zu entdecken suchen, damit es Dir gefalle, mich mit Dir in der Vermählung zu vereinen; und ich werde nicht zur Ruhe kommen, bis ich mich in Deinen Armen erfreue; und nun bitte ich Dich, Herr, laß mich niemals mich zurücknehmen, sondern meine ganze Seele hingeben" [37].

In diesem Aufseufzen des liebenden Herzens spiegelt sich der Lebensweg, den Johannes vom Kreuz gegangen ist. Er ist den Fußspuren des geliebten Meisters auf dem Kreuzweg nachgefolgt. Darum hat schon das Kind ein rauhes Lager gewählt. Darum hat der Knabe in unermüdlicher Hingabe seinen Krankendienst verrichtet — als lebendiges Bild des Heilands, der sich keine Schonung gönnte, wenn die Leidenden und Hilfesuchenden Ihn umdrängten. Diese Liebe zu den Kranken, den leidenden Gliedern Jesu Christi, ist ihm sein Leben lang geblieben: Wenn er später als Oberer und Visitator in ein Kloster kam, galt nach der Begrüßung seine erste Sorge den Kranken: er bereitete ihnen eigenhändig die Speisen, leerte ihr Geschirr, duldete nicht, daß man sie aus Geldmangel ins Hospital brachte, tadelte streng jede Nachlässigkeit [38].

Aus Liebe zum Kreuz hatte der junge Ordensmann im Kloster St. Anna zu Medina del Campo und im Kolleg St. Andreas zu Salamanca in solcher Bußstrenge gelebt, daß die heilige Mutter beim Beginn der Reform von ihm sagte, bei ihm sei (im Gegensatz zu seinem viel älteren Gefährten P. *Antonius von Heredia*) „keine Prüfung notwendig; denn obwohl er unter den Beschuhten lebte, führte er doch immer ein Leben hoher Vollkommenheit und strenger Ordenszucht" [39]. Er hatte sich in Salamanca jeden Abend blutig gegeißelt, einen großen Teil der Nacht im Gebet verbracht und in der kurzen Ruhezeit eine Art Trog als Bett benützt. Das armselige Häuschen in Durvelo, von dem die Begleiterin der hl. Mutter bei der Besichtigung sagte: „.... Einen solchen Geist hat keiner, daß er es hier auszuhalten

---

[37] *E. Cr.* III 57.
[38] P. Bruno, *Vie d'Amour*, S. 218.
[39] *Klosterstiftungen*, 13. Hauptstück, Neue deutsche Ausgabe, Bd. II, München 1935, S. 100.

vermag, mag er auch noch so fromm sein...." [40], war für die beiden Patres ein Paradies. Es wurde schon erzählt, wie es mit Kreuzen und Totenköpfen geschmückt war. „Als Chor diente der Speicher, der in der Mitte etwas erhöht war, sodaß sie die Tagzeiten dort beten konnten; aber man mußte sich sehr bücken, um eintreten und der Messe beiwohnen zu können. In zwei Winkeln nächst der Kapelle hatten sie zwei Eremitenzellen, in denen sie sich nur sitzend oder liegend aufhalten konnten; sie waren angefüllt mit Heu, da die Gegend sehr kalt ist. Das Dach berührte fast ihr Haupt, zwei Fensterchen waren dem Altar zugekehrt, und zwei Steine dienten als Kopfkissen...." Nach der mitternächtlichen Matutin blieben sie im Chor bis zur Prim, „....so ins Gebet versunken, daß manchmal ihr Habit, wenn sie die Prim beten wollten, ganz mit Schnee bedeckt war, ohne daß sie es gemerkt hatten" [41]. Um das arme, unwissende Volk der Umgegend zu belehren, gingen sie „trotz des vielen Schnees und der großen Kälte barfuß zum Predigen....; nachdem sie gepredigt und im Beichtstuhl gewirkt hatten, kehrten sie erst in später Stunde in ihr Kloster zurück, erfüllt von innerer Freude, die ihnen alles leicht machte" [42]. Solange Johannes Mutter und Bruder in Durvelo bei sich hatte, war Francisco manchmal sein Begleiter auf den Seelsorgsgängen. Nach der Predigt zogen sie sich schnell zurück und nahmen keine Einladung zum Mittagessen in den Pfarrhäusern an. Am Wegrand stärkten sie sich mit Brot und Käse, die ihnen Mutter Catalina mitgegeben hatte [43]. So lebte der Heilige getreu den Grundsätzen, die er später für andere niederschrieb: „Suche einzig aus Liebe zu Jesus Christus zur Entblößung, Entäußerung und Armut an allen Dingen dieser Welt zu gelangen" [44]. „....Der Arme im Geist ist ganz zufrieden und munter im Mangel; und wer sein Herz auf nichts gestellt hat, findet in allem Frieden" [45].

Die Bußstrenge der beiden ersten Unbeschuhten Karmeliten war so groß, daß die heilige Mutter sie bat, sich etwas zu mäßigen. Es hatte sie „soviel Tränen und Gebete" gekostet, geeignete Ordensleute für den Beginn der Reform zu finden, und nun fürchtete sie, der Teufel treibe die beiden zu übertriebenem Eifer an, um sie frühzeitig aufzureiben und das Werk im Beginn zu vernichten. Aber die Patres gaben wenig auf ihre Worte und setzten ihr strenges Leben fort.

---

[40] a. a. O. S. 102.
[41] a. a. O. 14. Hauptstück, S. 107 f.
[42] a. a. O. S. 108.
[43] P. BRUNO, *Vie d'Amour*, S. 45.
[44] *Andere Leitsätze und Denksprüche*, 355. Spruch, E. Cr. III 56.
[45] a. a. O. 356. Spruch, E. Cr. III 56.

„Etwas später, als sich um die beiden schon eine kleine klösterliche Familie gesammelt hatte, war P. Johannes eines Tages durch Übermüdung und Unwohlsein so geschwächt, daß er seinen Prior, P. *Antonius*, um Erlaubnis bat, seine Kollation etwas vor der festgesetzten Zeit einzunehmen. Aber kaum hatte er die kleine Stärkung genossen, da packte ihn bittere Reue. Er eilte zu P. Antonius und bat ihn um Erlaubnis, sich vor der Kommunität anklagen zu dürfen. Dann trug er im Refektorium Steine und Scherben zusammen. Darauf kniete er während der Abendmahlzeit nieder und geißelte seine entblößten Schultern bis aufs Blut. Er unterbrach die scharfe Disziplin nur, um mit lauter Stimme und in rührenden Worten seine Anklage vorzubringen. Dann fuhr er fort mit den grausamen Streichen, bis er zusammenbrach. Die Brüder wohnten dem Schauspiel mit Schrecken und Bewunderung bei. Schließlich befahl P. Antonius dem unschuldigen Büßer, sich zurückzuziehen und zu beten, daß Gott ihnen allen ihre Armseligkeit verzeihen möge" [46].

Johannes hat auch später keine Schonung für sich gekannt. Seine Zelle war, auch wenn er Oberer war, die ärmste im Haus. Krank und schwach zog er im Auftrag seines Provinzials im Sommer 1586 bei glühender Hitze kreuz und quer durch Spanien, 400 Meilen Weg, im schweren Habit und wollenen Tunik, wie er sie Sommer und Winter hindurch trug. Als Prior in Segovia begann er den Neubau eines Klosters. Aber er war nicht nur Bauführer, sondern half mit eigenen Händen bei der Arbeit, holte Steine von den Felsen herbei — das ganze Jahr hindurch die bloßen Füße nur mit *Alpargaten* [47] bekleidet.

In dem großen Konflikt innerhalb des Ordens steht er zwischen den feindlichen Brüdern *Nicolas Doria* und *Hieronymus Gratian*. Er sieht das Gute und die Fehler auf beiden Seiten und sucht zu vermitteln, aber seine Worte vermögen nichts. Da greift er wieder zur scharfen Disziplin. Bruder *Martin*, sein Reisegefährte, kann die grausamen Schläge nicht mehr anhören und kommt mit einer brennenden Kerze herbei. Der Heilige erklärt ihm, er sei selbst alt genug, um für sich zu sorgen. Derselbe Bruder Martin pflegt ihn während einer schweren Krankheit und nimmt ihm eine Kette ab, die er sieben Jahre lang getragen hat, um sie ihm nicht mehr zurückzugeben. Beim Ablösen fließt Blut. Dagegen versucht P. *Johannes Evangelista*, auf einer gemeinsamen Reise vergeblich, ihn zum Ablegen eines Bußkleides zu überreden. Er entdeckt, daß der Heilige, unter dem

---

[46] P. BRUNO, *Saint Jean*, S. 92.
[47] Schuhe von Hanfgeflecht.

Habit verborgen, ein Beinkleid mit vielen Knoten trägt, und sagt, das sei eine Grausamkeit, da er so krank sei. „Schweig, mein Sohn", ist die Antwort; „es ist schon genug Erleichterung zu reiten. Wir dürfen nicht ganz in Ruhe sein" [48].

Während der letzten Krankheit war der gute Bruder *Petrus vom hl. Joseph* auf den Gedanken verfallen, ihm durch Musik in seinen furchtbaren Schmerzen etwas Ablenkung zu verschaffen. Er bestellte die drei besten Musikanten von Ubeda zu ihm. Sein Biograph *Hieronymus vom hl. Joseph* berichtet, nach ein paar Augenblicken hätte Johannes sie freundlich entlassen wollen: er meine, es gezieme sich nicht, irdischen Genuß mit himmlischem zu vermischen. Um aber seine Mitbrüder nicht zu betrüben, hätte er die Künstler weiterspielen lassen. Als man ihn jedoch um sein Urteil fragte, mußte er sagen: „Ich habe die Musik nicht gehört; eine andere, tausendmal schönere, hat mich die ganze Zeit in Verzückung gebracht" [49]. Wir können *Baruzi* wohl verstehen, wenn er der Zeugenaussage mehr Glauben schenkt, die den Heiligen zu seinem Pfleger sagen läßt: „Mein Sohn, gebt ihnen eine Erfrischung und dankt ihnen für den Liebesdienst, den sie mir erwiesen haben, und laßt sie gehen. Es ist nicht vernünftig, wenn ich mit Musik die Zeit der Schmerzen verkürze, die Gott mir gab" [50]. Das entspricht durchaus dem Geist des hl. Vaters Johannes: sein Kreuz ohne Erleichterung bis ans Ende tragen zu wollen. Andererseits hat auch die zweite Hälfte des ersten Berichtes manches für sich: die Rücksicht auf die Mitbrüder paßt gut zu dem Zartsinn des Heiligen; und die himmlische Musik ist nicht von der Hand zu weisen, weil der große Kreuzliebhaber ja offenbar sein ganzes Leben hindurch von der Freigebigkeit Gottes mit Tröstungen aller Art überschüttet wurde. Er bekam wohl gerade darum soviel Süßigkeit zu kosten, weil er nichts als Bitterkeit gesucht hat.

So sehr Johannes körperliche Bußstrenge geübt hat — niemals hat er darin das Ziel gesehen; sie war ihm ein freilich unentbehrliches Mittel: einmal, um den Leib und die Sinnlichkeit völlig in die Gewalt zu bekommen und dadurch nicht gehindert zu werden in der viel wichtigeren *inneren* Abtötung; sodann um durch das Leiden an

---

[48] P. BRUNO, a. a. O. S. 312 ff.; Aussage des P. *Juan Evangelista, Obras* IV 392.
[49] HIERONYMUS VOM HL. JOSEPH, *Leben und Werke des hl. Johannes vom Kreuz.* Französische Ausgabe der Karmelitinnen von Paris, S. 252.
[50] J. BARUZI, *Saint Jean,* S. 221.
Es sind über diesen Vorfall eine ganze Reihe von Zeugenberichten erhalten. Den des Bruders *Petrus* vgl. bei P. BRUNO, *Saint Jean,* S. 358 f.: „.... Wenn Gott mir die großen Schmerzen geschickt hat,.... warum sie mit Musik lindern und abschwächen wollen?.... Ich will die wohltätigen Geschenke, die Gott mir sendet, ohne jede Erleichterung erleiden...."

körperlichen Schmerzen einzugehen in die Vereinigung mit dem leidenden Erlöser. Daß er viel größeres Gewicht auf die innere Abtötung legte, geht schon daraus hervor, daß die Mahnung dazu in seinen Schriften und Denksprüchen einen viel breiteren Raum einnimmt, wie ja überhaupt das Leibliche im Verhältnis zum Seelischen bei ihm auffallend zurücktritt. Es ist wohl manchmal von den wechselseitigen Einflüssen die Rede, besonders von dem Anteil des Leibes am Gnaden- und Glorienleben, aber in erster Linie ist doch für den Heiligen der Mensch *Seele*: es ist kennzeichnend, daß er kaum von *Menschen* spricht, manchmal von *Personen*, meist aber von *Seelen*. Er hat selbst auch in deutlichen Worten gesagt, wie er über das Verhältnis der äußeren und der inneren Abtötung denkt: „Die Unterwerfung und der Gehorsam sind eine Buße des Verstandes und des Urteils, und darum sind sie vor Gott ein angenehmeres und wohlgefälligeres Opfer als alle übrigen, körperlichen Bußwerke" [51]. „Körperliche Buße ohne Gehorsam ist höchst unvollkommen, weil die Anfänger dazu nur durch ihr Verlangen angetrieben werden und durch den Geschmack, den sie daran finden: und da sie nur nach ihrem eigenen Willen handeln, werden sie eher an Fehlern als an Tugenden zunehmen" [52]. Erst recht hat er verworfen, wenn Obere den Untergebenen eine übermäßige Bußstrenge auferlegten; er selbst ist darin immer mit weiser Mäßigung vorgegangen und hat wiederholt gutmachen müssen, was andere durch Übereifer verdorben hatten: so wurde er 1572 auf Veranlassung der heiligen Mutter in das Noviziat von Pastrana geschickt, um den Übertreibungen des Novizenmeisters P. *Angelus* ein Ende zu machen. Als er im Herbst 1578, einige Monate nach der Flucht aus dem Kerker, als Prior in die Einsiedelei auf dem Calvario geschickt wurde, fand er auch dort eine unvernünftige übersteigerte Aszese und sorgte für Milderung. Mit scharfem Blick erkannte er, daß hinter solcher Gewaltsamkeit eine innere Unsicherheit stand. Er sagte *Petrus von den Engeln*, der sich hier nicht genug tun konnte an Bußstrenge, vor seiner Romreise voraus, daß er als Unbeschuhter hingehe und als Beschuhter zurückkehren werde. Tatsächlich konnte der übereifrige Aszet an dem weichlichen neapolitanischen Hof nicht fest bleiben, während Johannes niemals wankend geworden ist.

Das letztlich Entscheidende ist natürlich auch für das Verhältnis von äußerer und innerer Abtötung nicht die Lehre, sondern das Leben. Wenn wir an die lebenslang geübten Bußwerke des Heili-

---

[51] *Andere Leitsätze und Denksprüche*, 286. Spruch, E. Cr. III 48.
[52] a. a. O. 287. Spruch.

gen denken, so mag es scheinen, als könnten sie durch das *reine geistige Kreuz* kaum noch überboten werden. Ein eigentlicher Vergleich ist freilich in solchem Fall nicht möglich. Für innere Abtötung, wie für alles rein Geistige, gibt es ja kein zahlenmäßig festlegbares Maß, erst recht kein gemeinsames Maß mit äußeren Werken. Immerhin — wenn wir an die Grundsätze des Heiligen denken, wie er sie im *Aufstieg* entwickelt hat[53]: nichts genießen, nichts wissen, nichts besitzen, nichts sein! —, dan dürfen wir wohl sagen: das ist das *non plus ultra* der Entblößung, und auch das Höchstmaß äußerer Werke kann niemals daran reichen. Denn die äußeren Werke allein werden das Selbstbewußtsein eher steigern und keineswegs zum Nichts, zum Tod des Ich führen.

Wie können wir aber beweisen, daß Johannes wirklich selbst zu der volkommenen geistigen Entblößung gelangt ist, die er forderte? Ist uns nicht das Innere dieses verschwiegenen Heiligen verschlossen? Gewiß, wir können nicht darin lesen wie im Herzen der heiligen Mutter und so vieler anderer, die genötigt waren, die Geschichte ihrer Seele aufzuzeichnen. Indessen verrät sich doch das Herz wider Willen in den Schriften und besonders in den Gedichten. Dazu kommen eine große Anzahl von Zeugenaussagen Mitlebender, die ein starkes und einheitliches Bild der Persönlichkeit ergeben, darunter auch einige, die auf eigenen vertraulichen Mitteilungen des hl. Johannes beruhen; es gab doch einige Menschen, die ihm so nahe standen und so in Gott mit ihm verbunden waren, daß er ihnen etwas von den Geheimnissen seines Inneren erschloß: vor allem sein Bruder *Francisco* und einige Karmelitinnen[54].

Den reinsten und ungetrübtesten Eindruck geben wohl die Gedichte. In ihnen spricht das Herz selbst. Und es spricht in einigen von ihnen in so lauteren Klängen, als haftete ihm nichts Irdisches mehr an. In einigen — nicht in allen. Das *Lied von der Dunklen Nacht* ist voll tiefen Friedens. In der seligen Stille dieser Nacht ist von Lärm und Hasten des Tages nichts mehr zu spüren. In der *Lebendigen Liebesflamme* brennt das Herz im reinsten himmlischen Feuer. Die Welt ist völlig verschwunden. Die Seele umfaßt mit allen Kräften Gott allein. Nur die *Wunde* zeugt noch von dem Riß zwischen Himmel und Erde.

---

[53] Im Vorausgehenden II § 1, 3 b und II § 2, 1.

[54] P. Bruno und Baruzi haben aus diesen Quellen geschöpft, P. Bruno vor allem aus den römischen Prozeßakten, Baruzi aus dem Ms. 12738 u.a. der Nationalbibliothek zu Madrid. P. Silverio hat auch einen Teil der Aussagen in die neueste spanische Ausgabe der Werke des hl. Johannes vom Kreuz aufgenommen: *Obras* IV Anhang 354 ff.

Die vollkommene Befriedigung der Seele, aus der diese Gesänge aufsteigen, offenbart sich nicht nur im Gedankengehalt, sondern auch in der dichterischen Form. Ihre Stille und Einfalt ist der Naturlaut eines Herzens, das sich in diesen reinen Klängen völlig zwanglos und ohne jedes willkürliche Bemühen öffnet, wie die Nachtigall singt, wie eine Blüte sich erschließt. Sie sind vollendete Kunstwerke, weil nichts von *Kunst* an ihnen zu spüren ist [55].

Das Gleiche läßt sich wohl nur noch von zwei andern Gedichten sagen: *dem Lied vom Hirten (pastorcico)* und dem *Gesang vom dreifaltigen Quell* [56]. Doch sind sie in Gehalt und Form von den beiden andern Gesängen und auch von einander verschieden. Im Hirtenlied kommt nicht unmittelbar die Bewegung der Seele zum Ausdruck. Der Dichter hat ein Bild geschaut und in eine künstlerische Form gefaßt. Er sieht Christus den Gekreuzigten, er hört Seine Klage um die Seelen, die „Seine Liebe stolz gemieden". Er formt daraus ein Hirtenlied, wie seine Zeit es liebt, wie er es im großen Stil auch in seinem *Cantico* geschaffen hat. Wenn dort das *Hohenlied* die Anregung gab — hat hier nicht der Gedanke an den Guten Hirten mitgewirkt, der Sein Leben läßt für Seine Schafe? (Joan. 10) Und ist die Klage des Hirten über die spröde Hirtin nicht ein Widerhall jenes schmerzlichen Rufes, als der Heiland um Jerusalem weinte? (Matth. 23, 37) Die immer wiederkehrenden Worte *El pecho del amor muy lastimado* („Das Herz belastet von der Liebe Plagen") geben die Grundstimmung. Sie kommen aus einem Herzen, das sich selbst vergessen hat und eingegangen ist in das Herz des Erlösers. Es ist das reine Leiden einer von sich selbst befreiten und mit dem Gekreuzigten vereinten Seele, das daraus spricht. (Damit stimmt der Bericht überein, daß er in Segovia während einer Karwoche unfähig war, das Haus zu verlassen, weil er so sehr vom Mitleiden der Passion ergriffen war [57].)

Im *Lied vom Urquell* singt die Seele wieder von etwas, was sie selbst im Innersten bewegt, wie in der *Dunklen Nacht* und in der *Liebesflamme*. Aber was sie bewegt, ist nicht wie dort ihr eigenes Geschick, sondern das innerste Leben der Gottheit, wie es ihr der Glaube offenbart: der ewige flutende Quell, dem alle Wesen entstammen, der ihnen allen Licht und Leben spendet; der aus sich

---

[55] Damit steht nicht im Widerspruch, daß Johannes formal von den Dichtern seiner Zeit beeinflußt ist, gelegentlich auch wörtliche Anlehnungen zeigt. Zur literarischen Bewertung der Gedichte vgl. die Einleitung von P. Silverio im IV. Bd. der Werke S. LXXIX ff. und Baruzi a. a. O. 107 ff.

[56] *Obras* IV 323 f.

[57] P. Bruno, *Saint Jean*, S. 329.

seinen ihm gleichen Strom gebiert und mit dem zweiten gemeinsam einen dritten von gleicher Fülle hervorbringt. Das Lied, das von diesen Wahrheiten singt, ist durchaus keine *Gedankendichtung*. Es *singt* wirklich, in reinsten musikalischen Klängen. Die Glaubenslehre ist darin fließendes Leben geworden: das ewige Meer wogt in ruhigem Wellenschlag in der Seele und singt sein Lied darin. Und jedesmal, wenn es an das Ufer schlägt, gibt es einen dunklen Widerhall: *Aunque es de noche* („Obgleich's bei Nacht ist"). Die Seele ist begrenzt — sie kann das unendliche Meer nicht fassen. Ihr Geistesauge ist dem himmlischen Licht nicht angepaßt — es erscheint ihr als Dunkel. Und so lebt sie mitten in der Vereinigung mit dem Dreieinigen, selbst im Genuß des Lebensbrotes, worin Er sich ihr mitteilt, ein Leben der Sehnsucht: *Porque es de noche* („Weil es bei Nacht ist"). Das Wesen der dunklen Beschauung ist in diesen Versen ausgesprochen.

Das Gedicht *Vivo sin vivir en mí* [58] („Ohn' in mir zu leben, leb' ich") bringt in seinem Leitmotiv fast denselben Gedanken zum Ausdruck: *Que muero porque no muero* („Und ich sterb' darum, weil ich nicht sterbe"). Das *Leitmotiv* ist aber hier nicht wie im *Urquell* und im *Hirten* eine Melodie, die unwillkürlich immer wieder aus der Tiefe des Herzens aufsteigt. Es ist ein *Thema*, das in Variationen *behandelt* wird. Der diese kunstvollen Strophen baut, ist sich seiner Kunst bewußt. Er spielt mit seinem Thema: die Todespein dieses Lebens, das nicht das wahre Leben ist, sie ist nicht die lebendige, die sich selbst im Lied ausspricht — es ist ihr Widerschein im rückschauenden Denken, in der *Reflexion*, den der Dichter auffängt. Seine *Kräfte* sind noch in Tätigkeit. Und weil seine Seele noch nicht geeint ist in völlig rückhaltloser Hingabe, darum herrscht in ihr noch die Furcht, Gott zu verlieren, darum klagt sie noch über ihre Sünden und empfindet sie als starke Bande, die sie an dieses Leben fesseln.

Formal ähnlich scheint es noch bei mehreren anderen Gedichten zu liegen, die ein Leitmotiv behandeln und als Kehrreim wiederholen. Es ist nicht möglich, hier auf alle einzugehen. Nur auf den *Geistlichen Gesang* müssen wir in diesem Zusammenhang noch einmal zurückkommen. P. *Silverio* [59] nennt es die erste und zugleich die schönste unter den Dichtungen, und wirklich sind manche Strophen von unvergleichlichem Zauber. Wir haben uns auch klar gemacht, daß die Fülle der Bilder durch das beherrschende Brautsymbol

---

[58] *Obras* IV 320 ff.
[59] *Obras* IV LXXIX.

zur Einheit verbunden ist[60]. Aber es kann doch nicht behauptet werden, daß diese ganze Bilderpracht ohne willkürlich gestaltendes Eingreifen aus der Tiefe der Seele emporsteige. Vieles ist hier gedanklich und künstlich geformt, mancher Vergleich von weither beigeholt. Und diese Mannigfaltigkeit der Bilder und Gedanken entspricht dem Gehalt: der Unruhe eines bewegten inneren Entwicklungsgangs. Stellen wir diesen Gesang nach Inhalt und Form den vier zuerst besprochenen gegenüber, so geben alle zusammen uns eine Antwort auf die Frage, wie der Heilige die innere Abtötung geübt haben mag: seine Seele ist zur völligen Lösung von sich selbst, zur Einfalt und Stille in der Vereinigung mit Gott gelangt. Aber das war die Frucht einer inneren Läuterung, in der eine reich begabte Natur sich selbst mit dem Kreuz belud und sich Gottes Hand zur Kreuzigung auslieferte; ein Geist von höchster Kraft und Lebendigkeit hat sich gefangen gegeben, ein Herz voll leidenschaftlicher Glut ist in radikalem Verzicht zur Ruhe gekommen. Die Zeugenberichte bestätigen dieses Ergebnis.

Alles tat Johannes „mit wunderbarer Gemütsruhe und Würde", schreibt P. *Elisäus von den Martyrern*[61]. „In seinem Umgang und seiner Unterhaltung war er entgegenkommend, sehr geistvoll und fördernd für die Menschen, die ihn hörten und sich mit ihm besprachen. Er war darin so einzigartig und fruchtbar anregend, daß die, die mit ihm verkehrten, ihn, geistig bereichert, voll Andacht und begeistert für die Tugend, verließen. Er hatte eine hohe Auffassung vom Gebet und dem Umgang mit Gott, und auf alle Zweifel, die man ihm über diese Gegenstände vorlegte, antwortete er mit so hoher Weisheit, daß er alle, die ihn um Rat fragten, sehr befriedigt und gefördert entließ. Er war ein Freund der Sammlung und der Wortkargkeit;. er lachte selten und sehr gemäßigt". „Er verharrte beständig im Gebet und in der Gegenwart Gottes, in Gemütserhebungen und Stoßgebeten"[62]. Niemals erhob er seine Stimme, er kannte keine groben und flachen Scherze, gab niemals jemandem einen Spitznamen. Alle Menschen behandelte er mit gleicher Ehrfurcht. In seiner Gegenwart durfte niemand über andere sprechen außer zum Lob. Selbst in der Rekreation sprach er nur von geistlichen Dingen, und solange er redete, fiel es niemandem andern ein, etwas zu sagen. Auch am Ende der Mahlzeit knüpfte er ein geistliches Gespräch an und hielt alle festgebannt in der Haltung, in der sie gerade waren. Überhaupt war sein Einfluß auf andere erstaunlich.

---

[60] Im Vorausgehenden II § 3, 2 c) und d).
[61] *Obras* IV 348.
[62] a. a. O. 3. Ausspruch, *Obras* IV 349.

Schon bei den Beschuhten war sein Erscheinen eine Mahnung zum Stillschweigen. Mit einem kurzen Satz konnte er Beängstigungen und Versuchungen für immer zum Schweigen bringen[63]. Er war auch groß in der Unterscheidung der Geister: Postulanten, die um Aufnahme in den Orden baten, schickte er manchmal weg, wenn sie den andern durchaus geeignet schienen, oder nahm sie auf, wenn andere Bedenken hatten, weil vor ihm offen lag, was für das gewöhnliche menschliche Urteil verborgen war[64]. Eine Karmelitin machte er in der Beichte auf einen lange zurückliegenden schweren Fehler aufmerksam, den sie niemals durchschaut und darum auch nicht bekannt hatte[65]. Hierher gehört auch die bekannte Erzählung der hl. Mutter, daß er ihr bei der Austeilung der hl. Kommunion im Kloster der Menschwerdung eine halbe Hostie reichte, offenbar um sie abzutöten, weil er ihre Vorliebe für große Hostien kannte[66]. Noch strenger zeigte er sich gegenüber M. *Katharina vom hl. Albert* in Beas. Sie hatte erklärt, daß sie sicher sei, an einem bestimmten Tage zu kommunizieren, an dem es üblich war, die hl. Kommunion zu empfangen. Als dieser Tag kam, überging sie Johannes bei der Austeilung, auch als sie ein zweites und drittes Mal wiederkehrte; und als man ihn nach dem Grund fragte, erklärte er: „Die Schwester hielt dies für sicher; und ich handelte so, damit sie begreifen lernt, daß das, was wir uns einbilden, keineswegs gesichert ist"[67]. In beiden Fällen beruht das Vorgehen des Heiligen offenbar auf Erkenntnis dessen, was den Seelen notwendig war, um von Unvollkommenheiten freizuwerden. Dieser übernatürlich geschärfte Blick ist gepaart mit einer unbeugsamen Entschiedenheit, die auch nicht als bloß natürliche Eigenschaft anzusehen ist. Wir wissen, mit welcher Ehrfurcht und Lebe er zu unserer heiligen Mutter aufschaute — wie hätte der demütige junge Ordensman es gewagt, der bejahrten Stifterin so zu begegnen, wenn nicht die Kraft des Heiligen Geistes ihm die Stärke dazu verliehen hätte? Wie hätte der gütige und sanftmütige Heilige aus sich auf so empfindliche und demütige Weise belehren können wie in jenem Fall in Beas? Freilich: auch diese Güte und Sanftmut sind nicht als reine Naturgaben anzusehen. Wir wissen aus den scharfen Äußerungen über unerfahrene und

---

[63] Vgl. Baruzi a. a. O. S. 290 ff., die Zeugenaussage des P. *Martin vom hl. Joseph* in *Obras* IV 377.

[64] Vgl. dieselbe Zeugenaussage.

[65] Baruzi a. a. O. S. 292.

[66] Werke der hl. M. Teresia, Ausgabe des P. Silverio, Bd. II, Burgos 1915, S. 63-64.

[67] Baruzi a. a. O. S. 293.

gewalttätige Seelenführer, wie sie aus der *Lebendigen Liebesflamme* angeführt werden und auch noch an anderen Stellen zu finden sind, daß Johannes von Natur aus keine *Taube ohne Galle* war. Seine Schilderungen gewisser Frömmigkeitstypen in den letzten Kapiteln des *Aufstiegs* sind von einer Ironie, die im persönlichen Verkehr sehr verletzend hätte sein können. Wenn er weder als Oberer in Umgang mit den Untergebenen noch in den Stunden der Rekreation davon Gebrauch machte, so beweist dies, daß er über seine Natur völlig Herr geworden war. Er hat getreu seiner Lehre gelebt. Wenn wir seine Aussprüche über die Tugenden und Gaben mit den Aussagen über sein Verhalten vergleichen, so finden wir die vollkommenste Übereinstimmung.

Er verlangte einen *Glauben,* der sich rein an die Lehre Christi und Seiner Kirche hält und keine Stütze in außerordentlichen Offenbarungen sucht. Während des Kapitels von Lissabon gingen viele, auch ernsthafte Patres eine Nonne besuchen, von deren Wundmalen viel Aufsehens gemacht wurde. Sie bewahrten kleine Stückchen Tuch mit Blut aus diesen Wunden wie Reliquien. Johannes gab nichts auf diese Dinge und ging auch nicht hin. Als er später in Granada während der Rekreation gefragt wurde, ob er die Stigmatisierte gesehen habe, antwortete er: „Ich habe sie nicht gesehen und wollte sie nicht sehen, denn ich würde mich sehr betrüben über meinen Glauben, wenn er durch das Sehen solcher Dinge auch nur ein wenig wachsen sollte...." [68] Sein Glaube gewann „aus den Wundmalen Jesu Christi mehr als aus allen geschaffenen Dingen" und bedurfte keiner anderen Wundmale [69].

Johannes wollte eine *Hoffnung,* die „unablässig auf Gott gerichtet ist, ohne ihre Augen einer andern Sache zuzuwenden", und war überzeugt, daß eine solche Seele „erreicht, soviel sie hofft" [70]. P. *Juan Evangelista* bezeugt, in den acht oder neun Jahren, die er mit dem Heiligen zusammenlebte, habe er immer gesehen, daß er ganz in der Hoffnung lebte und davon getragen wurde. Besonders konnte er sich als Prokurator in Granada davon überzeugen, während Johannes Prior war. Eines Tages fehlte ihm das Nötige für den Konvent und er bat um Erlaubnis, ausgehen zu dürfen, um es zu beschaffen. Er wurde ermahnt, er solle auf Gott vertrauen, es werde ihnen nichts mangeln. Nach einiger Zeit kehrte er zurück und drängte, es sei schon spät und er habe Kranke, für die er sorgen müsse. Der Heilige schickte ihn in seine Zelle, um von Gott zu erbitten, was er brauch-

---

[68] Vgl. die Aussage des P. *Martin vom hl. Joseph, Obras* IV 377 f.
[69] Aussage des P. *Juan Evangelista,* a. a. O. S. 390.
[70] 119. Ausspruch, E. *Cr.* III 29.

te. Er gehorchte wieder, eilte aber nach einer Weile zum drittenmal ins Priorat und erklärte: „Vater, das heißt Gott versuchen, geben Euer Hochwürden mir Erlaubnis zu gehen...., es ist schon sehr spät". Diesmal erhielt er die Erlaubnis, aber in der Form: „Geh, und du sollst sehen, wie Gott deinen Mangel an Glauben und Hoffnung beschämen wird". Tatsächlich wurde das Nötige ins Haus gebracht, als er sich gerade auf den Weg machen wollte. Ähnliches hat er noch in anderen Fällen erfahren [71].

Über die Liebe zu sprechen, ist kaum noch nötig: die ganze Lehre des Heiligen ist ja eine Lehre der Liebe, eine Anweisung, wie die Seele dahin gelangen kann, umgeformt zu werden in Gott, der die Liebe ist. Alles kommt auf die Liebe an, da wir am Ende nach der Liebe gerichtet werden. Und sein ganzes Leben ist ein Leben der Liebe: innigste Verbundenheit mit den nächsten Angehörigen in der Liebe zu Gott; selbstvergessene, hingebende Fürsorge für die Kranken; väterliche Güte gegenüber den Untergebenen; unermüdliche Geduld mit Beichtkindern jeder Art; Ehrfurcht gegenüber den Seelen; brennendes Verlangen, sie freizumachen für Gott; feinstes Unterscheidungsvermögen für die Mannigfaltigkeit der göttlichen Führungen, darum zarteste Anpassung an die verschiedenen Anregungen: er führt die Novizen hinaus ins Freie, läßt jeden nach Belieben einen einsamen Platz aussuchen, um da nach Gottes Eingebung zu weinen, zu singen oder zu beten [72]. Auch für seine Feinde hat er kein scharfes Wort. Was sie ihm antun, ist ihm nur Gottes Wirken. Es wird davon noch die Rede sein. All diese verschiedenen Formen der Nächstenliebe aber haben ihre Wurzel in der Gottesliebe und in der Liebe zum Gekreuzigten. Wir haben es ja immer wieder gesehen, daß ihm Liebe wesentlich „Übung vollkommener Entsagung und Leiden für den Geliebten" ist [73]; wie er das im Leben betätigt hat, ist schon vielfach gezeigt worden und wird noch im Folgenden deutlich werden.

Die Übereinstimmung von Lehre und Leben soll nur noch an einem bedeutsamen Punkt gezeigt werden: Johannes hat in seinen Schriften immer wieder betont, daß man nicht nur auf alle natürlichen Erkenntnisse und Genüsse verzichten müsse, sondern auch auf alle übernatürlichen Gunstbezeugungen Gottes — Visionen, Offenbarungen, Tröstungen u.dgl. —, um über alles Faßbare hinaus im dunklen Glauben dem unfaßlichen Gott selbst entgegenzugehen. Die Zeugenaussagen aus den verschiedensten Zeiten seines Lebens

---

[71] Aussage des P. *Juan Evangelista*, *Obras* IV 390 f.
[72] P. BRUNO, *Vie d'Amour*, S. 218 ff.
[73] 123. Denkspruch, *E. Cr.* III 30.

weisen darauf hin, daß der Heilige mit außerordentlichen Gnadenerweisungen überschüttet worden ist. Sie lassen aber auch erkennen, daß er sich mit aller Kraft dagegen zu wehren suchte. Wenn er in Segovia durchs Haus ging, oft selbst während eines Geprächs, schlug er heimlich mit der Faust gegen die Wand, um sich vor der Ekstase zu schützen und den Faden der Unterhaltung nicht zu verlieren [74].

Mutter *Anna vom hl. Albertus* vertraute er an: „Meine Tochter, ich halte meine Seele immer im Innern der Allerheiligsten Dreifaltigkeit; mein Herr Jesus Christus will, daß ich sie dort halte". Aber er empfängt oft so übergroßen Trost, daß er meint, seine schwache Natur müsse darunter erliegen, und es nicht wagt, sich der vollkommenen Sammlung zu überlassen. Es ist schon erwähnt worden, daß er sich tagelang das hl. Meßopfer versagte, aus Furcht, daß ihm dabei etwas Außerordentliches begegnen werde [75]. Immer wieder klagt er über diese „schwache Natur" — zu schwach, um ein Übermaß der Gnade zu tragen, aber stark genug, um das Kreuz in jeglicher Form zu suchen und zu begehren. Der Herr hat es auch daran nicht fehlen lassen.

Wirksamer als die Abtötung, die man nach eigener Wahl übt, ist das Kreuz, das Gott einem auflegt, äußerlich und innerlich. Wie der Weg des Heilands so ist auch der Seines treuen Dieners vom Anfang bis zum Ende ein Kreuzweg gewesen: drückende Not und Armut in den ersten Kinderjahren, vergebliche Anstrengungen, der Mutter in dem harten Existenzkampf beizustehen, dann eine Berufsarbeit, die körperlich und seelisch den äußersten Einsatz der Kräfte und beständige Überwindung fordert: das sind die Anfänge der Kreuzesschule. Es folgen die Enttäuschungen über den Geist des Ordens, in den Gottes Ruf ihn führte, sicherlich Zweifel und innere Kämpfe vor dem Entschluß, zur Kartause überzugehen, und nach dem glücklichen Beginn der Reform in Durvelo eine Kette schwerster Prüfungen und Leiden im Kampf um sein Ideal.

Im Leben des Herrn waren sicher die glücklichsten Stunden die in stiller Nacht, in einsamer Zwiesprache mit dem Vater. Aber sie waren nur das Atemholen nach einer Wirksamkeit, die ihn mitten ins Gewühl der Menschen stellte und ihm das Gemisch von menschlicher Schäche, Gemeinheit und Bosheit als Trank von Essig und Galle träglich und stündlich reichte. Auch Johannes kannte die Seligkeit stiller Nachtstunden, die Zwiesprache mit Gott unter freiem Himmel. Als Rektor des Kollegs von Baëza hat er ein Stück Land

---

[74] P. Bruno a. a. O. S. 327.
[75] P. Bruno a. a. O. S. 225 und Aussage der M. *Anna vom hl. Albertus, Obras* IV 402.

am Fluß erworben. Tagelang ist er dort mit *Johannes von der hl. Anna.* Die Nacht verbringt er allein im Gebet, aber manchmal holt er seinen Gefährten, geht mit ihm an den Fluß und spricht mit ihm van der Schönheit des Himmels, des Mondes und der Sterne [76]. Auch als Prior von Segovia hat er eine solche Oase: eine hochgelegene Einsiedelei mit weitem Ausblick. Dorthin zog er sich zurück, sooft die Geschäfte es gestatteten [77]. Still und einsam dem Gebet zu leben, das war seine Sehnsucht von den Jugendjahren bis ans Ende. Aber die meiste Zeit seines Lebens war auch er mit Amtspflichten überladen. Und wie er dem Heiland gefolgt ist in der liebevollen Fürsorge für die Kranken (auch mit dem *carisma* wunderbarer Heilungen), so geht er ihm nach in der aufopfernden Hirtensorge für die Seelen. Solange er Rektor in Baëza war, wurde nach seinem Beispiel von morgens bis abends Beichte gehört. Er stand jedem zur Verfügung. Einmal bat ihn der Pförtner, Bruder *Martin,* um einen „friedlichen Beichtvater" für einen Verwandten, einen leichtsinnigen Hauptmann. Er ging selbst hin und bekehrte diesen Weltmenschen so gründlich, daß er nun „Tag und Nacht" ins Kloster kam, um an den geistlichen Übungen teilzunehmen [78]. Er hatte eine unerschöpfliche Geduld für Skrupulanten, die niemand anders mehr anhören wollte. Seinem liebenden Herzen war es der größte Schmerz zu sehen, wie Seelen irregeleitet und tyrannisiert werden durch unkundige und gewalttätige Führer. Ihnen gegenüber findet der sanfte und gütige Heilige so schneidend scharfe Worte wie der Heiland gegenüber den Pharisäern. In der *Lebendigen Liebesflamme* unterbricht er die Darstellung der Salbungen des Geistes, die als nächste Vorbereitung für die Vereinigung mit Gott verliehen werden, durch eine lange Auseinandersetzung über die geistlichen Führer: „. . . . Das Mitleid und der Jammer meines Herzens beim Anblick so mancher Seelen, die von ihrer Höhe wieder herabsinken, ist so groß, daß ich nicht zur Ruhe komme. . . ." Der geistliche Führer „muß weise und klug sein, aber auch Erfahrung besitzen. . . ., fehlt ihm die Erfahrung in rein geistigen Dingen, dann wird er in der Leitung der Seele, wenn sie von Gott damit begnadigt wird, nicht zurechtkommen. . . . Auf diese Weise fügen viele geistliche Führer so manchen Seelen großen Schaden zu. . . . Da ihr Wissen über die Anfangsgründe nicht hinausgeht — und gebe Gott, daß sie davon eine richtige Kenntnis hätten —, so wollen sie nicht erlauben, daß die Seele, die Gott zu Höherem erheben will, die Betrachtungsweise der Anfän-

---

[76] *Obras* I 105.
[77] P. Bruno a. a. O. S. 325 f.
[78] a. a. O. S. 228.

ger verlasse...."[79] „Wenn eine rohe und unerfahrene Hand an einem äußerst kunstvollen Gemälde schlechte und unpassende Farben anbrächte, so wäre das ein größerer und bedeutenderer Schaden, als wenn sie viele andere Bilder von mittelmäßiger Kunst verderben würde; und auch der Heilige Geist malte mit zarter Hand, und eine plumpe Hand verdarb sein Werk. Wer wird es vermögen, das Geschehene ungeschehen zu machen?.... Wie oft salbt nicht Gott die beschauliche Seele mit einer überaus zarten Salbung, einer liebenden, ruhigen, friedvollen, ganz einzigen, über alles Sinnen und Denken erhabenen Erkenntnis....: und da kommt ein geistlicher Führer, der wie ein Grobschmied mit den Seelenkräften nur zu hämmern und zu schlagen weiß.... und der Seele sogleich befiehlt: Fort, laß all diese Dinge, sie sind nur Müßiggang und Zeitverlust...."[80] Wenn solchen Führern die nötige Kenntnis mangelt, „dann sollten sie sich auch nicht unterfangen, ihre plumpe Hand an ein Werk zu legen, das sie nicht verstehen, sondern es einem andern überlassen, der die nötige Kenntnis dafür hat. Und es ist keine kleine Verantwortung und kein geringes Unrecht, wenn man die Schuld trägt, daß eine Seele vermessener Ratschläge wegen unschätzbare Güter verliert und manchmal ganz vom Ziel abkommt. Wer darum aus Vermessenheit sich täuscht,.... wird je nach dem Schaden, den er anrichtet, zur Rechenschaft gezogen werden. Denn die Angelegenheiten Gottes muß man mit großer Behutsamkeit und Vorsicht behandeln, besonders solche, die so wichtige Dinge und ein so erhabenes Amt wie die Seelenleitung betreffen, bei der die richtige Behandlung unermeßlichen Gewinn, Fehlgriffe aber unübersehbaren Schaden verursachen"[81]. Völlig unentschuldbar aber ist ein Führer, der „die Leitung einer Seele .... aus eitlen Rücksichten und Absichten.... nicht aus seiner Gewalt läßt", wenn sie eine höhere Unterweisung als die seine nötig hat. „Nicht jeder, der einen Balken abhobeln kann, hat auch das Verständnis, ein Bild daraus zu fertigen, und wer ein Bild zu schnitzen vermag, weiß es nicht auszuarbeiten und zu polieren. Und nicht jeder, der die Feinarbeit versteht, kann es auch bemalen, sowie nicht jeder, der es zu bemalen weiß, die letzte vollendende Hand daran zu legen vermag.... Wärest du nicht mehr als ein Grobarbeiter, der die Seele nur bis zur Verachtung der Welt, zur Ertötung ihrer Leidenschaften und Neigungen führen kann, oder wärest du ein guter Bildschnitzer, der ihr zu heiligen Betrachtungen Anleitung geben kann, und verständest du

---

[79] *Lebendige Liebesflamme*, Str. 3 V. 3, § 4, E. Cr. II 444 f.
[80] a. a. O. § 8, E. Cr. II 450 f.
[81] a. a. O. § 11, E. Cr. II 458 f.

nicht mehr — wie wolltest du der Seele die letzte Vollendung....
geben, die.... im Werke Gottes besteht.... Gott führt die Seelen
auf verschiedenen Wegen.... Wo findet sich aber der Mann, der
wie St. *Paulus* allen alles wird, um alle zu gewinnen? (1 Cor. 9, 22)
Auf diese Weise tyrannisierst du die Seelen und beraubst sie der
Freiheit...." [82] Ebenso hat Johannes, der selbst als Oberer durch
hingebende Güte alle Herzen gewann, der einen notwendigen Ta-
del nur mit Milde und väterlicher Liebe aussprach, sich entschieden
gegen ein brutales Regimentführen gewendet: „Wenn .... in einem Orden die christliche und monastische Höflichkeit.... abhan-
den gekommen ist und wenn statt dessen die Oberen sich ungeho-
belt und brutal benehmen...., so soll man den Orden als verloren
beweinen" [83].

Es ist die schmerzliche Sorge um die Seelen, die dem Heiligen diese
scharfen Worte eingibt. Christus hat die Seelen mit Seinem Leiden
und Sterben erkauft, jede einzelne ist Ihm und Seinem treuen Jünger unendlich teuer. Auserwählten Seelen Lebensbedingungen zu
verschaffen, in denen Gottes vollendende Hand ungestört ihr Werk
an ihnen verrichten konnte, das war das Ziel der Reform. Wir
wissen, welche Leiden Johannes freudig auf sich genommen hat, als
dieses Werk Gottes von äußeren Feinden bedroht war. Vielleicht
hat seine Seele noch mehr gelitten, als innerhalb des reformierten
Ordens selbst ein Geist zur Herrschaft kam, der Gottes Wirken in
den Seelen bedrohte. Die Gefahr kam von entgegengesetzten Seiten:
P. *Hieronymus* drängte zu äußerer Tätigkeit in den Missionen. Es
fehlte Johannes gewiß nicht an Sinn für das Apostolat in den Hei-
denländern. Es ging ihm sehr zu Herzen, daß „unser wahrer Gott
und Herr" noch in fast allen Teilen der Welt unbekannt war und
nur in einem so kleinen Teil bekannt [84]. Aber er wollte keine äußere
Tätigkeit auf Kosten der Sammlung. *Nicolas Doria* vertrat das entgegengesetzte Extrem: er wollte Einsamkeit und Bußstrenge, aber er
ging darauf aus, dies Ideal starr festzulegen, eben das widersprach
aber dem Geist der hl. Mutter und ihres ersten Gefährten, es widersprach dem Geist Gottes selbst, der weht, wo er will. *Teresia* hatte
selbst soviel unter mangelndem Verständnis unerfahrener Beichtväter gelitten; darum hatte sie in ihren Konstitutionen für ihre
Töchter die Freiheit der Aussprache mit Geistesmännern, denen sie
Vertrauen schenken konnten, gesichert. Nicolas Doria wollte ihnen
die Freiheit nehmen. Seit 1585 Provinzial, mit weitgehenden Voll-

---

[82] a. a. O. § 12, *E. Cr.* II 460 f.
[83] 15. Ausspruch, *E. Cr.* III 65.
[84] P. Bruno a. a. O. S. 300.

machten von Rom ausgestattet, führte er eine zentralistische Verfassung ein: einen Generalrat, der Prioren, Prediger und Beichtväter zu ernennen hatte. Mit Teresias großen Töchtern *Anna von Jesus* und *Maria vom hl. Joseph* und mit den alten Freunden der Reform *Luis de Leon Dominicus Bañez* kämpfte Johannes für das Erbe der hl. Stifterin. Es waren ja auch *seine* Töchter, um deren inneres Leben es ging. In Avila, in Beas, in Caravaca, Granada und Segovia war unter seiner sorgsamen Pflege, seiner zugleich zarten und festen Hand in so vielen Seelen eine Blütenpracht entsprossen, wie er sie in seinem Brautgesang geschildert hat. Mußte es ihm nicht wie ein Scheitern seines Lebenswerkes vorkommen, wenn jetzt der Hagelschauer der Verfolgung auf diese Paradiesgärten niederfiel?

Er ist auf dem Kapitel zu Madrid dem Provinzial mit aller Bestimmtheit entgegengetreten, getreu seinem Grundsatz: „.... Wagt es niemand, die Oberen aufmerksam zu machen noch Einwendungen vorzubringen, wenn sie fehlen, ... trauen sich jene, die Einfluß haben und durch das Gesetz der Liebe und Gerechtigkeit dazu verpflichtet sind, nicht...., Einsprache zu erheben...., dann halte man den Orden für verloren...." Dafür wurden ihm alle Ämter genommen und damit jede Macht, durch äußeres Eingreifen zu helfen. Man ging darauf aus, seine persönliche Ehre anzutasten und Handhaben zu bekommen, um ihn aus seinem Orden auszustoßen. Er bewahrte die vollkommenste Seelenruhe. Jetzt zeigt es sich, daß es echt war als er die Bitte aussprach, leiden zu dürfen und für nichts geachtet zu werden um des Herrn willen; daß es keine leeren Worte waren, als er schrieb, Christus habe am meisten gewirkt, da Er am Kreuz hing [85]. Nach dem Zeugnis des P. *Elisäus von den Martyrern* hat er einst bei der Auslegung der Paulusstelle: „Die Erweise meines Apostelamtes sind doch unter euch erbracht durch alle Geduld, durch Zeichen und Wunder und Kraft" (2 Cor. 12, 12) angemerkt, daß der Apostel die Geduld vor den Wundern anführe. „Damit wollte er sagen, daß die Geduld ein viel sichereres Zeichen des apostolischen Mannes sei als die Erweckung der Toten. Und ich kann versichern, daß Johannes vom Kreuz in dieser Tugend ein apostolischer Mann gewesen ist; denn er hat die Beschwerden, die über ihn kamen, mit unvergleichlicher Geduld und Ergebung getragen; und sie waren doch so empfindlich, daß sie die Zedern des Libanon stürzen konnten" [86].

Einen klaren Einblick in die Seelenverfassung des Heiligen ge-

---

[85] *Aufstieg*, B. II Kap. 6, *E. Cr.* I 124.
[86] *E. Cr.* III 64, 13.

währen seine Briefe vom Kapitel zu Madrid, nachdem er bei allen Wahlen übergangen war. An Mutter *Anna von Jesus*[87] schrieb er am 6. Juli 1591: „Wenn die Angelegenheiten auch nicht den Ausgang genommen haben, den Sie wünschten, so müssen Sie sich doch trösten und Gott von Herzen danken. Denn Seine Majestät hat es so gefügt, und darum ist es für uns alle das Beste; wir müssen Ihr nur unsern Willen unterwerfen, damit es uns so erscheint, wie es in Wirklichkeit ist: die unangenehmen Dinge scheinen uns schlimm und widerwärtig, wenn sie auch noch so gut und verteilhaft sind; und diese Sache ist es doch offenbar nicht, weder für mich noch für irgend jemand sonst; denn was mich anlangt, ist sie höchst segensreich: befreit von der Sorge für die Seelen kann ich mich, wenn ich will, durch die Gnade Gottes des Friedens erfreuen, der Einsamkeit und der köstlichen Frucht des Vergessens meiner selbst und aller Dinge. Auch für die übrigen ist es gut. . . ., denn sie werden so frei bleiben von den Fehlern, die sie meiner Armseligkeit wegen begangen hätten. . . ."[88]

Zugleich richtete er an *Maria von der Menschwerdung,* die Tochter der Mutter *Anna,* die damals Priorin in Segovia war, die Bitte: „Um meinetwillen, meine Tochter, dürfen Sie sich nicht betrüben, da auch ich nicht betrübt bin. Was mich sehr schmerzt, ist, daß man jemandem die Schuld gibt, der keine hat. Denn diese Dinge kommen nicht von den Menschen, sondern von Gott, der weiß, was für uns gut ist, und sie zu unserm Besten lenkt. Denken Sie nichts anderes, als daß Gott alles gefügt hat. Wo keine Liebe ist, da legen Sie Liebe hinein und Sie werden Liebe daraus schöpfen. . . ."[89]

Der so sprechen konnte, war innerlich dem Gekreuzigten gleichförmig geworden. Es war an der Zeit, daß er es auch äußerlich wurde und den Kreuzestod der Liebe sterben durfte. Nun sollten ihm seine letzten Wünsche erfüllt werden:

„Ich begehre nur, daß der Tod mich finde an einem abgelegenen Ort, fern von allem Umgang mit Menschen, ohne Klosterbrüder, die ich leiten müßte, ohne Freude, die mich trösten könnte, heimgesucht von allen Peinen und Schmerzen. Ich wollte, daß Gott mich prüfte als Dienstknecht, nachdem Er die Zähigkeit meines Charakters sooft erprobt hat in meiner Arbeit; ich wollte, daß Er mich heimsuchte in Krankheit, wie Er mich in Versuchung gebracht hat durch Gesundheit und Kraft; ich wollte, daß Er mich in Versuchung kom-

---

[87] Es ist dies nicht die berühmte Mitarbeiterin der hl. Mutter, sondern die Stifterin des Karmels von Segovia.
[88] 20 (21). Brief, *E. Cr.* III 104 f.
[89] 21 (22). Brief, *E. Cr.* III 105 f.

men ließe durch Schande, wie Er mich der Verführung aussetzte durch den guten Namen, den ich selbst bei meinen Feinden hatte. Herr, geruhe das Haupt Deines unwürdigen Dieners mit dem Martyrium zu krönen...." [90]

Auf dem Kapitel zu Madrid wurde ihm die Einöde von la Peñuela als Aufenthaltsort zugewiesen. Das bedeutete für ihn keine Strafe. Dort hoffte er ja die ersehnte Einsamkeit zu finden. Immerhin darf man nicht denken, daß die Auseinandersetzungen und Beschlüsse von Madrid ihn nicht im Innersten bewegt und getroffen hätten. Auf dem Wege von Madrid nach la Peñuela kam er eines Morgens um 4 Uhr mit P. *Elias vom hl. Martin* in Toledo an. Beide zelebrierten und schlossen sich dann miteinander ein. Ohne etwas zu genießen, blieben sie zusammen bis tief in die Nacht. Dann erklärte Johannes vor allen, er gehe sehr getröstet fort und sei kraft der Gnade, die Gott ihm an diesem Tage gewährt habe, bereit, jedes beliebige Leiden zu ertragen [91]. War es nicht eine Gethsemani-Nacht, in der ihm der Herr einen Trostengel sandte? Alle harten Bußwerke seines Lebens, alle Verfolgungen, auch die Kerkerhaft in Toledo und die unfreundliche Behandlung durch den Prior von Ubeda, all das — so meint P. *Silverio* [92] — sind kaum mehr als Schattenbilder von Leid im Vergleich zu dem, das ihm die Einrichtung der berühmten *consulta* bereitete. Menschlich gesehen lag sein Lebenswerk zertrümmert hinter ihm, als er sich auf den Weg nach la Peñuela begab — so wie beim Heiland, als Er sich binden und vom Ölberg nach Jerusalem führen ließ.

Die Bergeinsamkeit von la Peñuela, das ist noch eine Atempause stillen Gebets vor dem Aufstieg nach Calvaria [93]. Allerdings überläßt man ihn hier nicht ganz sich selbst. Die Mönche sind glücklich, den Vater der Reform bei sich zu haben. Der Prior bittet ihn, die geistliche Leitung aller zu übernehmen. In der Rekreation ist er bei ihnen. Aber man merkt es ihm an, daß er bis zur Stunde der Rekreation beständig im Gebet war. Schon vor Tagesanbruch geht er in den Garten, kniet zwischen den Weiden am Bach nieder und bleibt im Gebet, bis die warme Sonne ihn mahnt, daß es Zeit ist zum hl. Opfer. Nachdem er zelebriert hat, zieht er sich in seine Zelle zurück und widmet dort alle Zeit dem Gebet, wenn nicht Pflichten des gemeinschaftlichen Lebens ihn abrufen.

---

[90] J. Brouwer, *De achtergrond der Spaanse mystiek,* Zutphen 1935, S. 217.
[91] P. Bruno, *Vie d'Amour,* S. 243 f.
[92] *Obras* I 113 (Preliminares).
[93] Vgl. P. Bruno, *Saint Jean,* S. 343 ff. und *Obras* V 112 ff. (Aussage des P. *Franciscus vom hl. Hilarion*).

Manchmal begibt er sich auch in eine Einsiedelei und verweilt da wie verzückt in Gott. Der Zeuge erwähnt auch, daß er sich noch bisweilen mit dem Schreiben geistlicher Bücher beschäftigt habe. (Was damit gemeint ist, wissen wir nicht. Die bekannten großen Traktate waren schon früher abgefaßt.) Die Felsen waren ihm eine liebe Gesellschaft. „Wundert euch nicht, wenn ich mit ihnen um-gehe", sagt er, „ich habe dann weniger zu beichten, als wenn ich mit Menschen verkehre" [94]. Was aus der Welt zu ihm drang, war wohl geeignet, Sammlung und Gleichmut zu zerstören. P. *Johannes Evangelista* berichtete ihm brieflich von den Übergriffen, die sich P. *Diego Evangelista* in den Karmelitinnenklöstern Andalusiens erlaubte, um von den Schwestern belastende Aussagen über den Heiligen zu erpressen. (Damals mußte Schwester *Augustina vom hl. Joseph* in Granada eine große Sammlung von Briefen des Heiligen — die Schwestern schätzten sie „wie die Briefe des hl. Paulus" — und Hefte mit Aufzeichnungen nach seinen geistlichen Vorträgen und Gesprächen verbrennen, um sie nicht in Diegos Hände fallen zu lassen.) *Nicolas Doria* erklärte auf die Klagen, die bei ihm einliefen, der Visitator habe keinen Auftrag gehabt, so vorzugehen, aber er bestrafte ihn nicht. Er war sein vertrauter Freund und blieb es. Johannes hatte diesen Diego früher scharf zurechtgewiesen, weil er sich monatelang außerhalb seines Klosters aufhielt um zu predigen. Nun wollte er die günstige Zeit ausnützen, um sich zu rächen. Einige Monate später — nach dem Tode des Heiligen — erklärte er: „Wenn er nicht gestorben wäre, hätte man ihm den Habit ge-nommen und ihn aus dem Orden ausgestoßen". Einige treue Söhne des Vaters der Reform hatten das gefürchtet, *Johannes von der hl. Anna* hatte es ihm geschrieben. Er erhielt die Antwort: „....Mein Sohn, machen Sie sich darum keine Sorgen; den Habit kann man jemandem nur nehmen, wenn er es verweigert, sich zu bessern oder zu gehorchen; nun, ich für meinen Teil bin durchaus bereit, alle meine Verfehlungen gut zu machen und zu gehorchen, welche Buße man mir auch auferlegen mag". Und an *Johannes Evangelista* schrieb er: „Meine Seele ist weit davon entfernt, unter all dem zu leiden; im Gegenteil, sie entnimmt daraus eine Unterweisung in der Liebe zu Gott und dem Nächsten...." [95]

So bewahrte er sich den Herzensfrieden ungestört „in dieser heiligen Einsamkeit"; und als ihn das Fieber zwang, sie zu verlassen, geschah es „in der Absicht, bald hierher zurückzukommen" [96]. Wie

---

[94] P. Bruno, a. a. O. S. 344.
[95] P. Bruno a. a. O. S. 347 f.
[96] Brief an *Dona Ana de Peñalosa* vom 21. IX. 1591, *Obras* IV 288 ff.

er sich vor der Übersiedlung nach la Peñuela seinen Aufenthaltsort nicht gewählt hatte, sondern sich ihn im heiligen Gehorsam zuweisen ließ, so möchte er sich auch jetzt den Ort bestimmen lassen, wo er Heilung suchen soll. Man läßt ihm die Wahl zwischen Baëza und Ubeda. Baëza ist das Kolleg, das er gegründet hat, dessen erster Rektor er war. Dort ist einer seiner treuen Söhne Prior, P. *Angelus a Praesentatione*, und erwartet ihn mit aller Liebe. An der Spitze der Neugründung Ubeda aber steht P. *Franciscus Chrysostomus*, den er sich auf ähnliche Weise wie *Diego Evangelista* zum Feind gemacht hat. So ist es für ihn selbstverständlich, daß er Ubeda wählt: weil das Kloster noch nicht lange besteht und arm ist, und weil er selbst in jener Stadt unbekannt ist, hofft er dort „mit mehr Nutzen und Verdiensten die Beschwerden der Krankheit zu ertragen" [97]. So besteigt er am 22. September 1591 das kleine Maultier, das ein Freund ihm zur Verfügung stellt, zur letzten Reise seines Lebens. Es ist ein richtiger Leidensweg. Er hat seit mehreren Tagen nichts mehr genießen können und kann sich von Schwäche kaum in Sattel halten. Und sein krankes Bein schmerzt, als würde es ihm abgeschnitten. Dort war ja der Sitz des Übels: es war erst angeschwollen, dann hatten sich nacheinander fünf eiternde Wunden geöffnet. Sie gaben dem Heiligen Anlaß zu dem Gebet: „Vielmals danke ich Dir, mein Herr Jesus Christus, daß Eure Majestät mir an diesem Fuß allein die fünf Wunden verleihen wollte, die Eure Majestät an Füßen, Händen und Seite hatte: wodurch habe ich eine so große Gnade verdient?" Und er klagte auch bei den denkbar größten Schmerzen nicht, sondern ertrug alles mit der größten Geduld [98]. Nun muß er in diesem Zustand sieben Meilen weit auf Bergwegen reiten. Es geht sehr langsam voran. Er spricht mit dem Bruder, der ihn begleitet, von Gott. Als sie drei Meilen zurückgelegt haben, schlägt der Gefährte eine Rast am Ufer des Guadalimar vor: „Im Schatten dieser Brücke können Hochwürden etwas ruhen; die Freude, das Wasser zu sehen, wird Ihnen Appetit auf einen Bissen machen". „Gern will ich etwas ruhen, denn ich habe es nötig; aber essen kann ich nicht, denn von allem, was Gott geschaffen hat, habe ich auf nichts Appetit als auf Spargel, und die gibt es jetzt nicht". Der Bruder hilft ihm absteigen und niedersitzen. Da bemerken sie auf einem Stein ein Bündel Spargel, mit einem Weidenband gebunden wie für den Markt. Der Bruder glaubt an ein Wunder. Aber Johannes will nichts davon hören. Er läßt ihn nach dem Eigentümer

---

[97] Aussage des P. *Petrus vom hl. Joseph, Obras* V 99.
[98] Aussage des P. *Diego a Conceptione, Obras* IV 355.

suchen, und als nirgens jemand zu entdecken ist, muß er einen *cuarto* als Entschädigung auf den Stein legen[99]. Noch ein paar Stunden — dann sind sie am Ziel. Der Prior empfängt den Sterbenskranken und weist ihm die ärmste und kleinste Zelle an. Der Arzt, Licenciat *Ambrosio de Villareal* untersucht die Wunden. Er stellt Wundrose fest und starke Eiteransammlung. Ein schmerzlicher Eingriff wird nötig. Der Chirurg will den Herd des Übels herausfinden und legt Knochen und Nerven von der Ferse bis zur Mitte der Wade bloß. Bei dem furchtbaren Schmerz fragt der Kranke: „Was haben Sie getan, mein Herr?" Er besieht die Wunde und ruft: „Jesus, das ist es, was Sie gemacht haben!" Später hat der Arzt dem P. *Johannes Evangelista* erzählt: „Er hat die schrecklichsten Schmerzen, die jemals erhört wurden, mit unvergleichlicher Geduld ertragen". Auch andern gegenüber hat er oft seiner Verwunderung Ausdruck gegeben, daß der Kranke mit solcher Ruhe und Heiterkeit litt; er erklärte, Johannes vom Kreuz müsse ein großer Heiliger sein, denn es schien ihm unmöglich, so große, anhaltende Schmerzen ohne Klagen zu leiden, wenn man nicht sehr heilig wäre und eine große Gottesliebe hätte und sich nicht auf den Beistand des Himmels stützen könnte[100]. Das war auch der Eindruck, den die ganze Umgebung hatte. Die Mönche betrachteten es als eine Gnade, ein solches Vorbild in ihrer Mitte zu haben. Nur der Prior verharrte lange Zeit in seiner Verbitterung. Wenn er den Kranken besuchte, so geschah es, um ihm vorzuhalten, wie er (Johannes) als Provinzialvikar von Andalusien ihn zurechtgewiesen hatte. Er konnte es nicht mitansehen, wie Klosterleute und Außenstehende um die Wette bemüht waren, die Qualen des Dulders zu erleichtern. (In diesem Punkt war die Vorsorge, einen unbekannten Ort zu wählen, umsonst gewesen: Heiligkeit bleibt nirgends so verborgen, daß sich gar keine Verehrer fänden.) Don *Fernando Diaz* aus Ubeda hatte ihn früher einmal — bei der Stiftung von la Mancha — das Evangelium singen hören; das hatte genügt, um ihm sein Vertrauen zu schenken. Sobald er von der Ankunft des Kranken hörte, suchte er ihn auf und kam seitdem täglich, bisweilen sogar drei- bis viermal am Tage, um nach ihm zu sehen. Einmal begegnete ihm der Prior, als er gerade Wäsche und Binden des Heiligen zum Waschen fortbringen wollte. Einige fromme Frauen schätzten sich glücklich, ihm diesen Liebesdienst leisten zu dürfen; sie wurden dafür belohnt duch einen wunderbaren Duft, der von dieser eitergetränkten Leinwand ausströmte. Nun verbot

---

[99] Vgl. P. BRUNO a. a. O. S. 352 f.; Aussage des P. *Bartholomäus vom hl. Basilius, Obras* IV 394, und des P. *Francsicus vom hl. Hilarion, Obras* V 114.
[100] Aussage des P. *Ferdinand von der Mutter Gottes, Obras* V 331.

P. Prior Don Fernando, sich darum zu kümmern, er selbst wolle dafür Sorge tragen. Man hörte ihn oft klagen über die Kosten, die die Verpflegung des Heiligen kostete, und den Verbrauch an Lebensmitteln. P. *Diego von der Empfängnis*, Prior von la Peñuela, schickte daraufhin sechs Scheffel Weizen für die Kommunität und sechs Hühner für den Kranken nach Ubeda. P. *Bernhard von der Jungfrau*, der Krankenwärter, bekam täglich Proben von der Abneigung des Priors gegen den Patienten. Er bestimmte, daß ihn niemand mehr ohne besondere Erlaubnis besuchen dürfte und verbot schließlich P. Bernhard sogar, ihm beizustehen, weil er meinte, daß er zuviel täte. Der Infirmar erstattete nun sofort Bericht an den Provinzial von Andalusien, den greisen P. *Antonius von Jesus*, den alten Gefährten aus den Tagen von Durvelo [101]. Er eilte umgehend herbei, um Abhilfe zu schaffen, und blieb vier bis sechs Tage in Ubeda. Dem Prior gab er einen scharfen Verweis, allen andern gab er Befehl, den Kranken zu besuchen und ihm beizustehen, soviel sie nur könnten. P. Bernhard wurde wieder in sein Amt eingesetzt mit dem Auftrag, es mit der größten Liebe zu versehen; wenn der Prior ihm das Nötige verweigerte, sollte er sich sofort an den Provinzial wenden und inzwischen Geld leihen. Bei all diesen Gelegenheiten hörte man von Johannes nie ein Wort der Klage über den feindseligen Prior: er ertrug alles „mit der Geduld eines Heiligen" [102].

P. *Antonius* war bei der ersten Operation zugegen. Als er dem Patienten zusprechen wollte, entschuldigte sich Johannes, daß er nicht antworten könne; er werde verzehrt von Schmerzen. Und doch waren die körperlichen Schmerzen noch nicht auf der Höhe. Es bildeten sich neue Abszesse an den Lenden und Schultern. Vor einem zweiten Eingriff entschuldigte sich der Arzt. „Das tut nichts, wenn es am Platz ist", sagte der neue Job. Er drängte dazu, sofort ans Werk zu gehen. Alle Schmerzen und Leiden waren ihm „wohltätige Gedanken Gottes". In den Briefen, die er noch vom Krankenbett aus schrieb — sie sind uns nicht erhalten, wir wissen nur durch Zeugenberichte davon —, sprach er von der Freude, für den Herrn leiden zu dürfen. Die körperlichen Qualen hinderten seine Versenkung ins Gebet nicht. Er bat seinen jungen Krankenpfleger *Lucas vom hl. Geist* manchmal, ihn allein zu lassen — „nicht um zu schlafen", fügt der Berichterstatter hinzu, „sondern um sich glühender der Beschauung himmlischer Dinge hinzugeben". Nach-

---

[101] P. Antonius, der sich einst so edelmütig als erster für die Reform zur Verfügung gestellt hatte, wurde die große Gnade zuteil, der hl. Mutter und dem hl. Vater Johannes im Tode beistehen zu dürfen.
[102] P. BRUNO a. a. O. S. 353 ff.

dem der Infirmar das begriffen hat, wird er nicht nur selbst zurückhaltend, sondern schickt auch manchmal Besucher fort. Selbst
der Arzt hat Verständnis dafür. „Lassen wir den Heiligen beten",
sagt er. „Wenn er.... wieder zu sich kommt, wollen wir ihn pflegen".

Dieser Arzt war am Bett seines Patienten „ein anderer Mensch
geworden". Der Heilige schenkte ihm ein eigenhändig geschriebenes
Exemplar der *Lebendigen Liebesflamme*. Darin las er später oft zu
seinem Trost [103]. Immer durchsichtiger wird der Schleier, der für
die Seele noch die Himmelsherrlichkeit verhüllt. Immer mehr Glanz
dringt hindurch. Der Arzt kündet dem Kranken den nahen Tod an.
Ein Freudenruf ist die Antwort: *Laetatus sum in his quae dicta sunt
mihi: in domum Domini ibimus* (Ps. 122, 1). Die Mitbrüder bieten
Johannes das *viaticum* an; doch er antwortet, er werde sagen, wenn
es Zeit sei. Seit der Vigil der Unbefleckten Empfängnis weiß er
Tag und Stunde seines Todes. Er verrät es mit den Worten: „Gepriesen sei die Dame, die will, daß ich an diesem Samstag aus dem
Leben scheide". Dann kommt die genaue Ankündigung: „Ich weiß,
daß Gott unser Herr mir die Barmherzigkeit und Gnade erweisen
wird, zum Beten der Mette in den Himmel zu gehen".

Zwei Tage vor seinem Tode verbrennt er an einer Kerze alle seine
Briefe — eine große Zahl —, weil es „eine Sünde sei, sein Freund zu
sein". Am Abend dieses Donnerstags erbat und erhielt er die heilige
Wegzehrung. Alle, die ihn um ein Andenken baten, verwies er an
seinen Oberen: er sei arm und besitze nichts. Er ließ auch diesen
Oberen, den Prior *Franciscus Chrysostomus* rufen, bat um Verzeihung für alle Fehler und fügte die Bitte hinzu: „Mein Vater, das
Ordenskleid der Jungfrau, das ich getragen und benützt habe — ich
bin ein armer Bettler und habe nichts zur Beerdigung —, ich bitte
Euer Hochwürden um der Liebe Gottes willen, es mir aus Nächstenliebe zu geben". Der Prior segnete ihn und verließ die Zelle. Es
scheint, daß in diesem Augenblick sein innerer Widerstand noch
nicht gebrochen war. Aber schließlich hat er doch als reuiger Schä-
cher weinend zu den Füßen des Sterbenden gekniet und sich ent-
schuldigt, daß das „arme Kloster" ihm nicht mehr Erleichterung in
seiner Krankheit bieten konnte. Johannes antwortete: „Pater Prior,
ich bin sehr zufrieden, ich habe mehr als ich verdiene. Vertrauen
Sie auf unsern Herrn; es wird eine Zeit kommen, wo dieses Haus
alles Notwendige haben wird".

Am 13. Dezember fragt er morgens, was für ein Tag es sei, und

---

[103] P. Bruno a. a. O. S. 359.

da er hört, daß es Freitag sei, erkundigt er sich mehrmals am Tage nach der Stunde: er wartet ja darauf, die Mette im Himmel zu beten. An diesem letzten Tage seines Lebens war er noch schweigsamer und gesammelter als bisher. Meist hielt er die Augen geschlossen. Wenn er sie öffnete, heftete er sie voll Liebe auf ein Kreuz aus Kupfer. Gegen drei Uhr bittet er, daß man vor seinem Tode P. *Sebastian vom hl. Hilarius* noch einmal zu ihm führen möchte. Das ist ein junger Pater, dem er in Baëza das Ordenskleid gegeben hat. Nun liegt er fieberkrank einige Zellen von dem Heiligen entfernt. Er wird hereingeholt und bleibt etwa eine halbe Stunde. Johannes hat ihm Bedeutsames mitzuteilen: „P. Sebastian, Euer Hochwürden sollen zum Prior des Ordens gewählt werden. Hören Sie aufmerksam auf das, was ich Ihnen mitteile, und versuchen Sie, es den Oberen zu berichten; erklären Sie ihnen, daß ich Ihnen dies unmittelbar vor meinem Tode gesagt habe". Es handelte sich um etwas, was für das Wachstum der Provinz von Wichtigkeit war. Um fünf Uhr bricht der Heilige in den Freudenruf aus: „Ich bin glücklich, da ich, ohne es zu verdienen, heute nacht im Himmel sein werde". Bald danach wendet sich an den Prior und *Fernando Diaz*: „Vater lassen Euer Paternität das Haus des Señor Fernando benachrichtigen, daß man nicht auf ihn warten soll, er muß heute nacht hier bleiben". Nun verlangt er nach der hl. Ölung und empfängt sie mit großer Andacht; er antwortet dabei auf die Gebete des Priesters. Auf seine innigen Bitten wird ihm auch das Allerheiligste noch einmal zur Anbetung gebracht. Er spricht zärtlich mit dem verborgenen Gott. Zum Abschied sagt er: „Herr, ich werd Dich nun nicht mehr mit den Augen des Fleisches sehen".

P. *Antonius von Jesus* und einige andere ältere Patres wollten bei ihm wachen, aber er gab es nicht zu. Er wollte sie holen lassen, wenn es Zeit sei.

Als es neun Uhr schlug, sprach er sehnsüchtig: „Ich habe noch drei Stunden Zeit; *incolatus meus prolongatus est*" (Ps. 119, 5). P. *Sebastian* hörte ihn auch noch sagen, Gott habe ihm zu seinem Trost drei Bitten gewährt: nicht als Oberer zu sterben; an einem Ort, wo er unbekannt sei, und nach vielen Leiden. Dann liegt er so still ins Gebet vertieft und friedlich da, daß man ihn schon für tot hält. Aber er kommt wieder zu sich und küßt die Füße *seines Christus*. Um zehn Uhr hört man eine Glocke läuten. Er fragt, wozu das sei. Man sagt ihm, das seien Ordensleute, die zur Mette gingen. „Und ich", erwidert er, „soll durch die Barmherzigkeit Gottes hingehen, um sie mit der Jungfrau, U. L. Frau, im Himmel zu beten". Um half zwölf Uhr etwa läßt er die Patres rufen. Es kommen ungefähr

14 bis 15 Mönche, die sich für die Mette bereit machen. Sie hängen ihre Lampen an der Wand auf. Man fragt den Heiligen, wie es ihm geht. Er ergreift das Seil, das von der Decke herabhängt, und richtet sich auf. „Patres, wollen wir nicht das *de profundis* beten? Ich fühle mich sehr gut". Dabei sah er „sehr ruhig, schön und fröhlich aus", berichtet der Subprior, *Ferdinand von der Mutter Gottes.* Er selbst stimmt an, die andern respondieren. Auf diese Weise wurden „ich weiß nicht wieviel Psalmen gebetet", sagt *Francisco Garcia.* Es waren die Bußpsalmen, die der *recommendatio animae* vorausgehen. Ob diese sofort an die Psalmen angeschlossen wurden und an welcher Stelle Johannes das Gebet unterbrach, darüber geben die Berichte keine übereinstimmende Auskunft. Er war nämlich müde geworden und mußte sich zurücklegen. Und er hatte noch einen Wunsch: daß ihm jemand etwas aus dem *Hohenlied* vorlesen möchte; der Prior tat es. „Welch kostbare Steine!", ruft der Sterbende [104]. Es war ja das Lied der Liebe, das ihn durchs Leben begleitet hatte.

Aufs neue fragt er nach der Zeit. Es hat noch nicht Mitternacht geschlagen. „Zu dieser Stunde werde ich vor Gott stehen, um die Mette zu rezitieren". P. *Antonius* erinnert ihn an das, was er für die Reform getan hat, in den Anfängen und später als Oberer. Der Heilige antwortet: „Gott weiß, was geschehen ist". Aber nicht darauf will er sich stützen. „Pater Noster [105], dafür ist jetzt nicht der rechte Augenblick; durch die Verdienste des Blutes unseres Herrn Jesu Christus hoffe ich gerettet zu werden".

Die Mitbrüder bitten um seinen Segen. Auf Befehl des Provinzials gibt er ihn. Er ermahnt sie, wahrhaft gehorsam und vollkommene Ordensleute zu sein.

Kurz vor Mitternacht reichte er *seinen heiligen Christus* einem der Umstehenden, wahrscheinlich *Francisco Diaz.* Er wollte beide Hände frei haben, um seinen Körper für den Aufbruch in die rechte Verfassung zu bringen. Aber bald nahm er ihn wieder zurück, und nun verabschiedete er sich mit zärtlichen Worten von dem Gekreuzigten wie vorher von dem Eucharistischen Heiland.

Zwölf Schläge tönen vom Glockenturm. Der Sterbende sagt: „Bruder *Diego,* geben Sie ein Zeichen, daß man zur Mette läuten soll, denn es ist schon an der Zeit". *Francisco Garcia,* der Glöckner für die Woche, geht hinaus. Johannes hört den Klang der Glocke und spricht, mit dem Kreuz in der Hand: *„In manus tuas, Domine, commendo spiritum meum".* Ein Abschiedsblick auf die Anwesenden,

---

[104] P. Bruno, *Vie d'Amour,* S. 264.
[105] Die Anrede für den Provinzial in unserm Orden.

ein letzter Kuß dem Gekreuzigten — dann steht er vor dem Throne Gottes, um mit den himmlischen Chören die Mette zu beten.

Ist nun dieses Sterben nicht etwas von der göttlichen Freiheit, mit der Jesus Christus am Kreuz das Haupt neigte? Und wie an jenem ersten Karfreitag Zeichen und Wunder verkündeten, daß er wahrhaft Gottes Sohn war, der am Kreuz starb, so legt auch jetzt der Himmel dafür Zeugnis ab, daß ein guter und getreuer Knecht eingegangen ist in die Freude seines Herrn.

Zwischen neun und zehn Uhr abends, als sich nach dem Wunsch des Heiligen die meisten zur Ruhe begeben hatten, war Bruder *Francisco Garcia* an das Kopfende des Bettes gekommen und hatte sich zwischen Bett und Wand niedergelassen, um seinen Rosenkranz zu beten. Dabei kam ihm der Gedanke, es könnte ihm vielleicht die Freude zuteilwerden, etwas von dem zu sehen, was der Heilige sehe. Während des Psalmengebetes der Patres sah er plötzlich eine Lichtkugel zwischen der Decke der Zelle und dem Fußende des Bettes erglänzen. Sie leuchtete so hell, daß sie die vierzehn oder fünfzehn Lampen der Mönche und die fünf Kerzen auf dem Altar verdunkelte. Als der Heilige unbemerkt hinüberging, hielt Bruder *Diego* ihn in den Armen. Und er sah auf einmal einen Lichtglanz um das Bett. „Er glänzte wie die Sonne und der Mond, die Lichter auf dem Altar und die beiden Kerzen, die in der Zelle waren, schienen, wie von einer Wolke umgeben, kein Licht mehr zu geben". Nun erst bemerkte Diego, daß der Heilige in seinen Armen ohne Leben war. „Unser Vater ist in diesem Licht in den Himmel gegangen", sagte er zu den Anwesenden. Als er dann zusammen mit P. *Francsicus* und Fr. *Matthaeus* den heiligen Leib zurechtlegte, strömte ein süßer Duft davon aus [106].

---

[106] Der ganze Bericht über den Tod ist im Anschluß an P..Bruno, *Saint Jean*, S. 361 ff. gegeben. Die Anmerkungen dazu bringen z.T. wörtliche Berichte aus den Zeugenaussagen.

NACHWORT

§ 1. BIOGRAPHISCHER ABRISS

Edith *Stein* wurde am 12. Oktober 1891 zu Breslau geboren. Nachdem sie daselbst ihre Gymnasialstudien vollendet hatte, studierte sie von Oktober 1911 bis Ostern 1913 an der Universität Breslau, dann weitere vier Semester an der Universität Göttingen Philosophie, Psychologie, Geschichte und Germanistik. Januar 1915 bestand sie in Göttingen das Staatsexamen *pro facultate docendi* in philosophischer Propädeutik, Geschichte und Deutsch. Nach kurzer Lehrtätigkeit im Breslauer Schuldienst und Promovierung zum Dr. phil. an der Universität Freiburg im Sommer 1916, übersiedelte sie schließlich nach Freiburg i.Br., um dort als Assistentin ihres Lehrers E. *Husserl* zu arbeiten.

Von 1922-1932 wirkte E. Stein als Lehrerin am Lyzeum und am Lehrerinnenseminar der Dominikanerinnen von Sankt Magdalena zu Speyer. 1932 erhielt sie einen Ruf als Dozentin an das Deutsche Institut für wissenschaftliche Pädagogik zu Münster, eine Stellung, die sie infolge ihrer jüdischen Abstammung durch den nationalsozialistischen Umsturz 1933 verlor. Während der Jahre um 1928-1933 entfaltete sie gleichzeitig eine rege Tätigkeit als Vortragende auf pädagogischen Studientagen und Kongressen im In- und Ausland. Auch fallen in diese Zeitspanne die Publikationen im Jahrbuch für Philosophie und Phänomenologische Forschung sowie auch die Übersetzungen von *Thomas von Aquino* und *Newman,* die ihren philosophischen Ruf in der breiten Öffentlichkeit festigten.

Der tiefere Sinn des bisherigen und des weiteren Verlaufs dieses Lebensweges wird aus der religiösen Entwicklung E. Steins offenbar. Als Kind jüdischer Eltern im lebendigen mosaischen Glauben erzogen, sah E. Stein im 30. Lebensjahr ihre Schritte durch die göttliche Vorsehung zur katholischen Kirche gelenkt. Bei ihrem Übertritt am

Neujahrstag 1922 erhielt sie in der Taufe den Namen Teresia. Nun, am 15. April 1934, verließ sie auf der Höhe eigenen phänomenologischen und psychologisch-pädagogischen Forschens und Lehrens die weltliche Laufbahn, um — einem lang gehegten Wunsch folgend — in den Karmel zu Köln-Lindenthal einzutreten.

Mit Rücksicht auf die drohenden Verfolgungen durch den Nationalsozialismus wurde die nunmehrige Schw. *Teresia Benedicta a Cruce* am 31.12.1938 durch die kirchlichen Behörden nach dem holländischen Karmel zu Echt versetzt. Daselbst lebte und wirkte sie bis zu ihrer Verhaftung durch die Geheime Deutsche Staatspolizei am 2. August 1942. Nach kurzer Internierung im Konzentrationslager zu Westerbork (Drente, Holland) erfolgte am 7. August 1942 ihre Deportation nach Auschwitz (Schlesien), wo sie um den 10. August 1942 in oder in der Umgebung von Auschwitz vergast und danach verbrannt wurde [1].

LITERATUR: T. Renata de Spiritu Sancto, *Edith Stein. Schwester T. Benedicta a Cruce. Philosophin und Karmelitin. Ein Lebensbild, gewonnen aus Erinnerungen und Briefen,* Nürnberg 1948. G. Krabbel, *Selig sind des Friedens Wächter,* Münster 1948. E. Biberstein, *Biographische Notizen,* Aufzeichnungen über ihre Schwester E. Stein, die Mrs. Biberstein liebenswürdigerweise zur Verfügung stellte. E. Stein, *Zum Problem der Einfühlung.* Inaugural-Dissertation, Halle 1917 (Lebenslauf). E. Stein, *Selbstbiographie,* handgeschriebenes Manuskript im Besitz des Husserl-Archivs. Briefwechsel E. Stein (Briefe von und an E. Stein) und Briefwechsel E. Husserl (Briefe von und an Husserl), Autographe im Besitz des Husserl-Archivs.

§ 2. AUFBAU UND ZIELSTELLUNG DES WERKES

Mit der vorliegenden Studie über den hl. Johannes vom Kreuz liegt uns das letzte Werk vor, das E. Stein zu schreiben vergönnt war. Sie arbeitete noch an seiner Vollendung, als sie am 2. August 1942 verhaftet wurde.

Bei der Sichtung des Nachlasses, insofern er aus den Trümmern des Klosters zu Herkenbosch gerettet werden konnte [2], fanden wir im Zusammenhang mit diesem Werk die folgenden Papiere auf:

---

[1] Siehe im Besitz des Husserl-Archivs die diesbezüglichen beglaubigten Dokumente des holländischen Roten Kreuzes.

[2] E. Stein hinterließ im Karmel zu Echt eine umfangreiche Bibliothek eigener Schriften und Manuskripte, die die Mitschwestern in einem benachbarten Kloster zu Herkenbosch verbargen. Nach der Zerstörung dieses Klosters bei einem Fliegerangriff Ende 1944 konnte S.H. P. *Avertanus,* damaliger Provinzial der Unbeschuh-

in *Handschrift*:

a) das Hauptmanuskript, bestehend aus einem unvollständigen Inhaltsverzeichnis, einem Vorwort, einer Einleitung, zwei vollständigen Teilen und einem unvollständigen dritten Teil;
b) Vorentwürfe zum Inhaltsverzeichnis;
c) ausgeschaltete Blätter;
d) Exzerpte aus Literatur über den hl. *Johannes vom Kreuz* und mystischer Literatur, die im Hauptmanuskript erwähnt wird (s. Bibliographie).

BESCHREIBUNG DES HAUPTMANUSKRIPTS [3]:

Papier: Einzelblätter 22 × 17.
Schrift: Lateinschrift, Tinte, Blätter größtenteils zweiseitig beschrieben.
Seitennummerung:

Inhalt	: S. I-IV.
Vorwort	: S. I-III.
Einleitung	: S. 1-10.
1. Teil	: S. 10-14, 14a-45.
2. Teil	: S. 46-258, 258a-259$^{0-6}$, 260-310, 310a, b, 311-444.
3. Teil	: S. 391-464.

Den Einschüben im 2. Teil entsprechend, unterlag die Seitennummerung des
2. Teils zweimaliger Veränderung, die im 3. Teil jedoch nicht mehr durchgeführt wurde. In Übereinstimmung mit dem Abschluß des 2. Teils auf S. 390
nach alter Seitenzählung beginnt die alte, nicht verbesserte Seitenzählung des
3. Teils mit S. 391.

In *Maschinenschrift*:

a) die erste Abschrift und einen Durchschlag: S. 1-108 mit Abschrift (Durchschlag) der entsprechenden Abschnitte des Inhaltsverzeichnisses; vgl. im Hauptmanuskript: S. 1-177;
b) einen Durchschlag: S. 48-108, identisch mit obiger Abschrift.
Abschrift und Durchschläge tragen Korrekturen von Steins Hand.

---

ten Karmeliten, die Mehrzahl der Steinschen Papiere aus den Trümmern des Klosters retten. Die Intitiative zu diesem persönlichen Eingreifen ist S.H. P. Prof. H. L.
Van Breda O.F.M., dem Direktor des Husserl-Archivs, zu danken, wodurch auch
in weiterer Folge dieser viele tausende Blätter umfassende geistige Nachlaß E. Steins
dem Archivar des Husserl-Archivs, Dr. L. *Gelber*, zur Rekonstruktion und wissen-
schaftlichen Auswertung anvertraut werden konnte.
    Wenn an dieser oder späterer Stelle von Manuskripten E. Steins gesprochen
wird, die sich im Besitz des Husserl-Archivs befinden, so ist das dahin zu verstehen, daß es sich um Manuskripte aus dem oben erwähnten Nachlaß handelt. Die
Autorenrechte dieser Werke stehen ausschließlich dem holländischen Provinzial
der Unbeschuhten Karmeliten zu.
    Siehe auch den Aufsatz von S.H. P. *Romaeus Leuven* O.C.D. über Edith Stein
in der holländischen Zeitschrift *Carmel*, April 1949.
[3] Im Besitz des Husserl-Archivs.

Der Grundplan des Werkes, obwohl im Inhaltsverzeichnis nicht vollständig angezeigt, ist aus dem Hauptmanuskript selbst weitgehend zu rekonstruieren. Beabsichtigt ist eine Gliederung des Stoffes in drei Teile, eingeführt durch eine Einleitung und, es darf als wahrscheinlich angenommen werden, beschlossen von einem Schlußwort. Hiervon liegen, wie aus der obigen Beschreibung des Hauptmanuskripts ersichtlich ist, ausgearbeitet vor:

Einleitung: Sinn und Entstehungsgrundlagen der Kreuzeswissenschaft
I. Kreuzesbotschaft
II. Kreuzeslehre
III. Kreuzesnachfolge als Fragment

Während uns — im Text angezeigt [4] und als Inhaltsverzeichnis zusammengefaßt — für den ersten und zweiten Teil eine vollständige Gliederung in Paragraphen gegeben ist, besitzen wir keine Hinweise auf die Gliederung des dritten Teils. Weder Text noch Inhaltsverzeichnis des Manuskriptes, noch andere im Nachlaß befindliche Skizzen geben über den geplanten Aufbau dieses Teils Auskunft.

Gleiches gilt für Aufschrift und Gliederung des Schlußwortes, das man, wie bereits erwähnt, als Zusammenfassung des Stoffes und Bestätigung der Leitgedanken voraussetzen darf.

Die Zielstellung des Werkes ist zweifacher Art: einerseits will E. Stein in gleichzeitiger Betrachtung der Schriften des hl. Vaters, seines Lebensweges und der Entwicklung seiner Persönlichkeit darlegen, daß Leben und Schriften des hl. *Johannes vom Kreuz* zu einer Einheit im Zeichen des Kreuzes verschmelzen; andererseits versucht die Autorin auf Grund dieser Betrachtungen die Gesetze geistigen Seins und Lebens zu deuten.

Die Analyse und die vergleichende Gegenüberstellung der Schriften fußen auf einer gründlichen Kenntnis des gesamten Schaffens des hl. Johannes und der eischlägigen Fachliteratur [5]. Zur Auslegung der Lehre werden im besonderen die folgenden Werke als Quellenmaterial herangezogen:

---

[4] Mit Ausnahme der Gliederungsbezeichnungen 2 b), 2 c) und 2 d) in Teil II, § 3, die allein im Inhaltsverzeichnis angezeigt sind. Sie wurden von den Herausgebern dem Gedankengang entsprechend, im Text ergänzt.

[5] Siehe die Bibliographie und im Folgenden die Bemerkungen über E. Steins innere Vorbereitung zur Konzeption dieses Werkes.

Dichtungen:

> *Geistlicher Gesang*
> *Gesang von der dunklen Nacht*
> *Gesang vom dreifaltigen Quell*
> *Lied vom Hirten*
> *Ohn' in mir zu leben, leb' ich*

Leitsätze und Denksprüche:

> *Vier Winke für einen Ordensmann*
> *Leitsätze und Denksprüche aus der Handschrift von*
> *Andujar*

Briefe

Abhandlungen:

> *Aufstieg zum Berge Karmel*
> *Dunkle Nacht*
> *Geistlicher Gesang*
> *Lebendige Liebesflamme*
> *Abhandlung über die dunkle positive und negative*
> *Gotteserkenntnis*

Aus der analytisch-synthetischen Methode der Untersuchung wird offenbar, daß E. Stein im und durch das Studium des Schaffens, Wirkens, Lehrens und Leidens des hl. Johannes zur Formulierung der Kernsätze der Kreuzeswissenschaft gelangt. Dies sind demzufolge nicht der Ausdruck vorgefaßter Ideen, zu deren Rechtfertigung oder Verdeutlichung der vorliegende Stoff herangezogen wird, sondern dem Stoff eigene Früchte [6]: E. Stein kristallisiert die Kreuzeswissenschaft durch schrittweises Zusammenfassen und Deuten aus der Lehre und dem Leben des hl. Vaters.

Durch die Entfaltung des mystischen Gedankengutes wird die Verfasserin jedoch zu selbständigem Schaffen angeregt. Unter dem Diktat dieses charakteristischen Zuges ihrer Persönlichkeit [7] verläßt die große Tochter des Ordensvaters die ursprünglich eingenommene Haltung des ausschließlich einfühlenden Nachschaffens, um seine Kreuzeslehre zu einer Philosophie der Person auszubauen. In skizzenhafter Zusammenfassung der Grundgesetze geistigen Seins [8] werden im besonderen Fragen betreffs Wesen und Bestimmung der mensch-

---

[6] Zur objektiven Erhellung dieser Sachlage verweisen wir nach den folgenden Absätzen des Werkes: S. 3 f., 26 f., 30, 144, 157 fff., 243. Durch die Lektüre dieser Absätze kann der Leser einen allgemeinen Einblick in die Zielrichtung und das Ergebnis der Steinschen Analysen gewinnen.

[7] Siehe *E. Steins Werke*, Bd. II: *Endliches und Ewiges Sein*, Vorwort, S. XI.

[8] E. Stein selbst verweist S. 136, Anm. 118 nach den ausführlichen Darlegungen in *Endliches und Ewiges Sein*.

lichen Persönlichkeit erörtert: Ich, Freiheit und Person einerseits; Geist, Glaube und Beschauung andererseits[9].

§ 3. ERHELLUNG DES SCHAFFENSPROZESSES

Der Schaffensprozeß bleibt im allgemeinen das Geheimnis des Autors. Das Schaffensprodukt, formal vollendet in Maschinen- oder Druckschrift, verrät wenig oder nichts über den Werdegang des Gedankengebäudes und seiner Darstellung. Überdies verwischen sich in der endgültigen Fassung durch die innere und äußere Vollendung des Werkes, dem Grad dieser Vollendung entsprechend, die Züge seiner Entstehungsgeschichte.

Vom Standpunkt der Bewertung des Schaffensprodukts ist es gerechtfertigt, allein seine letzliche Form als vollgültig anzuerkennen, demgegenüber Bemühungen, den Schleier des Geheimnisses um seinen Werdegang zu lüften, als sachlich wertlos, persönlich indiskret abzulehnen. Anders stellt sich die Frage gegenüber den Aufgaben: Rekonstruktion eines nachgelassenen Manuskriptes, dessen Blätter verstreut teils in der geistlichen Heimstätte der Autorin zurückgefunden, teils aus den Trümmern eines benachbarten Klosters aufgelesen werden konnten; und Rekonstruktion des geistigen Portraits der Autorin selbst, die, frühvollendet im Opfertod der Deportation, von den Trümmern unseres Zeitalters begraben wurde. Hier kann ausschließlich der Einblick in den Schaffensprozeß Auskunft geben über die Konzeption des Werkes und über den Grad seiner Vollendung. Zugleich liefern das inhaltliche und formale Studium der Aufzeichnungen sowie die Auswertung der Skizzen und Notizen Anhaltspunkte für die Umreißung des geistigen Portraits E. Steins in ihrer letzten Lebens- und Schaffensperiode.

Im besonderen waren er drei *formale* Merkmale, die in dem vorliegenden Manuskript den Weg zur Erforschung des Schaffensprozesses wiesen: das Schriftbild, die Ausschaltung von Blättern und die zweifache Abänderung der Seitenzählung.

Das Schriftbild ist in dreifacher Hinsicht aufschlußreich für den Nachweis und die chronologische Ordnung der Schaffensstadien: Feder, Tinte (Fluß und Farbe), Schrift (Größe und Duktus). Aus den verschiedenen Verbindungen, in denen diese Merkmale in Erscheinung treten, heben zich zwei Typen des Schriftbildes voneinander ab, von denen sich das, wie wir später erkennen werden, chronologisch ältere Schriftbild unter zwei Aspekten darstellt:

[9] Siehe S. 3.

Schriftbild I a) Feder: Füllfeder: spitz - weich

Tinte	Fluß:	schwach
	Farbe:	grünlich - bläulich
Schrift	Größe:	sehr klein - klein
	Duktus:	zart / ohne Druckakzente

b) Feder: Füllfeder: spitz - weich

Tinte	Fluß:	schwankend: schwach - normal
	Farbe:	schwankend: grauschwarz - schwarz
Schrift	Größe:	klein - mittelgroß
	Duktus:	zart / Druckakzente

Schriftbild II Feder: Füllfeder: breit - weich

Tinte	Fluß:	normal
	Farbe:	wässerig / grünlich - bläulich, vereinzelte Worte (Buchstaben) grauschwarz
Schrift	Größe:	mittelgroß
	Duktus:	kräftig / Druckakzente

Für beide Schriftbilder charakteristisch sind starke und häufige Schwankungen zwischen gleichmäßiger, kalligraphischer Federführung einerseits und ungleichmäßiger, zunehmend flüchtiger Federführung andererseits. In noch hervorstechenderer Weise treten diese Schwankungen in der globalen Betrachtung des Blattspiegels hervor. Sie legen als psychologische Deutung im ersteren Fall eine Arbeitsweise in ausgeglichener Verfassung nahe, im letzteren hingegen eine stark nervöse Haltung, sei es infolge des übermäßig raschen Fluges der Gedanken, sei es infolge nerflicher Überreizung.

Stellt sich nun die Frage der chronologischen Bestimmung der Schriftbilder, inhaltlich und formal, im Zuge der Ausarbeitung des Werkes und im Rahmen der einzelnen Seiten. Dieser Vergleich der Manuskriptblätter führt zu dem folgenden Ergebnis:

1. In der Niederschrift des Textkerns finden sich alle Schriftbilder vertreten.

2. Korrekturen im Textkern, geschrieben im Schriftbild I, tragen stets den Charakter des Schriftbildes Ib oder der Schriftbildes II.

3. Ergänzungen im Textkern, geschrieben im Schriftbild I, tragen, insofern es sich um Anmerkungen, Umarbeitungen oder Einschübe längerer Abschnitte handelt, die Züge des Schriftbildes Ib oder des Schriftbildes II; insofern es am Rand angezeigte Gliederungsbezeichnungen und Überschriften sind, ausschließlich die Züge des Schriftbildes II.

4. Nirgends finden sich umgekehrt im Textkern, geschrieben im Schriftbild II, Korrekturen oder Ergänzungen in einem der Aspekte des Schriftbildes I.

Hieraus folgt: Zum ersten ist Schriftbild I einem chronologisch dem Schriftbild II voraufgehenden Schaffensstadium zuzuordnen. Zum zweiten ist den beiden Aspekten des Schriftbildes I chronologische Bedeutung beizumessen: das Schriftbild Ia geht dem Schriftbild Ib voraus.

Die ausgeschalteten Blätter konnten durch Nachweis des dem Wortlaut nach entsprechenden Textabbruchs oder der dem Sinngehalt entsprechenden Einsatzstellen eindeutig identifiziert werden. Dadurch wurde sowohl ihre Zugehörigkeit zu dem vorliegenden Werk als auch ihre ursprüngliche Position im Manuskript vor ihrer Ausschaltung oder Umarbeitung festgestellt. Im Zuge dieser Prüfung von Textübergängen konnte gleichzeitig ermittelt werden, daß die Zahl der erhaltenen ausgeschalteten Blätter keineswegs der Gesamtzahl der im Laufe des Schaffensprozesses ausgeschalteten Blätter gleichzusetzen ist. Uns erhalten sind insgesamt rund 40 Blätter, ihrer einstigen Stellung nach zugehörig zum Inhaltsverzeichnis, zur Einleitung und zu den beiden ersten Teilen des Werkes. Im Rahmen des Inhaltsverzeichnisses und der Einleitung finden sich Belege für zweimalige Ausschaltung von Blättern, resp, zweimalige Umarbeitung der betreffenden Textstellen [10]. Hinsichtlich Federführung finden sich alle Schriftbilder vertreten, doch weist die Mehrzahl der Blätter das Schriftbild Ia auf. Die Beschreibung und Einordnung der erhaltenen ausgeschalteten Blätter ist aus der nebenstehenden Tabelle ersichtlich [11]. Aus dieser Gegenüberstellung der ungültigen Blätter und der entsprechenden Abschnitte des Manuskripts kann auch abgelesen werden: die chronologische Ordnung der Blätter; das chronologische Verhältnis der Schriftbilder zueinander.

Die Abänderung der Seitenzählung ist unter zwei Gesichtspunkten zu betrachten: dem Zahlenbild und dem Schriftbild.

Für das Zahlenbild ist kennzeichnend: die Zahl selbst wird verändert und zwar stets erhöht; demgegenüber bleibt die ursprüngliche Folge der Blätter unverändert. Mit anderen Worten: den ausgeschal-

---

[10] Der Vergleich der ausgeschalteten Blätter untereinander und mit dem teils gültigen, teils durchstrichenen Textlaut des Manuskriptes ergibt jedoch, daß auch S. 43-46 des ersten Teils zweimaliger Umarbeitung unterlag.

[11] Die Blätter wurden aufgefunden: als lose Blätter; in einem eigenen Umschlag vereinigt als Anhang des Manuskripts; dem Manuskript selbst einverleibt. Im letzteren Fall sind sie auf der Rückseite oder auf einem Teil des Blattspiegels mit noch gültigem Text beschrieben. Beweise der Ausschaltung: alle losen Blätter und ca. die Hälfte der anderen Blätter sind von Steins Hand als ungültig durchstrichen; Seitenzählung des Manuskripts und Korrekturen an den Einsatzstellen weisen auf Ausschaltung der Blätter hin; ihr Inhalt erscheint absorbiert im Text des Manuskripts.

AUSGESCHALTETE BLÄTTER
(erb. ausg. Bl.: alte Seitenzählung)

MANUSKRIPT
(letztgültige Seitenzählung)

=

Schriftbild:

AUSGESCHALTETE BLÄTTER			MANUSKRIPT		
1a	1b	II	1a	1b	II
Inhaltsverz., S. 1–2	Inhaltsverz., S. 2–3				Inhaltsverz., S. I–III
S. 1–5 / S. 2				Einleitung, S. 1–9	
S. 8–13				Einl. – 1.T., S. 9–14	
S. 17–19				1.Teil, S. 17–19	
nicht erhalten				1.Teil, S. 21–24	
S. 24a, b				1.Teil, S. 25–27	
nicht erhalten				1.Teil, S. 28	
S. 36–43				1.Teil, S. 39–46	
S. 139b, c / S. 141 / unnummeriertes Blatt				2.Teil, S. 141–144	
S. 215–216 / S. 218–219					2.Teil, S. 215–220
nicht erhalten					2.Teil, S. 256
S. 256					2.Teil, S. 257–258
nicht erhalten					2.Teil, S. 259 $^{0-6}$
		S. 260–267 nicht erhalten		2.Teil, S. 251	2.Teil, S. 260–305
S. 317–320				2.Teil, S. 367–370	
S. 325–340				2.Teil, S. 375–394	
	S. 417			3.Teil, S. 417–430	3.Teil, S. 430–432

teten Blättern entsprechen erweiterte Texteinschübe an den entsprechenden Stellen des Manuskripts.

Hinsichtlich Schriftbild heben sich folgende Grundtypen der Schreibweise ab:

Bleistift I,   verwandt: Schriftbild I
Bleistift II, verwandt: Schriftbild II
Rotstift,   verwandt: Schriftbild II
Tinte,   Schriftbild Ib
Tinte,   Schriftbild II

Diese Grundtypen treten in mannigfaltigen Kombinationen in Erscheinung, die im Vergleich ihrer gegenseitigen Überlagerung oder Aufeinanderfolge eine chronologische Klassifizierung des Schriftbildes zulassen. In Übereinstimmung mit dem aus der zeitlichen Bestimmung des laufenden Textes gewonnenen Ergebnis gruppieren sie sich im Sinne dreier Arbeitsphasen, deren letzte im Zuge der Überarbeitung die beiden vorhergehenden abermals revidiert. So spiegelt die Seitenzählung in ihren verschiedenen Aspekten des Schriftbildes den Schaffensprozeß in drei Stadien gegliedert wieder:

Stadium I   : Bleistift I

Stadium II   : Tinte, Schriftbild Ib (Abk. Tinte Ib)
                Bleistift I, korrigiert in Tinte Ib

Stadium III [12] : Tinte, Schriftbild II (Abk. Tinte II)
                Bleistift I, korrigiert in Tinte II
                Tinte Ib, korrigiert in Tinte II
                Tinte II, korrigiert in Tinte II
                Bleistift I, zweifach korrigiert in Tinte II
                Bleistift I, zweifach korrigiert in Tinte II; letztgültige
                            Seitenzahl wiederholt in Rotstift
                Bleistift I, korrigiert in Rotstift
                Bleistift II
                Bleistift I, korrigiert in Bleistift II
                Bleistift II, korrigiert in Rotstift

---

[12] Zur zeitlichen Abgrenzung der innerhalb dieses Stadiums verwendeten Grundtypen: Der Rotstift dient stellenweise als Hilfsmittel bei der obenerwähnten Revision (Angabe der definitiven Seitenzahl). Demgegenüber wird er auch zur definitiv nicht gültigen Veränderung der Zählung verwendet, die an diesen Stellen in letztlich richtiger Weise in Bleistift II angezeigt ist.

Umgekehrt erscheint die Type Bleistift II als einzige und endgültige Anzeige der Seitenzahl, als endgültige Korrektur von Bleistift I, als gültige Basis oder als ungültige Vorstufe zu der in Tinte II oder in Rotstift angezeigten Nummerung.

Sowohl Rotstift als auch Bleistift II sind nur in den späteren Abschnitten des Manuskripts anzutreffen (ab 2. Teil, S. 344).

Diese komplexe Situation läßt die Vermutung zu: Bleistift II bildet die Vorstufe oder Basis, der Rotstift die Vorstufe oder Verdeutlichung der in der abermaligen Revision begonnenen, jedoch nicht beendeten Seitenzählung in Tinte II.

Für das erste Stadium ist demnach die Grundtype Bleistift I charakteristisch; für das zweite Stadium die Grundtype Tinte Ib. Im dritten Stadium wird die Seitenzählung im Aspekt des Schriftbildes II in Tinte, Blei- oder Rotstift geschrieben.

Wir haben im Vorhergehenden die formalen Merkmale: Schriftbild, Ausschaltung von Blättern und Abänderung der Seitenzählung näher umschrieben. Hieraus ergab sich die Möglichkeit, jedes der Merkmale auch chronologisch zu bestimmen. In Zusammenfassung dieser von verschiedenen Standpunten aus gewonnenen zeitlichen Anhaltspunkte erscheint die Hypothese einer Gliederung des Schaffensprozesses in drei Schaffensstadien begründet:

Schaffensstadium I : Entwurf in Schriftbild Ia.
Blätter dieses Entwurfes können im Inhaltsverzeichnis, in der Einleitung, im 1. und 2. Teil bis S. 375 des Manuskripts nachgewiesen werden.

Schaffensstadium II : Überarbeitung und Fortsetzung des Entwurfes in Schriftbild Ib.
Die Überarbeitung erstreckt sich über den gesamten Entwurf. Sie ist formal aus Verbesserungen im Blattspiegel und aus dem Einschub neugeschriebener Abschnitte oder Blätter ersichtlich.
Die Fortsetzung des Entwurfes gedeiht bis zur Vollendung des 2. Teils und zur Niederschrift des 3. Teils bis S. 344 des Manuskripts.

Schaffensstadium IIIa: Abermalige, teilweise zweifache Überarbeitung und Fortsetzung der im vorhergehenden Stadium revidierten Fassung des Entwurfes.
Die Überarbeitung betrifft in erster Linie: den 2. Teil ab ca. S. 200 bis ca. S. 358 des Manuskripts; das Inhaltsverzeichnis; Fußnoten und Gliederungsbezeichnungen im Text.
Als Fortsetzung werden neu entworfen: S. 444-464 des 3. Teils und das Vorwort.

Schaffensstadium IIIb: Durchsicht dieser letztgültigen Fassung mit Eintragung vereinzelter Korrekturen und Ergänzungen [13].

---

[13] Als Schriftbild erscheint hier eine Variante des Schriftbildes II, die entweder die Tintenfarbe oder die Schriftgröße betrifft: Schriftbild II ist in der für Schriftbild Ib charakteristischen schwarzen Tintenfarbe oder mittleren Schriftgröße geschrieben. Die Eintragungen finden sich sowohl in Schriftbild II als auch in Schriftbild Ib.

Das Schaffen bricht mit der im dritten Stadium vollendeten Beschreibung des Todes des hl. Johannes vom Kreuz ab. Der Schlußabschnitt, der zweifellos gedanklich bereits konzipiert war, konnte nicht mehr schriftlich niedergelegt werden. Ebensowenig konnten als nächstfolgende und letzte Arbeitsetappe durchgeführt werden: die Ergänzung des Inhaltsverzeichnisses in Hinsicht auf den 3. Teil, die Durchsicht der neugeschriebenen Blätter und die Angleichung der Seitenzählung des 3. Teils an die des 2. Teils in ihrer letztgültigen Fassung.

Unter der Voraussetzung der Tragkraft dieser Hypothese ergeben sich im vergleichenden Studium der Schaffensstadien:

1. Als *inhaltliche* Merkmale des Schaffensprozesses:

—Dem Aufbau des Werkes liegt von Beginn an eine feste, das ganze Werk umspannende Konzeption zugrunde. Die Umarbeitungen tasten niemals den Grundriß des Gedankengebäudes an, sondern beschränken sich auf Änderungen im Rahmen der Untergliederung: tiefergreifende Stufung der Gliederung, Ergänzung von Untergliedern, Umstellung in der Gleich- oder Unterordnung der Glieder.

—Die Umarbeitungen scheiden sich ihrer Zielstellung nach in zwei Gruppen:
einerseits Umarbeitungen, die der technischen Feilung, der stilistischen Vervollkommnung oder der erhöhten Klarheit der Darstellung dienen; sie erscheinen unter den Schriftbildern Ib oder II, sind demnach Produkte des zweiten und dritten Schaffensstadiums;
andererseits Umarbeitungen, die der Entwicklung eigener Gedanken Raum geben, die einen Lösungsversuch bisher unentschiedener Fragen und eine persönliche Stellungnahme zur Kreuzeslehre beinhalten; sie sind im Charakter des Schriftbildes II geschrieben, also aus der Schau des letzten (dritten) Schaffensstadiums geboren.

2. Als *zeitliche* Begrenzung der Schaffensstadien:

—Aus dem Papier der Manuskriptblätter: Ein gültiges Blatt der Einleitung im Schriftbild Ib und mehrere ausgeschaltete Blätter der Einleitung im Schriftbild Ia tragen auf der Rückseite die Maschinenkopie eines Textes aus *Wege der Gotteserkenntnis*. Für diese Studie E. Steins konnte bei der Rekonstruktion des Nachlasses ein Imprimatur von September 1941 aufgefunden werden [14]. Ferner ist eine Skizze zum Inhaltsverzeichnis auf der Rückseite eines Briefes vom 23. Dezember 1941 geschrieben.

—Nach Aussage ihrer Mitschwestern aus dem Echter Karmel hat E. Stein bis zum Tage ihrer Verhaftung (2. August 1942) an der Vollendung des vorliegenden Werkes gearbeitet.

---

[14] Siehe *E. Steins Werke*, Bd. VII und *Tijdschrift voor Philosophie*, 8. Jahrg. Nr. 1, Februar 1946.

Auf Grund dieser Angaben läßt sich der Werdegang des Werkes zeitlich begrenzen und gliedern: der Schaffensprozeß umfaßt insgesamt eine Zeitspanne von kaum 9-10 Monaten; er setzt mit dem ersten Schaffensstadium ca. September-Oktober 1941 ein und wird, nahe der Vollendung, im dritten Schaffensstadium am 2. August 1942 abgebrochen. Zusammengedrängt in diesen ungemein kurzen Zeitabschnitt erscheint die Arbeitsleistung nur erklärlich unter Voraussetzung pausenloser, konzentrierter Arbeit an einem virtuell ausgereiften Geistesprodukt. Das bedeutet für die Gliederung des Schaffensprozesses die Annahme einer unmittelbaren Aufeinanderfolge der Schaffensstadien.

Der Rückschluß, daß es sich bei dem vorliegenden Werk um die Niederschrift eines ausgereiften Geistesproduktes handle, legt die Frage nach seiner *inneren Genese* nahe. Wir müssen unseren Blick rückwärts richten. Finden sich in der Entwicklung und im Schaffen E. Steins Hinweise auf die Beschäftigung mit dem Leben und der Lehre des hl. *Johannes?*

Ein erster Hinweis liegt in der religiösen Entwicklung E. Steins. Die Lektüre der Schriften der hl. Teresia veranlaßten sie zum Übertritt in die katholische Kirche, die Ideen der Kreuzeslehre gewannen sie für das karmelitanische Leben [15]. Daß auf dem Hintergrund dieser religiösen Entwicklung ein unablässiges Studium der mystischen Literatur stand, bedarf keiner greifbaren Beweise; das ist selbstverständliche Voraussetzung bei der eigengesetzlichen Denkkraft der Steinschen Persönlichkeit.

Zum zweiten weist die philosophische Entwicklung E. Steins in gleiche Richtung. Nach Anlage und ersten Studien psychologisch-pädagogisch nach der Tiefenpsychologie orientiert, wendet sie sich später der modernen Philosophie zu, mit Spezialisierung in der phänomenologischen Richtung. Hierauf folgt eine Zeitspanne intensiver Arbeit im Rahmen der Soziologie und der Pädagogik, die durch die zunehmende Betonung des religiösen Moments gekennzeichnet ist. Dann tritt eine Wendung des philosophischen Interesses zur Scholastik ein, verbunden mit dem Versuch einer Zusammenschau der scholastischen und der modernen Denkweise. Schließlich treten nach einer Periode des Studiums, der Übersetzung und der Interpretation führender Denker der katholischen Philosophie die zentralen metaphysischen Fragen von religionsphilosophischem Standpunkt aus in den Vordergrund. In organischem Verband mit dieser Entwicklung

---

[15] Siehe im Vorhergehenden den biographischen Abriß.

steht das vorliegende Werk an deren Endpunkt, zugleich am Beginn eines neuen religionsphilosophischen Anstiegs.

Ein dritter Hinweis befindet sich in den Schriften der Autorin. Die innere Vorbereitung zur Konzeption dieser Studie läßt sich in ihrem Schaffen über einen Zeitraum von mehr als zehn Jahren zurückverfolgen. Abgesehen von einem kleinen Aufsatz *Das mystische Sühneleiden. Zum Fest des hl. Johannes vom Kreuz*, wahrscheinlich im Jahre 1934 verfaßt, steht die *Kreuzeswissenschaft* unmittelbar oder mittelbar im Zusammenhang mit: *Aufbau der menschlichen Person* (Manuskript der Vorlesung W.S. 1932/33 am Deutschen Institut für wissenschaftliche Pädagogik, Münster); *Theologische Anthropologie* (unvollendetes Manuskript der nicht mehr ·gehaltenen Vorlesung S.S. 1933); *Über Glauben, Wissen, Erkennen* (Fragment eines Manuskriptes, ca. 1932-33); *Endliches und Ewiges Sein*, 1936; *Wege der Gotteserkenntnis*, 1941 [16]. In der Meisterschaft der Einfühlung und in der analytischen Deutung weist die *Kreuzeswissenschaft* zurück auf: *Zum Problem der Einfühlung* (Dissertation, 1917); *Beiträge zur philosophischen Begründung der Psychologie und Geisteswissenschaften* (*Jahrb. f. Philos. u. Phänom. Forschung*, 1922) [17]. Schließlich zeugt die Übertragung der Gesänge des hl. *Johannes* von der genialen sprachlichen Einfühlungsgabe Steins als Übersetzerin des hl. *Thomas von Aquino* (*Quaestiones disputatae de veritate*, 1931-1932), des *Areopagiten* (Manuskripte: *Briefe des Areopagiten*, ca. 1933; *Himmlische Hierarchie*, ca. 1933; *Kirchliche Hierarchie*, 1934) und Kardinal *Newmans* (*The Idea of a University*, 1933-1934) [18].

§ 4. EDITH STEINS PERSÖNLICHKEIT IM LICHTE DER KREUZESWISSENSCHAFT

Zum Abschluß dieser Betrachtung sei versucht, das geistige Bild der Autorin selbst zu umreißen, so wie es sich in der inneren und äußeren Form des Werkes spiegelt. Klar und widerspruchslos in den

---

[16] Die drei erstgenannten Manuskripte befinden sich im Besitz des Husserl-Archivs; die beiden folgenden Werke s. *E. Steins Werke* und *Tijdschr. v. Philos.*

[17] Der Neudruck dieser Studien im Rahmen der gesammelten Werke ist beabsichtigt.

[18] Die Übersetzung der *Quaestiones disputatae de veritate* erscheint im Neudruck, s. *E. Steins Werke*, Bd. III und IV. Die Manuskripte der im Folgenden genannten Übersetzungen befinden sich im Besitz des Husserl-Archivs; s. *Newman* auch im Theatinerverlag, München 1928.

bedeutenden wie in den nebensächlichen Gegebenheiten fügen sich seine Züge als in seiner Größe und Tragik überragendes Paneel in das Lebensbild der Steinschen Persönlichkeit.

Die Motivierung der Entstehung gerade dieses Werkes zu diesem Zeitpunkt. Zwei Motive lassen sich hierfür anführen: ein äußeres, die 400 jährige Jubiläumsfeier der Geburt des hl. *Johannes vom Kreuz*, dem Begründer des Ordens der Unbeschuhten Karmeliten und dem geistlichen Vater der Unbeschuhten Karmelitinnen; ein inneres, die menschlich-geistliche Situation, in der sich E. Stein durch die nationalsozialistischen Ideen und Maßnahmen und durch die Kriegsereignisse befand.

Im Lichte dieser zwei Motive erscheinen die Wahl des Themas und die Konzeption des Werkes als letzte und höchste geistige Hingabe an die Idee des Ordens; zugleich, in Sublimierung alles menschlichen Leidens, als die endgültige Abkehr vom Leben und die Erhebung über das Endliche. In stufenweisem inneren Aufstieg überwindet E. Stein die Lebensverbundenheit der eigenen Natur, um den Schwerpunkt ihres Seins jenseits der Sphäre irdischer Gewalt und irdischen Wirkens zu verlegen. Die serene Haltung, die inhaltlich und formal aus den im letzten Schaffensstadium geschriebenen Abschnitten spricht, verrät die jenseitige Festigung, damit diesseitige Unantastbarkeit ihrer geistigen Person. Zugleich wird offenbar, daß sie nicht aus Resignation oder Lebensmüdigkeit die Beziehung zur Welt abbricht, sondern aus religiöser Überzeugung und mit dem Einsatz gereifter Lebenskraft. Ihre Seele als Lebensmitte und Ort der mystischen Vereinigung [19] strebt nach der Verankerung in Gott als dem Prinzip und höchsten Ziel alles Lebens.

E. Steins geistlicher Aufstieg. Die Betrachtung der folgenden Zusammenhänge kann diese Frage erhellen:

Es werden Probleme aufgeworfen, die eine Erweiterung der ursprünglichen Zielstellung bewirken; durch ihre Behandlung baut die Autorin das Gedankengebäude des hl. Vaters aus und fort.

Die Analyse der *Nacht*, des *Aufstiegs*, der *Vereinigung* usw. ist nicht logisch-deduktiv, sondern einfühlend-induktiv durchgeführt.

Das Lebensbild E. Steins, insbesondere das des letzten Jahrzehntes, steht im Zeichen der Kreuzeswissenschaft und liefert das Vorbild für deren, nach Steinscher Interpretation grundlegende Idee: Einheit von Lehre und Leben.

---

[19] Siehe *Kreuzeswissenschaft*, Teil II, § 2 (3b) und *Endliches und Ewiges Sein*, Kap. VII.

Dies alles setzt Meisterschaft voraus: objektive Meisterschaft in Beherrschung der Problemstellung; subjektive Meisterschaft durch Aufstieg zum Ziel auf dem Wege des Kreuzes. E. Stein hat sie als geistliche Tochter des hl. Johannes errungen. Und darum sind ihre Worte über den Ordensvater rückbezüglich auf sie selbst:

„Wenn der Dichter in den farbenglühenden Bildern des alttestamentlichen Sängers reichliche Anregung fand, so konnte der Theologe noch aus einer andern ergiebigen Quelle schöpfen. Die Seele eins mit Christus, lebend von Seinem Leben — aber nur in der Hingabe an den Gekreuzigten, nur wenn sie den ganzen Kreuzweg mit Ihm gegangen ist: das ist nirgends klarer und eindringlicher ausgesprochen als in der Botschaft des hl. *Paulus*. Er hat schon eine ausgebildete *Kreuzeswissenschaft*, eine *Theologie des Kreuzes aus innerster Erfahrung*".

„.... So können auch wir nur mit heiliger Scheu diesen göttlichen Geheimnissen im Innersten einer auserwählten Seele nahen. Nachdem einmal der Schleier gelüftet wurde, ist es aber nicht erlaubt, davon zu schweigen. Wir haben ja hier das vor uns, was *Aufstieg* und *Nacht* — so wie sie uns vorliegen — uns schuldig geblieben sind: die Seele am Ziel des langen Kreuzwegs, in der beseligenden Vereinigung.

Es wurde früher gesagt, daß .... die .... Schriften offenbar von jemandem verfaßt sind, der bereits am Ziel angelangt ist"[20].

E. Steins religiöse und philosophische Blickrichtung. In der Perspektive welcher Leitgedanken wird die Autorin von der Gestalt des hl. Johannes und seiner Lehre ergriffen und greift sie ihrerseits das Thema auf? Ihr Interesse zu diesem Zeitpunkt ist in erster Linie der Auseinandersetzung mit den Kernproblemen der Kreuzeswissenschaft zugewandt: Aufstieg der Seele zu Gott durch Kreuzigung in der aktiven und passiven Nacht und bräutliche Vereinigung der Seele mit Gott. Im Zusammenhang hiermit findet sie neues Gedankengut zur Herausarbeitung einer Philosophie der Person, dem Leitmotiv des Steinschen Forschens und Schaffens. Durch die Dualität der menschlichen Person (Leibgebundenheit des Geistes, Freiheit des Willens) wendet sich ihr forschender Blick in weiterer Folge der metaphysischen Forderung nach Wahrheit zu: der Einheit zwischen phillosophischer Erkenntnis und Weltanschauung einerseits, der Einheit zwischen Lehre und Leben, d.h. Leben im Sinne der Lehre, andererseits.

---

[20] Siehe *Kreuzeswissenschaft*, S. 14 u. 167.

Im Dienste des Herrn und zur Verherrlichung des karmelitanischen Ordensvaters, Johannes vom Kreuz, begann E. Stein dieses Werk. Vor seiner Vollendung jedoch wurde sie nach höherem Ratschluß berufen, um als Opfer zerstörender Menschenhand das Vorbild der Kreuzeslehre durch die Tat zu stellen. Sie hinterließ, im Kreuzweg frühvollendet, ihre Darlegung der Kreuzeswissenschaft unvollendet als letztes Vermächtnis.

Durch die Herausgabe der *Kreuzeswissenschaft* sei versucht, dieses Werk formal zu beenden und damit die Tat der Verewigten durch ihr Wort zu ergänzen. Menschenhand wird so die Gnade zuteil, die Einheit zwischen Lehre und Leben wiederherzustellen und die lebendige Kreuzeswissenschaft zu vollenden des hl. Vaters *Johannes vom Kreuz* und seiner Tochter *Teresia Benedicta a Cruce*.

Dr. L. Gelber

BIBLIOGRAPHIE [1]

BARUZI, J., *Saint Jean de la Croix et le problème de l'expérience mystique.*- Paris 1931. (Abkürzung: J. BARUZI, *Saint Jean*)

BROUWER, J., *De achtergrond der Spaansche mystiek.*- Zutphen 1935.

BRUNO DE JESU MARIA, *Vie d'amour de Saint Jean de la Croix.*- Paris 1936. (Abkürzung: P. BRUNO, *Vie d'amour*)
BRUNO DE JESU MARIA, *Saint Jean de la Croix.*- Paris 1929. (Abkürzung: P. BRUNO, *Saint Jean*)

DIONYSIUS AREOPAGITA, *De cœlesti hierachia.*- Migne, Patrologia Græca, Band III. (Abkürzung: MIGNE, *P. Gr.* III)

DIONYSIUS AREOPAGITA, *Mystica theologia.*- Migne, Patrologia Græca, Band III. (Abkürzung: MIGNE, *P. Gr.* III)

DIONYSIUS AREOPAGITA, *De divinis nominibus.*- Migne, Patrologia Græca, Band III. (Abkürzung: MIGNE, *P. Gr.* III)

JOANNES A CRUCE, *Obras de San Juan de la Cruz, Doctor de la Iglesia.* Editadas y anotadas por el P. Silverio de Santa Teresia C. D.- Biblioteca Mistica Carmelitana, 10-14, Burgos 1929 ff. (Abkürzung: *Obras*)

JOANNES A CRUCE, *Obras del Mistico Doctor San Juan de la Cruz.* Edición critica.... con introduciones y notas del Padre Gerardo de San Juan de la Cruz.....- Toledo 1912 ff. (Abkürzung: *E. Cr.*)

---

[1] Die Bibliographie ist von den Herausgebern zusammengestellt. Sie umfaßt alle Werke, die E. Stein im Laufe der Darlegungen zitiert oder erwähnt. An dieser Stelle findet der Leser auch die Erklärung der in den Literaturverweisen gebrauchten Abkürzungen.

JOANNES A CRUCE, *Vie [par le P. Jérôme de Saint-Joseph] et œuvres spirituelles de l'admirable docteur mystique, le bienheureux P. Jean de la Croix*.... Traduction nouvelle faite sur l'édition de Séville de 1702, publiée par les soins des Carmélites de Paris.- Paris 1877..

HIERONYMUS A SANCTO JOSEPH, *Historia del V. P. Juan de la Cruz*.- Madrid 1641. (Französische Ausgabe, siehe vorige Angabe)

MIGNE, J. P., *Patrologia Latina*.- 221 Bände, Paris 1844-1855.

MIGNE, J. P., *Patrologia Græca*.- 166 Bände, Paris 1857-1866.

STEIN, E., *Des hl. Thomas von Aquino Untersuchungen über die Wahrheit*. In deutscher Übertragung von E. Stein.- Edith Steins Werke, Band III und IV, Löwen 1953-1954 (Abkürzung: *Untersuchungen über die Wahrheit*)

STEIN, E., *Endliches und Ewiges Sein. Versuch eines Aufstiegs zum Sinn des Seins*.- Edith Steins Werke, Band II, Löwen 1950.

TERESIA A JESU, *Obras de Santa Teresa de Jesus*. Editadas y annotadas por el P. Silverio de Santa Teresa C. D.- Biblioteca Mistica Carmelitana 1-9, Burgos 1915 ff.

TERESIA A JESU, *Das Leben der hl. Teresia von Jesu*.- Neue deutsche Ausgabe der Schriften, Band I, München 1933.

TERESIA A JESU, *Das Buch der Klosterstiftungen*.- Neue deutsche Ausgabe der Schriften, Band II, München 1935.

TERESIA A JESU, *Briefe*.- Neue deutsche Ausgabe der Schriften, Band IV, München 1933.

TERESIA A JESU, *Die Seelenburg*.- Neue deutsche Ausgabe der Schriften, Band V, München 1938.

VERSCHAEVE, C., *Schoonheid en Christendom*.- Brügge 1938.

La Voix de Notre Dame du Mont Carmel.- Edition des Carmes Déchaussés, Band I-II, 1932-1933.